SERMONS

SUR LE CANTIQUE

ŒUVRES COMPLÈTES

XIII

SOURCES CHRÉTIENNES

N° 472

BERNARD DE CLAIRVAUX

SERMONS
SUR LE CANTIQUE
Tome 4
(Sermons 51-68)

TEXTE LATIN DES *S. BERNARDI OPERA* PAR

J. LECLERCQ, H. ROCHAIS ET CH. H. TALBOT

INTRODUCTION, TRADUCTION ET NOTES

par

Paul Verdeyen, s.j.　　　　**Raffaele Fassetta, o.c.s.o.**
Professeur à l'Université d'Anvers　　*Moine de Notre-Dame de Tamié*

*Ouvrage publié avec le concours
du Centre National du Livre
et de la Fondation Singer-Polignac*

LES ÉDITIONS DU CERF, 29, Bd La Tour-Maubourg, Paris 7ᵉ
2003

*La publication de cet ouvrage a été préparée avec le concours
de l'Institut des « Sources Chrétiennes »
(UMR 5035 du Centre National de la Recherche Scientifique).*

AVANT-PROPOS

Dans cette édition du quatrième tome des *Sermons sur le Cantique* de Bernard de Clairvaux, l'introduction et l'annotation reviennent au P. Paul VERDEYEN, s.j., et la traduction au Père Raffaele FASSETTA, o.c.s.o., de l'abbaye Notre-Dame de Tamié. Avec l'aide de Sr Marie-Imelda HUILLE, o.c.s.o., de l'abbaye Notre-Dame d'Igny, M. Jean FIGUET a mis au point l'apparat biblique et rédigé les notes bibliques (signalées par un astérisque). Le P. Bernard de VREGILLE, s.j., a revu la traduction. Le P. VERDEYEN a assuré la relecture de l'ensemble.

Sources Chrétiennes

NOTE SUR L'ÉDITION
DES ŒUVRES COMPLÈTES
DE BERNARD DE CLAIRVAUX

Mise en œuvre à la demande du Centre des Textes Cisterciens, qui dépend de la conférence des Pères abbés et Mères abbesses francophones de l'Ordre Cistercien de la Stricte Observance, la présente édition des Œuvres de Bernard de Clairvaux, avec traduction française, est réalisée sur les bases suivantes.

Le texte original est repris de l'édition critique des *Sancti Bernardi Opera,* procurée par dom Jean Leclercq, assisté de MM. Henri Rochais et Charles H. Talbot, et publiée en huit tomes par le Saint Ordre de Cîteaux, de 1957 à 1977, à Rome, aux Éditions Cisterciennes. A partir du volume n° 393 de la Collection des Sources Chrétiennes, le latin est imprimé sur la base de la saisie informatique réalisée par le Centre de Traitement Électronique des Documents (CETEDOC) de Louvain-la-Neuve, désormais prise en charge par le Centre «Traditio Litterarum Occidentalium» (CTLO) de Turnhout sous la direction du Professeur Paul Tombeur.

Depuis sa parution, ce texte a bénéficié de corrections. Une première série d'errata, colligés par l'auteur lui-même, est à la disposition du public dans le tome 4 du *Recueil d'études sur saint Bernard et ses écrits* de dom Jean Leclercq (Rome 1987, p. 409-418). Une seconde série, moins longue, a été établie par le CETEDOC en vue de la préparation du *Thesaurus sancti Bernardi Claraevallensis,* paru chez Brepols, à Turnhout, en 1987. Pour certaines œuvres, en particulier les traités, un dernier apport provient des notes critiques dues à dom Denis Farkasfalvy et parues pour la plupart dans le tome 1 de l'édition en langue allemande des *Sämtliche Werke* de Bernard de Clairvaux (Innsbruck 1990), en appendice à chaque œuvre traduite. L'édition des Sources Chrétiennes profite de ces amendements. La pagination de l'édition critique est indiquée dans la marge du texte latin; la linéation est nouvelle.

L'apparat critique n'est pas reproduit, les principes d'édition étant rappelés dans l'introduction à chacune des œuvres; les variantes les plus intéressantes sont éventuellement indiquées dans l'annotation. En revanche, un apparat des citations scripturaires a été mis au point sur des bases nouvelles; dans la mesure du possible, on a précisé les sources de ces citations : Vulgate, Pères de l'Église, liturgie, Règle de saint Benoît. Certaines notes, marquées d'un astérisque, explicitent les références scripturaires. Elles sont l'œuvre de M. Jean Figuet.

A la fin de chacune des œuvres sont donnés les index habituels : index des citations scripturaires, index des noms de personnes et de lieux, et index des mots; celui-ci, étant donné le caractère exhaustif des relevés du *Thesaurus sancti Bernardi Claraevallensis,* se limite à un choix de thèmes avec lemmes en français.

On trouvera sur la page ci-contre le plan d'édition des *Œuvres complètes* de Bernard de Clairvaux aux *Sources chrétiennes*. Quelques modifications ne peuvent manquer de survenir, concernant les années prévues pour les parutions. Dans la colonne «Paru» est indiqué en coefficient, après la date, le numéro du tome paru cette année-là.

LA SÉRIE BERNARDINE DANS LA COLLECTION «SOURCES CHRÉTIENNES».

N° SC	N° série bernardine	Ouvrages	Date envisagée	Paru
380	I	Introduction générale		1992
425, 458	II-IX	Lettres	2005-2009	1997[1]-2001[2]
414, 431, 452	X-XIV	Sermons sur le Cantique	2004	1996[1]-1998[2]-2000[3] 2003[4]
–	XV-XIX	Sermons pour l'année	2003-2008	–
390	XX	A la louange de la Vierge Mère		1993
457	XXI	Le Précepte et la Dispense. La Conversion		2000
–	XXII-XXIV	Sermons divers	2004-2006	–
–	XXV-XXVII	Sentences. Paraboles	2006-2008	–
–	XXVIII	Les Degrés de l'humilité et de l'orgueil. Sermons variés	2005	–
393	XXIX	L'Amour de Dieu. La Grâce et le Libre Arbitre		1993
–	XXX	L'Apologie. Office de saint Victor. Prologue de l'Antiphonaire	2006	–
367	XXXI	Éloge de la nouvelle chevalerie. Vie de saint Malachie. Épitaphe. Hymnes		1990
–	XXXII	La Considération	2007	–

SIGLES ET ABRÉVIATIONS

Œuvres de Bernard de Clairvaux[1]

1. En ce qui concerne les œuvres de Bernard de Clairvaux, la présente liste reprend celle du *Thesaurus SBC*, p. XXIII, avec quelques minimes simplifications : suppression d'une abréviation spéciale pour les trois lettres 42, 77 et 190, suppression des astérisques marquant les différences avec la liste de LECLERCQ, *Recueil*, t. 3, p. 9-10 ; en outre *Con+* et *Par+* ont été normalisés en *Conv** et *Par**.

Clem	Sermon pour la fête de saint Clément (S. pour l'année)	*SBO* V
Conv	Aux clercs sur la conversion	IV
Conv*	Aux clercs sur la conversion (version courte)	IV
Csi	La Considération	III
Ded	Sermons pour la dédicace de l'église (S. pour l'année)	V
Dil	L'Amour de Dieu	III
Div	Sermons sur différents sujets	VI-1
Doni	Sermon sur les sept dons du Saint-Esprit (S. variés)	VI-1
Ep	Lettres	VII-VIII
EpiA	Sermons pour l'Épiphanie (S. pour l'année)	IV
EpiO	Sermon pour l'octave de l'Épiphanie (S. pour l'année)	IV
EpiP	Sermons pour le Ier dimanche après l'octave de l'Épiphanie (S. pour l'année)	IV
EpiV	Sermon pour l'Épiphanie (S. variés)	VI-1
Gra	La Grâce et le Libre Arbitre	III
HM4	Sermon pour le mercredi de la semaine sainte (S. pour l'année)	V
HM5	Sermon pour la Cène du Seigneur (S. pour l'année)	V
Hum	Les Degrés de l'humilité et de l'orgueil	III
Humb	Sermon pour la mort d'Humbert (S. pour l'année)	V
Inno	Sermon pour les fêtes de saint Étienne, de saint Jean et des saints Innocents (S. pour l'année)	IV
JB	Sermon pour la Nativité de saint Jean-Baptiste (S. pour l'année)	V
Lab	Sermons lors du travail de la moisson (S. pour l'année)	V

PlV Sermon pour la conversion de saint Paul
(S. variés) .... *SBO* VI-1

PP Sermons pour la fête des saints Pierre et Paul
(S. pour l'année) V

PPV Sermon pour la vigile des saints Pierre et Paul
(S. pour l'année) V

pP4 Sermon pour le 4e dimanche après la Pentecôte
(S. pour l'année) V

pP6 Sermons pour le 6e dimanche après la Pentecôte
(S. pour l'année) V

Pre Le Précepte et la Dispense III

Pur Sermons pour la fête de la Purification de la
Bienheureuse Vierge Marie (S. pour l'année) IV

QH Sermons sur le Psaume «Qui habite»
(S. pour l'année) IV

Quad Sermons pour le Carême (S. pour l'année) IV

Rog Sermon pour les Rogations (S. pour l'année) V

SCt Sermons sur le Cantique .... I-II

Sent Sentences VI-2

Sept Sermons pour la Septuagésime
(S. pour l'année) IV

Tpl Éloge de la nouvelle chevalerie III

VicO Office de saint Victor III

VicS Sermons pour la fête de saint Victor
(S. variés) VI-1

Vol Sermon sur la volonté divine (S. variés) VI-1

Ouvrages, revues, instruments plus fréquemment utilisés

AB	*Analecta Bollandiana*, Bruxelles
ACist	*Analecta Cisterciensia*, Rome, continuation de *ASOC*
AnMon	*Analecta Montserratensia*, Montserrat
ASOC	*Analecta Sacri Ordinis Cisterciensis*, Rome
ASS	*Acta Sanctorum*, Bruxelles
AUBERGER, *L'Unanimité*	J.-B. AUBERGER, *L'unanimité cistercienne primitive, mythe ou réalité?*, Achel 1986
BA	*Bibliothèque Augustinienne*, Paris
BdC	COLLOQUE DE LYON-CÎTEAUX-DIJON, *Bernard de Clairvaux: histoire, mentalités, spiritualité* (Sources Chrétiennes 380), Paris 1992
Bernard de Clairvaux	Commission d'Histoire de l'ordre de Cîteaux, *Bernard de Clairvaux*, Paris 1953
BOUTON-VAN DAMME	J. de la C. BOUTON et J. B. VAN DAMME, *Les plus anciens textes de Cîteaux*, Achel 1974
BREDERO, *Études*	A.H. BREDERO, *Études sur la Vita prima de saint Bernard*, Rome 1960 (nous suivons la pagination de ce volume et non celle des articles parus dans les *ASOC*)
CANIVEZ, *Statuta*	J.-M. CANIVEZ, *Statuta capitulorum generalium ordinis cis-*

	terciensis ab anno 1116 ad annum 1786, 8 t., Louvain 1933-1941
CCL	*Corpus Christianorum Series Latina*, Turnhout
CCM	*Corpus Christianorum Continuatio Medievalis*, Turnhout
CistC	*Cistercienser-Chronik*, Mehrerau
Cîteaux	*Cîteaux in de Nederlanden*, Achel, continué par *Cîteaux, Commentarii cistercienses*, Cîteaux
COCR	*Collectanea Ordinis Cisterciensium Reformatorum*, Scourmont, continués sous le titre suivant
CollCist	*Collectanea Cisterciensia*, Mont-des-Cats
CSEL	*Corpus Scriptorum Ecclesiasticorum Latinorum*, Vienne
DSp	*Dictionnaire de Spiritualité*, Paris
JACQUELINE, *Épiscopat*	B. JACQUELINE, *Épiscopat et papauté chez saint Bernard de Clairvaux* (Atelier de reproduction des thèses), Lille 1975
JÉRÔME, *Nom. hebr.*	JÉRÔME, *Liber Interpretationis Hebraicorum Nominum*, éd. P. de Lagarde, *CCL* 72 (1959), p. 57-161
LECLERCQ, *Recueil*	J. LECLERCQ, *Recueil d'études sur saint Bernard et ses écrits*, 5 t., Rome 1962-1992

Mélanges A. Dimier	*Mélanges à la mémoire du Père Anselme Dimier*, 3 t. de 2 vol., sous la direction de B. Chauvin, Pupillin 1982-1988
Opere di san Bernardo	SAN BERNARDO, *Opere*, sous la direction de F. Gastaldelli (Scriptorium Claravallense), Milan; t. 1, *Trattati*, 1984; t. 6/1 et 6/2 *Lettere*, 1986-1987
PL	*Patrologie Latine*, Migne
RB	Règle de saint Benoît (*SC* 181-182)
RAM	*Revue d'Ascétique et de Mystique,* Toulouse.
RBén	*Revue Bénédictine*, Maredsous
RHE	*Revue d'Histoire Ecclésiastique*, Louvain
Saint Bernard théologien	*Saint Bernard théologien* (Actes du Congrès de Dijon, 15-19 septembre 1953), in *ASOC* 9 (1953)
SBO	*Sancti Bernardi Opera*, 8 t. (éd. par J. Leclercq, H.-M. Rochais et C.H. Talbot, Editiones Cistercienses), Rome 1957-1977
SC	Sources Chrétiennes
Thesaurus SBC	*Thesaurus Sancti Bernardi Claraevallensis* (Série A, Formae, CETEDOC, sous la direction de P. Tombeur), Turnhout 1987
VACANDARD, *Vie*	E. VACANDARD, *Vie de saint Bernard, abbé de Clairvaux,* 2 t., Paris 1895
Vg	Vulgate
Vl	Vieille latine

Apparat biblique [1]

Aucune mention	Identité quasi absolue avec l'édition Weber-Fischer
≠	Divergence entre Bernard et sa source scripturaire
Cf.	Simple allusion au texte biblique
Patr.	Origine patristique des citations bibliques. Cette mention indique qu'il s'agit d'un réminiscence des *Vieilles latines* attestée par une identité, ou une similitude, de terme(s) entre Bernard et un ou plusieurs Pères
Lit.	Origine liturgique des citations bibliques
RB	Identité ou similitude entre le texte biblique de la Règle de saint Benoît et celui de Bernard

---

1. Pour plus de précisions, cf. *SC* 380, p. 255, n. 16.

INTRODUCTION

1. Date des sermons 51 à 68

Les sermons 51 à 64 ont été écrits entre 1139 et 1143.
C'est à cette dernière date qu'eut lieu à Cologne le procès
contre une secte ténébreuse, qui professait plusieurs doctrines manichéistes. Bernard en a été informé par une lettre
d'Évervin, prévôt des chanoines norbertins de Steinfeld. Les
sermons 65 et 66 datent sans doute des années 1144-1145.
Ils ont été écrits après le procès de Cologne et avant le
voyage de Bernard en Languedoc pendant l'été de 1145.
Les sermons 67 et 68 ont suivi de près.

2. Les sermons 65 et 66

Cunan, l'abbé gallois de Margam, a pensé que ces deux
sermons réfutaient les erreurs de Henri de Lausanne, dis-
ciple de Pierre de Bruys. Bernard a, en effet, écrit sa *Lettre*
241 contre les agissements de ces hérétiques à Toulouse.
Mais Mabillon a vu plus juste en constatant que les
SCt 65 et 66 s'en prenaient aux hérétiques rhénans, dont
Bernard avait pris connaissance par la *Lettre* d'Évervin de
Steinfeld, reproduite en appendice de ce volume, p. 411 s.

Steinfeld avait été fondé au Xe siècle comme abbaye bénédictine. En 1121 le monastère a été repris par des chanoines réguliers et en 1135 par les prémontrés de saint Norbert. Ceux-ci ont occupé le site jusqu'en 1803. De nos jours on y trouve une école gérée par les pères salvatoriens. L'ancienne église romane, très belle, est restée intacte et elle abrite le tombeau du saint norbertin Herman-Joseph, mort vers 1250.

En 1143, l'archevêque de Cologne a déféré quelques personnes suspectes d'hérésie devant un tribunal moitié laïque, moitié ecclésiastique. Ce fut à l'occasion de ce procès que le prévôt de Steinfeld s'adressa à l'abbé de Clairvaux pour solliciter son aide dans le combat pour l'orthodoxie. Évervin savait que Bernard venait de commenter le symbolique verset du Cantique : *Prenez-nous ces renardeaux qui ravagent nos vignes* (*Cant.* 2, 15).

Dans sa lettre, Évervin mentionne deux sectes différentes : «Les uns et les autres nous ont été découverts par leurs discussions et leur mutuel dissentiment» (*Lettre* 4, p. 421). Bernard ne signale pas cette différence. Il s'en prend à des doctrines et à des comportements sans mentionner des noms spécifiques. Il se rend parfaitement compte que les *Sermons* 65 et 66 ne s'adressent plus à ses moines *(nostra domestica vinea),* mais à la grande vigne du Seigneur *(dominica vinea).* «Vigne extrêmement grande, plantée de la main du Seigneur, acquise par son sang, irriguée par sa parole, provignée par sa grâce et fécondée par son Esprit. Prenant davantage soin de notre vigne particulière, j'ai été moins utile à la vigne commune.» Ces deux sermons ont-ils réellement été prononcés dans la salle de chapitre de Clairvaux? Plus que pour les autres sermons, il est permis d'en douter. Le public visé se trouvait plutôt au-dehors du monastère. Nous signalerons les réponses de Bernard aux erreurs hérétiques dans les notes qui accompagneront son texte.

3. LE SERMON 67

Le sujet du sermon est l'expérience mystique, en tant
que celle-ci s'exprime par des paroles. Bernard commente
la parole de l'épouse : *Mon Bien-aimé à moi, et moi à
lui* (*Cant.* 2, 16). Elle parle de l'Époux, sans aucun doute,
mais on ne sait à qui elle parle. Comme le contexte du
Cantique le montre, l'Époux est absent. C'est son habitude
de s'en aller après une rapide visite. Pourtant l'épouse
lui reste spirituellement unie, puisqu'elle parle de lui
comme de son Bien-aimé. Elle parle de l'abondance de
son cœur qui est encore plein de la présence spirituelle
de l'Époux.

C'est bien cela : elle a retenu sur ses lèvres celui qui ne
saurait s'éloigner de son cœur, même lorsqu'il s'éloignait. *Ce
qui sort de la bouche vient du cœur* (cf. *Matth.* 15, 18), *et la
bouche parle de l'abondance du cœur* (*Luc* 6, 45). (*SCt* 67, 2)

La citation de *Luc* 6, 45 annonce le sujet proprement
dit du sermon. Le même texte scripturaire réapparaîtra
quelques phrases plus loin, cette fois avec des explications plus abondantes (*SCt* 67, 3). Il faut noter la logique
de l'argumentation de Bernard : parce que l'épouse parle
de son Époux, on peut conclure à une présence spirituelle de Lui en elle. Une telle concordance entre la
bouche et le cœur, formulée déjà comme une exigence
dans la Règle de saint Benoît (chap. XIX), apparaît fréquemment chez Bernard comme une constatation psychologique : la parole prononcée est un signe de l'état
d'âme.

Mais à qui parle l'épouse? Ses paroles sont tronquées.
Elles sont insuffisantes à donner l'intelligence à l'auditeur.
Sans doute parle-t-elle à elle-même : *secum potius et non
cum altero.*

Cette explication ne suffit pas à Bernard. Il cherche un

motif plus profond : *affectus locutus et non intellectus, et ideo non ad intellectum,* «C'est l'affection qui a parlé, et non l'entendement. C'est pourquoi l'on a peine à vous entendre» (*SCt* 67, 3). Pour comprendre les paroles de l'épouse, une analyse grammaticale se révèle insuffisante; on ne fait que découvrir ainsi des déficiences littéraires. Pour comprendre, il faudrait éprouver les sentiments mêmes qui inspirent l'épouse : *Nescimus quid loquitur, quia non sentimus quod sentit,* «Nous ne savons pas ce qu'elle veut dire, parce que nous ne sentons pas ce qu'elle sent» (*SCt* 67, 3). Évidemment, la compréhension dont parle ici Bernard n'est pas d'un ordre conceptuel; elle relève d'une expérience personnelle qui est précisément le genre de connaissance qui importe à l'abbé de Clairvaux.

Avouons qu'il est un conflit inhérent à tout essai de parler des choses divines connues par expérience : on parle pour être entendu, mais les mots ne sont pas capables de communiquer leur sujet. Bien que cette contradiction soit propre à l'expérience spirituelle, on en trouve des analogies dans la vie naturelle : un cri de douleur, de peur ou d'amour par exemple. Celui-ci naît d'une émotion irrésistible et non d'une sobre délibération, pour manifester un état d'âme qu'il ne peut suffisamment exprimer. Ce phénomène psychique se réalise à son tour, si l'amour divin remplit le cœur avec véhémence :

Ainsi l'amour ardent et passionné, surtout l'amour de Dieu, impuissant à se contenir, se répand sans songer à l'ordre des mots, à leur agencement, à leur succession ou à leur concision; tout ce qu'il cherche, c'est de n'y rien perdre de sa force. Parfois il n'a pas besoin de mots, ni même de sons articulés; il se contente des seuls soupirs. De là vient que l'épouse, embrasée d'une façon incroyable par un saint amour, n'aspire qu'à donner un peu d'air à l'ardeur qui la tourmente. Elle ne réfléchit pas à ce qu'elle dit ni à la manière de le dire. Tout ce qui lui monte aux lèvres, sous l'impulsion de l'amour, elle ne l'énonce pas, elle l'« éructe » (*SCt* 67, 3).

Le mot *eructare* est très révélateur dans ce texte. C'est après l'avoir cité et expliqué que Bernard opère une transition entre le cas de l'épouse et celui des auteurs bibliques. C'est au verset 2 du psaume 44 que se lie cette transition : *Eructavit cor meum verbum bonum*, « Mon cœur a éructé une bonne parole. » Pour Bernard, ce texte donne des informations sur l'inspiration du psalmiste. Il anticipe déjà ici ce qu'il dira de l'*eructatio* de David. Parlant des auteurs bibliques, il les appelle *ructatores* et en analyse les *ructus*. En somme, ce mot est toujours présent à sa pensée, depuis la citation du *Ps.* 44, 2, jusqu'à la fin de son développement sur les auteurs bibliques.

Évidemment, il existe un autre élément commun entre l'expérience mystique de l'épouse et celle des auteurs bibliques : à savoir la présence du même Esprit. En effet, citant le verset sur l'*eructatio* de David, Bernard dit tout de suite qu'il ne peut être appliqué à l'épouse que parce qu'elle était remplie du même Esprit : *quippe eodem repleta Spiritu*. On voit ainsi affirmée, à côté de la commune structure de l'*eructatio,* la stricte identité de l'Esprit, origine et cause de toute expérience spirituelle.

Bernard nomme quatre auteurs de l'Ancien Testament : Moïse, Isaïe, Jérémie, David, et deux du Nouveau : saint Paul et saint Jean. Il est important de remarquer que les textes cités, à titre d'exemple de leur *ructus* respectif, ne sont pas tous d'un caractère explicitement mystique. Voyons quel est le choix de Bernard. Sont mentionnés : le récit de Moïse sur la création (*Gen.* 1, 1), la prophétie d'Isaïe sur le Serviteur souffrant (*Is.* 53, 12), un verset des Lamentations (*Lam.* 3, 26), le Psaume 44, le prologue du quatrième Évangile (*Jn* 1, 1) et le témoignage de saint Paul sur son ravissement au troisième ciel (*II Cor.* 12, 4). Les genres littéraires de ces textes bibliques sont très différents. Ce qui démontre que, pour Bernard, l'*eructatio* est un terme susceptible de fonctionner dans des textes aussi divers. Il a donc un sens très large. D'autre part, la tendance explicite de Bernard à généraliser sa conception de l'expérience personnelle, comprise comme source des textes bibliques, apparaît avec évidence. Il applique à des textes aussi nombreux que possible les versets : *Ils ont été remplis d'Esprit saint* (*Ps.* 44, 2), et par leur éructation, *ils ont rempli toutes choses de bonté* (*Ps.* 103, 28).

La description prend une vigueur extraordinaire dans l'évocation de l'éructation de David, qui forme, semble-t-il, le point culminant de tout le sermon. L'élan de ce passage donne l'impression d'une véritable *eructatio*. Bernard réussit à donner ici un exemple concret de ce dont il parle. La beauté du texte nous oblige à le citer intégralement :

David n'était-il pas un juste, quand il disait : *J'ai attendu, attendu le Seigneur* (*Ps.* 39, 2)? C'est le quatrième que je nomme dans la liste de ceux qui ont fait une éructation; j'allais presque le passer sous silence. *Il eût été bien dommage* (*II Cor.* 12, 1). Il *ouvrit sa bouche et aspira l'esprit* (*Ps.* 118, 131); rassasié, non seulement il fit une éructation, mais il se mit à chanter. Jésus miséricordieux, quelle grande douceur pour mes narines et mes oreilles que cette éructation et ce chant! C'est *l'huile d'allégresse dont Dieu t'a oint de préférence à tes compagnons, c'est la myrrhe, l'aloès et la cannelle qui ruissellent de tes vêtements; avec ces parfums, sortis de maisons d'ivoire, des filles de rois t'ont réjoui et honoré* (*Ps.* 44, 8-10). Puisses-tu me juger digne de rencontrer ce grand prophète, ton ami, au jour de fête et de joie, lorsqu'*il sort de ta chambre nuptiale* (*Joël* 2, 16), chantant son épithalame sur *la harpe mélodieuse et la cithare* (*Ps.* 80, 3), *débordant de bonheur* (*Cant.* 8, 5), aspergé de ces *aromates odoriférants* qu'il répand *partout* (*Cant.* 3, 6)! Ce jour-là, ou plutôt à cette heure-là – car si cela arrive, ce sera dans l'espace d'une heure, et peut-être moins encore, d'une demi-heure, selon cette parole de l'Écriture : *Il se fit un silence dans le ciel, environ une demi-heure* (*Apoc.* 8, 1) – à cette heure-là, *mes lèvres éclateront de joie et ma langue tressaillira d'allégresse* (*Ps.* 125, 2). Car je humerai, je ne dis pas chaque psaume, mais chaque verset, chaque éructation, et leur parfum *surpassera tous les arômes* (*Cant.* 4, 10). (*SCt* 67, 7)

La densité du texte appelle quelques explications. Après avoir décrit l'état de joie spirituelle de David lors de la composition du Psaume 44, Bernard évoque ses propres expériences spirituelles liées à la méditation de ce texte. Il aime citer ce psaume et on ne trouve guère un autre passage de la Bible qui revienne aussi souvent sous sa plume.

Il exprime ensuite son désir de rencontrer David chantant son épithalame et, dans cette rencontre, de jouir de chaque verset des psaumes comme d'un *ructus*. En désignant la durée de cette rencontre par le verset de l'Apocalypse 8, 1, il nous donne la clef de sa pensée. Dans la tradition patristique, spécialement chez Grégoire le Grand, cette citation est appliquée à l'extase mystique (*Hom. in Ez.* II, 2, 14). Bernard lui-même interprète ce passage biblique d'une manière semblable dans son *De gradibus humilitatis* (*Hum* VII, 21, *SBO* III, 33, 1-7). Dans notre sermon, l'importance de cet *horae dimidium* est mieux élaborée. Le moment de l'extase devient un sommet temporel, grâce à l'usage des expressions *illa die* et *illa hora,* qui désignent un moment privilégié, celui de l'intervention divine dans l'histoire du salut. On y trouve sa doctrine bien connue sur la rareté et la brièveté de l'expérience mystique : *rara hora et parva mora* (*SCt* 23, 15, *SC* 431, p. 230-231).

Bernard désire l'extase comme ce *ructus* qui révèle l'expérience de David composant son épithalame. Le sommet mystique se présente ainsi comme une reproduction, dans l'âme du lecteur, de l'inspiration originelle du texte biblique médité. Celui-ci n'est vraiment compris que par une expérience spirituelle qui seule en dégage toute la douceur. Dans cette perspective bernardine, une pleine compréhension du texte suppose une expérience personnelle aussi forte que celle qui fut vécue par l'auteur, lors de la composition. Alors les mots bibliques sortent de la bouche du lecteur avec la spontanéité et l'authenticité qui les fit surgir, la première fois, du cœur de l'auteur inspiré. L'exégète mystique est alors inspiré lui aussi : l'inspiration de l'auteur se renouvelle en lui, de façon à lui faire comprendre le texte qu'il étudie : le sens de l'Écriture s'actualise en lui. On trouve une idée semblable chez Guillaume de Saint-Thierry (*Exposé sur le Cant.* 4, *SC* 82, p. 74-77).

Telle est la note la plus caractéristique de l'attitude bernardine à l'égard de l'Écriture sainte. L'inséparable unité de la mystique propre à l'étude patristique de la Bible repose sur cette conception de l'inspiration. Le saint abbé ne considère pas l'inspiration comme un fait du passé, un fait qui, une fois accompli, n'aurait plus rien à dire à l'exégète, et dont la conséquence principale serait de l'obliger à retrouver partout une parfaite inerrance, à toujours démontrer que l'Écriture n'erre pas ni ne ment. Au contraire, puisqu'il la traite comme une expérience débordant en paroles humaines, il exige qu'elle s'actualise une nouvelle fois, pour la compréhension des paroles dérivées d'elle. On le devine alors : dans la perspective de cette exégèse, le «sens» d'un texte ne consiste pas seulement dans les vérités qu'il énonce, mais encore dans l'état d'âme concret qui le fit naître, envisagé sous tous ses aspects, intellectuels et affectifs. C'est ainsi que l'exégète voit en l'auteur un idéal à reproduire. Il le considère non seulement en tant qu'instruisant l'intelligence de ses lecteurs, mais aussi en tant qu'en leur donnant un exemple vital. Il découvre en lui un mystique, un saint, et il cherche à copier toutes ses dispositions intérieures, dont le secret lui est rendu accessible grâce à la méditation de ses écrits.

On pourrait encore formuler cette conclusion dans le sens inverse. Comme la pensée de Bernard était toute tendue vers une expérience spirituelle, il était tout naturel de projeter sur les auteurs bibliques ces hautes aspirations. D'où cette image que l'on se faisait d'eux, comme de grands mystiques jouissant d'expériences spirituelles. Ils devenaient ainsi des exemples pour la contemplation biblique. On comprend alors le postulat de la spiritualité biblique de Bernard, qui voit dans la Bible le guide par excellence de l'expérience spirituelle, parce qu'il la voit dérivée toute entière d'expériences mystiques, parce qu'il la conçoit comme l'œuvre de saints.

N.B. Toute cette analyse du *SCt* 67 reproduit en plus bref l'étude de D. FARKASFALVY, *L'inspiration de l'Écriture sainte dans la théologie de saint Bernard* (*Studia Anselmiana* 53, p. 73-82).

4. LES CINQ SENS SPIRITUELS

La doctrine des sens spirituels se trouve annoncée dans la *Lettre aux Éphésiens,* qui parle des yeux illuminés du cœur (*Éph.* 1, 18). Elle est précisée aussi bien par Origène que par Augustin. Citons les textes les plus explicites.

Celui qui fait un examen plus approfondi dira qu'il existe un sens générique divin. Seul le bienheureux saura le trouver, comme il est dit dans Salomon : *Tu trouveras un sens divin* (*Prov.* 2, 5). De ce sens il y a différentes espèces : une vue pour contempler les objets supracorporels, comme c'est manifestement le cas pour les chérubins ou pour les séraphins ; une ouïe capable de distinguer des voix, qui ne retentissent pas dans l'air ; un goût pour savourer le pain vivant descendu du ciel afin de donner la vie au monde (cf. *Jn* 6, 33) ; de même un odorat qui perçoit les réalités qui ont porté Paul à se dire une bonne odeur du Christ (cf. *II Cor.* 2, 15) ; un toucher que possédait Jean lorsqu'il nous dit qu'il a palpé de ses mains le Verbe de vie (cf. *I Jn* 1, 1). (ORIGÈNE, *Contre Celse* I, 48, *SC* 132, p. 203-205)

Remarquons que les sens spirituels ont un lien évident avec les cinq sens corporels. Comme ces sens corporels n'ont pas la même acuité dans tous les êtres humains, de même les sens spirituels ne sont pas également actifs dans toutes les âmes. Certaines âmes en semblent même totalement dépourvues.

Augustin reprend la doctrine origénienne dans le dixième livre des *Confessions* :

Eh bien! qu'est-ce que j'aime quand je t'aime?
Ce n'est pas la beauté d'un corps, ni le charme d'un temps,
ni l'éclat de la lumière, amical à mes yeux d'ici-bas,
ni les douces mélodies des cantilènes de tout mode,
ni la suave odeur des fleurs, des parfums, des aromates,
ni la manne ou le miel,
ni les membres accueillants aux étreintes de la chair :
ce n'est pas cela que j'aime quand j'aime mon Dieu.
Et pourtant, j'aime certaine lumière et certaine voix,
certain parfum et certain aliment et certaine étreinte
quand j'aime mon Dieu,
lumière, voix, parfum, aliment, étreinte
de l'homme intérieur qui est en moi,
où brille pour mon âme ce que l'espace ne saisit pas,
où résonne ce que le temps rapace ne prend pas,
où s'exhale un parfum que le vent ne disperse pas,
où se savoure un mets que la voracité ne réduit pas,
où se noue une étreinte que la satiété ne desserre pas.
C'est cela que j'aime quand j'aime mon Dieu (*Conf.* X, VI, 8).

Le texte augustinien dit bien la différence entre les sensations matérielles et les sensations spirituelles, quoique ces différentes sensations se perçoivent par les mêmes sens. Comme Origène il exprime son expérience religieuse par des sensations corporelles et psychologiques. Ce n'est certainement pas un hasard que les développements les plus beaux et les plus détaillés se trouvent dans les commentaires du Cantique des cantiques. Nous pensons aux homélies et au commentaire d'Origène (*SC* 37 ; 375 et 376), aux sermons de Bernard (*SC* 414, p. 431 et 452) et au commentaire de Guillaume de Saint-Thierry (*SC* 82). Origène dit du Cantique que c'est le livre dans lequel Salomon, sous l'image de l'épouse et de l'époux, inspire à l'âme l'amour du ciel et le désir des biens divins et lui apprend à parvenir par les voies de la charité et de l'amour à la communion avec Dieu (*Comm. sur le Cant.*, prol. 3, 7 ; *SC* 375, p. 133)

Pour comprendre les textes de Bernard, il faut se convaincre que l'homme spirituel ne dispose pas d'autres facultés que l'homme naturel. Les sensations spirituelles sont des opérations spéciales des facultés ordinaires et communes à tous les hommes. Pour mieux situer l'activité des sens spirituels, résumons la conception cistercienne de l'être humain. Le composé humain vit à trois niveaux différents. Il y a d'abord le niveau naturel ou biologique. Il s'agit ici de la vie corporelle et de l'activité des cinq sens corporels. Cette activité tend à organiser le monde et à emmagasiner toutes les informations utiles.

Au-dessus des cinq facultés corporelles, on trouve les trois facultés supérieures de l'âme : la mémoire, l'intelligence et la volonté. Ces facultés supérieures tendent à enrichir l'intelligence et à former la vision intérieure de l'âme. Toutes ces facultés proviennent – ou descendent – du cœur, l'essence singulière de chaque personne humaine que l'on nommera plus tard la fine pointe de l'âme. Il faut se rappeler que les objets extérieurs ne touchent le cœur humain que par l'entremise des facultés. Notre intelligence ne comprend que les données qui ont passé d'abord par les sens.

Cet adage connu de la philosophie scolastique n'admet qu'une seule exception : Dieu peut parler directement au

cœur humain. Directement : sans passer obligatoirement
par les facultés ou par les sens. Mais une telle rencontre
change profondément l'activité des facultés humaines. Étant
par nature dominatrices et égocentriques, elles subissent
un profond changement grâce à la présence directe de
l'Esprit divin. Le cœur dominateur apprend alors à servir
ses frères. Égoïste par les nécessités de la nature, il devient
altruiste et attentif aux besoins du prochain. Cette nouvelle
activité se communique aussi aux cinq sens du corps, qui
deviennent spirituels par la nouvelle orientation donnée
par l'Esprit divin. La présence divine réoriente de même
l'activité de l'intelligence – informée par l'amour – et de
la volonté qui apprend à se donner ou à s'abandonner.
En d'autres mots : le Saint-Esprit donne de nouvelles
antennes aux sens corporels et aux facultés supérieures.

Dans le sermon 67, Bernard parle abondamment des
sens spirituels. Il commente le verset 2 du *Psaume* 44 :
Eructavit cor meum verbum bonum, « Mon cœur a éructé
une bonne parole. » Ce commentaire est le fruit des offices
monastiques et de la fréquente récitation des psaumes.
Outre David, l'abbé de Clairvaux mentionne quatre *ructatores* de l'Ancien Testament : Moïse, Isaïe, Jérémie et la
Sunamite du Cantique. Il y ajoute deux *ructatores* du
Nouveau Testament : Paul et Jean (cf. p. 25 s.). Il souligne la bonne odeur de leur éructation. Ce qui étonne
dans les considérations de Bernard, c'est qu'il présente
les sentiments spirituels non comme des fruits de la présence divine, mais comme des signes qui annoncent l'ar-
rivée du Bien-aimé. Ces signes annonciateurs devancent
souvent la venue directe du Verbe dans l'âme humaine
(cf. *SCt* 74, 5-6, *SBO* II, p. 242-243). Le plus souvent ce
sont les trois sens obscurs – l'odorat, le goût et le toucher
– qui perçoivent les premiers effets de la présence divine.

C'est un bon récipient que l'épouse de mon Seigneur, et
l'odeur qui s'exhale d'elle est pour moi exquise. Je te rends

grâces, Seigneur Jésus : tu as daigné m'admettre au moins à respirer ce parfum (*SCt* 67, 4-5).

Mais *je suis pécheur* (*Lc* 5, 8) et *il me reste encore un long chemin à parcourir* (*III Rois* 19, 7)... Je ne murmurerai pas, pourtant; dans l'attente, je me consolerai avec le parfum. *Le juste se réjouira dans le Seigneur* (*Ps.* 118, 155), car lui il expérimente par le goût ce que moi je sens par l'odorat (*SCt* 67, 6).

Ces textes nous préparent à davantage apprécier l'éructation de David, point culminant de tout le sermon.

Notons qu'Ignace de Loyola a donné une grande place aux cinq sens spirituels dans les *Exercices Spirituels*. Manifestement il connaissait bien la spiritualité médiévale et il ne voulait pas s'éloigner d'elle. A partir de la deuxième semaine, il veut que le retraitant termine chaque jour par une « application » des cinq sens. Il place ce genre de prière au terme de l'effort d'une journée comme pour en recueillir tout le fruit. Une telle prière marque un évident progrès sur les formes discursives ou même affectives de la méditation. Citons les quatre points mentionnés par Ignace :

1. Par le regard de l'imagination, voir les personnages [de la péricope évangélique que l'on a méditée]. Méditer et contempler en détail ce qui les concerne et tirer quelque profit de ce que l'on voit.

2. Par l'oreille, écouter ce qu'ils disent ou peuvent dire. Et, réfléchissant en soi-même, en tirer quelque profit.

3. Par l'odorat et le goût, sentir et goûter l'infinie suavité et douceur de la divinité, de l'âme et de ses vertus, et de tout le reste, selon le personnage que l'on contemple. Réfléchir en soi-même et en tirer profit.

4. Par le tact, toucher : par exemple, embrasser et baiser les lieux où les personnages passent et s'arrêtent, tâchant toujours d'en tirer profit. (*Exercices Spirituels,* trad. F. Courel, Paris 1960, §§ 122-125)

N.B. Pour une plus ample explication des sens spirituels, voir A. POULAIN, *Des grâces d'oraison,* Paris 1931, p. 93-117 ; K. RAHNER, « Le début d'une doctrine des cinq sens spirituels chez Origène », *RAM* 13, 1932, p. 113-145 ; Mariette CANÉVET, art. « Sens spirituel », *DSp* 14, 1990, col. 598-617.

5. CORRECTIONS DU TEXTE LATIN DES SBO POUR LES *SCt* 51-68.

Le texte latin est repris de l'édition critique des *SBO* II, p. 83-201. En 1987, dom Jean Leclercq a publié une liste de corrections (*Recueil*, t. 4, p. 410-411), signalées ici par un astérisque. Nous avons nous-même ajouté quelques autres corrections. Voici l'ensemble des corrections faites sur le texte des *SBO* pour les *Sermons sur le Cantique* 51 à 68 :

p., l. *SBO*	.au lieu de	**Serm,**§,l. *SC*	leçon proposée
89,1-2	superexcellentiae	**51**,9,10	superexcellente
90,5	cervive	**52**,tit.	cervique
92,29	in	**52**,5,5	cum
94, 8*	importunitatem	**52**,6,22	importunitate
95,3	pusillanimum	**52**,7,10	pusillanimis
95,18	vel transilit	**53**,tit.	vel quos transilit
98,16	5.	**53**,5,1	**III. 5.**
98,19	III. Et iuxta	**53**,5,5	Et iuxta
99,2	et accipiunt	**53**,5,17	et felicitate accipiunt
111,21	amans, cursim	**55**,1,21	amans cursim
112,30-31*	ACCE-CEPERO	**55**,3,3	*accepero*
115,25	non est	**56**,2,18	est
140,5*	Tunc	**59**,8,7	Tune
142,2	protulit	**60**,tit.	prodiderit
142,4	qui vineae	**60**,tit.	quae vineae
154,7	SONET VOX etc.	**62**,tit.	*sonet vox tua in auribus meis*
164,5	5. CAPITE	**63**,5,1	**III. 5.** *Capite*
164,6	III. Locus	**63**,5,2	Locus
164,23*	NOSTA	**63**,5,24	*nostra*

173,27* . . . censet . . . . **65**,3,4 . . . . censent

176,9 . . . . . 6. . . . . **65**,6,1 . . . . **III. 6.**

178,3 . . . . . condemnent . . . . . **66**,tit. . . . . . condemnant

178,3 . . . . . et plerique . . . . **66**,tit. . . . . . quas plerique

178,4 . . . quid contra. . . . **66**,tit. . . . quid contra
valeat responderi.

178,5 . . . . . quomodo se corpus **66**,tit. . . . . . quod corpus
Christi conficere   Christi se conficere

180,18* . . . solus . . . . **66**,3,35 . . . solos

181,9 . . . . . ILLOS. . . . . **66**,4,25 . . . *illos.* »

181,20* . . . destruendum . . . . . **66**,4,40 . . . astruendum

182,5 . . . . . est. » . . . . **66**,5,16 . . . est.

183,24 . . . . 9. Videte . . . . **66**,9,1 . . . . **IV. 9.** Videte

183,26 . . . . IV. Irrident . . . . **66**,9,1 . . . . Irrident

192,21* . . . gravisus est . . . . . . **67**,6,22 . . . gavisus est

195,28 . . . . quia . . . . **67**,12,3 . . . qua

197,3 . . . . . in immensum . . . . . **68**,1,14 . . . immensum

198,28* . . . adstringendus . . . . **68**,4,8 . . . . adstringendas

199,23 . . . . MALA. . . . . **68**,5,11 . . . *mala?*

TEXTE ET TRADUCTION

SERMO LI

I. De floribus vel malis quibus stipatur Ecclesia vel fidelis anima. – II. Quomodo sponsa fide et operibus adolescentularum sustentari petit, donec abest sponsus. – III. Quae laeva, quae dextera sponsi sit, et quae huius verbi consequentia. – IV. Quando mens laevam habet sub capite, quando supra, et de spe media.

I. De floribus vel malis quibus stipatur Ecclesia vel fidelis anima.

1. *Fulcite me floribus, stipate me malis, quia amore langueo*[a]. Crevit amor, quia incentiva amoris plura solito processerunt. Vides siquidem quanta hac vice non videndi tantum, sed et colloquendi copia fuit. Ipsa quoque visio apparet vultu indulta sereniori, et sermo iucundior, et sermocinatio longior atque protractior. Nec solum oblectata colloquio, sed et gloriata praeconio est. Ad haec *eius quem desideraverat* refrigerata est *umbra*, cibata *fructu*[b], potata calice[c]. Nec enim sitibunda putanda est exisse de *cella vinaria, in* quam *se introductam*[d] modo novissime

84   5

10

1.a. Cant. 2, 5   b. Cant. 2, 3 ≠   c. cf. Matth. 20, 22; cf. Ps. 68, 22
d. Cant. 2, 4 ≠

1. *Ad haec... umbra :* Bernard fait ici une claire allusion à *Cant.* 2, 3. Il emploie le relatif masculin *quem* et renvoie ainsi à l'Époux, comme dans *SCt* 48, 6-8 (cf. *SC* 452, p. 320, n. 1). Aux XIIe-XIIIe s., la tradition manuscrite était controversée et *quam,* renvoyant à *umbra,* était usité. Bernard évoque le débat quand il vient à citer le verset dans *NBMV* 2 (*SBO* V, p. 276, l. 2-6); il insiste alors sur le sens personnel que prend ainsi la parole de l'Épouse : elle n'a désiré ni l'ombre ni le repos à

SERMON 51

I. Les fleurs et les pommes qui fortifient l'Église et l'âme fidèle. – II. L'épouse demande à être soutenue par la foi et les œuvres des jeunes filles, tant que l'Époux est absent. – III. La main gauche et la main droite de l'Époux. Cohérence de ce langage. – IV. A quels moments notre esprit a la main gauche de l'Époux sous la tête, et à quels moments sur la tête. L'espérance intermédiaire.

I. Les fleurs et les pommes
qui fortifient l'Église et l'âme fidèle.

1. « Soutenez-moi avec des fleurs, fortifiez-moi avec des pommes, car je suis malade d'amour[a]. » L'amour a grandi, car les stimulants de l'amour se sont faits plus nombreux que de coutume. Vois en effet quelle grande liberté, non seulement de voir l'Époux, mais aussi de s'entretenir avec lui, a été cette fois laissée à l'épouse. Il semble même que l'Époux lui a montré un visage plus serein, que ses paroles ont été plus gaies et la conversation davantage prolongée. Non seulement l'épouse a pris plaisir à l'entretien, mais elle a aussi tiré gloire de l'éloge reçu. De plus, elle s'est reposée « à l'ombre de celui qu'elle avait désiré »; elle s'est nourrie de « son fruit[b1] » et désaltérée à son calice[c]. Car il ne faut pas penser qu'elle soit sortie assoiffée du « cellier au vin », où elle se vante à présent « d'avoir été tout récemment introduite[d2] ». Ou plutôt oui,

l'ombre, mais la personne même de l'Époux. Dans les *SCt,* Bernard écrit toujours *quem,* sans l'expliquer.
   2. Cf. *SCt* 49, 1-4 (*SC* 452, p. 328-335).

gloriatur : immo vero sitibunda, quoniam *qui bibit me
adhuc sitiet*[e]. Post ista omnia, sponso more suo secedente,
illa languere amore se perhibet[f], id est prae amore. Quo
gratiorem fuerat experta praesentiam, eo postmodum
15 absentiam molestiorem sensit. Subtractio nempe rei quam
amas augmentatio desiderii est, et quod ardentius
desideras, cares aegrius. Rogat proinde ista interim odoramentis florum ac fructuum confoveri[g], quousque denuo
revertatur, quem molestissime sustinet demorantem. Atque
20 is ordo sermonum.

2. Nunc iam spiritualem fructum, qui in ipsis est, Spiritu
duce[a] tentemus eruere. Et si communis *Ecclesia
sanctorum*[b] hic recipitur loquens, nos in floribus fructi-
busque designati sumus, sed et quique conversi de saeculo
5 in toto saeculo. In floribus quidem novella et tenera adhuc
incipientium conversatio demonstratur, in fructibus vero
proficientium fortitudo et maturitas perfectorum. His stipata
mater praegnans et fructificans[c], *cui vivere Christus est et
mori lucrum*[d], profecto aequanimius fert molestiam suae
10 dilationis, quoniam, iuxta Scripturam, *datur ei de fructu
manuum suarum*[e], tamquam ex *primitiis Spiritus*[f], *et*

e. Sir. 24, 29 ≠   f. cf. Cant. 2, 5; cf. Matth. 25, 5   g. cf. Cant. 2, 5;
cf. Matth. 25, 5

2.a. cf. Jn 16, 13 (Patr.)   b. Sir. 31, 11   c. cf. Ps. 127, 3   d. Phil. 1,
21 ≠   e. Prov. 31, 31 ≠   f. Rom. 8, 23 ≠

1. * Bernard cite ce texte 9 fois sur 14 au singulier, alors que *Vg*
comme Septante sont au pluriel. Seul parmi tous les Pères, semble-t-il
bien, «Eusèbe le Gallican» emploie le singulier (*Hom.* 38, 7; *CCL* 101 A,
448, l. 233; selon son éditeur, on doit situer l'ensemble de ces homélies
«entre le VIe et le IXe s.»). Il se trouve qu'«Eusèbe» introduit ainsi sa
citation : *Ipsa de se Sapientia loquitur...*, «La Sagesse dit elle-même en
parlant d'elle...» et que Bernard, avant ses propres citations, emploie
plusieurs fois des termes très voisins; en particulier, dans *Lab* 3, 4 (*SBO*
V, p. 224, l. 19), il écrit : *Ipsa est quae de se loquitur Sapientia.* Toutefois, un effet d'entraînement de *Jn* 4, 13; 6, 55. 57; 7, 37 a pu jouer.
Au total, cette dépendance d'«Eusèbe» n'est que plausible.

elle est assoiffée, parce que «celui qui me boit aura encore soif[e1]». Après tout cela, l'Époux s'éloignant à son habitude, l'épouse se déclare malade d'amour[f], c'est-à-dire à cause de l'amour. Plus elle avait expérimenté la présence de l'Époux comme agréable, plus elle a ressenti son absence comme pénible[2]. La privation de ce que tu aimes provoque l'accroissement du désir, et plus ton désir est ardent, plus le manque t'est douloureux. Aussi demande-t-elle qu'on la ranime par les parfums des fleurs et des fruits[g], jusqu'à ce que revienne à nouveau celui dont elle supporte le retard avec tant de peine. Tel est l'enchaînement du discours.

2. Essayons maintenant, sous la conduite de l'Esprit[a3], d'en dégager le fruit spirituel. Si nous admettons que c'est la commune «Église des saints[b]» qui parle ici, alors c'est nous qui sommes désignés par les fleurs et les fruits, mais aussi tous ceux qui, au cours des siècles, se sont retirés du siècle. Les fleurs représentent la vie toute neuve et encore fragile des débutants, les fruits en revanche la force de ceux qui progressent et la maturité des parfaits. Fortifiée par eux, la Mère féconde porte des fruits[c4], elle «pour qui vivre c'est le Christ, et mourir est un gain[d]». Elle supporte plus sereinement la peine de son attente puisque, selon l'Écriture, «on lui donne du fruit de ses mains[e]», comme des «prémices de l'Esprit[f]», «et ses

---

2. Une des premières descriptions de l'alternance de la présence et de l'absence de l'Époux. Cette alternance intensifie les sentiments.

3. * Bernard écrit constamment, non pas *docebit,* «il enseignera» avec *Vg,* mais *introducet, inducet, perducet,* «il guidera dans» avec plusieurs Pères, Augustin en particulier. Cf. *SC* 431, p. 116, n. 1 sur *SCt* 19, 5.

4. * Bernard use ici d'une variété particulière de «jeu biblique». Il vient de faire une allusion brève mais nette au *Ps.* 127, 3 par un mot peu usité : *novella.* Voici maintenant qu'une partie du même verset *(uxor tua sicut vitis abundans)* est repris, démarqué sans être toutefois cité, à travers les mots : *mater praegnans et fructificans.*

laudant eam in portis opera eius[g]. Si autem secundum
moralem sensum in una anima vis tibi utraque haec
assignari, et flores videlicet et fructus, fidem florem,
15 fructum actum intellige. Nec incongrue, ut opinor, id tibi
videbitur, si ad instar floris necessario praecedentis
fructum, bonum quoque opus fide oporteat praeveniri[h].
Alioquin *sine fide impossibile est placere Deo*[i], Paulo attestante, magis autem aeque ipso docente : *Omne quod non
20 est ex fide, etiam peccatum est*[j]. Itaque nec sine flore
fructus, nec sine fide opus bonum. Sed *et fides sine
operibus mortua est*[k], sicut inutiliter quoque flos apparet,
ubi non sequitur fructus. *Fulcite me floribus, stipate me
malis, quia amore langueo*[l]. Ergo *ex bonis operibus*[m] *in
25 fide non ficta radicatis*[n] recipit consolationem mens
assueta quietis, quotiens sibi lux, ut assolet, contemplationis subtrahitur. Quis enim non dico continue, sed vel
diu, dum in hoc corpore manet, lumine contemplationis
fruatur[o]? At quoties, ut dixi, corruit a contemplativa, toties
30 in activam se recipit, inde nimirum tamquam e vicino
familiarius reditura in idipsum, quoniam sunt invicem
contubernales hae duae et cohabitant pariter : est quippe
soror Mariae Martha[p]. Neque enim, etsi a contemplationis
lumine cadit, patitur tamen ullatenus incidere tenebras
35 peccati seu ignaviam otii, sane in luce bonae operationis
se retinens. Et ut scias etiam opera lucem esse : *Luceat
lux vestra,* inquit, *coram hominibus*[q] : quod non est
dubium de operibus fuisse dictum, quae homines poterant
intueri[r].

---

g. Prov. 31, 31 ≠   h. cf. Phil. 1, 6   i. Hébr. 11, 6 ≠   j. Rom. 14,
23 k. Jac. 2, 20. 26 ≠   l. Cant. 2, 5   m. I Pierre 2, 12   n. I Tim. 1,
5 ≠; Éphés. 3, 17 ≠   o. cf. II Cor. 5, 6; cf. II Cor. 4, 17-18   p. cf. Lc
10, 39-42   q. Matth. 5, 16   r. cf. Matth. 5, 16

---

1. Cf. *SC* 452, p. 179, n. 1 sur *SCt* 40, 3.

œuvres publient sa louange aux portes[g]». Si d'autre part
tu veux, selon le sens moral, que les fleurs et les fruits
se rapportent à une seule âme, tu entendras que la fleur
symbolise la foi et le fruit l'acte. Cette interprétation, je
pense, ne te semblera pas inconvenante, s'il faut qu'une
bonne œuvre soit prévenue par la foi[h], comme la fleur
précède forcément le fruit. D'ailleurs, «sans la foi il est
impossible de plaire à Dieu[i]», saint Paul l'atteste. Bien
plus, il enseigne aussi que : «Tout ce qui ne procède
pas de la foi est péché[j].» Aussi, sans la fleur, pas de
fruit; et sans la foi, pas de bonne œuvre. Mais «la foi
sans les œuvres est morte[k]», comme la fleur paraît en
vain, lorsqu'elle n'est pas suivie du fruit. «Soutenez-moi
avec des fleurs, fortifiez-moi avec des pommes, car je
suis malade d'amour[l].» Toutes les fois qu'une âme, accou-
tumée au repos, se voit retirer la lumière de la contemplation, comme cela arrive régulièrement, elle trouve un
réconfort «dans les bonnes œuvres[m] enracinées dans une
foi sincère[n]». Car qui pourrait jouir de la lumière de la
contemplation[o], je ne dis pas continuellement, mais même
longtemps, tant qu'il demeure dans ce corps? Mais,
comme je l'ai dit, chaque fois que l'âme retombe hors
de la vie contemplative, elle se réfugie dans la vie active,
comme dans un endroit tout proche d'où elle pourra
revenir plus aisément à son premier état. Ces deux vies,
en effet, logent sous le même toit et habitent ensemble :
Marthe est bien la sœur de Marie[p 1]. Même si l'âme
retombe de la lumière de la contemplation, elle ne subit
pourtant pas la chute dans les ténèbres du péché ou
dans l'indolence de l'oisiveté; elle se maintient dans la
lumière d'une activité louable. Pour que tu saches que
les œuvres aussi sont lumière, l'Écriture dit : «Que votre
lumière brille aux yeux des hommes[q].» Sans aucun doute
cela a été dit des œuvres que les hommes pouvaient
voir[r].

II. Quomodo sponsa fide et operibus adolescentularum sustentari petit, donec abest sponsus.

3. *Fulcite me floribus, stipate me malis, quia amore langueo*[a]. Cum prope est quod amatur, viget amor; languet cum abest. Quod non est aliud, quam taedium quoddam impatientis desiderii, quo necesse est affici mentem vehe-
5 menter amantis, absente quem amat, dum totus in exspectatione, quantamlibet festinationem reputat tarditatem. Et ideo ista postulat sibi accumulari bonorum operum fructus cum fidei odoramentis, in quibus, *moram faciente sponso*[b], interim requiescat. Loquor vobis experimentum meum
10 quod expertus sum. Si quando sane comperi profecisse aliquos vestrum ex meis monitis, tunc non me piguit, fateor, curam praetulisse sermonis proprio otio et quieti. Cum enim, verbi gratia, post sermonem iracundus quispiam reperitur mutatus in mitem, superbus in humilem,
15 pusillanimis in fortem; porro mitis, humilis, fortis, in sua quisque gratia excrevisse, et seipso melior factus esse agnoscitur; sed et qui forte tepuerant et languebant circa spirituale studium, torpentes et dormitantes[c], ad *ignitum eloquium*[d] Domini referbuisse et evigilasse videntur; et
86 20 qui, deserto *fonte* sapientiae, *foderant sibi* propriae voluntatis *cisternas, non valentes aquas continere*[e], propte- reaque, ad omne iniunctum gravati, corde arido murmurabant, nullum in se habentes devotionis humorem[f]: hi, inquam, cum de rore verbi et *pluvia volun-*

3.a. Cant. 2, 5   b. Matth. 25, 5   c. cf. Matth. 25, 5   d. Ps. 118, 140   e. Jér. 2, 13 ≠   f. cf. Lc 8, 6

---

1. Cf. P. VERDEYEN, «Bernard, théologien de l'expérience», *BdC* p. 557-577.

II. L'épouse demande à être soutenue
par la foi et les œuvres des jeunes filles,
tant que l'Époux est absent.

3. «Soutenez-moi avec des fleurs, fortifiez-moi avec des pommes, car je suis malade d'amour[a].» En présence de ce qu'il aime, l'amour est vigoureux; il languit en son absence. Cette langueur n'est rien d'autre qu'un certain chagrin du désir impatient, dont l'âme qui aime avec passion est nécessairement affectée, lorsque celui qu'elle aime est absent. Tout entière dans l'attente, elle estime trop lente la hâte la plus empressée. L'épouse demande donc qu'on amasse pour elle les fruits des bonnes œuvres avec les parfums de la foi, pour y trouver quelque apaisement «tant que l'Époux tarde à venir[b1]». Je vous parle de l'expérience que j'en ai faite moi-même. Si j'ai pu parfois constater que certains d'entre vous ont fait des progrès grâce à mes avertissements, je n'ai pas regretté, je l'avoue, d'avoir préféré le souci de la prédication à mon propre loisir et à ma quiétude personnelle. Par exemple, après un sermon, un homme coléreux se découvre transformé en homme doux, un orgueilleux en humble, un faible en fort; de plus, le doux, l'humble, le fort reconnaissent qu'ils ont grandi chacun dans sa grâce propre et qu'ils sont devenus meilleurs qu'ils n'étaient. De leur côté, ceux qui étaient devenus tièdes et sans ressort dans l'effort spirituel, indolents et somnolents[c], se réveillent et retrouvent une nouvelle ferveur «au feu de la parole[d]» du Seigneur. D'autres avaient abandonné «la source» de la sagesse «pour se creuser les citernes» de leur volonté propre, «citernes incapables de retenir l'eau[e]»; dès lors, impatients de toute contrainte, ils murmuraient, le cœur sec, n'ayant pas en eux-mêmes la moindre goutte d'amour[f]. Et voici que, sous la rosée de la parole et «la pluie bienveillante que le Seigneur a

25 *taria, quam segregavit Deus hereditati suae*[g], refloruisse
probantur in opera oboedientiae, facti in omnibus volun-
tarii et devoti, non est, dico vobis, unde subeat mentem,
quasi pro intermisso studio iucundae contemplationis,
tristitia, cum talibus fuero circumdatus floribus atque
30 fructibus pietatis. Patienter avellor ab infecundae Rachelis
amplexibus, ubi mihi exuberat fructus profectuum
vestrorum. Minime prorsus pigebit me intermissae quietis
pro cura sermonis, cum videro in vobis *germinare semen
meum*[h], atque *augeri incrementa frugum iustitiae vestrae*[i].
35 *Caritas* enim, quae *non quaerit quae sua sunt*[j], id mihi
iamdudum facile persuasit, nil scilicet desiderabilium
meorum vestris praeferre utilitatibus. Orare, legere,
scribere, meditari, et si qua sunt alia spiritualis studii
lucra, haec arbitratus sum propter vos detrimenta[k].

4. *Fulcite me floribus, stipate me malis, quia amore
langueo*[a]. Haec itaque locuta est sponsa adolescentulis in
sponsi absentia, monens eas in fide proficere et operibus
bonis, *donec veniat*[b], sentiens in eo fore et beneplacitum
5 sponsi, et filiarum salutem, et suam ipsius consolationem.
Scio me hunc locum in libro de dilectione Dei plenius
explicuisse, et sub alio intellectu : potiorine an deteriori,
lector iudicet, si cui utrumque videre placuerit. Non sane
a prudente de diversitate sensuum iudicabor, dummodo
10 veritas utrobique nobis patrocinetur, et *caritas*, cui Scripturas servire oportet[c], eo *aedificet*[d] plures, quo plures ex

---

g. Ps. 67, 10 ≠   h. Is. 61, 11 ≠   i. II Cor. 9, 10 ≠   j. I Cor. 13,
4-5 ≠   k. Phil. 3, 7 ≠
4.a. Cant. 2, 5   b. I Cor. 11, 26   c. cf. Gal. 5, 13   d. I Cor. 8,
1 ≠

---

1. Notons la belle adaptation de *Phil.* 3, 7. Il ne s'agit pas ici des
avantages de la loi juive, mais des exercices les plus nécessaires à la
piété chrétienne.

réservée à son héritage[g]», ils refleurissent dans les œuvres
de l'obéissance, devenus en toutes choses disponibles et
fervents. Je vous l'affirme, même si mon application à la
contemplation réjouissante a été interrompue, il n'y a
aucun motif pour que la tristesse se glisse en mon esprit.
Car je me vois entouré de ces fleurs et de ces fruits de
la piété. Je me laisse patiemment arracher aux étreintes
de l'inféconde Rachel, lorsque je vois abonder les fruits
de vos progrès. Oui, je ne regretterai point que ma
quiétude ait été interrompue par le souci de la prédication, quand j'aurai vu «germer en vous ma semence[h]»
et «croître les moissons de votre justice[i]». «La charité»,
qui «ne cherche pas son avantage[j]», n'a pas eu de peine
à me persuader, depuis longtemps, de ne préférer aucun
de mes plaisirs à vos intérêts. Prier, lire, écrire, méditer
et toutes les autres «occupations profitables» à la vie
spirituelle, «tout cela je l'ai considéré comme une perte
à cause de[k]» vous[l].

4. «Soutenez-moi avec des fleurs, fortifiez-moi avec des
pommes, car je suis malade d'amour[a].» Ce sont les paroles
que l'épouse a adressées aux jeunes filles en l'absence
de l'Époux. Elle les exhorte à progresser dans la foi et
les bonnes œuvres «jusqu'à ce qu'il vienne[b]». Car elle
sait qu'en cela consiste le bon plaisir de l'Époux, le salut
des filles et sa propre consolation. Je sais bien que j'ai
expliqué plus amplement ce passage dans le livre sur
l'amour de Dieu[2], en lui donnant une autre signification;
meilleure ou pire, le lecteur qui voudra bien regarder les
deux en jugera. Un homme averti ne me condamnera
pas pour la différence de ces interprétations, pourvu que
la vérité nous justifie dans les deux cas. Par ailleurs «la
charité», que les Écritures doivent servir[c], «édifie[d]»
d'autant plus de gens qu'elle aura, à son profit, dégagé

2. Cf. *SC* 393, p. 77, n. 2 sur *Dil* III, 7.

eis in opus suum veros eruerit intellectus. Cur enim hoc
displiceat in sensibus Scripturarum, quod in usibus rerum
assidue experimur? In quantos, verbi causa, sola aqua
15 nostrorum assumitur corporum usus? Ita unus quilibet
divinus sermo non erit ab re, si diversos pariat intellectus,
diversis animarum necessitatibus et usibus accomodandos.

III. Quae laeva, quae dextera sponsi sit, et quae huius verbi consequentia.

5. Sequitur : *Laeva eius sub capite meo, et dextera eius
amplexabitur me*[a]. Et super hoc quoque in praefato
87   opusculo memini uberius disputatum; sed signemus
sermonis ordinem. Liquet denuo adesse sponsum, credo,
5 ut sua praesentia languentem erigat. Quomodo enim non
in praesentia sua convalescet, quam absentia conster-
narat[b]? Ergo non sustinet dilectae molestiam : adest, neque
enim moram facere potest tantis desideriis evocatus. Et
quia illam compererat, donec absens fuit, fidelem ad opera
10 et sollicitam ad lucra, in eo nimirum, quod flores sibi et
fructus praeceperat adunari, etiam cum propensiori hac
vice remuneratione gratiae est reversus. Denique uno
brachiorum suorum sustentat caput iacentis, alterum ad
amplexandum parans, ut sinu foveat. Felix anima quae
15 in Christi recumbit pectore[c], et inter Verbi brachia
requiescit! *Laeva eius sub capite meo, et dextera eius*

5.a. Cant. 2, 6 ≠   b. cf. Phil. 2, 12   c. cf. Jn 13, 25

1. *Veros intellectus,* « significations vraies ». Ces mots sont expliqués
à la fin du paragraphe. Les diverses interprétations de l'Écriture doivent
être assorties aux divers besoins de l'âme. Cf. *SC* 452, p. 299, n. 3 sur
SCt 47, 3.

2. *Dil* III, 10 et IV, 12-13 (*SC* 393, p. 83 et 91).

des textes un plus grand nombre de significations vraies[1].
Pourquoi nous déplairait dans les interprétations des Écritures ce qui est notre expérience constante dans l'usage
des choses matérielles? Par exemple, combien d'usages
différents faisons-nous de l'eau pour nos corps? De même,
n'importe quelle parole divine ne perdra pas son utilité,
si elle donne naissance à diverses interprétations, assorties
aux nécessités et aux besoins divers des âmes.

III. La main gauche et la main droite de l'Époux. Cohérence de ce langage.

5. Il est dit ensuite : «Sa main gauche est sous ma
tête, et sa droite m'étreindra[a].» Ce passage aussi, je me
rappelle l'avoir expliqué plus au long dans l'opuscule que
je viens de citer[2]; mais observons l'ordre du discours. Il
est évident, à mon avis, que l'Époux est revenu pour
relever par sa présence l'épouse défaillante. Comment ne
reprendrait-elle pas des forces en présence de celui, dont
l'absence l'avait jetée dans le trouble[b]? L'Époux ne peut
donc pas supporter le chagrin de sa bien-aimée. Il se
rend présent, car il ne peut pas tarder davantage, attiré
par de si ardents désirs. Et comme il l'avait trouvée, en
son absence, fidèle aux bonnes œuvres et attentive aux
profits spirituels, puisqu'elle avait demandé à être entourée
de fleurs et de fruits, il est revenu cette fois avec une
plus généreuse récompense de grâce. Ainsi de l'un de
ses bras il soutient la tête de l'épouse défaillante, et de
l'autre il s'apprête à l'étreindre en la serrant sur son sein[3].
Heureuse l'âme appuyée sur la poitrine du Christ[c], et qui
repose entre les bras du Verbe! «Sa main gauche est

---

3. Autre interprétation de la main gauche. Elle ne signifie pas ici la
contemplation, mais elle est une récompense pour les bonnes œuvres
et pour l'attention donnée au prochain.

amplexabitur me. Non ait «amplexatur», sed *amplexabitur me*, ut noveris priori gratiae adeo non ingratam, ut
secundam gratiarum actione praevenerit.

6. Disce in referendo gratiam non esse tardus aut segnis,
disce ad singula dona gratias agere. *Diligenter,* inquit,
considera quae tibi apponuntur[a], ut nulla videlicet Dei
dona debita gratiarum actione frustrentur, non grandia,
5 non mediocria, non pusilla. Denique iubemur *colligere
fragmenta, ne pereant*[b], id est nec minima beneficia
oblivisci. Numquid non perit quod donatur ingrato? Ingratitudo inimica est animae, exinanitio meritorum, virtutum
dispersio, beneficiorum perditio. Ingratitudo *ventus urens*[c],
10 siccans sibi fontem pietatis, rorem misericordiae, fluenta
gratiae. Propter hoc denique sponsa, mox ut gratiam de
laeva sensit, gratias egit, non exspectans plenitudinem
quae in dextera est. Neque enim ubi memorata est *laevam*
iam esse *sub capite suo*, etiam secuta est a *dextera* se
15 similiter amplexatam, sed *amplexabitur me*[d], inquit.

7. Ceterum quid putamus Verbo sponso «laevam» esse,
sive «dexteram»? Num id quod dicitur hominis verbum
istiusmodi corporeas partes habet in se divisas, et linea-
menta distincta, ac distinguentia inter sinistram et
5 dexteram? Quanto magis is, qui Dei et Deus est Sermo,
varietatem prorsus aliquam non admittit, sed est *qui est*[a],
in sua nimirum natura tam simplex ut non habeat partes,
tam unus ut non habeat numeros. Est enim *Dei Sapientia*[b],

88

6.a. Prov. 23, 1 (Patr.)   b. Jn 6, 12 ≠   c. Hab. 1, 9   d. Cant. 2,
6 ≠
7.a. Ex. 3, 14 ≠   b. I Cor. 1, 24 ≠

---

1. Le premier embrassement (de la grâce mystique) annonce l'embrassement définitif à l'heure de la mort.

2. * Texte *Vl* fréquent chez les Pères et chez Bernard. Une allusion,
que l'on peut dire verbale *(consideremus... diligentioris),* se retrouve
dans *SCt* 53, 3, l. 1, p. 82). Cf. *SC* 431, p. 378, n. 3 sur *SCt* 29, 2).
Ici, Bernard propose une équivalence entre les mets de ce festin et les

sous ma tête, et sa droite m'étreindra.» Elle ne dit pas :
m'étreint, mais : «m'étreindra», pour te faire savoir que,
loin d'être ingrate après la première grâce reçue, elle va
au-devant de la seconde par l'action de grâces[1].

6. Quand il s'agit de rendre grâce, apprends à ne pas
être lent ni paresseux; apprends à remercier pour chaque
don. «Fais bien attention aux mets qui te sont servis[a2]»,
est-il dit, pour qu'aucun don de Dieu, qu'il soit grand ou
modeste ou tout petit, ne soit frustré de l'action de grâces
qui lui est due. Aussi nous est-il prescrit de «recueillir les
miettes, pour qu'elles ne soient pas perdues[b]». C'est dire
qu'il ne faut pas oublier même les moindres bienfaits. N'est-
ce pas perdu, ce qu'on donne à un ingrat? L'ingratitude est
l'ennemie de l'âme, l'abolition des mérites, la déroute des
vertus, le gaspillage des bienfaits. L'ingratitude est «un vent
brûlant[c]» qui dessèche la source de la piété, la rosée de
la miséricorde, les flots de la grâce. C'est pourquoi l'épouse,
à peine a-t-elle senti la grâce prodiguée par la main gauche,
a rendu grâces, sans attendre de recevoir la plénitude qui
est dans la droite[3]. Lorsqu'elle a dit que «la main gauche
est déjà sous sa tête», elle a ajouté non que «la droite»
l'a également étreinte, mais qu'elle «l'étreindra[d]».

7. D'autre part, que sont-elles pour le Verbe-Époux la
main gauche et la droite, à notre avis? La parole de
l'homme, a-t-elle des parties corporelles ainsi divisées
entre elles, et des linéaments distincts établissant une distinction entre la gauche et la droite? A combien plus
forte raison celui qui est la Parole de Dieu et qui est
Dieu n'admet-il en soi aucune variété. Il est «celui qui
est[a]»; sa nature est si simple et si une qu'elle ne comporte ni parties, ni nombres. Il est «la Sagesse de Dieu[b]»,

dons de Dieu, en particulier le pain eucharistique (*Jn* 6, 12) et il conclut
par une obligation de gratitude.
   3. L'embrassement affectif contient en soi la promesse de la rencontre
définitive pourvu qu'on ne soit pas ingrat pour chaque don de Dieu.

de qua scriptum est : *Et sapientiae eius non est numerus*[c].
10 At si quid invariabile est, id incomprehensibile, ac per
hoc etiam ineffabile[d] esse necesse est : ubi quaeso invenias
verba, quibus illam maiestatem vel digne assignes, vel
proprie proloquaris, vel competenter diffinias? Tamen
utcumque loquamur quod utcumque de ea, *Spiritu* Sancto
15 *revelante*[e], sentimus. Docemur auctoritate Patrum et
consuetudine Scripturarum congruentes de rebus notis
licere similitudines usurpare, sed et verba non nova
invenire, sed nota mutuari, quibus digne et competenter
eaedem similitudines vestiantur. Alioquin ridicule ignota
20 per ignota docere conaberis.

8. Ergo quia per dextrum et sinistrum adversa solent
atque prospera designari, videtur mihi hoc loco intelligi
posse «laevam» quidem Verbi comminationem supplicii,
«dextram» vero regni promissionem.

IV. Quando mens laevam habet sub capite, quando supra, et de spe media.

5   Est autem cum mens nostra formidine poenae serviliter
premitur; et tunc nequaquam sub capite, sed super caput
laeva esse dicenda est, nec potest sic affecta anima omnino
dicere quia *laeva eius sub capite meo*[a]. At vero si profi-

---

c. Ps. 146, 5   d. cf. II Cor. 12, 4 (Patr.)   e. I Cor. 2, 10 ≠
8.a. Cant. 2, 6

---

1. * Ici, l'allusion à ce mot de Paul est fort discrète, mais dans
SCt 62, 3, l. 16, p. 268) et *SCt* 67, 7, l. 26, p. 384), elle devient évi-
dente et se réfère même au sens mystique de ce texte. La *Vg* dit
arcana (verba), les Pères plus volontiers *ineffabilia*. Cf. *Ep* 68, 2 (*SC*
458, p. 258, n. 1).

dont il est écrit: «A sa sagesse pas de mesure[c].» Mais
si un être est invariable, il est incompréhensible, et par
là doit être aussi ineffable[d1]. Je t'en prie, où pourrais-tu
trouver des paroles pour présenter dignement une telle
majesté, pour l'exprimer avec exactitude et la définir de
façon adéquate? Disons néanmoins, tant bien que mal,
ce que nous en saisissons tant bien que mal «grâce à
la révélation de l'Esprit-Saint[e]». L'autorité des Pères et la
pratique des Écritures nous apprennent qu'il est permis
d'emprunter aux réalités connues les comparaisons qui
conviennent; et aussi que nous pouvons, non pas inventer
des mots nouveaux, mais employer des mots connus pour
en revêtir ces mêmes comparaisons de façon digne et
adéquate. Sinon, tu te t'efforceras d'une façon ridicule
d'enseigner l'inconnu par l'inconnu[2].

8. Puisque la gauche et la droite désignent d'ordinaire
le malheur et le bonheur, il me semble qu'en cet endroit
on peut entendre par la gauche du Verbe la menace du
supplice, et par la droite la promesse du royaume.

**IV. A quels moments notre esprit a la main gauche
de l'Époux sous la tête, et à quels moments sur la
tête. L'espérance intermédiaire.**

Il est des moments où notre esprit est accablé par la
peur servile du châtiment. Il ne faut pas dire alors que
la main gauche de l'Époux est sous la tête, mais sur la
tête. L'âme ainsi disposée ne peut nullement dire: «Sa
main gauche est sous ma tête[a].» Mais si l'âme en progrès

---

2. Formule proverbiale que Bernard ne cite qu'ici; on ne l'a pas
trouvée chez un autre Père. ~ La loi que Bernard s'impose, c'est que
les comparaisons ne doivent pas obscurcir la vérité, mais l'éclairer.

ciens ex hoc *spiritu servitutis*[b], transierit in quemdam
10 spontanei obsequii digniorem affectum, quatenus videlicet
praemiis potius provocetur quam arceatur suppliciis, magis
autem si amore boni ipsius agatur, tunc indubitanter dicere
poterit quia *laeva eius sub capite meo* : quippe qui illum
servilem metum, qui in sinistra est, meliori atque excel-
15 lentiori habitudine animi superarit, et dignis desideriis
etiam ipsi appropiaverit dexterae, in qua sunt promis-
siones, dicente Propheta ad Dominum : *Delectationes in
dextera tua usque in finem*[c]. Unde et cetera, spe concepta,
cum fiducia loquitur[d] : *Et dextera eius amplexabitur me*[e].

9. Tu iam mecum videris, an ita affectae et assecutae
hunc tantae suavitatis locum, illud quoque conveniat de
Psalmo usurpare, ut dicat etiam ipsa : *In pace in idipsum
dormiam et requiescam*[a], praesertim cum suppetat causa
5 quae sequitur : *Quoniam tu, Domine, singulariter in spe
constituisti me*[b]. Quod equidem tale est. Donec quis
premitur a *spiritu servitutis*[c] parumque habet de spe, de
timore plurimum, non est ei pax neque requies, fluc-
tuante nimirum conscientia inter spem et timorem,
10 maximeque quod a superexcellente timore abundantius
crucietur, nam *poenam timor habet*[d]. Et ideo non est illi
dicere : *In pace in idipsum dormiam et requiescam*[e],
quando necdum se *singulariter in spe constitutum*[f] dicere
potest. Ceterum si paulatim per incrementum gratiae

---

b. Rom. 8, 15 ≠   c. Ps. 15, 11   d. Act. 19, 8 ≠   e. Cant. 2, 6 ≠
9.a. Ps. 4, 9   b. Ps. 4, 10   c. Rom. 8, 15 ≠   d. I Jn 4, 18 ≠
e. Ps. 4, 9   f. Ps. 4, 10 ≠

---

1. * «Si l'âme en progrès passe de cet esprit de servitude...» (l. 8-
9) : cette expression que Bernard complète au § 10 («Celui qui se sent
particulièrement établi dans l'espérance ne sert plus dans la crainte,
mais se repose dans la charité», l. 9-11) est caractéristique du passage
de la crainte au régime de l'amour; on rencontre là deux allusions à
un même texte paulinien caractéristique, ainsi qu'un petit mot *(non
iam)* qui, dans S. Paul comme dans Bernard, marque bien ce changement, cette «nouvelle créature».

89

passe de cet «esprit de servitude[b1]» à un plus digne sentiment d'obéissance spontanée; si elle est plutôt stimulée par les récompenses que freinée par les supplices; mieux encore, si elle est poussée par l'amour du bien lui-même; alors, sans aucun doute, elle pourra dire : «Sa main gauche est sous ma tête.» Car elle aura surmonté cette crainte servile qui est dans la gauche par une disposition d'esprit meilleure et plus élevée. Par ses nobles désirs, elle se sera même approchée de la droite, où sont les promesses, puisque le Prophète dit au Seigneur : «Les délices éternelles sont dans ta droite[c].» De là vient l'espérance qui anime l'épouse et qui lui fait «dire avec confiance[d]» ce qui suit : «Sa droite m'étreindra[e2].»

9. Vois maintenant avec moi si une âme ainsi disposée et parvenue à ce lieu d'une si grande douceur peut à bon droit s'approprier et dire ces paroles du Psaume : «Dans la paix, dans l'être même de Dieu[3], je dormirai et me reposerai[a].» Surtout s'il s'y ajoute la raison alléguée ensuite : «Parce que toi, Seigneur, tu m'as particulièrement établi dans l'espérance[b].» Ce qui signifie assurément ceci : tant que quelqu'un est accablé par «l'esprit de servitude[c]», il a peu d'espérance et beaucoup de crainte. Il n'a pas de paix ni de repos, puisque sa conscience flotte entre l'espérance et la crainte, et surtout parce qu'il est plus violemment torturé par la crainte qui l'emporte. Car «la crainte implique un châtiment[d].» Il ne saurait donc dire : «Dans la paix, dans l'être même de Dieu, je dormirai et me reposerai[e].» En effet, il ne peut pas encore se dire «particulièrement établi dans l'espérance[f]». Mais supposons que peu à peu, par un accroissement de la grâce,

---

2. Dans ce paragraphe, Bernard reprend la description de l'amour servile et de l'amour mercenaire. Cf. *Dil* XII, 34 (*SC* 393, p. 149).

3. J. LECLERCQ, «*Idipsum*. Les harmoniques d'un mot biblique dans S. Bernard», dans LECLERCQ, *Recueil*, t. 5, p. 334 et 338-339.

15 coeperit deficere timor et proficere spes, cum demum ad
hoc ventum fuerit ut *perfecta caritas* ex toto *foras mittat
timorem*[g], nonne eiusmodi anima *singulariter in spe
constituta* videbitur, ac perinde etiam *in pace in idipsum
dormire* iam *et requiescere*[h]?

10. *Si dormiatis,* inquit, *inter medios cleros, pennae
columbae deargentatae*[a]. Quod propterea dictum puto,
quoniam est locus inter timorem et securitatem tamquam
inter laevam et dexteram, media videlicet spes, in qua
5 mens et conscientia, molli nimirum supposito caritatis
stratu, suavissime requiescit. Et forte in consequentibus
huius ipsius Cantici hic locus fuerit designatus, ubi in
descriptione *ferculi Salomonis*[b] inter cetera habes : *Media
caritate constravit propter filias Ierusalem*[c]. Nam qui *se
10 singulariter in spe constitutum*[d] sentit, *non* iam *in timore
servit*[e], sed requiescit in caritate. Denique requiescit et
dormit sponsa pro qua dicitur : *Adiuro vos, filiae Ierusalem,
per capreas cervosque camporum, ne suscitetis neque
evigilare faciatis dilectam, quoadusque ipsa velit*[f]. Magna
15 et stupenda dignatio, quod quiescere facit animam contemplantem in sinu suo, insuper et custodit ab infestantibus
curis, protegitque ab inquietudinibus actionum et molestiis
negotiorum, nec patitur omnino suscitari, nisi ad ipsius
utique voluntatem. At istud non in angustiis iam finiendi
20 sermonis adoriendum est; magis autem hinc alius inchoetur,
quatenus locus delectabilis debita in tractando diligentia
non fraudetur. *Non quod* vel tunc *sufficientes simus
cogitare aliquid a nobis quasi ex nobis,* praesertim in tam

---

g. I Jn 4, 18 ≠   h. Ps. 4, 10. 9
10.a. Ps. 67, 14 ≠   b. Cant. 3, 9 ≠   c. Cant. 3, 10   d. Ps. 4,
10 ≠   e. Rom. 8, 15 ≠   f. Cant. 2, 7

---

1. Ce verset psalmique est commenté aussi dans les *Sent* III, 108.
Mais de toute autre manière qu'ici.

crainte commence à diminuer et l'espérance à grandir. Lorsqu'on sera enfin parvenu à cet instant où «la charité parfaite bannit» entièrement «la crainte[g]», ne te semble-t-il pas qu'une telle âme est «particulièrement établie dans l'espérance», et aussi qu'elle «dort désormais et se repose dans la paix, dans l'être même de Dieu[h]»?

10. «Si vous dormez entre les deux parts, est-il dit, les plumes de la colombe auront l'éclat de l'argent[a1].» Voici la raison de ces paroles. Il est un lieu entre la crainte et la sécurité, comme entre la gauche et la droite : c'est l'espérance intermédiaire. En elle l'esprit et la conscience goûtent un très doux repos, pourvu qu'on y ait disposé d'abord le tapis moelleux de la charité. Peut-être dans la suite de ce même Cantique ce lieu a-t-il été désigné, lorsque dans la description de «la litière de Salomon[b]» tu lis entre autres ceci : «Il en a couvert le milieu avec le tapis de la charité pour les filles de Jéru-salem[c].» En effet, celui qui se sent «particulièrement établi dans l'espérance[d]» «ne sert plus dans la crainte[e]», mais se repose dans la charité. Ainsi, elle se repose et dort, l'épouse pour qui sont dites ces paroles : «Je vous en conjure, filles de Jérusalem, par les gazelles et les cerfs des champs, ne réveillez pas, ne tirez pas du sommeil ma bien-aimée, jusqu'à ce qu'elle-même le veuille[f].» Grande et étonnante complaisance! L'Époux laisse reposer sur son sein l'âme qui contemple. De plus, il la garde des soucis qui la harcèlent, il la protège contre les inquié-tudes de la vie active et contre les embarras des affaires. Il ne souffre point qu'on la réveille avant qu'elle ne le veuille. Mais il ne faut pas aborder ce sujet dans le temps resserré qui nous reste : car nous devons terminer le sermon. Mieux vaux réserver cela pour le commencement d'un autre sermon, afin que ce passage délicieux ne soit pas privé de l'examen attentif qui lui convient. «Non pas qu'alors nous serons capables de penser par nous-mêmes

digna tamque excellente et omnino supereminente
25 materia; *sed sufficientia nostra ex Deo est*[g], sponso
Ecclesiae, Iesu Christo Domino nostro, *qui est Deus bene-*
dictus in saecula. Amen.[h]

---

g. II Cor. 3, 5 ≠   h. Rom. 1, 25 ≠; 9, 5 ≠

quelque chose comme venant de nous», surtout dans une matière si noble et si éminente, et tellement élevée. «Mais notre capacité vient de Dieu[g]», de l'Époux de l'Église, Jésus-Christ notre Seigneur, «qui est Dieu béni dans les siècles. Amen.[h]»

SERMO LII

I. Cohaerentia litterae qua dicitur : *Adiuro vos, etc.*, et expressio divinae dignationis circa animam. – II. Quis est sponsae somnus, a quo eam suscitari prohibet sponsus. – III. Cuiusmodi excessus contemplatio dicatur specialius. – IV. Quae sint capreae cervique camporum, et increpatio adolescentularum ne levi de causa dilectam inquietent.

I. Cohaerentia litterae qua dicitur : *Adiuro vos, etc.*, et expressio divinae dignationis circa animam.

90   **1.** *Adiuro vos, filiae Ierusalem, per capreas cervosque camporum, ne suscitetis neque evigilare faciatis dilectam, quoadusque ipsa velit*[a]. Prohibentur adolescentulae : has enim filias Ierusalem dicit, quia, etsi delicatae et molles,
5 et quasi adhuc femineis affectibus et actibus infirmae, sponsae tamen inhaerent spe proficiendi et proficiscendi Ierusalem. Prohibentur ergo ab infestatione sponsae dormientis, ne scilicet praeter voluntatem ipsius ullatenus illam excitare praesumant. Propterea enim dulcissimus
10 sponsus laevam suam capiti eius supposuit[b], secundum ea quae praemissa sunt, quatenus in sinu suo eam quiescere faceret et dormire. Et nunc, sicut subinde Scriptura prosequitur, ipse custos eius dignantissime et benevolentissime vigilat super eam, ne adolescentularum

---

1.a. Cant. 2, 7   b. cf. Cant. 2, 6

SERMON 52

I. Cohérence du sens littéral dans ces paroles : «Je vous en conjure, etc.» Manifestation de la complaisance divine envers l'âme. – II. Quel est le sommeil de l'épouse, dont l'Époux défend de la réveiller. – III. Quelle sorte d'extase est appelée plus spécialement contemplation. – IV. Quels sont les gazelles et les cerfs des champs. Avertissement aux jeunes filles afin qu'elles ne dérangent pas la bien-aimée pour une raison futile.

I. Cohérence du sens littéral dans ces paroles : «Je vous en conjure, etc.» Manifestation de la complaisance divine envers l'âme.

1. «Je vous en conjure, filles de Jérusalem, par les gazelles et les cerfs des champs, ne réveillez pas, ne tirez pas du sommeil ma bien-aimée, jusqu'à ce qu'elle-même le veuille[a].» Cette défense s'adresse aux jeunes filles. L'Époux les appelle filles de Jérusalem car, bien que délicates et tendres, et d'une faiblesse pour ainsi dire encore féminine dans leurs sentiments et leurs actes, elles s'attachent pourtant à l'épouse dans l'espoir de progresser et d'atteindre Jérusalem. Il leur est donc défendu de déranger l'épouse endormie, de peur qu'elles n'aient pas l'audace de la réveiller contre son gré. C'est pourquoi le très doux Époux a placé sa main gauche sous la tête de l'épouse[b], ainsi que nous l'avons vu, pour la faire reposer et dormir sur son sein. Maintenant, comme l'Écriture l'ajoute aussitôt, lui-même dans son immense bonté consent à se faire son gardien et à veiller sur elle, de peur que les jeunes filles, avec leurs continuelles et futiles exigences, ne la dérangent

15 crebris minutisque necessitatibus inquieta evigilare cogatur.
Ista est litteralis cohaerentia textus. Sed enim contestatio
illa, facta *per capreas cervosque camporum*, nihil omnino
secundum litteram consequentiae rationabilis habere
videtur : adeo totam sibi eam vindicat intelligentia spiri-
20 tualis. At quo modo illa se habeat, interim *bonum est
nos hic esse*^c, et intueri paulisper naturae divinae
bonitatem, suavitatem, dignationem. Quid namque tu,
homo, in humanis umquam affectibus expertus es dulcius,
quam modo tibi exprimitur de corde Altissimi? Et expri-
25 mitur ab illo *qui scrutatur alta Dei*^d, et non potest nescire
quae in eo sunt, quia Spiritus ipsius est^e, nec aliud plane
loqui, quam apud ipsum vidit, quoniam *Spiritus veritatis*^f
est.

2. Denique nec deest in nostro genere qui hoc munere
felix laetificari meruerit, et sic in semetipso suavissimi
arcani huius habuerit experimentum, nisi tamen Scripturae
loco, qui prae manibus est, omnino decredimus, ubi mani-
5 feste inducitur caelestis Sponsus vehementissime zelans
pro quiete cuiusdam dilectae suae, sollicitus servare inter
brachia propria dormientem, ne qua forte molestia vel

---

c. Matth. 17, 4   d. I Cor. 2, 10 (Patr.)   e. cf. I Cor. 2, 11
f. Jn 16, 13; cf. Jn 8, 38

---

1. * *Ab illo qui scrutatur alta Dei... Spiritus :* Bernard a souvent cité
ou adapté, voire évoqué discrètement ce texte paulinien. Ici, *alta Dei*
nous indique qu'il s'agit d'une *Vl* (le correspondant *Vg* est *profunda
Dei*). De même, en *SCt* 62, 4, l. 31 (*SC* 472, p. 272), le simple *Dei
alta* renvoie sans doute à ce verset de *I Cor*. D'autre part, à deux ou
trois reprises, Bernard propose à son lecteur successivement *alta* et *profunda* (*SCt* 62, 4, l. 31 et 6, l. 5, p. 272 et 274). Ce texte, sous l'une
ou l'autre forme, avait été cher aux Pères. Mais, au long des siècles,
alta avait perdu du terrain au profit de *profunda*. Toutefois, chez Bernard
alta est majoritaire (environ 10 sur 18). De plus, Bernard utilise volontiers l'expression comme un qualificatif de Dieu ou du divin – c'est le
cas dans *SCt* 62, 4. Finalement, il est impossible de discerner entre ce

et ne l'obligent à sortir du sommeil. Telle est la cohérence littérale du texte. Mais cette adjuration « par les gazelles et les cerfs des champs » semble n'avoir aucun rapport logique avec le contexte pris à la lettre. Elle relève donc entièrement de l'interprétation spirituelle. Quoi qu'il en soit, pour le moment « il est bon pour nous d'être ici[c] », et de contempler un peu la bonté, la douceur, la complaisance de la nature divine. Toi, humain, as-tu jamais expérimenté dans les affections humaines quelque chose de plus doux que ce qui t'est maintenant manifesté du cœur du Très-Haut? Et cela est manifesté par celui « qui scrute les profondeurs de Dieu[d] » et ne peut pas ignorer ce qui est en lui, puisque c'est son propre Esprit[e][1]. Il ne peut dire autre chose que ce qu'il a vu en lui, puisqu'il est « l'Esprit de vérité[f] ».

2. Il se trouve bien dans notre genre humain quelqu'un qui a eu le bonheur de mériter la joie de ce don, et de faire ainsi en lui-même l'expérience de ce mystère très doux[2]. Sinon nous refusons tout crédit à ce passage de l'Écriture que nous sommes en train d'examiner[3]. Car ce passage nous montre clairement l'Époux céleste veillant avec une jalousie véhémente sur le repos d'une bien-aimée. Plein de sollicitude, il la garde endormie

---

verset de *I Cor.* et d'autres passages pauliniens : *alta* (ou *altum*) ou bien *sublime* ou bien *superbe sapere* (*Rom.* 11, 20; 12, 16; *I Tim.* 6, 17). Par là, c'est toujours le même combat que Bernard mène, avec Paul, pour la grandeur de Dieu contre l'orgueil de Lucifer, de l'Homme ou d'Abélard; cf. *Ep* 190, 1 et 17 (*SBO* VIII, p. 18, l. 2 et p. 32, l. 3), à rapprocher du *insolenter* et du *pervadens* qui ponctuent les mises en garde du paragraphe *SCt* 62, 4, que nous venons de citer.

2. Antoine de Saint-Gabriel traduit en 1686 : « Nous en avons parmy nous, qui ont été assez heureux, pour mériter de goûter cette joye, et de ressentir en eux-mêmes par leur propre expérience les effets d'un mystère si plein de douceur. »

3. Bernard souhaite que l'expression *anima sponsa,* « âme épouse » soit vérifiée par l'expérience personnelle de quelques moines.

inquietudine a somno suavissimo deturbetur. Non me capio prae laetitia, quod illa maiestas tam familiari dulcique
10 consortio nostrae se inclinare infirmitati minime dedignatur, et superna Deitas animae exsulantis inire connubia, eique sponsi ardentissimo amore capti exhibere affectum non despicit. Sic, sic in caelo esse non ambigo, ut lego in terra, sentietque pro certo anima quod continet pagina,
15 nisi quod non sufficit ista omnino exprimere, quantum capere illa tunc poterit, sed nec quantum iam potest. Quid putas illic accipiet, quae hic tanta familiaritate donatur, ut Dei brachiis amplecti se sentiat, Dei sinu foveri, Dei cura et studio custodiri, ne dormiens forte a quopiam, donec ultro evigilet, excitetur?

II. Quis est sponsae somnus, a quo eam suscitari prohibet sponsus.

3. Age, iam itaque dicamus, si possumus, quinam ille sit somnus, quo delicatam suam sponsus obdormire velit, nec patiatur omnino, nisi ad ipsius arbitrium, excitari[a], ne forte cum legerit quis apud Apostolum : *Hora est iam*
5 *nos de somno surgere*[b], sive apud Prophetam exorari ab ipso Deum *illuminari oculos suos ne umquam obdormiat in morte*[c], nominum aequivocatione turbetur, nec inveniat omnino quid digne de obdormitione sponsae, quae hoc loco memoratur, sentire possit. Nam ne illud quidem
10 *simile est huic*[d], quod de Lazaro ait in Evangelio Dominus : *Lazarus amicus noster dormit; eamus et a somno*

3.a. cf. Cant. 2, 7   b. Rom. 13, 11   c. Ps. 12, 4 ≠   d. Matth. 22, 39

---

1. Bernard n'emploie pas le mot mystique *coniunctio,* mais le terme plus général *consortium.*

2. Cette phrase dit que la rencontre spirituelle sur terre est à l'image de la rencontre bienheureuse au ciel.

entre ses bras, pour qu'aucune inquiétude ni aucun souci ne trouble son très doux sommeil. Je ne me tiens pas de joie, voyant qu'une telle majesté ne dédaigne point de se pencher sur notre faiblesse par une communion[1] si amicale et si douce. La Divinité souveraine ne refuse pas de contracter mariage avec l'âme en exil et de lui montrer l'affection d'un Époux épris d'un amour très ardent. C'est ainsi, oui, je n'en doute point, que les choses se passeront au ciel : exactement comme ce passage les montre sur la terre. L'âme éprouvera certainement ce que décrit cette page. Mais cette page est incapable d'exprimer entièrement ce que l'âme pourra ressentir alors, et même ce qu'elle peut ressentir maintenant déjà. Que ne recevra pas là-haut, à ton avis, l'âme qui est comblée d'une telle intimité ici-bas? Elle se sent étreinte par les bras de Dieu, blottie sur le cœur de Dieu, gardée par Dieu avec soin et amour, afin que personne n'aille la tirer du sommeil avant qu'elle ne se réveille d'elle-même[2].

II. Quel est le sommeil de l'épouse, dont l'Époux défend de la réveiller.

3. Eh bien, disons maintenant, si nous le pouvons, quel est ce sommeil que l'Époux veut pour sa bien-aimée, et dont il ne souffre pas que quiconque la réveille, à moins qu'elle-même ne le désire[a]. On peut craindre en effet que quelqu'un ne se laisse égarer par l'ambiguïté des mots. Après avoir lu chez l'Apôtre : « C'est l'heure désormais de nous arracher au sommeil[b] »; ou chez le Prophète la prière demandant à Dieu « d'illuminer ses yeux pour qu'il ne s'endorme jamais dans la mort[c] », cet homme risque de ne trouver aucun sens favorable au sommeil de l'épouse mentionné ici. Ce sommeil n'est pas non plus « semblable à celui[d] » de Lazare, dont le Seigneur dit dans l'Évangile : « Lazare, notre ami, dort; allons

excitemus eum[e]. Hoc enim dicebat de morte corporis eius[ee], cum discipuli de dormitione putarent[f]. Non est autem is sponsae somnus dormitio corporis vel placida, quae sensus carnis suaviter sopit ad tempus, vel horrida, quae funditus vitam tollere consuevit; multo magis vero et ab illa alienus exsistit, qua *obdormitur in morte*[g], cum videlicet in *peccato, quod est ad mortem*[h], irrevocabiliter perseveratur. Magis autem istiusmodi vitalis vigilque sopor sensum interiorem illuminat et, morte propulsata, vitam tribuit sempiternam. Revera enim dormitio est, quae tamen sensum non sopiat, sed abducat. Est et mors, quod non dubius dixerim, quoniam Apostolus quosdam *adhuc in carne viventes*[i] commendando sic loquitur : *Mortui estis, et vita vestra abscondita est cum Christo in Deo*[j].

4. Proinde et ego non absurde sponsae exstasim dixerim mortem, quae tamen non vita, sed vitae eripiat laqueis, ut possit dicere : *Anima nostra sicut passer erepta est de laqueo venantium*[a]. Inter medios namque laqueos in hac vita inceditur, qui utique toties non timentur, quoties sancta aliqua et vehementi cogitatione anima a seipsa abripitur, si tamen eousque mente secedat et avolet, ut hunc communem transcendat usum et consuetudinem

---

e. Jn 11, 11 ≠   ee. cf Jn 2, 21   f. cf. Jn 11, 13   g. Ps. 12, 4 ≠
h. I Jn 5, 16-17 ≠   i. I Cor. 3, 2 ≠   j. Col. 3, 3
4.a. Ps. 123, 7

---

1. * La seconde partie de cette citation – qui se trouve ici seulement dans les œuvres de Bernard – est nettement différente de la *Vg* (elle paraît inspirée du verset 16). En fait, c'est exactement l'antienne du *Benedictus* du vendredi après le 4e dimanche de carême, dans les Bréviaires romain et cistercien récents. Le texte semble attesté à Cîteaux vers 1130.

2. *Vitalis vigilque sopor :* Bernard compare le repos de l'épouse à une sorte de sommeil. Mais il ne s'agit pas du sommeil naturel du corps, ni du sommeil de la mort, ni de la mort éternelle due aux péchés. Il s'agit d'un sommeil vivifiant et vigilant, qui illumine le sens intérieur et qui ravit l'âme pour l'immerger en Dieu.

et tirons-le du sommeil[e 1].» Il disait cela de sa mort corporelle[ee], tandis que les disciples l'entendaient du sommeil[f]. Le sommeil de l'épouse n'est ni ce repos paisible du corps qui pour un temps assoupit agréablement les sens corporels, ni ce repos terrible qui enlève totalement la vie. Il est encore bien plus étranger à cet autre sommeil qui «fait s'endormir dans la mort[g]» lorsqu'on persiste définitivement dans «le péché qui conduit à la mort[h]». Bien au contraire, cette sorte de sommeil vivifiant et vigilant[2] illumine le sens intérieur et, chassant la mort, donne la vie éternelle. C'est un vrai sommeil, qui pourtant n'assoupit pas les sens, mais les ravit. C'est aussi une mort. Je n'hésite pas à le dire, puisque l'Apôtre fait l'éloge de certaines personnes «encore vivantes dans leur chair[i]» par ces paroles : «Vous êtes morts, et votre vie est cachée avec le Christ en Dieu[j].»

4. C'est pourquoi moi aussi je puis dire sans absurdité que l'extase de l'épouse est une mort[3]. Une mort toutefois qui ne l'arrache pas à la vie, mais aux filets de la vie, si bien qu'elle peut dire : «Notre âme, comme un moineau, a été arrachée au filet des chasseurs[a].» Car c'est au milieu de filets que l'on marche en cette vie. L'âme ne les craint pas aussi longtemps qu'une sainte et intense réflexion la ravit à elle-même. Mais il faut que par l'esprit elle se sépare et s'élève jusqu'au point de transcender la façon ordinaire et habituelle de réfléchir.

---

3. Tout le paragraphe explicite la notion de «mort mystique» : «Bonne mort qui n'abat pas le corps, mais soulève l'âme.» Cf. J. RUUSBROEC, *Noces spirituelles :* «La ressemblance s'immerge à chaque instant en Dieu, pour venir mourir en lui et devenir un avec lui» (trad. A. Louf, *Écrits,* t. 2, Bégrolles-en-Mauges 1993, p. 173). «Si du moins nous sommes morts à nous-mêmes en Dieu, grâce au divin amour» (*ibid.* p. 176); Bibliographie : SANDAEUS, *Pro theologia mystica clavis elucidarium onomasticon vocabulorum et loquutiorum obscurarum...* (Reprod. anastat. de l'éd. de Cologne, 1640), Louvain 1963, p. 282-283.

cogitandi; etenim *frustra iacitur rete ante oculos penna-*
10 *torum*[b]. Quid enim formidetur luxuria, ubi nec vita
sentitur? Excedente quippe anima, etsi non vita, certe
vitae sensu, necesse est etiam ut nec vitae tentatio
sentiatur. *Quis dabit mihi pennas sicut columbae, et volabo,*
et requiescam[c]? Utinam hac morte ego frequenter cadam,
15 ut evadam *laqueos mortis*[d], ut non sentiam vitae luxu-
riantis mortifera blandimenta, ut obstupescam ad sensum
libidinis, ad aestum avaritiae, ad iracundiae et impatientiae
stimulos, ad angores sollicitudinum et molestias curarum!
Moriatur anima mea morte iustorum[e], ut nulla illaqueet
20 iniustitia, nulla oblectet iniquitas. Bona mors, quae vitam
non aufert, sed transfert in melius; bona, qua corpus non
cadit, sed anima sublevatur.

5. Verum hoc hominum est. Sed moriatur anima mea
morte etiam, si dici potest, angelorum[a], ut praesentium
memoria excedens, rerum se inferiorum corporearumque
non modo cupiditatibus, sed et similitudinibus exuat,
5 sitque ei pura cum illis conversatio, cum quibus est
puritatis similitudo.

III. Cuiusmodi excessus contemplatio dicatur specialius.

93   Talis, ut opinor, excessus, aut tantum, aut maxime,
contemplatio dicitur. Rerum etenim cupiditatibus vivendo
non teneri, humanae virtutis est; corporum vero simili-
10 tudinibus speculando non involvi, angelicae puritatis est.

---

b. Prov. 1, 17   c. Ps. 54, 7   d. Ps. 17, 6 ≠   e. Nombr. 23, 10
5.a. cf. Nombr. 23, 10

---

1. * Ici, Bernard reprend le mouvement de «l'oraison sur le peuple»
du vendredi qui suit le mercredi des cendres, qu'il cite par ailleurs

Car «c'est en vain qu'on tend le filet devant les yeux de la gent ailée[b]». Pourquoi redouterait-on la luxure, lorsqu'on n'a même plus le sentiment de la vie? L'âme étant sortie, sinon de la vie, du moins du sentiment de la vie, il est forcé qu'elle ne ressente pas non plus les tentations de la vie. «Qui me donnera des ailes comme à la colombe, que je m'envole et me repose[c]?» Plaise à Dieu que je tombe souvent dans cette mort, pour échapper «aux filets de la mort[d]», pour ne plus sentir les attraits mortels d'une vie luxurieuse, pour devenir insensible au désir sensuel, à la montée de l'avarice, aux aiguillons de la colère et de l'impatience, aux angoisses des soucis et aux ennuis des préoccupations! «Que mon âme meure de la mort des justes[e]», pour qu'aucune injustice ne la séduise, aucune iniquité[1] ne l'attire. Bonne mort, qui n'ôte pas la vie, mais la fait passer dans un état meilleur; bonne, car elle n'abat pas le corps, mais soulève l'âme.

5. Mais cela ne concerne que les hommes. Que mon âme meure aussi, si je puis dire, de la mort des anges[a] : quittant le souvenir des réalités présentes, elle se dépouillera non seulement du désir des réalités corporelles qui lui sont inférieures, mais même de leurs images. Elle n'aura plus qu'une intimité toute pure avec ces esprits dont elle imite la pureté.

III. Quelle sorte d'extase est appelée plus spécialement contemplation.

A mon avis, il n'y a que cette sorte d'extase, ou celle-ci principalement, qu'on appelle contemplation. Vivre sans être possédé par le désir des choses, c'est l'effet de la vertu humaine; mais contempler sans se laisser accaparer par les images des corps, c'est le propre de la pureté

---

exactement à 3 reprises : *quia nulla ei nocebit adversitas, si nulla ei dominetur iniquitas.* Cf. *Conv* 40 (*SC* 457, p. 420, n. 1).

Utrumque tamen muneris est divini, utrumque excedere,
utrumque teipsum transcendere est, sed longe unum,
alterum non longe. Beatus qui dicere potest : *Ecce elongavi
fugiens, et mansi in solitudine*[b]. Non fuit contentus exire,
15 nisi et longe se faceret, ut posset quiescere. Transilisti[c]
carnis oblectamenta, *ut* minime iam *oboedias concupiscen-
tiis eius*[d], nec tenearis illecebris; profecisti, separasti te,
sed nondum elongasti, nisi et irruentia undique phantasmata corporearum similitudinum transvolare mentis
20 puritate praevaleas. Hucusque noli tibi promittere requiem.
Erras, si citra invenire te aestimas *locum quietis*[e], secretum
solitudinis, luminis serenum, habitaculum pacis. Sed da
mihi qui illuc pervenerit : incunctanter fateor quiescentem,
qui merito dicat : *Convertere, anima mea, in requiem
25 tuam, quia Dominus benefecit tibi*[f]. Atque hic vere *in
solitudine locus*[g] et in lumine habitatio, prorsus iuxta
Prophetam, *tabernaculum diei ab aestu, in securitate et
absconsione a turbine et a pluvia*[h], de quo et sanctus
David : *Abscondit me,* inquit, *in tabernaculo suo in die
30 malorum, protexit me in abscondito tabernaculi sui*[i].

6. Puta ergo in solitudinem hanc secessisse sponsam,
ibique prae amoenitate loci inter amplexus sponsi suaviter
obdormisse, id est in spiritu excessisse. Unde prohibitae
sunt adolescentulae expergefacere illam, quoad ipsa velit[a].
5 At istud qualiter?

---

b. Ps. 54, 8   c. cf. Cant. 2, 8   d. Rom. 6, 12 ≠   e. Is. 66, 1 ≠
f. Ps. 114, 7   g. Apoc. 12, 6 ≠   h. Is. 4, 6 ≠   i. Ps. 26, 5 ≠
6.a. cf. Cant. 2, 7

1. Guillaume de Saint-Thierry avoue lui aussi ne pas avoir atteint la
pureté de la vie divine. «Mais en ma mémoire pullulent encore des
reliques de mes anciennes amours...» (*Exposé sur le Cantique, SC* 82,
p. 303).
2. Guillaume de Saint-Thierry décrit les fantasmes d'une façon très
semblable. «L'esprit sort de lui-même par de faux chemins aussi nom-

angélique[1]. L'un et l'autre, toutefois, sont un don divin; l'un et l'autre sont une extase; l'un et l'autre, un dépassement de toi-même; mais l'un est loin de ta portée, l'autre non loin. Heureux qui peut dire : «Voilà que je suis allé très loin en fuyant, et je suis resté dans la solitude[b].» Il ne s'est pas contenté de sortir; il est parti au loin, afin de pouvoir trouver le repos. Tu as dépassé[c] les attraits de la chair, «si bien que tu n'obéis plus à ses convoitises[d]» et n'es plus prisonnier de ses séductions. Tu as fait du chemin, tu t'es séparé, mais tu n'es pas encore allé très loin, si tu n'es pas capable de surmonter, par la pureté de l'esprit, les fantasmes des images sensibles qui font irruption de toutes parts[2]. Jusque-là, ne te flatte pas d'obtenir le repos. Tu te trompes, si tu crois trouver en deçà «le lieu de la tranquillité[e]», le secret de la solitude, la sérénité de la lumière, la demeure de la paix. Mais donne-moi un homme qui y soit parvenu : sans hésiter je reconnais qu'il a trouvé le repos. Il peut dire à bon droit : «Retourne, mon âme, à ton repos, car le Seigneur t'a fait du bien[f].» Ce «lieu» est vraiment «dans la solitude[g]» et cette demeure dans la lumière, selon le Prophète : «C'est une tente contre la chaleur du jour, servant de refuge et d'abri contre l'orage et la pluie[h].» Le saint roi David en dit ceci : «Il m'a caché dans sa tente au jour du malheur, il m'a protégé au secret de sa tente[i].»

6. Tiens pour certain que l'épouse s'est retirée dans cette solitude-là. C'est là que grâce à la beauté du lieu elle s'est doucement endormie dans les bras de l'Époux, c'est-à-dire que son esprit est entré en extase. C'est pourquoi il est défendu aux jeunes filles de l'éveiller, jusqu'à ce qu'elle-même le veuille[a]. Mais sous quelle forme?

breux que les représentations imaginaires *(phantasmata)* qui l'écartent de la rectitude d'une bonne intention» *(Exposé sur le Cantique, SC* 82, p. 158).

IV. Quae sint capreae cervique camporum, et increpatio adolescentularum ne levi de causa dilectam inquietent.

Non enim simpliciter, neque levi, ut assolet, commonitione prohibitae sunt, sed omnino nova et inconsueta contestatione, *per capreas* scilicet *cervosque camporum*[b]. Quo quidem genere ferarum videntur mihi satis congruen-
10 ter expressae sanctae animae exutae corporibus, simul et qui cum Deo sunt angeli, nimirum propter acumen visus et saltus celeritatem. Utrumque hoc siquidem utrisque spiritibus convenire cognoscimus : nam facile et petunt summa, et intima penetrant. Quorum quoque in campis
15 designata conversatio evidenter liberos atque expeditos signat in contemplatione discursus. Quid sibi vult ergo adiuratio ista per istos? Profecto ne inquietae adolescentulae audeant levi ex causa evocare dilectam a tam reverendo collegio, cui absque dubio toties admiscetur,
20 quoties contemplando excedit. Pulchre itaque horum auctoritate terrentur, a quorum societate constat avelli illam ipsarum importunitate. Attendant adolescentulae quos offendant pariter, cum matrem inquietant, et minime ita materna de caritate confidant, ut non in illum caelestem
25 conventum sine magna necessitate irruere vereantur. Id quippe se agere cogitent, cum in contemplatione quiescenti plus iusto molestae sunt. Ponitur sane in voluntate ipsius, et vacare sibi, et curae illarum intendere prout oportere iudicaverit, cum vetatur excitari ab illis, *quousque*
30 *ipsa velit*[c]. Novit sponsus quanta flagret dilectione etiam

b. Cant. 2, 7   c. Cant. 2, 7 ≠

---

1. Même remarque dans l'*Exposé* de Guillaume de Saint-Thierry : «Les gazelles douées d'une vue perçante; les cerfs des champs agiles à la course, lorsqu'ils redoutent de perdre l'œil de la pure contemplation» (*SC* 82, p. 295).

IV. Quels sont les gazelles et les cerfs des champs. Avertissement aux jeunes filles afin qu'elles ne dérangent pas la bien-aimée pour une raison futile.

Il ne s'agit pas d'une défense pure et simple, ou assortie d'une légère admonition, comme de coutume. La défense s'accompagne d'une adjuration toute nouvelle et insolite : «Par les gazelles et les cerfs des champs[b].» Cette sorte d'animaux me semble désigner assez exactement les âmes saintes dépouillées de leurs corps, et en même temps les anges qui sont avec Dieu, à cause certes de l'acuité de leur regard et de la rapidité de leurs bonds[1]. Ces deux qualités conviennent, nous le savons, à ces deux sortes d'esprits : sans peine ils s'élèvent aux réalités les plus sublimes et pénètrent les plus secrètes. Si l'on précise en outre que ces animaux vivent dans les champs, c'est évidemment pour marquer la libre aisance avec laquelle ces esprits évoluent dans la contemplation. Mais à quoi bon cette adjuration au nom de ces esprits? Assurément pour empêcher que les jeunes filles, toujours agitées, n'osent rappeler la bien-aimée d'une compagnie si vénérable pour une raison futile. Car, sans aucun doute, c'est à cette compagnie qu'elle se joint toutes les fois qu'elle sort d'elle-même par la contemplation. Il est bien que les jeunes filles soient effrayées par l'autorité de ces esprits, à la société desquels elles arrachent l'épouse par leur indiscrétion. Que les jeunes filles considèrent qui elles offensent lorsqu'elles dérangent leur mère; qu'elles ne s'autorisent pas de la charité maternelle jusqu'à ne pas craindre de faire irruption, sans une sérieuse nécessité, dans cette assemblée céleste. Elles doivent se rendre compte que c'est bien là ce qu'elles font lorsqu'elles importunent plus que de droit l'épouse qui se repose dans la contemplation. Quand il leur est défendu de réveiller l'épouse «jusqu'à ce qu'elle-même le veuille[c]»,

erga proximos sponsa, et satis propria caritate sollicitari
matrem de profectibus filiarum, nec se ullo pacto illis
subtracturam seu denegaturam quantum et quoties opus
fuerit; proptereaque secure discretioni eius credendam
35 censuit hanc dispensationem. Non enim est talis, quales
multos videmus prophetica inustione notatos, qui quod
crassum est et forte assumentes[d], quod debile est
proiciunt. Numquid medicus valentes requirit, et non
potius aegrotantes[e]? Si contingat, facit forsitan ut amicus,
40 non ut medicus. Quos docebis, *magister bone*[f], si omnes
indoctos repuleris? Quibus, quaeso, habebis diligentiam
disciplinae, si indisciplinatos vel effugaveris omnes, vel
fugeris? In quibus, obsecro, tuam probabis patientiam, si
solos admiseris mansuetos, inquietos excluseris?

7. Sunt tamen de hic sedentibus, qui[a] utinam praesens
capitulum attentius observarent. Cogitarent certe, quanta
praepositis reverentia debeatur, quos temere inquietando,
caeli quoque civibus se reddunt infensos, et nobis forte
5 plusculum solito parcere demum inciperent, nec tam irre-
verenter leviterque se iam ingererent cum vacamus. Rara
95   mihi satis ad feriandum a supervenientibus, ut bene
norunt, conceditur hora, etiam cum ipsi in omni patientia
me sustinebunt. Verum ego scrupulosius moveo istiusmodi
10 querelam, ne quis forte pusillanimis supra vires propriae

d. cf. Éz. 34, 3   e. cf. Matth. 9, 12   f. Matth. 19, 16
7.a. cf. Matth. 16, 28

il est laissé au bon plaisir de l'épouse de juger s'il vaut
mieux vaquer à elle-même ou s'occuper des jeunes filles.
L'Époux sait que l'épouse brûle d'un intense amour aussi
pour son prochain; il sait que la mère est assez pressée
par sa propre charité pour veiller aux progrès des filles.
Il sait que pour rien au monde elle ne se dérobera ni
ne se refusera aux filles, pour autant et toutes les fois
que ce sera nécessaire. Aussi a-t-il estimé qu'il pouvait
en toute sécurité laisser au discernement de l'épouse la
gestion de son temps. Car elle ne ressemble pas à ces
nombreux bergers stigmatisés par le Prophète qui prennent
pour eux les bêtes grasses et robustes[d] et rejettent les
faibles. Est-ce que le médecin cherche les bien portants,
et non plutôt les malades[e]? Si cela lui arrive, il le fait
peut-être en qualité d'ami, et non de médecin. Qui vas-
tu instruire, «bon maître[f]», si tu repousses tous les ignorants? A qui, de grâce, inculqueras-tu la discipline, si tu
mets en fuite tous les indisciplinés, ou si tu les fuis? Dis-
moi, je t'en prie : envers qui exerceras-tu ta patience, si
tu n'admets que les doux et si tu exclus les turbulents?

7. Il y a tout de même dans cette assistance des personnes que[a] je voudrais voir considérer ce passage avec
la plus grande attention. Ils prendraient certes mieux
conscience de la déférence qu'ils doivent aux supérieurs.
En les dérangeant à la légère, ils contrarient aussi les
citoyens du ciel. Peut-être commenceraient-ils enfin à nous
épargner un peu plus que de coutume, et ne viendraient-
ils plus nous importuner avec une telle désinvolture et
une telle insouciance lorsque nous avons quelque loisir.
Même lorsque eux voudront bien m'attendre en toute
patience, il est plutôt rare, et ils le savent bien, que des
gens arrivant à l'improviste me laissent une heure de
répit. Mais c'est avec quelque scrupule que j'exprime une
telle plainte. Je crains que l'une ou l'autre âme faible,
par peur de me déranger, ne dissimule ses besoins

patientiae dissimulet a necessitatibus suis, dum me
inquietare veretur. Supersedeo igitur, et ne magis impatientiae exemplum videar dare infirmis. *Pusilli* Domini
sunt, *in eum credentes;* non patior ut ex me *scandalum*
15 patiantur[b]. *Non utar hac potestate*[c]; magis autem ipsi me
utantur ut libet : tantum *ut salvi fiant*[d]. Parcent mihi si
non pepercerint, et in eo potius requiescam, si non me
inquietare timuerint pro necessitatibus suis. Geram eis
morem quoad potuero, et in ipsis *serviam Deo meo,*
20 *quamdiu fuero*[e], *in caritate non ficta*[f]. *Non quaeram quae*
mea sunt[g], *non quod mihi utile est, sed quod multis*[h], id
mihi utile iudicabo. Hoc solum deprecor, ut fiat eis
acceptum fructuosumque ministerium meum, si forte vel
ex hoc inveniam *in die mala*[i] misericordiam in oculis
25 Patris eorum, simul et sponsi Ecclesiae, Iesu Christi Domini
nostri, *qui* cum eo *est super omnia Deus benedictus in*
saecula[j].

---

b. Matth. 18, 6 ≠   c. I Cor. 9, 12 ≠   d. I Cor. 10, 33   e. Ps. 145, 2
f. II Cor. 6, 6   g. I Cor. 13, 5 ≠   h. I Cor. 10, 33 ≠   i. Ps. 40, 2
j. Rom. 9, 5 ≠

au-delà de ses capacités de patience. Je n'insiste donc pas, pour ne pas avoir l'air de donner moi-même un exemple d'impatience aux faibles[1]. Ce sont eux «les petits» du Seigneur, «qui croient en lui»; je ne souffre pas qu'ils aient à souffrir «le scandale[b]» de ma part. «Je ne veux pas user de mon autorité[c]»; je veux plutôt qu'ils usent de moi à leur gré : «pourvu seulement qu'ils soient sauvés[d]». Ils m'épargneront en ne m'épargnant pas, et je trouverai plutôt mon repos en ce qu'ils ne craindront pas de me déranger pour leurs besoins. Je ferai ce qu'ils désirent autant que je pourrai, et c'est en eux que «je servirai mon Dieu, aussi longtemps que je vivrai[e]», «par une charité sans feinte[f]». «Je ne chercherai pas mon avantage personnel[g]», «ni ce qui m'est profitable, mais ce qui l'est au plus grand nombre[h]»; c'est cela que je jugerai profitable pour moi-même. Tout ce que je demande, c'est que mon ministère leur soit agréable et fructueux. Aussi «au jour du malheur[i]» pourrai-je peut-être, au moins pour cela, trouver miséricorde aux yeux de leur Père ainsi que de l'Époux de l'Église, Jésus-Christ notre Seigneur, «qui est» avec le Père «au-dessus de tout, Dieu béni dans les siècles[j]».

---

1. Bernard finit le sermon par une observation adressée à lui-même et un appel à la confiance adressé à ses moines.

SERMO LIII

I. Qua consequentia dicitur : *Vox dilecti,* et quod auditus visum praecedit.

1. *Vox dilecti mei*[a]. Videns sponsa novam adolescentularum verecundiam, et verecundum timorem, quod scilicet de novo coepissent non audere se ingerere sancto
otio ipsius, nec, *sicut heri et nudiustertius*[b], molestae fieri
quiescenti in contemplatione praesumerent, agnoscit hoc
sibi provenisse cura et opera sponsi; et *exsultans in
spiritu*[c], sive pro illarum profectu, quae a nimia et
superflua inquietudine compescuntur, sive pro sua
deinceps futura liberiori quiete, sive etiam pro dignatione
et favore sponsi, adeo pro hac ipsa eius quiete zelantis,
et tanto studio defensantis suavissima otia sua, immo
ferventissima, ait hoc facere vocem dilecti sui, huius rei
gratia factam ad illas. Etenim is *qui* aliis *praeest in solli-
citudine*[d], vix umquam vel raro secure vacat sibi, dum

96

5

10

SERMON 53

I. Comment ces paroles : «La voix du bien-aimé» se relient à ce qui précède. L'ouïe devance la vue. – II. Les montagnes sur lesquelles l'Époux bondit et les collines par-dessus lesquelles il saute. – III. Les montagnes et les brebis sont la même chose, c'est-à-dire les citoyens du ciel. – IV. Quels sont les bonds de l'Époux bondissant et sautant par-dessus les montagnes.

I. Comment ces paroles : «La voix du bien-aimé» se relient à ce qui précède. L'ouïe devance la vue.

1. «La voix de mon bien-aimé[a]!» L'épouse voit la réserve inhabituelle des jeunes filles et leur crainte respectueuse, car elles n'osent plus maintenant déranger son saint loisir ou, «comme hier et avant-hier[b]», l'importuner tandis qu'elle se repose dans la contemplation. Elle reconnaît qu'elle doit ce changement à la sollicitude et à l'intervention de l'Époux. «Elle exulte en esprit[c]» à cause du progrès des jeunes filles, car elles modèrent leur agitation excessive et débordante. Elle exulte aussi pour le repos dont elle pourra désormais jouir plus à son aise. Elle exulte enfin pour la faveur complaisante de l'Époux, qui prend un soin si jaloux de son repos et qui défend avec une telle ardeur ses loisirs si doux, ou plutôt si fervents. Elle attribue tout cela à la voix de son bien-aimé, qui vient de reprendre pour cette raison les jeunes filles. En effet, «celui qui gouverne» les autres «avec sollicitude[d]» ne peut presque jamais ou rarement

15 semper timet sui penuriam facere subditis, et non placere
   Deo quod communi utilitati propriam praefert quietae
   contemplationis dulcedinem. Non autem parum gaudii et
   securitatis accedit interdum suaviter ferianti, cum ex metu
   quodam et reverentia erga se immissa divinitus cordibus
20 subditorum, intelligit suam Deo placere quietem, qui facit
   ut illi magis aequo animo suas necessitates sustineant,
   quam patris spiritualis grata audeant otia temere
   perturbare. Nam iusta trepidatio parvulorum manifeste
   signat, audisse eos intus quasi minacem atque increpa-
25 toriam illius procul dubio vocem, qui in Propheta loquitur :
   Ego qui loquor iustitiam^e. Vox eius, inspiratio eius, ac
   iusti timoris incussio.

   2. Comperta ergo hac voce, sponsa gaudens et
   exsultans : *Vox,* inquit, *dilecti mei*^a. *Amica* est, et *gaudio
   gaudet propter vocem sponsi*^b. Et addit : *Ecce venit is
   saliens in montibus, transiliens colles*^c. Comperta ex auditu
5 vocis dilecti praesentia, incunctanter intendit bene curiosos
   oculos ad videndum quem audierat. Auditus ducit ad
   visum : *fides ex auditu*^d, qua corda mundantur^e ut possit
   videri Deus^f; sic enim habes : *Fide mundans corda*^g. Videt
   itaque venientem, quem loquentem audierat^h, observante
10 etiam hic ordinem illum Spiritu Sancto, qui apud
   Prophetam descriptus est ita : *Audi, filia, et vide*^i. Et ut

---

e. Is. 63, 1
2.a. Cant. 2, 8   b. Jn 3, 29 ≠   c. Cant. 2, 8 ≠   d. Rom. 10, 17
e. cf. Act. 15, 9 (Patr.)   f. cf. Matth. 5, 8   g. Act. 15, 9 (Patr.)
h. cf. Jn 1, 29   i. Ps. 44, 11

---

1. Le repos du père spirituel lui est assuré par le fait que le vrai
Berger des moines leur inspire une juste crainte de déranger l'abbé
pour des vétilles.

2. * Bernard n'emploie pas le *iste venit* de l'édition critique de la *Vg*
(sans manuscrit divergent), mais *venit is*. Il va le faire à nouveau 2 fois
dans *SCt* 54, 1 et 7 ; dans la totalité de son œuvre, il écrit ainsi 7 fois
sur 7. Il semble être le seul, ou du moins le premier : seul un contem-

vaquer tranquillement à lui-même. Car il craint toujours de manquer à ceux qu'il gouverne et de déplaire à Dieu en préférant à l'utilité commune la douceur personnelle d'une contemplation tranquille. Aussi ce n'est pas peu de joie et de sécurité qui vient parfois s'ajouter à la douceur de son repos. Cela arrive lorsque, par la crainte et le respect à son égard que Dieu inspire aux cœurs de ceux qu'il gouverne, il comprend que son repos est agréable à Dieu. Car Dieu fait en sorte qu'ils préfèrent supporter patiemment leurs besoins, plutôt que d'oser troubler à la légère les agréables loisirs de leur père spirituel[1]. La juste appréhension des petits enfants montre clairement qu'ils ont entendu en eux-mêmes la voix presque menaçante et grondeuse de celui qui dit par la bouche du Prophète : «C'est moi qui énonce la justice[e].» Sa voix, c'est son inspiration, et le choc d'une juste crainte.

2. Reconnaissant cette voix, l'épouse joyeuse et exultante s'écrie : «La voix de mon bien-aimé[a]!» Elle est «son amie», et elle est ravie de joie à la voix de l'Époux[b]». Elle ajoute : «Voici qu'il vient, bondissant sur les montagnes, sautant par-dessus les collines[c2].» Entendant sa voix, elle a reconnu la présence de son bien-aimé. Aussitôt, avec une curiosité justifiée, elle cherche des yeux celui qu'elle a entendu. L'ouïe conduit à la vue; «la foi vient de l'ouïe[d]» et purifie les cœurs[e] pour que Dieu puisse être vu[f]. Tu lis en effet : «Purifiant les cœurs par la foi[g3].» Aussi l'épouse voit-elle venir celui qu'elle avait entendu parler[h]. Ici encore l'Esprit-Saint suit l'ordre ainsi décrit par le Prophète : «Écoute, ma fille, et vois[i].» Tu

---

porain, Philippe de Harvengt, a été trouvé, encore est-ce une allusion (*Comm. sur le Cantique*, c. 4; *PL* 203, 310 B).

3. * *Fide mundans corda*, «Purifiant les cœurs par la foi». Bernard reproduit toujours le texte des Pères, *mundans*. Cf. Augustin, *Traité sur saint Jean*, 80, 3 (*CCL* 36, 529, 17), variante de la *Vg purificans*. Cf. *SCt* 28, 5 (*SC* 431, p. 357, n. 2).

certius advertas, non casu neque fortuitu, sed de studio
magis et industria, ob illam scilicet rationem quam prae-
misimus, auditum hoc loco praemissum visui, vide si non
15 hic ordo verborum a sancto quoque observatus invenitur,
ubi sic loquitur Deo : *Auditu auris audivi te, et nunc
oculus meus videt te*[j]. Sed et ubi Spiritus Sanctus super
Apostolos in die Pentecostes descendisse memoratur,
nonne auditus visum praevenisse describitur? Ait enim :
20 *Factus est repente de caelo sonus, tamquam advenientis
spiritus vehementis;* et infra : *Et apparuerunt illis disper-
titae linguae tamquam ignis*[k]. Et hic ergo Spiritus Sancti
adventum primo auditus, dehinc visus percepisse refertur.
Sed de hoc satis, quoniam tu quoque, si curas operam
25 dare huiuscemodi inquisitioni, poteris et ipse fortassis in
aliis Scripturae locis similia reperire.

II. Qui sunt montes vel colles, super quos sponsus salit vel quos transilit.

3. Nunc iam illud consideremus, quod diligentioris eget
inquisitionis et difficiliores habet accessus, ad quod
nimirum omnino egere me fateor adiutorio Spiritus Sancti,
ut ponere in lucem possim, qui sint illi montes seu colles,
5 super quos salientem et transilientem eos, Ecclesia
Sponsum laetis spectavit obtutibus, credo cum properaret
ad ipsius redemptionem, cuius concupierat et decorem[a].
Nam id quidem propterea ita et non dubie senserim,
quoniam simile quid de Propheta occurrit mihi, evidenter
10 in spiritu praevidente et exprimente Salvatoris adventum :
In sole posuit tabernaculum suum, et ipse tamquam

---

j. Job 42, 5 ≠   k. Act. 2, 2-3
3.a. cf. Ps. 44, 12

1. Bernard a déjà parlé de l'ouïe : *SCt* 28, 7-8 (*SC* 431, p. 354-363).

peux remarquer en toute assurance que si l'ouïe, dans
ce passage, précède la vue, ce n'est pas par hasard, mais
à dessein et de propos délibéré, c'est-à-dire pour la raison
que nous venons d'alléguer. Car le même ordre des mots
a été également suivi, n'est-ce pas, par le saint homme
Job, lorsqu'il parle à Dieu en ces termes : «Je t'ai entendu
de mes oreilles, et maintenant mes yeux te voient[j].» De
même, lorsque l'Écriture décrit la descente de l'Esprit-
Saint sur les Apôtres au jour de la Pentecôte, ne rap-
porte-t-elle pas que l'ouïe a précédé la vue? Elle dit en
effet : «Il y eut soudain un bruit venant du ciel, semblable à celui d'un violent coup de vent.» Et plus bas :
«Alors leur apparurent comme des langues de feu qui
se partageaient[k].» Ici encore la venue du Saint-Esprit est
perçue d'abord par l'ouïe, ensuite par la vue. Mais j'en
ai assez dit sur ce point. Toi aussi, si tu veux t'appliquer
à ce genre de recherche, tu pourras peut-être trouver toi-
même des exemples semblables dans d'autres passages
de l'Écriture[1].

II. Les montagnes sur lesquelles l'Époux bondit et les collines par-dessus lesquelles il saute.

3. Examinons maintenant un autre point qui est d'accès
plus malaisé et exige une recherche plus précise. J'avoue
qu'ici il me faut absolument le secours de l'Esprit-Saint,
pour que je puisse mettre en lumière quelles sont ces
montagnes et ces collines par-dessus lesquelles l'Église a
vu sauter et bondir l'Époux. Elle le regardait avec joie,
lorsqu'il accourait, je pense, pour la racheter, elle dont
il avait aussi désiré la beauté[a]. Si je n'hésite pas à entendre
ainsi ce passage, c'est qu'un autre semblable me vient à
la pensée, où le Prophète prévoit clairement en esprit et
annonce l'avènement du Sauveur : «Il a planté sa tente
en plein soleil, et il est lui-même comme un époux qui

sponsus procedens de thalamo suo. Exsultavit ut gigas ad
currendam viam : a summo caelo egressio eius, et occursus
eius usque ad summum eius[b]. Cursus et recursus is notis-
15 simus est; a quo et ad quid initus consummatusque notis-
simum. Quid igitur? Pingemus nobis, sive in Psalmis ista
legentes, sive in praesenti Cantico, virum gigantem
procerae staturae, absentis cuiuspiam mulierculae amore
captum, et dum properat ad cupitos amplexus, transi-
20 lientem montes collesque hos[c], quos videmus mole
corporea super plana terrae tanta altitudine eminentes, ut
et supra nubes aliqui illorum verticem extulisse cernantur?
Verum non decet istiusmodi corporeas phantasias
imaginari, praesertim tractantes hoc Canticum spirituale;
25 sed nec licet omnino nobis, qui meminimus legisse nos
98 in Evangelio, quia *spiritus est Deus, et eos qui adorant*
eum oportet in spiritu adorare[d].

4. Qui sunt ergo hi spirituales montes et colles, ut
postmodum consequenter cognoscamus, Sponsus – qui
Deus et per hoc et spiritus est –, quales et cuiusmodi
dabat saltus in illis sive super illos? Si illos putamus, in

---

b. Ps. 18, 6-7 ≠   c. cf. Cant. 2, 8   d. Jn 4, 24 ≠

---

1. * Le *virum gigantem procerae staturae* (allusion à *Nombr.* 13, 33),
ce géant d'une taille extraordinaire, désigne Goliath; Bernard s'est plu
à l'évoquer et lui a même consacré un sermon : *pP4* (*SBO* V, p. 202-
205). Ici, il l'associe à Samson, épris en particulier de Dalila. Pour ce
qui est de *cupitos amplexus* («embrassements désirés»), l'expression fait
partie d'une longue série de textes de Bernard où les *amplexus* sont
qualifiés de *cupiti, desiderati, laeti, iucundi,* leur objet étant volontiers
Rachel. Bien que ces deux mots soient ceux de l'invite lascive de
l'étrangère de *Prov.* 7, 18, Bernard s'en tient constamment à la seule
transposition mystique. Samson comme Goliath sont des figures du
Christ, et par suite de l'Époux. Mais il se trouve que l'expression «pris
par l'amour d'une femme» *(mulierculae amore captum)* de ce
SCt 53, 3, est tout à fait parallèle à l'expression «l'affection d'un Époux
épris d'un amour très ardent» *(sponsi ardentissimo amore capti)* du
SCt 52, 2. Il est vraisemblable que Bernard a cherché à renforcer l'un

sort de la chambre nuptiale. Il s'est élancé comme un géant pour courir son chemin; il s'est levé à l'extrémité du ciel, et sa course atteint à l'autre extrémité[b].» Cette course et ce retour sont bien connus; son point de départ et son aboutissement, bien connus aussi. Mais quoi? Allons-nous, lorsque nous lisons ces paroles dans les Psaumes ou dans notre Cantique, nous représenter un géant de haute taille épris d'amour pour une femme absente[1]? Imaginerons-nous qu'il se hâte vers les embrassements désirés, sautant par-dessus ces montagnes et ces collines[c] dont nous voyons la masse s'élever si haut dans les plaines de la terre que certaines de leurs cimes paraissent se perdre dans les nuages? Il ne convient vraiment pas de s'abandonner à ces fantaisies sensibles, surtout lorsqu'on explique ce Cantique spirituel. Mais cela ne nous est même pas permis, à nous qui nous souvenons d'avoir lu dans l'Évangile que «Dieu est esprit, et ceux qui l'adorent doivent adorer en esprit[d]».

4. Quelles sont alors ces montagnes et ces collines spirituelles? Nous pourrons ensuite connaître, en bonne logique, quels sont les bonds que l'Époux – qui est Dieu et par là est aussi esprit – faisait sur elles ou au-dessus d'elles. Si nous pensons à ces montagnes où, d'après

---

par l'autre – l'amour «régulier» et certes très ardent d'un époux par l'amour extra-conjugal pour une femme de peu, bafoué et persistant. En outre, c'est à la manière d'*Osée* en ses trois premiers chapitres que Bernard a «dépeint» *(pingemus...)* l'amour de Dieu pour l'Homme, comme s'aiment homme et femme, tout en mettant entre son texte et lui distance et précaution : «Il ne convient vraiment pas de s'abandonner à ces fantaisies sensibles *(verum non decet istiusmodi corporeas phantasias imaginari)...*, cela ne nous est même pas permis *(nec licet omnino)...*»; enfin : «Dieu est esprit» *(spiritus est Deus)*. Il est remarquable qu'il ait employé la méthode d'Osée sans nulle allusion verbale à l'un des mots du prophète et aussi qu'il se soit servi de ces deux héros «solaires» de l'Ancien Testament pour «peindre» non la grandeur de Dieu, mais son amour gigantesque.

5 quibus Evangelium refert olim relictas fuisse nonaginta
novem oves, cum pius pastor earum venit unam in terris
quaerere quae perierat[a], nihilominus adhuc res in obscuro
est, et intellectus haeret : dum difficile sit invenire spirituales illae et supercaelestes beatitudines – nam ipsae
10 sunt sine dubio, quae ibi moratae sunt oves – quos vel
quales habeant spirituales similiter montes vel colles ad
habitandum pascendumve in illis. Verumtamen si non in
veritate aliqui essent, Veritas hoc non dixisset. Sed neque
Propheta longe ante de civitate superna Ierusalem[b] protu-
15 lisset, quia *fundamenta eius* sint *in montibus sanctis*[c], si
non vere inibi essent montes sancti. Denique quod
caelestis habitatio illa vere habeat non modo spirituales,
sed et vivos ac rationales montes collesque, audi Isaiam :
Montes et colles cantabunt coram Deo laudes[d].

III. Quomodo idem sunt montes qui oves, scilicet superni cives.

5. Quinam igitur isti, nisi idem ipsi caeli inhabitatores
spiritus, quos dominica voce oves diximus appellatos, ut
ipsi sint montes qui oves, si non tamen absurde dici
videatur montes in montibus aut oves in ovibus pasci?
5 Et iuxta litteram quidem durum sonat; secundum spiritualem autem intelligentiam dulce sapit, si subtiliter adver-
tamus quomodo utrarumque ovium pastor[a], *Dei* scilicet
sapientia Christus[b], unum idemque pabulum veritatis aliter

4.a. cf. Matth. 18, 11-12   b. cf. Gal. 4, 26   c. Ps. 86, 1 ≠   d. Is. 55,
12 (Lit.)
5.a. Jn 10, 2 ≠   b. I Cor. 1, 24 ≠

---

1. *Alors que la *Vg* a *coram vobis laudem* (*Is.* 55, 12), Bernard écrit
ici *coram Deo laudes;* de même au § 6 de ce sermon; de même encore
dans *SCt* 73, 7 (*SBO* II, p. 237, l. 25), sans doute sous l'influence du
Ps. 148, 7-9 et de *Dan.* 3, 75. C'est l'antienne *Montes et colles* pendant
l'Avent, dans l'ensemble des bréviaires, avec des dates diverses; mais

l'Évangile, furent jadis laissées les quatre-vingt-dix-neuf brebis, tandis que leur bon pasteur venait sur terre chercher la seule brebis qui s'était perdue[a], une chose cependant demeure encore dans l'obscurité, et l'intelligence hésite. Car il est difficile de trouver alors quelles sont les montagnes et les collines également spirituelles où habitent et paissent ces esprits bienheureux et supracélestes qui sont sans aucun doute les brebis restées là-haut. La Vérité n'aurait pas parlé de ces montagnes, s'il n'en existait pas en vérité quelques-unes. Le Prophète lui non plus, longtemps auparavant, n'aurait pas dit de la cité céleste, Jérusalem[b], que « ses fondations sont sur les montagnes saintes[c] », s'il n'y avait pas vraiment là-haut de montagnes saintes. Quant au fait que cette demeure céleste possède vraiment des montagnes et des collines non seulement spirituelles, mais aussi vivantes et douées de raison, écoute ce qu'en dit Isaïe : « Les montagnes et les collines chanteront des louanges devant Dieu[d][1]. »

III. Les montagnes et les brebis sont la même chose, c'est-à-dire les citoyens du ciel.

5. Quelles sont donc ces montagnes, sinon ces mêmes esprits qui habitent le ciel et que le Seigneur, nous l'avons dit, appelle des brebis? Ainsi ils sont montagnes tout en étant brebis, si du moins il ne semble pas absurde de dire que les montagnes paissent sur les montagnes et les brebis sur les brebis. Certes, selon la lettre, cette parole est choquante. Mais selon le sens spirituel elle est douce au goût, si nous remarquons avec finesse comment le pasteur de ces deux sortes de brebis[a], « le Christ sagesse de Dieu[b] », procure à ses troupeaux le même et unique

le bréviaire romain a *laudem*, tandis que le «Bréviaire gothique» (*PL* 86, 660 B) et le bréviaire cistercien ont *laudes*. Le texte semble attesté à Cîteaux vers 1130.

in terris, aliter in caelestibus gregibus suis administret.
10 Nam nos quidem mortales homines interim *in loco peregri-*
nationis nostrae[c], *in sudore vultus nostri comedere panem*[d]
nostrum necesse habemus, foris illum *in labore et*
aerumna[e] mendicantes, id est vel a doctis viris, vel a
sacris libris, vel certe *per ea quae facta sunt, invisibilia*
15 *Dei intellecta conspicientes*[f]; angeli autem in omni plenitudine, etsi non a semetipsis, tanta facilitate, quanta et
felicitate accipiunt unde beate vivunt. *Sunt* enim *omnes*
docibiles Dei[g] : quod sane electos hominum quandoque
assecuturos certa veritate promittitur, et nondum experiri
20 tribuitur felicitate secura.

6. Pascuntur proinde in montibus montes, vel oves in
ovibus, cum sane supernae illae substantiae spirituales
intra semetipsas *de Verbo vitae*[a], unde suam beatam perpe-
tuent vitam, affluenter inveniunt idem ipsi et montes et
5 oves : montes propter plenitudinem vel celsitudinem, oves
propter mansuetudinem. Pleni quippe Deo, celsi meritis,
cumulati virtutibus, nihilominus tamen erectos vertices tota
et humili oboedientia submittunt et inclinant illius longe
supereminentis imperio maiestatis, tamquam oves mansue-
10 tissimae ad nutum sui pastoris per omnia ambulantes, et
sequentes eum quocumque ierit[b]. Et in his, secundum
Prophetam David, vere *montibus sanctis,* tamquam *prima*

---

c. Ps. 118, 54 ≠   d. Gen. 3, 19 (Patr.)   e. II Cor. 11, 27   f. Rom. 1,
20 ≠   g. Jn 6, 45 ≠
6.a. I Jn 1, 1   b. Apoc. 14, 4 ≠

---

1. Ce paragraphe distingue les deux troupeaux de l'Époux : l'un
céleste, l'autre terrestre. Ce dernier parvient à la connaissance de Dieu
grâce aux livres, aux maîtres et aux réalités visibles. Le premier est
instruit par Dieu lui-même, ce qui est promis à tous les bienheureux
du ciel.

2. * Ici, Bernard, à la place du verbe *vesci* de la *Vg*, emploie le
verbe *comedere*. Cf. *SC* 414, p. 199, n. 5 sur *SCt* 9, 2.

pâturage de la vérité d'une façon sur la terre et d'une autre au ciel[1]. Nous autres, hommes mortels, qui cheminons pour le moment «sur la terre de notre exil[c]», nous devons «manger[2] notre pain à la sueur de notre front[d]» et le mendier dehors «avec peine et fatigue[e]». Je veux dire que nous devons le recevoir des hommes instruits ou des livres saints, ou bien «parvenir à l'intelligence des perfections invisibles de Dieu par les choses créées[f]». Les anges, en revanche, reçoivent en toute plénitude, mais non d'eux-mêmes, ce qui les rend heureux, et ils le reçoivent avec autant d'aisance que de bonheur. Car «ils sont tous instruits par Dieu[g]». Ce privilège est promis avec vérité et certitude aux élus qui l'obtiendront un jour; mais il ne leur est pas encore permis d'en faire l'expérience avec une félicité assurée.

6. Les montagnes paissent donc sur les montagnes, ou les brebis sur les brebis, lorsque ces substances célestes et spirituelles trouvent abondamment en elles-mêmes, «grâce au Verbe de vie[a]», ce qui rend éternelle leur vie bienheureuse. Ils sont à la fois montagnes et brebis : montagnes par leur fertilité ou leur élévation, brebis par leur mansuétude. Remplis de Dieu, élevés en mérites, comblés de vertus, ils inclinent pourtant leurs cimes altières et les soumettent, par une humble et totale obéissance, à l'empire de cette majesté qui les domine de très haut. Aussi ressemblent-ils à des brebis très dociles qui se conduisent en toutes choses selon la volonté de leur berger et «le suivent partout où il va[b3]». Sur ces «montagnes vraiment saintes», selon le Prophète David,

---

3. * «Suivre l'Agneau partout où il ira» (*Apoc.* 14, 4) ou bien «te suivre, [Jésus], partout où tu iras» (*Matth.* 8, 19; *Lc* 9, 57), c'est toujours dans les manuscrits bibliques *abire;* mais bien des Pères, ainsi que la Liturgie, ont préféré *ire.* Les œuvres de Bernard ont toujours (27 fois) *abire.* C'est d'ailleurs là un membre de phrase typique de la «dévotion» bernardine, que l'on trouvera abondamment dans l'*Imitation.*

omnium creata sapientia[c], *fundamenta*[d] civitatis Domini
ab initio firmiter stabilita consistunt : quae utique una est
15 in caelo et in terra, licet ex parte peregrinans et ex parte
regnans. Et ex his nihilominus, iuxta Isaiam, tamquam
quibusdam *cymbalis bene sonantibus*[e], iugis resonat
gratiarum actio et vox laudis[f], suavi et incessabili voce
implentibus quod ex eodem Propheta paulo ante memo-
20 ravimus, quia *montes et colles cantabunt coram Deo
laudes*[g], et item quod ille alius loquens ad Dominum
Deum : *Beati,* ait, *qui habitant in domo tua, Domine! In
saecula saeculorum laudabunt te*[h].

7. Hi ergo – ut ad id recurramus, unde aliquantum,
sed, ut puto, necessarie digressum est – illi sunt montes
atque colles, in quibus Ecclesia vidit caelestem Sponsum
mira   alacritate   salientem,   cum   ad   suos   properaret
5 amplexus : nec modo salientem, sed et transilientem[a] eos.

IV. Qui sunt saltus sponsi, quibus salit vel transilit montes.

Vis tibi hos saltus ex litteris Prophetarum Apostolo-
rumque demonstrem? Non quod nunc omnia, quae de
100   hac re apud illos ab otiosis inveniri queunt, testimonia
replicare incipiam : hoc enim longum est, et opus non
10 est; sed ea tantum pono, quae breviter et aperte astruere
videantur id quod dicitur de Sponsi saltibus. Dicit de illo
David quia *posuit in sole tabernaculum suum, et ipse*

---

c. Sir. 1, 4 ≠   d. Ps. 86, 1 ≠   e. Ps. 150, 5   f. Is. 51, 3   g. Is. 55,
12 (Lit.)   h. Ps. 83, 5 (Lit.)
7.a. cf. Cant. 2, 8

---

1. * Cf. *SCt* 53, 4, l. 19, p. 86, n. 1.
2. * L'une des 14 citations de ce verset dans les *SBO*, qui toutes
ajoutent *Domine* au Psautier *Vg.* C'est le texte du Psautier romain; de
plus, quelques leçons de la liturgie cistercienne et de très nombreux

reposent «les fondations[d]» de la cité de Dieu, fermement
établies dès le commencement, à l'image de «la sagesse,
première créée de toutes choses[c]». C'est la même cité
au ciel et sur la terre, bien que d'une part elle soit voya-
geuse, d'autre part reine. C'est aussi de ces montagnes,
selon Isaïe, que retentissent sans cesse «l'action de grâces
et l'hymne de louange[f]», comme de «cymbales au son
harmonieux[e]». Par leur doux chant continuel elles accom-
plissent la parole du même Prophète que nous avons
rappelée un peu plus haut : «Les montagnes et les collines chanteront des louanges devant Dieu[8 1].» Et aussi
cette parole d'un autre Prophète s'adressant au Seigneur
Dieu : «Heureux ceux qui habitent en ta maison, Seigneur! Ils te loueront dans les siècles des siècles[h 2].»

7. Revenons à notre sujet, d'où nous nous sommes
quelque peu écartés; mais je pense que cette digression
était nécessaire. Ces esprits donc sont les montagnes et
les collines sur lesquelles l'Église a vu l'Époux céleste
bondir avec une merveilleuse agilité, lorsqu'il se hâtait
vers ses embrassements. Non seulement elle l'a vu bondir
sur ces montagnes, mais même sauter par-dessus[a].

IV. Quels sont les bonds de l'Époux bondissant et sautant par-dessus les montagnes.

Veux-tu que je t'explique ces bonds par les écrits des
Prophètes et des Apôtres? Non pas que je veuille entre-
prendre de rappeler ici tous les témoignages qu'avec un
peu de loisir on peut trouver à ce sujet dans les Écritures. Ce serait trop long, et ce n'est pas nécessaire. Je
cite seulement les passages qui semblent confirmer briè-
vement et clairement ce qui est dit des bonds de l'Époux.
David dit de lui qu'«il a planté sa tente en plein soleil

---

sermons patristiques – en particulier d'Augustin – ont adopté ce verset
ainsi libellé comme fin, comme une doxologie.

tamquam sponsus procedens de thalamo suo; exsultavit ut gigas ad currendam viam, a summo caelo egressio eius[b].
15 En quantum saltum dedit, a summo caelo ad terras. Sane enim non invenio alibi, ubi in sole posuerit tabernaculum suum, id est in luce et in manifesto suam sit dignatus exhibere praesentiam ipse *lucis inaccessibilis habitator*[c], nisi utique in terris. Denique : *In terris visus est, et cum*
20 *hominibus conversatus est*[d]. *In terris,* inquam, palam, quod est *in sole posuit tabernaculum suum,* corpus videlicet, quod de Virginis *corpore* ad hoc sibi *aptare*[e] dignatus est, ut in eo in se invisibilis videretur, et sic *videret omnis caro salutare Dei*[f] cum *in carne venisset*[g].

8. Saliit ergo in montibus, id est in illis supremis spiritibus, cum ad eos usque descendit, *sacramentum a saeculis absconditum*[a] et *magnum pietatis mysterium*[b] eis dignanter aperiens. Sed transiens hos superiores atque
5 eminentiores montes, Cherubim scilicet atque Seraphim, necnon Dominationes, Principatus et Potestates[c], Virtutesque, etiam ad inferiorem usque angelorum ordinem descendere, tamquam ad colles dignatus est[d]. Sed numquid vel in illis remansit? Transiliit et colles. *Non*
10 *enim,* inquit, *angelos, sed semen Abrahae apprehendit*[e], quod utique angelis inferius est, *ut sermo impleretur, quem dixit*[f] memoratus Propheta, loquens ita ad Patrem de Filio : *Minuisti eum paulo minus ab angelis*[g]. Quamquam hoc sane ad commendationem naturae humanae dictum
15 possit intelligi, quod *homo ad imaginem et similitudinem Dei*[h] conditus, ac praeditus ratione ad instar utique angeli,

b. Ps. 18, 6-7 ≠   c. I Tim. 6, 16 ≠   d. Bar. 3, 38   e. Hébr. 10, 5 ≠   f. Lc 3, 6 ≠   g. I Jn 4, 2 ≠
8.a. Éphés. 3, 9 ≠   b. I Tim. 3, 16 ≠   c. cf. Col. 1, 16   d. cf. Éphés. 4, 9-10   e. Hébr. 2, 16 ≠   f. Jn 18, 9 ≠   g. Ps. 8, 6   h. Gen. 1, 26 ≠

et qu'il est lui-même comme un époux sortant de la chambre nuptiale. Il s'est élancé comme un géant pour courir son chemin ; il s'est levé à l'extrémité du ciel[b] ». Voilà quel bond il a fait, de l'extrémité du ciel à la terre[1]. Car je ne trouve aucun autre lieu sinon la terre où il ait planté sa tente en plein soleil, c'est-à-dire où il ait daigné montrer sa présence dans la lumière et l'évidence, lui « qui habite une lumière inaccessible[c] ». Enfin, « il a été vu sur terre et a vécu parmi les hommes[d] ». « Sur terre », dis-je, publiquement, c'est-à-dire « en plein soleil il a planté sa tente », à savoir son corps, qu'il a daigné « prendre au corps[e] » de la Vierge pour être vu, lui qui en soi est invisible. Ainsi « toute chair a vu le salut de Dieu[f] » qui « était venu dans la chair[g] ».

8. Il a donc bondi sur les montagnes, c'est-à-dire sur les esprits les plus élevés, lorsqu'il est descendu jusqu'à eux et qu'il a daigné leur découvrir « le dessein divin caché depuis des siècles[a] » et « le grand mystère de la piété[b] ». Mais, franchissant ces montagnes supérieures et plus hautes, à savoir les Chérubins et les Séraphins, et aussi les Dominations, les Principautés, les Puissances[c] et les Vertus, il a daigné descendre jusqu'à l'ordre inférieur des anges, comme sur des collines[d]. Mais pensez-vous qu'il se soit arrêté là ? Il a sauté aussi par-dessus les collines. « Car ce n'est pas les anges, est-il écrit, mais la descendance d'Abraham qu'il a assumée[e] » ; or, celle-ci est certes inférieure aux anges. « Ainsi s'est accomplie la parole du[f] » Prophète cité plus haut qui dit au Père en parlant du Fils : « Tu l'as abaissé un peu au-dessous des anges[g]. » Pourtant cette parole peut s'entendre comme prononcée à la louange de la nature humaine : « l'homme créé à l'image et à la ressemblance de Dieu[h] », et doué

---

1. Le bond de l'Époux, c'est le mystère de l'Incarnation. Il saute alors par-dessus les montagnes (les anges) pour devenir le berger des brebis et des moines ruminants (§ 9).

101

20

25

30

35

40

modicum tamen distat ab angelo propter corpus de terra. Sed audi apostolum Paulum aperte pronuntiantem de eo : *Qui in forma Dei cum esset, non rapinam arbitratus est se aequalem Deo*[i], quia *semetipsum exinanivit, formam servi accipiens, in similitudinem hominum factus, et habitu inventus ut homo*[j]; et rursum : *Ubi venit,* inquit, *plenitudo temporis, misit Deus Filium suum, factum ex muliere, factum sub lege, ut eos qui sub lege erant redimeret*[k]. Qui ergo factus ex muliere, factus et sub lege est, procul dubio non solum montes, id est maiores superioresque beatitudines, sed etiam minores angelos descendendo transiliit, qui quidem in comparatione superiorum, merito collium nomine designantur. Ceterum *qui minor est in regno caelorum, maior* est quovis carnem portante super terram, etiamsi sit ille magnus *Ioannes Baptista*[l]. Nam etsi sane Deum hominem fatemur etiam in homine *super omnem Principatum et Potestatem*[m] longe incomparabiliter praeeminere, certum tamen quia, etsi praeit maiestate, sed infirmitate succumbit. Ita ergo saliit in montibus et transiliit colles, cum non solum superioribus, sed et inferioribus spiritibus dignantissime se inferiorem exhibuit, nec modo illis supernis spiritibus, sed et ipsis, *qui domos luteas inhabitant*[n], subiectum se transiliens et vincens humilitate etiam hominum humilitatem. Erat denique subditus Mariae et Ioseph, cum esset puer in Nazareth[o], et apud Iordanem Ioannis se manibus iam iuvenis inclinavit[p]. Sed *inclinata est dies*[q], nec adhuc omnino de his montibus descendere libet.

---

i. Phil. 2, 6 ≠   j. Phil. 2, 7   k. Gal. 4, 4-5   l. Lc 7, 28 ≠; cf. Matth. 11, 11   m. Éphés. 1, 21   n. Job 4, 19 ≠   o. cf. Lc 2, 43. 51   p. cf. Matth. 3, 13   q. Lc 24, 29 ≠

de raison à l'exemple de l'ange, est néanmoins un peu inférieur à l'ange, à cause de son corps tiré de la terre. Mais écoute l'apôtre Paul parlant ouvertement du Fils : «Lui qui, étant dans la forme de Dieu, n'a pas considéré comme une usurpation d'être égal à Dieu[i], puisqu'il s'est anéanti lui-même, prenant la forme d'esclave, devenu semblable aux hommes et reconnu à son aspect comme un homme[j].» Et ailleurs : «Quand vint la plénitude du temps, Dieu envoya son Fils, né d'une femme, devenu sujet de la loi, pour racheter ceux qui étaient sujets de la loi[k].» Celui qui, né d'une femme, est devenu sujet de la loi, sans aucun doute a franchi dans sa descente non seulement les montagnes, c'est-à-dire les plus grands et les plus élevés des esprits bienheureux, mais aussi les moindres anges, qui par rapport aux plus élevés sont justement désignés du nom de collines. D'ailleurs, «le moindre dans le royaume des cieux est plus grand» que quiconque est revêtu de chair sur la terre, fût-il le grand «Jean-Baptiste[l]». Bien sûr, nous confessons que le Dieu-homme, jusque dans son humanité, est incomparablement «supérieur à toute Principauté et à toute Puissance[m]». Mais il est certain que, même s'il les surpasse par la majesté, il est au-dessous d'eux par la faiblesse de son corps. C'est ainsi qu'il a bondi sur les montagnes et sauté par-dessus les collines : en daignant se montrer inférieur non seulement aux esprits plus élevés, mais aussi à ceux de rang inférieur. De plus, il s'est montré assujetti non seulement à ces esprits célestes, mais encore à ceux «qui habitent des maisons d'argile[n]», dépassant et devançant en humilité l'humilité même des hommes. Car il était soumis à Marie et à Joseph, lorsqu'il était enfant à Nazareth[o]; jeune homme au bord du Jourdain, il s'est incliné sous les mains de Jean[p]. Mais «le jour décline[q]», et nous ne souhaitons pas encore descendre de ces montagnes.

9. Ceterum si hac vice voluerimus cuncta horum, prout delectat, explorare amoena, abdita perscrutari, verendum ne aut sermo grata brevitate careat, aut larga excellensque materies debita diligentia festinatione fraudetur. Pausemus 5 proinde hodie iam, si placet, in montibus istis, quoniam *bonum est nos hic esse*[a], ubi a pastore Christo, una cum sanctis angelis *in loco pascuae collocati*[b], et iucundius pascimur, et uberius. Et *nos* siquidem *oves pascuae eius*[c]. Ruminemus ergo, tamquam munda animalia[d], boni Pasto- 10 ris[e] quae de hodierno sermone tota aviditate glutivimus, sermone altero residua capituli eiusdem attentius percepturi, largiente sponso Ecclesiae, Iesu Christo Domino nostro, *qui est super omnia Deus benedictus in saecula. Amen*[f].

102

9.a. Matth. 17, 4   b. Ps. 22, 2 ≠   c. Ps. 78, 13 ≠   d. cf. Deut. 14, 6
e. cf. Jn 10, 14   f. Rom. 9, 5

9. Au demeurant, si nous voulions cette fois explorer à plaisir tous les sites riants de ces montagnes et en scruter tous les lieux cachés, il serait à craindre soit que le sermon manquât d'une concision bienvenue, soit que ce vaste et sublime sujet fût privé par notre hâte de l'examen minutieux qui s'impose. Si vous voulez bien, reposons-nous pour aujourd'hui sur ces montagnes. « Il est bon que nous soyons ici[a] », où le Christ berger nous a « placés » avec les saints anges « dans le lieu du pâturage[b] », pour nous mener paître avec plus de joie et d'abondance. Car nous aussi, « nous sommes des brebis de son pâturage[c] ». Ruminons donc, comme des animaux purs[d], les herbages du bon Pasteur[e] que nous avons avalés si avidement dans le sermon d'aujourd'hui. Nous assimilerons plus attentivement le reste de ce passage dans un autre sermon, par la libéralité de l'Époux de l'Église, Jésus-Christ notre Seigneur, « qui est au-dessus de tout, Dieu béni dans les siècles. Amen[f] ».

SERMO LIV

I. Aliter de praedictis montibus; quod saltus sponsi in eos fuerit, cum eorum ministerio dignanter usus est. – II. Quod colles, quos sponsus transilit, aerei spiritus sunt, per Gelboe designati, montes in quos salit homines et angeli. – III. Quod in poenam suam diabolus in aere locum sortitus est, inter montes superiores et inferiores. – IV. Exhortatio cavendae superbiae pro angeli exemplo per Gelboe significati. – V. De triplici timore quo nobis est semper timendum, ut superbiam caveamus.

I. Aliter de praedictis montibus;
quod saltus sponsi in eos fuerit,
cum eorum ministerio dignanter usus est.

1. Super eodem capitulo, quod hesterno sermone versatum est, dicturus sum alium intellectum quem hodierno servavi; vos autem probate, et eligite potiora[a]. Non est opus superiora repetere, quae excidisse non
5 arbitror in tam brevi. Si quominus tamen, scripta sunt ut dicta sunt, et excepta stilo, sicut et sermones ceteri, ut facile recuperetur quod forte exciderit. Quapropter accipite alia. *Ecce venit is,* inquit, *saliens in montibus, transiliens colles*[b]. Sponsum alloquitur, qui profecto tunc *in montibus*
10 *saliit*[b], cum *missus a Patre ad evangelizandum paupe-*

1.a. cf. Phil. 1, 10   b. Cant. 2, 8 ≠

---

1. *Scripta sunt ut dicta sunt,* « Ce que j'ai dit a été mis par écrit. » On lit ici la preuve que Bernard n'a pas seulement prêché les sermons, mais qu'il a voulu leur fixation littéraire par écrit. Il a pensé à la lecture spirituelle de ses contemporains et des générations à venir.

SERMON 54

I. Les montagnes : nouvelle exégèse.
L'Époux a bondi sur elles,
lorsqu'il a daigné se servir de leur ministère.

1. Sur le même passage commenté dans le sermon d'hier, je vais vous proposer une autre interprétation que j'ai gardée pour le sermon d'aujourd'hui. Examinez vous-mêmes, et choisissez celle qui vous semble préférable[a]. Il n'est pas nécessaire de répéter ce que j'ai déjà dit; je ne pense pas que cela vous soit sorti de la mémoire en si peu de temps. Pourtant, si besoin est, ce que j'ai dit a été mis par écrit et noté avec le stylet, comme le sont aussi les autres sermons; vous pourrez ainsi retrouver facilement ce qui a pu vous échapper[1]. Entendez donc autre chose : «Voici qu'il vient, bondissant sur les montagnes, sautant par-dessus les collines[b 2].» L'épouse parle de l'Époux. «Il a bondi sur les montagnes[b]» lorsque, «envoyé par le Père annoncer la bonne nouvelle aux

2. * Cf. *SCt* 53, 2, l. 3, p. 80, n. 2.

ribus[c], angelorum fungi non est dedignatus officio, factus *magni consilii angelus*[d], qui Dominus erat. Per se descendit ad terras, qui alios delegare solebat; per se *notum fecit Dominus salutare suum*[e]; per se *in conspectu*
15 *gentium revelavit iustitiam suam*[f]. Cum itaque *omnes*, iuxta Pauli sententiam, *administratorii sint spiritus, missi in ministerium propter eos qui hereditatem capiunt salutis*[g], qui erat super illos[h] *factus est* inter illos *tamquam unus ex illis*[i], dissimulans iniuriam et accumulans gratiam. Sed
20 audi ipsum. *Non veni,* inquit, *ministrari, sed ministrare, et animam meam dare pro multis*[j]. Quod quidem ceterorum nemo fecisse inventus est, ut omnes quotquot ministrasse visi sunt, ipse devotis transierit fidelibusque obsequiis. Bonus minister, qui *carnem suam* in *cibum,*
25 *sanguinem* in *potum*[k], animam ministravit in pretium. Bonus plane, qui spiritu alacer, caritate fervens, pietate devotus, non solum *salit in montibus*, sed et *transilit colles*, id est superat et vincit alacritate ministrandi, utpote *quem unxit Deus, Deus suus, oleo laetitiae prae consor-*
30 *tibus suis*[l], in quo utique singulariter *exsultavit ut gigas ad currendam viam*[m]. Denique transiliit Gabrielem, et praevenit ad Virginem, eodem Archangelo attestante, cum ait : *Ave, Maria, gratia plena; Dominus tecum*[n]. Quid? Quem modo reliquisti in caelo, nunc in utero reperis[o]?
35 Quonam modo? *Volavit*, et *praevolavit super pennas ventorum*[p]. Victus es, o Archangele : transiliit te qui praemisit te.

---

c. cf. Jn 5, 36; Lc 4, 18 ≠   d. Is. 9, 6 (Lit.)   e. Ps. 97, 2 ≠
f. Ps. 97, 2   g. Hébr. 1, 14 ≠   h. cf. Hébr. 1, 4   i. Gen. 3, 22 ≠
j. Matth. 20, 28 ≠   k. Jn 6, 56 ≠   l. Ps. 44, 8 ≠   m. Ps. 18, 6
n. Lc 1, 28 (Lit.)   o. cf. Lc 1, 31   p. Ps. 17, 11 ≠

---

1. * Début de la «Salutation angélique» qui, au XIIe s., passait de la dévotion populaire dans la liturgie.

pauvres[c]», il n'a pas dédaigné d'assumer la fonction des
anges. Il est devenu «l'ange du grand conseil[d]», lui qui
était le Seigneur. Lui-même est descendu sur terre, lui
qui avait coutume de déléguer les autres. Par lui-même
«le Seigneur a fait connaître son salut[e]». Par lui-même
«aux yeux des nations il a révélé sa justice[f]». «Tous»
les anges, selon la parole de Paul, «sont des esprits
chargés d'un ministère, envoyés pour servir ceux qui
héritent du salut[g]». Celui qui était au-dessus d'eux[h] «est
devenu comme l'un d'eux[i]» dans leurs rangs, dissimulant
l'injure et multipliant la grâce. Mais écoute-le lui-même.
«Je ne suis pas venu pour être servi, dit-il, mais pour
servir et donner ma vie pour la multitude[j].» Cela, aucun
des anges ne l'a fait. Tous les anges, autant qu'ils sont,
qui ont rendu des services, il les a surpassés par son
obéissance fidèle et dévouée. Bon serviteur, lui qui a
donné «sa chair pour nourriture, son sang pour
breuvage[k]», sa vie pour rançon. Oui, bon serviteur, à
l'esprit ardent, à la charité fervente, à la piété fidèle, lui
qui non seulement «bondit sur les montagnes», mais
«saute par-dessus les collines», c'est-à-dire qu'il dépasse
et devance les anges par son ardeur à servir. Car il est
celui «que Dieu, son Dieu, a oint d'une huile d'allégresse
de préférence à ses compagnons[l]»; aussi «s'est-il élancé»
lui seul «comme un géant pour courir son chemin[m]».
Enfin il a sauté par-dessus Gabriel et l'a précédé chez
la Vierge. L'archange lui-même l'atteste lorsqu'il dit:
«Salut, Marie, comblée de grâce; le Seigneur est avec
toi[n1].» Mais quoi? Celui que tu viens de quitter au ciel,
tu le retrouves maintenant dans le sein[o] de la Vierge?
Comment cela? «Il s'est envolé et a volé plus vite sur
les ailes des vents[p].» Te voilà vaincu, archange: il a
sauté par-dessus toi, lui qui t'a envoyé en avant.

2. Aut certe *saliebat in montibus*[a], cum in angelis olim patribus[b] apparebat : quod utique proprietati litterae magis convenire videtur. Non enim ait «saliens in montes», sed *in montibus*, ut ipse in eis salire videatur, qui facit et
5 dat ut saliant; quemadmodum *loquitur in Prophetis*[c], operatur in iustis, cum illis verba et istis opera tribuit. Adde quod aliqui illorum personam eius gerebant, ita ut loqueretur quisque illorum non tamquam angelus, sed tamquam Dominus. Verbi gratia, ille angelus, qui cum
10 Moyse loquebatur, dicebat non : «Ego Domini», sed : *Ego Dominus*[d], atque id frequentius iterabat. *Saliebat ergo in montibus*, id est in angelis, in quibus et loquebatur, et suam hominibus exhibebat praesentiam. Ad homines enim saliebat, sed in angelis, non in se : non in sua natura,
15 sed in subiecta creatura. Qui enim salit, de loco ad locum vadit, quod non cadit in Deum. Ergo *in montibus*, id est in angelis, *saliebat*, qui in se non poterat; et saliebat usque ad colles, id est Patriarchas et Prophetas ceterosque spirituales viros de terra. Sed et *transiliebat et colles*, cum
104 20 non solum magnis et spiritualibus viris, sed et aliquibus de populo, etiam et nonnullis mulieribus, aeque in angelis loqui et apparere dignatus sit.

2.a. Cant. 2, 8 ≠   b. cf. Hébr. 1, 1   c. Hébr. 1, 1
d. Ex. 10, 2; 31, 13, etc.

2. Ou encore «il bondissait sur les montagnes[a]» lorsqu'il se montrait jadis aux patriarches sous l'apparence des anges[b] ; ce qui semble plus conforme à la lettre. Le texte ne dit pas en effet «bondissant vers les montagnes», mais «sur les montagnes». Ainsi, celui qui bondit sur les montagnes est le même qui les fait bondir, de même qu'«il parle dans les prophètes[c]» et agit dans les justes lorsqu'il inspire aux uns leurs paroles, aux autres leurs actes. Ajoute à cela que certains de ces anges représentaient la personne du Seigneur, si bien que tel d'entre eux parlait non pas comme un ange, mais comme le Seigneur lui-même. Par exemple, l'ange qui parlait avec Moïse ne disait pas : «Moi, ange du Seigneur», mais : «Moi, le Seigneur[d]», et il répétait cela plusieurs fois. «Il bondissait donc sur les montagnes», c'est-à-dire en ses anges, car c'est en eux qu'il parlait aux hommes et leur manifestait sa présence. Il bondissait à la rencontre des hommes, mais en ses anges, non en lui-même ; non dans sa nature propre, mais dans une créature subordonnée. Car celui qui bondit passe d'un lieu à un autre, ce qui ne peut pas être attribué à Dieu. «Il bondissait donc sur les montagnes», c'est-à-dire en ses anges, lui qui ne pouvait pas bondir en lui-même. Et il bondissait jusqu'aux collines, c'est-à-dire jusqu'aux patriarches, aux prophètes et aux autres hommes spirituels de la terre. Mais «il sautait aussi par-dessus les collines», puisqu'il a daigné, toujours en ses anges, se montrer et parler non seulement aux hommes grands et spirituels, mais aussi à des gens du commun, et même à quelques femmes.

II. Quod colles, quos sponsus transilit, aerei spiritus sunt, per Gelboe designati, montes in quos salit homines et angeli.

Vel colles dicit *aereas potestates*[e], quae inter montes quidem minime iam numerantur, pro eo quod a virtutum 25 celsitudine defluxerunt per superbiam, nec tamen usque ad humilia vallium, sive ad valles humilium, per paenitentiam detumescunt. De his arbitror illud dictum in Psalmis : *Montes sicut cera fluxerunt a facie Domini*[f]. Hos itaque tumentes ac steriles colles, tamquam medios positos 30 inter montes perfectorum et valles paenitentium, procul dubio *transilit* qui *in montibus salit*, hisque praeteritis et despectis, descendit ad valles, ut *valles abundent frumento*[g]. Porro illi aeterna e regione ariditate ac sterilitate damnantur, sicut habes Prophetae super illos impre-35 cationem : *Nec ros*, inquit, *nec pluvia descendant super vos*[h]. Atque ut noveris quod ad angelos qui praevaricati sunt, sub figura montium Gelboe ista loquatur : *Ubi*, inquit, *ceciderunt vulnerati multi*[i]. Quam multi in his maledictis montibus de exercitu Israel ceciderunt a principio, et 40 quotidie cadunt! De quibus et habes in eodem Propheta, cum dicit Deo : *Sicut vulnerati dormientes in sepulcris, quorum non es memor amplius, et ipsi de manu tua repulsi sunt*[j].

---

e. Éphés. 2, 2   f. Ps. 96, 5   g. Ps. 64, 14 ≠   h. II Sam. 1, 21 (Lit.)   i. II Sam. 1, 18-19 (Lit.)   j. Ps. 87, 6

---

1. * *Humilia vallium*... Dans la fin de ce paragraphe et le début du suivant, Bernard aborde de nouveau dans *SCt* le thème de l'humilité à partir du «nard, humble plante» que l'on trouve développé longuement dans *SCt* 42, 6 à 9 (*SC* 452, p. 214-222).

2. Les collines gonflées d'orgueil sont les anges déchus. Pour eux, il n'y a pas de rédemption.

3. * Bernard cite ici et dans *4 Asc* 6 (*SBO* V, p. 142, l. 6) les termes exacts du 4e répons *(Planxit autem)* pour le 3e dimanche après la Pentecôte au Bréviaire cistercien. Ce texte, par les mots *descendant* et

II. Les collines, par-dessus lesquelles l'Époux saute, sont les esprits de l'air, désignés par Gelboé. Les montagnes sur lesquelles il bondit sont les hommes et les anges.

Peut-être le texte nomme-t-il collines «les puissances de l'air[e]», qui ne sont plus comptées au nombre des montagnes parce qu'elles sont déchues du sommet des vertus par leur orgueil, sans que pourtant le repentir les abaisse jusqu'à l'humilité des vallées[1] ou aux vallées des humbles. C'est à elles, je pense, que se rapporte cette parole des Psaumes : «Les montagnes ont fondu comme la cire devant la face du Seigneur[f].» Ces collines gonflées d'orgueil[2] et stériles se trouvent à mi-chemin entre les montagnes des parfaits et les vallées des pénitents. Celui qui «bondit sur les montagnes saute» sans aucun doute «par-dessus ces collines»; il les franchit avec mépris et descend jusqu'aux vallées, afin que «les vallées regorgent de froment[g]». Ces collines au contraire sont condamnées à une aridité et à une stérilité éternelles, selon la malédiction du Prophète à leur endroit : «Que ni rosée ni pluie ne descendent sur vous[h].» Et pour que tu saches qu'il parle ainsi aux anges prévaricateurs sous la figure des montagnes de Gelboé, le Prophète ajoute : «Là, beaucoup tombèrent, blessés[i][3].» Combien de soldats d'Israël tombèrent dans ces montagnes maudites, depuis le commencement, et combien y tombent chaque jour! C'est d'eux que parle le même Prophète, lorsqu'il dit à Dieu : «Comme des blessés dormant dans les tombeaux, et dont tu n'as plus souvenir, eux aussi ont été rejetés de ta main[j].»

---

vulnerati multi, diffère à la fois de la *Vg* et du Bréviaire romain. Au § 5, il va citer exactement le verset d'un autre répons *(Montes Gelboe)* de matines, inspiré librement des versets 18-19 du même chapitre biblique : *Omnes montes... transeat;* ce répons se trouve à la même période au Bréviaire, romain aussi bien que cistercien.

3. Non est ergo mirum, si steriles et infructuosi permanent isti, non montes caelici, sed aerei colles, super quos *nec ros, nec pluvia descendit*[a], quippe auctore gratiae et benedictionum largitore transiliente eos et descendente
5 ad valles, ut caelesti imbre perfundat humiles qui sunt super terram, *et fructum afferant in patientia*[b] : *fructum tricesimum, sexagesimum, et centesimum*[c]. Denique *visitavit terram et inebriavit eam, multiplicavit locupletare eam*[d]. Terram visitavit, non aerem, quia *misericordia*
10 *Domini plena est terra*[e]. Denique *operatus est salutem in medio terrae*[f]; numquid et in medio aeris? Hoc adversum Origenem, qui in aere *Dominum gloriae* denuo pro daemonibus impudenti *crucifigit*[g] mendacio, cum huius conscius mysterii Paulus affirmet, quod *resurgens ex*
15 *mortuis iam non moritur, et mors illi ultra non domina-bitur*[h].

105   **4.** Verum non solum visitavit terram qui aerem transi-livit, sed etiam caelum, dicente Scriptura : *Domine, in caelo misericordia tua, et veritas tua usque ad nubes*[a]. *Usque ad nubes* enim caelum est quod inhabitant sancti
5 angeli, quos non transilit Sponsus, sed salit in eis, ita ut imprimat ipsis duo quaedam vestigia pedum suorum, mise-ricordiam et veritatem : de quibus Domini vestigiis memini me in superioribus sermonibus plenius disputasse. A nubibus vero et infra, daemonum habitatio est in aere

---

3.a. II Sam. 1, 21 (Lit.)   b. Lc 8, 15 ≠   c. Matth. 13, 8. 23 ≠
d. Ps. 64, 10 ≠   e. Ps. 32, 5   f. Ps. 73, 12 ≠   g. I Cor. 2, 8 ≠;
cf. Hébr. 6, 6   h. Rom. 6, 9 (Lit.)
4.a. Ps. 35, 6

---

1. Bernard se prononce contre l'apocatastase, doctrine attribuée à Origène et doctrine certaine de quelques Pères grecs. Ceux-ci prétendent que les anges déchus et les hommes damnés seront sauvés par le Christ à la fin des temps.

2. * Ce verset de *Romains* a été cité 8 fois par Bernard, avec un texte fort semblable. Il diffère de la *Vg* par l'emploi constant de *resurgens*

3. Rien d'étonnant si ces esprits demeurent stériles et sans fruit. Ils ne sont pas des montagnes célestes, mais des collines aériennes, que «ni rosée ni pluie n'arrosent[a]». L'auteur de la grâce et le dispensateur des bénédictions saute par-dessus ces collines et descend aux vallées, pour inonder d'une pluie céleste les humbles qui sont sur la terre et «leur faire porter du fruit par la patience[b]» : «un fruit de trente, de soixante et de cent[c]». Oui, «il a visité la terre et l'a enivrée, il l'a comblée de richesses[d]». Il a visité la terre, non l'air, puisque «la terre a été remplie de la miséricorde du Seigneur[e]». Oui, «il a accompli le salut au milieu de la terre[f]»; l'aurait-il accompli au milieu de l'air? Je dis cela contre Origène qui, par un mensonge impudent, «crucifie» une deuxième fois dans l'air «le Seigneur de la gloire[g]» en faveur des démons[1]. Paul, en revanche, qui avait l'intelligence de ce mystère, assure que «ressuscité des morts, le Christ ne meurt plus; la mort n'a plus d'empire sur lui[h2]».

4. Mais celui qui a sauté par-dessus l'air n'a pas visité seulement la terre. Il a aussi visité le ciel, puisque l'Écriture dit : «Seigneur, dans le ciel ta miséricorde, et ta vérité jusqu'aux nues[a].» «Jusqu'aux nues» s'étend le ciel qu'habitent les saints anges; l'Époux bondit sur eux, il ne saute pas par-dessus. Aussi a-t-il laissé sur eux les deux empreintes de ses pieds, miséricorde et vérité. Je me souviens de vous avoir entretenus plus amplement de ces empreintes du Seigneur dans les sermons précédents[3]. Au-dessous des nues, dans cet air bas et sombre, se trouve l'habitation des démons. L'Époux ne bondit pas

(Vg : surgens) et par l'omission habituelle de *et* avant *mors*. Les Pères ont un texte quelque peu variable, mais souvent identique à Bernard. Trois pièces liturgiques du temps pascal ont *resurgens* et omettent *et (mors)*. Les uns ou les autres, les uns et les autres sont la source de Bernard.

3. *SCt* 6, 6-9 (*SC* 414, p. 149-153).

10 isto infimo et caliginoso; in quibus non salit sponsus,
sed transilit illos et praeterit, nec ullum in se retinent Dei
transeuntis vestigium. Nam quomodo in diabolo veritas
est[b], de quo in Evangeliis Veritatis sententia exstat, quod
in veritate non stetit[c], sed mendax exstitit ab initio[d]? Sed
15 nec misericordem quis dixerit eum, qui nihilominus *ab
initio homicida*[e] fuisse eadem ipsa Evangelii veritate
convincitur. Porro autem qualis paterfamilias, tales et
domestici eius[f]. Pulchre proinde de sponso Ecclesia
psallens, quod *in altis habitet et humilia respiciat in caelo
20 et in terra*[g], nullam omnino mentionem facit de his qui
in aere versantur spiritibus superbis, quoniam *Deus
superbis resistit et humilibus dat gratiam*[h].

5. Videt ergo illum *salientem in montibus et transilientem colles*[a], iuxta imprecationem David dicentis:
Omnes montes qui in circuitu eius sunt, id est in circuitu
Gelboe, *visitet Dominus; a Gelboe autem transeat*[b].
5 Diabolo nempe, qui per Gelboe designatur, hinc inde
sunt montes quos visitat Dominus: supra angeli, et infra
homines.

**III. Quod in poenam suam diabolus in aere locum
sortitus est, inter montes superiores et inferiores.**

In poenam siquidem suam locum in aere isto, medium
inter caelum et terram, *de caelo cadens*[c] sortitus est, ut

---

b. cf. Jn 8, 44   c. Jn 8, 44   d. cf. Jn 8, 44   e. Jn 8, 44 ≠
f. cf. Matth. 10, 25   g. Ps. 112, 5-6 ≠   h. Jac. 4, 6 ≠
5.a. Cant. 2, 8 ≠   b. II Sam. 1, 21; cf. Ps. 124, 2 (Lit.)   c. Is. 14,
12 ≠

1. * Cf. *SCt* 54, 2, l. 37, p. 104, n. 3.
2. La chute du diable: L'Église a toujours dit que le diable était
d'abord une bonne créature de Dieu, qu'il ne s'est pas maintenu dans
la vérité (*Jn* 8, 44) mais qu'il s'est éloigné de la bonté divine (Denzinger
§ 286; trad.: *Symboles et définitions de la foi catholique,* Éd. du Cerf,
Paris 1996, même réf.). D'où vient l'idée de la chute? Le point de

sur eux, mais il saute par-dessus et passe outre; ils ne gardent en eux aucune empreinte des pas divins. Comment la vérité serait-elle dans le diable[b]? A son sujet les Évangiles de vérité contiennent cette parole : «Il ne s'est pas maintenu dans la vérité[c]», mais il a été menteur dès le commencement[d]. Mais personne ne l'appellerait non plus miséricordieux, lui que cette même vérité de l'Évangile convainc d'avoir été «homicide dès le commencement[e]». Or, tel est le père de famille, tels aussi les gens de sa maison[f]. L'Église chante dans les Psaumes au sujet de l'Époux qu'«il habite dans les hauteurs et regarde ce qui est humble au ciel et sur la terre[g]». Mais, fort à propos, elle ne fait aucunement mention des esprits orgueilleux qui errent dans l'air. Car «Dieu résiste aux orgueilleux et donne sa grâce aux humbles[h]».

5. L'épouse le voit donc «bondissant sur les montagnes et sautant par-dessus les collines[a]», selon la malédiction prononcée par David : «Que le Seigneur visite toutes les montagnes qui l'entourent – c'est-à-dire qui entourent Gelboé –, mais qu'il passe loin de Gelboé[b1].» De part et d'autre du diable, désigné par Gelboé, sont les montagnes que visite le Seigneur : au-dessus, les anges; au-dessous, les hommes.

III. Pour son châtiment le diable a reçu en partage une place dans l'air, entre les montagnes supérieures et inférieures.

Pour son châtiment le diable «précipité du ciel[c2]» a reçu en partage une place dans cet air intermédiaire entre

---

départ est l'apostrophe d'Isaïe adressée au roi de Babylone : «Comment te voilà déchu des cieux, Lucifer, fils de l'aurore» (*Is.* 14, 12). Il est vraisemblable que l'application à Satan était déjà faite par la Synagogue. Elle expliquerait l'allusion de *Lc* 10, 18 : «Je voyais Satan tomber comme la foudre du ciel.» Voir aussi DANTE, *L'Enfer* XXXI, 143 et XXXIV, 89.

10 videat et invideat, ipsaque invidia torqueatur, Scriptura
dicente : *Peccator videbit et irascetur, dentibus suis fremet
et tabescet*[d]. Quam miser cum suspicit caelos, in quibus
innumeros montes intuetur divina claritate fulgentes,
divinis laudibus resultantes, sublimes in gloria, abundantes

106   15 in gratia! Quam miserior cum *respicit terram*[e], montes
nihilominus quam plurimos de *populo acquisitionis*[f]
habentem, fide solidos, spe excelsos, caritate spatiosos,
cultos virtutibus, bonorum operum fructibus refertos, *de
rore caeli*[g] tamquam de saltu Sponsi quotidianam capientes

20 benedictionem! Cum quanto putamus dolore et rancore
aspiciat ille cupidissimus gloriae istos *in circuitu suo* tam
gloriosos *montes,* cum se et suos e regione incultos, tene-
brosos, bonis omnibus infecundos despiciat, ita ut se
sentiat esse *opprobrium hominum*[h] et angelorum, qui

25 omnibus exprobrabat[i], secundum illud in Psalmis : *Draco
iste quem formasti ad illudendum ei*[j].

6. Atque hoc quia ob ipsorum superbiam transilit eos
Sponsus, saliens in *montes qui in circuitu eius sunt*[a],
tamquam *fons ascendens de medio paradisi, irrigans
universa*[b] *et implens omne animal benedictione*[c]. Beati

5 qui *torrente voluptatis* huius *potari*[d] interdum vel raro
promerentur, in quibus etsi non continue fluit, saltem per
horas salit *aqua sapientiae*[e] et *fons vitae*[f], ut *fiat in ipsis*
quoque *fons aquae salientis in vitam aeternam*[g]. Et
quidem huius *fluminis impetus laetificat civitatem Dei*[h]

10 sane perenniter et affluenter. In nostros autem montes

d. Ps. 111, 10   e. Ps. 103, 32   f. I Pierre 2, 9 ≠   g. Gen. 27,
28   h. Ps. 21, 7   i. cf. Gen. 17, 10, etc.   j. Ps. 103, 26
6.a. Ps. 124, 2 (Lit.)   b. Gen. 2, 6 ≠; cf. Gen. 3, 3   c. Ps. 144,
16 ≠   d. Ps. 35, 9 ≠   e. Sir. 15, 3   f. Ps. 35, 10   g. Jn 4, 14 ≠
h. Ps. 45, 5

le ciel et la terre, afin qu'il voie et envie, et que cette
envie le torture. Car ainsi parle l'Écriture : « Le pécheur
verra et il enragera ; il grincera des dents et séchera de
dépit[d]. » Qu'il est malheureux lorsqu'il regarde en haut
vers les cieux, où il aperçoit des montagnes innombrables
ruisselantes de clarté divine, retentissantes des divines
louanges, élevées dans la gloire, comblées de grâce ! Plus
malheureux encore lorsqu'« il regarde en bas vers la
terre[e] », qui a en très grand nombre les montagnes du
« peuple racheté[f] », solides par la foi, élevées par l'espérance, vastes par la charité, cultivées par les vertus, remplies des fruits des bonnes œuvres, recevant chaque jour
la bénédiction « de la rosée du ciel[g] » comme par les
bonds de l'Époux ! Quelles doivent être, pensons-nous, la
douleur et la rancœur de cet esprit si avide de gloire
lorsqu'il regarde « alentour ces montagnes » si glorieuses,
alors qu'il se regarde avec mépris, lui-même et ses collines incultes, ténébreuses, stériles de tout bien. Lui qui
flétrissait tout le monde[i], il reconnaît qu'il est « la flé-
trissure des hommes[h] » et des anges, selon cette parole
des Psaumes : « Le dragon que tu as façonné pour te
jouer de lui[j]. »

6. Cela arrive parce que l'Époux saute par-dessus ces
collines à cause de leur orgueil, tandis qu'il bondit sur
« les montagnes alentour[a] », comme « une source jaillissant
au milieu du paradis qui irrigue l'univers[b] et comble tout
être vivant de bénédictions[c] ». Heureux ceux qui méritent
de « s'abreuver » parfois, même rarement, « au torrent de
ces délices[d] » ! « L'eau de la sagesse[e] », « la source de
vie[f] », ne ruisselle pas sans cesse en eux, mais elle y
jaillit du moins de temps en temps, pour « devenir en
eux aussi source d'eau jaillissant en vie éternelle[g] ». Oui,
ce « fleuve impétueux réjouit la cité de Dieu[h] » avec ses
eaux pérennes et abondantes. Souhaitons que ce fleuve
déborde parfois, pour ainsi dire, et qu'il ne dédaigne pas

qui in terra sunt, utinam interdum facta quasi inundatione, saltus dare aliquos non despiciat, quibus sufficienter
irrigati, nobis quoque, qui valles sumus, stillare vel raras
guttulas possint, ne omnino aridi et steriles remaneamus.
15 Miseria et egestas et omnino *fames valida in regione illa*[i],
quae nullis umquam istiusmodi vel saltibus vel instilla-
tionibus humectatur, praeterfluente et transiliente illam
fonte sapientiae[j] : *Et quia non habuerunt,* inquit,
sapientiam, perierunt propter suam insipientiam[k].

7. *Ecce venit is saliens in montibus, transiliens colles*[a].
Ad hoc salit ut transiliat, qui non vult ad omnes
pertingere[b] : *neque* enim *in omnibus beneplacitum est
Deo*[c].

IV. Exhortatio cavendae superbiae
pro angeli exemplo per Gelboe significati.

5   Fratres, si iuxta sapientiam Pauli *scripta sunt* ista *ad
correptionem nostram*[d], observemus Sponsi discretos et
circumspectos saltus, quemadmodum videlicet tam apud
angelos quam apud nos, et in humiles saliat, et superbos
transiliat; siquidem *excelsus Dominus et humilia respicit,
et alta a longe cognoscit*[e]. Hoc, inquam, attendamus, quo
cauti simus Sponsi nos salutiferis saltibus praeparare, ne,
veluti a montibus Gelboe, forte transeat et a nobis, si
indignos sua visitatione[f] conspexerit. *Quid superbis, terra
et cinis*[g]? Et de angelis transilit Dominus, exsecrans eorum

107

---

i. Lc 15, 14   j. Prov. 18, 4 ≠   k. Bar. 3, 28 ≠
7.a. Cant. 2, 8 ≠   b. cf. I Tim. 2, 4   c. I Cor. 10, 5 ≠   d. I Cor. 10,
11 ≠   e. Ps. 137, 6   f. cf. II Sam. 1, 21 (Lit.)   g. Sir. 10, 9 ≠

1. * Cf. *SCt* 53, 2, l. 3, p. 80, n. 1.

de faire quelques bonds sur nos montagnes terrestres. Celles-ci, suffisamment arrosées, pourront répandre quelques gouttelettes, même rares, sur nous aussi qui sommes des vallées. Ainsi ne resterons-nous pas totalement arides et stériles. Il ne reste que misère et indigence et très «violente famine dans la région[i]» qui n'est jamais imbibée de pareilles gouttes et de pareils bonds, puisque «la source de la sagesse[j]» ruisselle au-delà et saute par-delà. «Comme ils n'eurent pas la sagesse, est-il dit, ils périrent par leur folie[k].»

7. «Voici qu'il vient, bondissant sur les montagnes, sautant par-dessus les collines[a1].» Il bondit afin de sauter par-dessus, parce qu'il ne veut pas s'arrêter à tous[b]; car «Dieu ne s'est pas complu en tous[c]».

IV. Exhortation à se garder de l'orgueil d'après l'exemple de l'ange figuré par Gelboé.

Frères, selon la sagesse de Paul, ces choses «ont été écrites pour notre instruction[d]». Considérons donc le discernement et la prudence qui règlent les bonds de l'Époux. Aussi bien chez les anges que chez nous, il bondit sur les humbles et il saute par-dessus les orgueilleux. Car «le Seigneur qui est sublime regarde ce qui est humble, et reconnaît de loin ce qui est altier[e]». Oui, faisons attention à cela, prenons garde de nous préparer aux bonds salutaires de l'Époux. Sinon, comme pour les montagnes de Gelboé, il passera aussi loin de nous, s'il nous trouve indignes de sa visite[f]. «Pourquoi t'enorgueillir, toi qui es terre et cendre[g2]?» Le Seigneur saute par-dessus

---

2. * Ce verset du *Siracide* est à la 3ᵉ personne dans la *Vg*. Quelques Pères et quelques manuscrits tardifs de *Vg* en font une interpellation, à la 2ᵉ personne; Bernard les suit 5 fois sur 7. Une formulation similaire se trouve au § suivant.

15 superbiam. Ergo repudiatio angelorum fiat emendatio
hominum; *scripta* enim *est ad* ipsorum *correptionem*[h].
Cooperetur mihi *in bonum*[i] etiam diaboli malum, et *lavem
manus meas in sanguine peccatoris*[j]. «Qualiter?» inquis.
– Audi. Superbo certe diabolo horrenda et formidolosa
20 maledictio intorquetur, propheta *David in spiritu*[k] dicente
de illo sub typo Gelboe, ut supra memoratum est : *Montes,*
inquit, *qui in circuitu eius sunt, visitet Dominus; a Gelboe
autem transeat*[l].

8. Sane ego hoc legens referensque oculos in me, et
intuens diligenter, invenio me peste ipsa infectum, quam
in angelo Dominus in tantum exhorruit, quatenus
propterea declinaret ab eo, cum *omnes in circuitu eius
5 montes*[a], sive de angelis, sive de hominibus, visitationis
suae gratia dignaretur; et pavens tremensque aio ad memetipsum : «Si sic actum est cum angelo, quid de me fiet,
terra et cinere[b]? Ille in caelo intumuit, ego in sterqui-
linio. Quis non tolerabiliorem in divite superbiam quam
10 in paupere ducat[c]? Vae mihi! Si tam dure in potente illo
animadversum est, pro eo quod *elevatum est cor illius*[d],
nec ei profuit quod cognata potentibus superbia esse
cognoscitur, quid de me exigendum et misero, et superbo?
Denique iam luo poenas, iam acerbissime vapulo. Non
15 sine causa sane ab heri et nudiustertius invasit me languor
iste animi et mentis hebetudo, insolita quaedam inertia
spiritus. *Currebam bene*[e]; sed ecce *lapis offensionis*[f] in

h. I Cor. 10, 11 ≠   i. Rom. 8, 28 ≠   j. Ps. 57, 11 ≠   k. Matth. 22,
43   l. II Sam. 1, 21; cf. Ps. 124, 2 (Lit.)

8.a. Ps. 124, 2 ≠   b. Sir. 10, 9 ≠   c. cf. Lc 16, 19-20; cf. Job 2, 8
d. II Chr. 26, 16 ≠   e. Gal. 5, 7 ≠   f. I Pierre 2, 8; Rom. 9, 32

1. *Ergo repudiatio angelorum fiat emendatio hominum,* «Que le rejet
des anges serve de leçon aux hommes.» Réponse à la question difficile : «Pourquoi Dieu a-t-il permis le mal?»

2. * Cf. *SCt* 54, 2, l. 37, p. 104, n. 3.

certains des anges, car il a leur orgueil en horreur. Que
le rejet des anges serve de leçon aux hommes[1]; en effet,
«il a été mis par écrit pour leur instruction[h]». Que même
le mal du diable «contribue à mon bien[i]»; «je laverai
mes mains dans le sang du pécheur[j]». «Comment cela?»
dis-tu. – Écoute. C'est bien contre le diable orgueilleux
qu'est lancée une horrible et effrayante malédiction, car
le prophète «David», comme nous l'avons rappelé plus
haut, dit de lui «en esprit[k]», sous la figure de Gelboé:
«Que le Seigneur visite les montagnes qui l'entourent;
mais qu'il passe loin de Gelboé[12].»

8. Je lis ce texte, je me regarde moi-même, je m'examine
attentivement: et je me découvre infecté de cette même
peste que le Seigneur eut en telle horreur chez l'ange
au point de se détourner de lui, lorsqu'il daignait gra-
tifier de sa visite «toutes les montagnes qui l'entou-
raient[a]», anges et hommes. Effrayé et tremblant, je me
dis à moi-même: «Si l'ange a été traité de la sorte, qu'ad-
viendra-t-il de moi, «terre et cendre[b]»? Lui s'est enflé
d'orgueil au ciel, moi sur un tas de fumier. Qui ne jugera
l'orgueil plus tolérable chez un riche que chez un pauvre[c]?
Malheur à moi! Si ce puissant esprit a été châtié si sévè-
rement parce que «son cœur s'est exalté[d]», et s'il ne lui
a servi de rien que l'orgueil, on le sait, soit naturel aux
puissants, que n'exigera-t-on de moi, à la fois misérable
et orgueilleux? Déjà je suis puni, déjà je suis très durement
frappé. Oui, ce n'est pas sans raison que depuis hier et
avant-hier[3] je me sens gagné par cet accablement de
l'âme et cette hébétude de l'intelligence, par une insolite
apathie de l'esprit. «Je courais bien[e]»; mais voici «une
pierre d'achoppement[f]» sur ma route: j'ai buté contre

---

3. «Hier et avant-hier»: Bernard se rappelle les sermons 52 et 53 sur
l'extase, sur les bonds du Messie et sur les anges. Suit la description
autobiographique des sécheresses dans la vie spirituelle.

via : impegi et corrui. Superbia *inventa est in me*[g], et
Dominus declinavit in ira a servo suo[h]. Hinc ista steri-
20 litas animae meae, et devotionis inopia quam patior[i].
Quomodo ita *exaruit cor meum*[j], *coagulatum est sicut
lac*[k], factum est *sicut terra sine aqua*[l]? Nec compungi ad
lacrimas queo : tanta est *duritia cordis*[m]. Non sapit
psalmus, non legere libet, non orare delectat, medita-
25 tiones solitas non invenio. Ubi illa inebriatio Spiritus[n]?
Ubi mentis serenitas, et *pax, et gaudium in Spiritu
Sancto*[o]? Ideo ad opus manuum piger, ad vigilias somno-
lentus, ad iram praeceps, ad odium pertinax, linguae et
gulae indulgentior, segnior obtusiorque ad praedicationem.
108 30 Heu! *omnes montes in circuitu meo visitat Dominus*[p], *ad
me autem non appropinquat*[q]. Num collis non sum ex
his quos transilit Sponsus? Nam alium quidem intueor
singularis abstinentiae, alium vero patientiae admirandae,
alium autem summae humilitatis et mansuetudinis, alium
35 multae misericordiae et pietatis, illum in contemplatione
frequenter excedere, hunc pulsare et *penetrare caelos
orationum*[r] instantia, aliosque in aliis praeeminere virtutibus. Hos, inquam, considero omnes ferventes, omnes
devotos, omnes in Christo unanimes, omnes donis caeles-
40 tibus et gratia affluentes, tamquam spirituales revera
montes qui a Domino visitantur et Sponsum in se salientem
frequenter recipiunt. Ego autem, qui horum in me invenio

---

g. Éz. 28, 15 ≠   h. Ps. 26, 8-9 ≠   i. cf. Job 6, 2   j. Ps. 101,
5 ≠   k. Ps. 118, 70   l. Ps. 142, 6   m. Mc 16, 14 ≠   n. cf. Éphés. 5,
18   o. Rom. 14, 17   p. II Sam. 1, 21 (Lit.)   q. Ps. 90, 7 ≠   r. Sir. 35,
21 (Patr.)

1. * Bernard emploie 15 fois ce texte qu'il laisse entendre ici (par
le seul mot *caelos*) et qu'il cite presque toujours ainsi : *Oratio iusti
penetrat caelos* (*Vg : Oratio humiliantis se penetrabit nubes,* «la prière
de celui qui s'abaisse traversera les nuées»). Cf. *SCt* 35, 3; *SC* 452,
p. 88, n. 1, ainsi que *SCt* 62, 2, l. 6, p. 264. Les Pères avaient employé

elle et je suis tombé. L'orgueil «a été trouvé en moi[g]», et «le Seigneur dans sa colère s'est détourné de son serviteur[h]». De là cette stérilité de mon âme, et ce manque de ferveur dont je souffre[i]. Comment «mon cœur s'est-il desséché[j]» de la sorte, «s'est-il durci comme du lait caillé[k]», est-il devenu «comme une terre sans eau[l]»? Je ne puis même pas être amené à verser des larmes de regret, si grande est «la dureté de mon cœur[m]». Un psaume n'a plus de saveur pour moi; je n'ai pas envie de lire; je n'éprouve aucun plaisir à prier; je ne retrouve plus mes méditations habituelles. Où est-elle, l'ivresse de l'Esprit[n]? Où donc la sérénité de l'âme, et «la paix, et la joie dans l'Esprit-Saint[o]»? De là je suis paresseux au travail manuel, somnolent aux vigiles, prompt à la colère, tenace dans la haine, plus porté à la médisance et à la gourmandise, plus indolent et plus obtus pour la prédication. Hélas! «Le Seigneur visite toutes les montagnes qui m'entourent[p]», «mais il ne s'approche pas de moi[q]». Ne suis-je pas devenu l'une de ces collines par-dessus lesquelles l'Époux saute? Je remarque chez l'un une abstinence exemplaire, chez l'autre une patience admirable; celui-ci est parvenu au sommet de l'humilité et de la mansuétude, celui-là au comble de la miséricorde et de la compassion; l'un, dans la contemplation, est souvent ravi en extase, l'autre frappe à la porte «des cieux et y pénètre par ses prières[r1]» instantes. D'autres enfin excellent en d'autres vertus. Je les observe attentivement, dis-je : tous sont fervents, tous sont zélés, tous n'ont qu'une âme dans le Christ; tous ruissellent des dons célestes et de la grâce. Tous sont comme ces montagnes authentiquement spirituelles qui sont visitées par le Seigneur et reçoivent souvent les bonds de l'Époux. Mais

bien des formules diverses et partiellement semblables; Godefroid d'Admont, contemporain de Bernard, a un texte identique (*Homiliae dominicales aestivales* 91; *PL* 174, 622 C).

nihil, quid me aliud putem, quam unum e montibus
Gelboe, quem praeterit *in ira et indignatione*[s] sua ille
45 ceterorum omnium benignissimus visitator?»

9. Filioli, haec cogitatio *tollit extollentiam oculorum*[a],
conciliat gratiam, Sponsi saltibus praeparat. *Haec ego in
me transfiguravi propter vos*[b], *ut et vos ita faciatis*[c]. *Imita-
tores mei estote*[d]. Quod non de exercitio dico modo
5 virtutum, aut morum disciplina, aut gloria sanctitatis : nec
enim de huiusmodi quidquam mihi temere arrogaverim
imitatione dignum; sed volo vos non parcere vobis, sed
accusare vosmetipsos, quoties forte in vobis, vel ad
modicum, tepere gratiam, virtutem languescere depre-
10 henditis, sicut et ego pro huiusmodi memetipsum accuso.
Hoc facere hominis est, qui curiosus circumspector est
sui, et scrutator viarum suarum ac studiorum, atque in
omnibus semper suspectum habet arrogantiae vitium, ne
subrepat. In veritate didici nil aeque efficax esse ad gratiam
15 promerendam, retinendam, recuperandam, quam si omni
tempore coram Deo inveniaris *non altum sapere, sed
timere*[e]. *Beatus homo qui semper est pavidus*[f]. Time ergo
cum arriserit gratia, time cum abierit, time cum denuo
revertetur; et hoc est *semper pavidum* esse. Succedant
20 vicissim sibi in animo tres isti timores, secundum quod

---

s. Jér. 32, 37 ≠
9.a. Sir. 23, 5   b. I Cor. 4, 6 ≠   c. Jn 13, 15 (Lit.)   d. Phil. 3, 17
e. Rom. 11, 20 ≠   f. Prov. 28, 14

---

1. * Bernard emploie six autres fois ce verset de *Jn*. A chaque fois,
allusion lointaine ou citation, les mots *quemadmodum ego feci vobis*
sont omis et, du coup, *ita* est déplacé. Bernard s'est sans doute souvenu
d'un texte identique, celui d'une pièce chantée du Jeudi saint (*Dominus
Iesus,* à la fois communion et antienne lors du Lavement des pieds).

2. «Le vice de l'arrogance», une certaine forme d'orgueil, est à
l'origine de l'expérience de la sécheresse.

moi, qui ne trouve en moi-même rien de semblable, que suis-je d'autre à mes yeux que l'un de ces monts de Gelboé que l'Époux laisse de côté «dans sa colère et son indignation[s]», tandis qu'il visite tous les autres avec tant de bonté?

V. La triple crainte que nous devons toujours avoir pour nous garder de l'orgueil.

9. Petits enfants, cette pensée «détruit l'arrogance du regard[a]», attire la grâce, prépare aux bonds de l'Époux. «En tout cela, je me suis pris en exemple à cause de vous[b]», «afin que vous aussi, vous fassiez de même[c1]». «Soyez mes imitateurs[d].» Je ne dis pas cela maintenant pour la pratique des vertus, ou pour la discipline des mœurs, ou pour la gloire de la sainteté : car je n'ai pas la témérité de m'attribuer rien dans ces domaines qui soit digne d'imitation. Seulement, je veux que vous ne vous ménagiez pas, mais que vous vous accusiez vous-mêmes, chaque fois que vous surprenez en vous une tiédeur de la grâce ou un relâchement de la vertu, si minimes soient-ils, comme je m'en accuse moi aussi. C'est là le fait d'un homme qui s'examine attentivement, qui scrute ses voies et ses mœurs, et qui en toutes choses se méfie toujours du vice de l'arrogance[2], de peur qu'il ne se glisse en lui. En vérité j'ai appris que pour mériter, garder ou recouvrer la grâce, il n'est rien d'aussi efficace que d'être trouvé en tout temps devant Dieu «dans la crainte, et non dans des sentiments hautains[e]». «Heureux l'homme qui est toujours dans la crainte[f].» Crains donc lorsque la grâce t'a souri, crains lorsqu'elle s'est retirée, crains lorsqu'elle reviendra de nouveau; c'est cela, être «toujours dans la crainte». Que ces trois craintes se succèdent l'une à l'autre dans ton esprit, selon que tu sentiras les

gratia vel adesse dignanter, vel offensa recedere, seu
iterum redire placata sentietur. Cum adest, time ne non
digne opereris ex ea; nam hoc monet Apostolus : *Videte,*
inquiens, *ne in vacuum gratiam Dei recipiatis*[g]; et ad
25 discipulum : *Noli,* inquit, *negligere gratiam quae in te est*[h];
et de semetipso dicebat, quia *gratia Dei in me vacua
non fuit*[i]. Sciebat homo, consilium Dei habens, redundare
in contemptum donantis, donum negligere nec expendere
ad quod donatum est, idque intolerabilem esse superbiam
30 iudicabat; et propterea studiosissime hoc malum et ipse
cavebat docebatque cavendum. Sed rursum latet fovea
hic, quae nolo vos lateat, de qua is ipse superbiae spiritus
tanto periculosius, quanto occultius, sicut habetis in
Psalmo, *insidiatur quasi leo in spelunca sua*[j]. Nam si
35 impedire non praevalet actionem, tentat intentionem,
suggerens et suadens quatenus effectum gratiae arroges
tibi. Quod quidem superbiae genus longe illo priore into-
lerabilius esse non ambigas. Quid enim odiosius illa voce,
qua quidam dixerunt : *Manus nostra excelsa, et non
40 Dominus, fecit haec omnia*[k]?

    10. Sic ergo timendum, manente gratia. Quid si reces-
serit? Num multo magis tunc timendum? Plane multo
magis, quia ubi *tibi deficit gratia*[a], deficis tu. Audi etenim
quid dator gratiae dicat : *Sine me,* ait, *nihil potestis facere*[b].
5 Time ergo, subtracta gratia, tamquam mox casurus; time

---

g. II Cor. 6, 1 ≠   h. I Tim. 4, 14   i. I Cor. 15, 10 ≠   j. Ps. 9, 30
k. Deut. 32, 27
10.a. II Cor. 12, 9 ≠   b. Jn 15, 5

---

1. «Heureux l'homme qui est toujours craintif. Crains lorsque la grâce
te sourit; crains lorsqu'elle s'éloigne; crains lorsqu'elle revient. Lorsqu'elle est présente, crains de ne pas l'employer dignement et de la
recevoir en vain» (FRANÇOIS DE SALES, *Œuvres* VIII, p. 349, note).

mouvements de la grâce : soit qu'elle daigne se présenter,
soit qu'offensée elle s'éloigne, soit qu'apaisée elle revienne
à nouveau. Lorsqu'elle se présente, crains de ne pas agir
d'une façon digne d'elle[1]. L'Apôtre t'en avertit en disant :
«Voyez à ne pas recevoir en vain la grâce de Dieu[g].»
Et il dit à son disciple : «Ne néglige pas la grâce qui
est en toi[h].» Il disait aussi de lui-même : «La grâce de
Dieu en moi n'a pas été stérile[12].» Cet homme qui
connaissait la pensée de Dieu savait que négliger un don
ou l'employer à d'autres fins, c'est mépriser le donateur,
et il y voyait un inadmissible orgueil. C'est pourquoi,
avec le plus grand soin, il se gardait lui-même de ce
mal et il enseignait à s'en garder. Mais voici un nouveau
piège caché, et je ne veux pas qu'il vous échappe. Ce
même esprit d'orgueil s'en sert, de façon d'autant plus
dangereuse qu'elle est plus secrète, «pour dresser des
embûches comme un lion dans son antre[j]», ainsi que
vous le lisez dans le Psaume. S'il ne réussit pas à empêcher
l'action, il attire au mal l'intention; il te suggère et il te
persuade de t'attribuer à toi-même l'effet de la grâce. Ne
doute pas que ce genre d'orgueil soit bien plus inadmissible que le précédent. Quoi de plus odieux que la
voix de certains qui ont dit : «C'est notre main puissante,
et non le Seigneur, qui a fait tout cela[k]»?

10. Ainsi faut-il craindre lorsque la grâce est là. Qu'en
est-il si elle s'éloigne? Ne faut-il pas alors craindre bien
davantage? Oui, bien davantage, car, lorsque «la grâce
défaille[a]», tu défailles toi aussi. Écoute ce que dit le dispensateur de la grâce : «Sans moi, dit-il, vous ne pouvez
rien faire[b].» Crains donc, lorsque la grâce t'est enlevée,

---

2. * A huit reprises, Bernard cite ce verset de Paul en remplaçant le
(gratia) eius de la *Vg* par *(gratia) Dei.* Cette banale transformation a
pu être aidée par la pièce liturgique *Qui operatus est...*, graduel à la
messe et répons aux matines de deux fêtes de S. Paul, les 25 et
30 janvier : *gratia Dei in me vacua non fuit.*

et contremisce, Deo tibi, ut sentis, irato; time, quia reliquit
te custodia tua. Nec dubites in causa esse superbiam,
etiamsi non appareat, etiamsi *nil tibi conscius sis*. Quod
enim tu nescis, scit Deus; et *qui te iudicat*, ipse *est*[c].
10 Sed *nec qui seipsum commendat, ille probatus est, sed
quem Deus commendat*[d]. Numquid commendat te Deus,
cum gratia privat? Aut numquid qui *humilibus dat
gratiam*[e], humili auferet datam? Ergo argumentum
superbiae privatio gratiae est. Quamquam tamen interdum
15 subtrahitur, non pro superbia quae iam est, sed quae
futura est, nisi subtrahatur. Habes huius rei evidens docu-
mentum de Apostolo, qui *stimulos carnis suae* sustinebat
invitus, non quia extolleretur, sed *ne extolleretur*[f]. Sed
sive iam exsistens, sive nondum, superbia tamen semper
20 causa erit subtractae gratiae.

11. Iam si gratia repropitiata redierit, multo amplius
110 tunc timendum, ne forte contingat recidivum pati, iuxta
illud de Evangelio : *Ecce sanus factus es, vade et amplius
iam noli peccare, ne aliquid deterius tibi contingat*[a]. Audis
5 recidere quam incidere esse deterius. Proinde invalescente
periculo, invalescat et metus. Beatus es, si cor tuum triplici
isto timore repleveris, ut timeas quidem pro accepta gratia,
amplius pro amissa, longe plus pro recuperata. Hoc fac,
et eris *hydria* in Christi convivio, *impleta usque ad
10 summum*, continens nimirum *metretas*, non *binas* tantum,
sed *ternas*[b], ut Christi merearis benedictionem, quae aquas
tuas convertat in vinum[c] laetitiae, et *perfecta caritas foras
mittat timorem*[d].

12. Quod dico, tale est. Aqua timor est, quoniam ab

---

c. I Cor. 4, 4 ≠   d. II Cor. 10, 18 ≠   e. Jac. 4, 6   f. II Cor. 12, 7 ≠
11.a. Jn 5, 14 ≠; Jn 8, 11 ≠   b. Jn 2, 6-7 ≠   c. cf. Jn 2, 9
d. I Jn 4, 18 ≠

---

1. «L'eau est la crainte» : tout le paragraphe 12 est une explication
allégorique du premier miracle de Jésus aux noces de Cana.

comme si tu étais sur le point de tomber. Crains et tremble, puisque tu sens que Dieu est en colère contre toi. Crains, puisque ton gardien t'a abandonné. Ne doute point que la cause en soit l'orgueil, même s'il n'apparaît pas, même si «tu n'en as aucune conscience». Ce que tu ne sais pas, Dieu le sait; et «celui qui te juge, c'est[c]» lui. «Ce n'est pas celui qui se recommande lui-même qui est agréé, mais celui que Dieu recommande[d].» Dieu te recommande-t-il, quand il te prive de la grâce? Ou bien celui qui «donne la grâce aux humbles[e]» ôtera-t-il à l'homme humble la grâce donnée? La privation de la grâce est donc la preuve de l'orgueil. Pourtant, la grâce est parfois enlevée non pas en raison de l'orgueil présent, mais de celui auquel on succomberait si la grâce n'était pas enlevée. Tu en as un exemple évident chez l'Apôtre, qui supportait malgré lui «les échardes dans sa chair», non pas à cause de son orgueil, mais «pour ne pas s'enorgueillir[f]». Qu'il soit déjà présent ou pas encore, toujours l'orgueil est la cause du retrait de la grâce.

11. Si la grâce, redevenue propice, est revenue, alors il te faut craindre plus que jamais, de peur qu'il ne t'arrive de rechuter, selon cette parole de l'Évangile : «Te voilà guéri; va, et désormais ne pèche plus, de peur qu'il ne t'arrive pire encore[a].» Tu entends combien la rechute est pire que la chute. Si donc le danger augmente, que la crainte augmente elle aussi. Heureux es-tu, si tu as rempli ton cœur de cette triple crainte : craindre pour la grâce reçue, davantage pour la grâce perdue, beaucoup plus pour la grâce recouvrée. Fais cela, et dans le festin du Christ tu seras «une cuve remplie jusqu'au bord», contenant non seulement «deux, mais trois mesures[b]». Ainsi tu mériteras la bénédiction du Christ, qui changera tes eaux en vin[c] de joie, et «la charité parfaite bannira la crainte[d]».

12. Voici ce que je veux dire. L'eau est la crainte[1],

aestu refrigerat desideriorum carnalium : *Initium,* inquit,
sapientiae timor Domini[a]; et habes : *Aqua sapientiae
salutaris potavit illum*[b]. Si timor sapientia et sapientia
aqua, timor aqua est; denique *timor Domini,* inquit, *fons
vitae*[c]. Porro hydria mens tua. *Capientes,* inquit, *singulae
metretas binas vel ternas*[d]. Tres metretae, timores tres. *Et
impleverunt eas,* inquit, *usque ad summum*[e]. Non unus
timor, non duo quoque, sed toti tres simul replent usque
ad summum. Omni tempore time Deum, et ex omni corde
tuo, et implesti hydriam usque ad summum. Amat Deus
integrum munus, affectum plenum, perfectum sacrificium.
Cura proinde nuptiis caelestibus plenam inferre hydriam,
ut de te quoque dicatur quia *replevit eum spiritus timoris
Domini*[f]. *Qui sic timet, nihil negligit*[g]. Unde namque
negligentia intret in plenitudinem? Alioquin quod capere
adhuc aliquid potest, plenum non est. Eadem sane ratione
non potes simul et sic *timere,* et *altum sapere*[h]. Non est
enim quo admittas superbiam, repletus timore Domini. Et
sic de ceteris vitiis sentiendum, quia necesse est omnia
plenitudine timoris excludi. Tunc demum, si plene, si
perfecte timueris, dabit caritas saporem aquis tuis ad
Domini benedictionem. Sine caritate enim *timor poenam
habet*[i]. Et quidem caritas *vinum* quod *laetificat cor
hominis*[j]. *Perfecta* autem *caritas foras mittit timorem*[k], ut
ubi aqua fuerat, vinum esse incipiat, *ad laudem et gloriam*[l]
Sponsi Ecclesiae, Domini nostri Iesu Christi, *qui est super
omnia Deus benedictus in saecula. Amen*[m].

12.a. Ps. 110, 10   b. Sir. 15, 3 ≠   c. Prov. 14, 27   d. Jn 2, 6
e. Jn 2, 7   f. Is. 11, 3 ≠   g. Eccl. 7, 19 ≠   h. Rom. 11, 20 ≠
i. I Jn 4, 18   j. Ps. 103, 15 ≠   k. Jn 4, 18   l. I Pierre 1, 7 ≠
m. Rom. 9, 5

car elle refroidit l'ardeur des désirs charnels : «Le commencement de la sagesse est la crainte du Seigneur[a]», est-il dit. Et encore : «Il lui a donné à boire l'eau de la sagesse salutaire[b].» Si la crainte est la sagesse et la sagesse l'eau, la crainte est l'eau; aussi est-il dit : «La crainte du Seigneur est source de vie[c].» Ton esprit, c'est la cuve. «Chacune contient deux ou trois mesures[d]», est-il dit. Trois mesures, trois craintes. «Et ils les remplirent jusqu'au bord[e].» Non pas une seule crainte, ni deux non plus, mais toutes les trois ensemble remplissent les cuves jusqu'au bord. Crains Dieu en tout temps et de tout ton cœur, et tu as rempli la cuve jusqu'au bord. Dieu aime le don total, l'affection sans réserve, le sacrifice parfait. Aie donc soin d'apporter aux noces célestes la cuve pleine, pour qu'on dise de toi aussi : «L'Esprit de la crainte du Seigneur l'a rempli[f].» «Celui qui craint ainsi, ne néglige rien[g].» De fait, par où la négligence pourrait-elle entrer dans la plénitude? Autrement ce qui peut contenir encore quelque chose n'est pas plein. Pour la même raison, certes, tu ne peux pas à la fois «craindre» ainsi et «avoir des sentiments hautains[h]». Car tu ne saurais faire place à l'orgueil, si tu es rempli de la crainte du Seigneur. Et il faut en dire autant de tous les autres vices : ils sont tous forcément exclus par la plénitude de la crainte. Alors seulement, si tu crains de cette façon pleine et parfaite, la charité donnera saveur à tes eaux en vue de la bénédiction du Seigneur. Car sans la charité «la crainte implique le châtiment[i]». Et la charité, certes, est «le vin qui réjouit le cœur de l'homme[j]». Or, «la charité parfaite bannit la crainte[k]», si bien que là où était l'eau il commence à y avoir du vin, «à la louange et à la gloire[l]» de l'Époux de l'Église, notre Seigneur Jésus-Christ, «qui est au-dessus de tout, Dieu béni dans les siècles. Amen[m]».

SERMO LV

I. Qua ratione sponsus capreae hinnuloque cervorum comparetur.
– II. Qualiter nos ipsos iudicare debemus, ne iudicemur.

I. Qua ratione sponsus capreae hinnuloque cervorum comparetur.

1. *Similis est dilectus meus capreae hinnuloque cervorum*[a]. Ex praecedenti versiculo pendet. Quem enim salientem et properantem modo descripserat, consequenter comparat *capreae hinnuloque cervorum.* Apte quidem,
5 quod hoc genus animantium cursu velox et saltu agile sit. Porro sermo de Sponso est, et Sermo Sponsus est. Et Propheta dicit de Deo, quia *velociter currit sermo eius*[b], sane congruens huic loco, ubi Sponsus, qui Sermo Dei est, *saliens transiliensque*[c] describitur, similis perinde
10 factus *capreae hinnuloque cervorum.* Et haec ratio similitudinis. Adde tamen, ne ulla similitudinis ipsius vel minima proportiuncula vacet, quia caprea quidem non modo cursus pernicitate, sed et acumine visus eminet. Quod utique proprie illam respicit narrationis partem, qua
15 Sponsus, non tantum *saliens,* sed et *transiliens* apparere refertur, quia nisi acuto et perspicaci intuitu non posset omnino, praesertim inter currendum, discernere in quos

---

1.a. Cant. 2, 9   b. Ps. 147, 15   c. Cant. 2, 8 ≠

---

1. Cf. p. 72, n. 1 sur *SCt* 52, 6.

SERMON 55

I. Pour quelle raison l'Époux est comparé à la gazelle et au faon des cerfs.

1. «Mon bien-aimé est semblable à la gazelle et au faon des cerfs[a].» Cela se rattache au verset précédent. Tout à l'heure l'épouse avait décrit l'Époux bondissant et se hâtant; elle le compare en bonne logique «à la gazelle et au faon des cerfs». Fort à propos, certes, puisque les animaux de ce genre sont rapides à la course et agiles au bond. Or, l'épouse parle de l'Époux, et l'Époux est la Parole. Le Prophète dit de Dieu que «rapide court sa parole[b]», ce qui s'accorde bien avec ce passage où l'Époux, qui est la Parole de Dieu, est décrit «bondissant et sautant[c]», semblable par là «à la gazelle et au faon des cerfs». Telle est l'explication de la comparaison. Cependant, pour que même la moindre petite partie de cette comparaison ne reste dépourvue de sens, ajoute que la gazelle se distingue non seulement par la légèreté de sa course, mais aussi par l'acuité de sa vue[1]. Cela concerne exactement cette partie de la description qui montre l'Époux non seulement «bondissant», mais aussi «sautant». Car, sans un regard perçant et clairvoyant, il ne pourrait point, surtout en courant, discerner les montagnes sur lesquelles il doit bondir et les collines

salire et quos transilire deberet. Alioquin poterat sufficere,
ad designandam festinantis velocitatem, de solo hinnulo
20 comparatio : is quippe rapidiori se ferre noscitur cursu.
Nunc vero, quoniam sponsus iste, etsi ardenter amans
cursim ruere in dilectae videatur amplexus, nihilominus
tamen gressus, vel potius saltus suos, prudenti consideratione dirigere novit, cautus ubi oporteat figere pedem,
25 oportuit profecto cum hinnulo etiam de caprea similitudinem dari, quatenus et per illum salvantis desiderium,
112   et per hanc eligentis exprimeretur iudicium. Christus
nempe *iustus et misericors*[d], salvator et iudex : et quia
amat, *vult omnes homines salvos fieri et ad agnitionem*
30 *veritatis venire*[e], et quia iudicat, *novit qui sunt eius*[f], et
ipse scit quos elegit a principio[g].

2. Igitur duo haec bona Sponsi, misericordiam scilicet
et iudicium, in his duobus animantibus commendata a
Spiritu Sancto nobis interim sentiamus, ut in testimonium
integritatis et perfectionis fidei nostrae, nos quoque
5 Prophetam imitantes, *misericordiam et iudicium cantemus*
Domino[a]. Ego autem non dubito et alia de horum natura
ab his quidem, qui talium curiosi et gnari sunt, posse
monstrari, quae Sponso aptari utiliter et congruenter
queant; sed haec, ut arbitror, sufficere possunt ad dandam
10 rationem adductae similitudinis. Pulchre tamen Spiritus
Sanctus non de cervo, sed de hinnulo cervorum simili-

    d. II Macc. 1, 24   e. I Tim. 2, 4 ≠   f. II Tim. 2, 19 (Patr.)   g. Jn
13, 18 ≠; cf. Jn 6, 65
    2.a. Ps. 100, 1 ≠

par-dessus lesquelles il doit sauter. Autrement, la comparaison avec le faon tout seul pouvait suffire pour désigner la rapidité de l'Époux dans sa hâte : la course très rapide du faon est bien connue. Mais en fait l'Époux, même si dans l'ardeur de son amour il semble se précipiter en courant vers les embrassements de l'épouse, sait pourtant régler ses pas, ou plutôt ses bonds, avec une prudence réfléchie, faisant bien attention à mettre le pied là où il faut. Il a donc fallu, certes, ajouter la similitude de la gazelle à celle du faon, celui-ci exprimant le désir du sauveur, celle-là le discernement du juge. Car le Christ est «juste et miséricordieux[d]», sauveur et juge. Parce qu'il aime, «il veut que tous les hommes soient sauvés et parviennent à la connaissance de la vérité[e]»; parce qu'il juge, «il connaît ceux qui sont à lui[f1]» et «sait lui-même ceux qu'il a choisis dès le commencement[g]».

2. Ce sont donc ces deux biens de l'Époux, la miséricorde et le jugement, qui nous sont montrés ici par l'Esprit-Saint dans ces deux animaux. Sachons le comprendre, afin que nous aussi, imitant le Prophète, en témoignage de l'intégrité et de la perfection de notre foi, «nous chantions pour le Seigneur la miséricorde et le jugement[a]». Pour moi, je ne doute pas que les esprits curieux et instruits de ce genre de choses ne puissent encore montrer dans la nature de ces animaux d'autres traits, qui pourraient s'appliquer à l'Époux avec profit et pertinence. Mais ceux que j'ai indiqués peuvent suffire, je pense, à justifier la comparaison employée. Avec finesse toutefois l'Esprit-Saint a emprunté la comparaison non pas au cerf, mais au faon des cerfs. Par là, il a fait allusion

---

1. * Bernard emploie 12 fois ce texte, toujours avec *novit*, *Vl*, jamais avec *cognovit*, Vg. Augustin a très souvent cité ce verset ainsi. Quant à l'association de ce verset paulinien avec *Jn* 13, 18, elle se rencontre quatre fois dans Bernard; cf. *SCt* 76, 6, *SBO* II, p. 270, l. 3.

tudinem dedit, in quo et Patrum fecit mentionem, *e quibus Christus secundum carnem*[b], et infantiae meminit Salvatoris. Ut hinnulus quippe apparuit *parvulus* qui *natus est*
15 *nobis*[c]. Verum tu, qui adventum desideras Salvatoris, time scrutinium Iudicis, time oculos capreae, time illum qui per Prophetam dicit : *Et erit in die illa, et ego scrutabor Ierusalem in lucernis*[d]. Acuto visu est : nihil inscrutatum relinquet oculus eius. *Scrutabitur renes et corda*[e], ipsaque
20 *cogitatio hominis confitebitur illi*[f]. Quid tutum in Babylone, si Ierusalem manet scrutinium? Puto enim hoc loco Prophetam Ierusalem nomine designasse illos, qui in hoc saeculo vitam ducunt religiosam, mores supernae illius Ierusalem[g] conversatione honesta et ordinata pro viribus
25 imitantes, et non veluti hi qui de Babylone sunt, vitam in perturbatione vitiorum scelerumque confusione vastantes. Denique illorum *peccata manifesta sunt, praecedentia ad iudicium*[h], et non egent scrutinio, sed supplicio. Mea autem, qui videor monachus et Ieroso-
30 lymita, peccata certe occulta sunt, nomine et habitu monachi adumbrata; et idcirco necesse erit subtili ea investigari discussione, et quasi admotis lucernis *de tenebris in lucem prodi*[i].

II. Qualiter nos ipsos iudicare debemus, ne iudicemur.

3. Possumus afferre aliquid et de Psalmo ad confirmandum id quod dicitur de scrutanda Ierusalem. Ait namque sub persona Domini : *Cum accepero tempus, ego*

---

b. Rom. 9, 5   c. Is. 9, 6 ≠   d. Soph. 1, 12 ≠   e. Ps. 7, 10 ≠
f. Ps. 75, 11 ≠   g. cf. Gal. 4, 26   h. I Tim. 5, 24   i. I Pierre 2, 9 ≠

1. « S'il en est ainsi pour Jérusalem, quelle sera la fin de Babylone? Jérusalem, c'est-à-dire les saints. Les péchés mêmes des saints seront découverts, mais à leur grande consolation » (FRANÇOIS DE SALES, *Œuvres* VIII, p. 259, note).

à la fois aux Pères, «de qui le Christ est issu selon la chair[b]», et à l'enfance du Sauveur. Oui, comme un faon est apparu «le petit enfant qui nous est né[c]». Mais toi, qui désires l'avènement du Sauveur, crains l'examen du Juge, crains les yeux de la gazelle, crains celui qui dit par le Prophète : «En ce jour-là, j'examinerai Jérusalem à la lumière des flambeaux[d].» Sa vue est perçante : son œil ne laissera rien sans examen. «Il examinera les reins et les cœurs[e]», et «la pensée même de l'homme lui sera dévoilée[f]». Qu'y a-t-il de sûr en Babylone, si Jérusalem doit s'attendre à l'examen[1]? Je pense qu'en cet endroit le Prophète, par le nom de Jérusalem, a désigné ceux qui dans ce monde mènent une vie religieuse et imitent, dans la mesure de leurs forces, les mœurs de la Jérusalem céleste[g] par une conduite honnête et bien ordonnée. Ils ne ravagent pas leur vie par le tumulte des vices et la honte des crimes, comme ceux qui sont de Babylone. Bref, «les péchés de ceux-ci sont manifestes avant même tout jugement[h]»; ils n'appellent pas l'examen, mais le châtiment. Quant à moi, qui ai l'apparence d'un moine et d'un citoyen de Jérusalem, mes péchés sont certes cachés, couverts d'ombre par le nom et l'habit monastiques. Aussi faudra-t-il qu'ils soient l'objet d'une recherche et d'un tri minutieux, et qu'on en approche les flambeaux pour les tirer «des ténèbres» et les produire «à la lumière[i]».

II. Comment nous devons nous juger nous-mêmes, afin de ne pas être jugés.

3. Nous pouvons alléguer aussi un passage des Psaumes pour confirmer ce qui est dit de l'examen que doit subir Jérusalem. Le psalmiste dit en effet, parlant en la personne du Seigneur : «Au moment que j'aurai décidé, je

iustitias iudicabo[a]. Vias iustorum, nisi fallor, et actus
113 5 eorum discussurum se et examinaturum dicit. Verendum
valde, cum ad hoc ventum fuerit, ne sub tam subtili
examine multae nostrae iustitiae, ut putantur, peccata
appareant[b]. Unum est tamen : *si nosmetipsos diiudicave-*
rimus, non utique iudicabimur[c]. Bonum iudicium, quod
10 me illi districto divinoque iudicio subducit et abscondit.
Prorsus *horreo incidere in manus Dei viventis*[d]; volo vultui
irae iudicatus praesentari, non iudicandus. *Spiritualis homo*
omnia diiudicat, et ipse a nemine iudicatur[e]. Iudicabo
proinde mala mea, iudicabo et bona. Mala melioribus
15 curabo corrigere actibus, diluere lacrimis, punire ieiuniis,
ceterisque sanctae laboribus disciplinae. In bonis de me
humiliter sentiam et, iuxta praeceptum Domini, *servum*
me inutilem reputabo, qui *quod facere debui* tantum *feci*[f].
Dabo operam nec lolia pro granis, nec paleas cum granis
20 offerre. *Scrutabor* ego *vias meas et studia mea*[g], quo is
qui *scrutaturus est Ierusalem in lucernis*[h], nihil inscrutatum in me sive indiscussum inveniat. *Neque* enim *iudi-*
caturus est bis in idipsum[i].

4. Quis mihi det ita ad liquidum prosequi et persequi
universa delicta mea[a], ut in nullo oporteat vereri oculos
capreae, in nullo contingat ad lumen erubescere lucer-
narum? Et nunc videor, sed non video; praesto est oculus

3.a. Ps. 74, 3   b. cf. Is. 64, 6   c. I Cor. 11, 31 ≠   d. Hébr. 10,
31 ≠   e. I Cor. 2, 15 ≠   f. Lc 17, 10 ≠   g. Lam. 3, 40 ≠; cf. Jér. 7,
3, etc.   h. Soph. 1, 12 ≠   i. Nah. 1, 9 (Patr.)
4.a. Ps. 24, 18

---

1. On se souviendra à ce propos des multiples jugements derniers
sur les tympans des anciennes cathédrales. Bernard insère ici dans les
sermons sur l'amour de Dieu une vision typique de l'Apocalypse.
2. * C'est l'un des 7 emplois par Bernard de ce verset de *Nahum*
selon une *Vl* calquée sur la Septante. Bernard n'a pas un texte fixe :
iudicaturus, iudicabit, iudicat; Deus ou *Dominus*. Jérôme a souvent

jugerai les justices[a].» Si je ne me trompe, il dit qu'il va
trier et examiner les chemins des justes et leurs actes. Il
faut grandement craindre, quand on en viendra là, que
beaucoup de nos prétendues justices, soumises à un
examen si minutieux, n'apparaissent comme des péchés[b].
Il y a pourtant un unique remède : «Si nous nous jugeons
nous-mêmes, nous ne serons pas jugés[c].» Heureux
jugement, qui me soustrait et me cache au sévère jugement
divin[1]! Oui, «je tremble de tomber aux mains du Dieu
vivant[d]»; je veux me présenter devant le visage de colère
étant jugé d'avance, et non pour être jugé. «L'homme
spirituel juge de tout, et n'est lui-même jugé par personne[e].» Je jugerai donc mes mauvaises actions, je jugerai
aussi les bonnes. J'aurai soin de corriger les mauvaises
par des actions meilleures, de les laver par les larmes,
de les punir par les jeûnes et par les autres labeurs de
la sainte discipline. Dans les bonnes, j'aurai un humble
sentiment de moi-même et, selon le précepte du Seigneur, je me considérerai comme «un serviteur inutile,
moi qui n'ai fait que mon devoir[f]». Je veillerai à ne pas
offrir l'ivraie pour le blé, ni la paille avec le blé. «J'examinerai mes chemins et mes intentions[g]», afin que celui
qui «examinera Jérusalem à la lumière des flambeaux[h]»
ne trouve rien en moi qui n'ait été déjà examiné et trié.
Car «il ne jugera pas deux fois la même chose[i2]».

4. Qui me donnera de tirer au clair et de pourchasser
«toutes mes fautes[a]», si bien que je n'aie plus aucun
motif de craindre les yeux de la gazelle, aucun sujet de
rougir à la lumière des flambeaux? Pour le moment je
suis vu, mais je ne vois pas; il est présent, l'œil auquel

---

cité ce texte, toujours avec *Dominus,* parfois avec *vindicabit* («il
vengera»), parfois avec l'ajout *in tribulatione.* Il est cité au long des
siècles patristiques : Grégoire le Grand, Isidore de Séville, Cassiodore,
Paschase Radbert. Cf. *Tpl* 14, *SC* 367, p. 92, n. 1.

5 cui omnia patent[b], etsi non patet ipse. Erit quando *cognoscam, sicut et cognitus sum;* at *nunc* quidem *cognosco ex parte*[c], non tamen ex parte cognitus, sed ex toto. Vereor aspectum exploratoris illius, qui *post parietem stat*[d]. Hoc enim Scriptura addit de illo, quem pro acumine
10 visus capreae assimilavit : *En ipse stat,* inquit, *post parietem, respiciens per fenestras, prospiciens per cancellos*[e] : de quo suo loco videbimus. Hunc ergo vereor occultum occultorum exploratorem. Sponsa nihil veretur, quia *nihil sibi conscia est*[f]. Quid denique vereatur *amica, columba,*
15 *formosa*[g]? Nempe subinde habes : *Et dilectus meus,* inquit, *loquitur mihi*[h]. Mihi non loquitur; et ideo formido aspectum, quoniam non habeo testimonium. Tu quid audis de te, o Sponsa? Quid tibi loquitur dilectus tuus? *Surge,* inquit, *propera, amica mea, columba mea, formosa mea*[i].
20 Verum hoc quoque alteri servabo principio, nec brevitate arctabo ea quae diligentiam desiderantia sunt, ne forte et de hoc reus inveniar[j], si quominus inveniamini in hac parte aedificati ad intelligentiam et amorem sponsi Ecclesiae, Domini nostri Iesu Christi, *qui est super omnia*
25 *Deus benedictus in saecula. Amen*[k].

114

---

b. cf. Prov. 16, 2   c. I Cor. 13, 12 ≠   d. Cant. 2, 9 ≠   e. Cant. 2, 9 ≠   f. I Cor. 4, 4 ≠   g. Cant. 2, 10 ≠; Cant. 5, 2 ≠   h. Cant. 2, 10   i. Cant. 2, 10 ≠; Cant. 5, 2 ≠   j. cf. I Cor. 9, 27   k. Rom. 9, 5

rien n'échappe[b], bien que lui-même échappe à la vue.
Viendra un jour où «je connaîtrai comme je suis connu».
«Pour le moment», certes, «je connais en partie[c]»;
pourtant, ce n'est pas en partie que je suis connu, mais
totalement. Je crains le regard de ce guetteur, qui «se
tient debout derrière le mur[d]». Car l'Écriture ajoute ces
paroles à propos de celui qu'elle a comparé à la gazelle
pour l'acuité de sa vue: «Le voici qui se tient debout
derrière le mur; il regarde par les fenêtres, il guette par
les lucarnes[e].» Nous verrons cela en son lieu. Je crains
ce secret guetteur des secrets. L'épouse ne craint rien,
parce que «sa conscience ne lui reproche rien[f]». Que
craindrait en effet «l'amie, la colombe, la belle[g]»? Tu lis
aussitôt après: «Mon bien-aimé me parle[h].» A moi, il
ne me parle pas; et si je redoute son regard, c'est que
je n'ai aucun témoignage de sa part. Toi, épouse, qu'en-
tends-tu à propos de toi-même? Que te dit ton bien-
aimé? «Lève-toi, dit-il, hâte-toi, mon amie, ma colombe,
ma belle[i].» Mais cela aussi, je le garderai pour un autre
développement. Je ne vais pas resserrer en peu de mots
ce qui requiert un commentaire approfondi. Je craindrais
d'être trouvé en faute[j], si vous étiez trouvés, sur ce point,
insuffisamment affermis dans l'intelligence et dans l'amour
de l'Époux de l'Église, notre Seigneur Jésus-Christ, «qui
est au-dessus de tout, Dieu béni dans les siècles. Amen[k]».

SERMO LVI

I. Quis est paries, quae fenestrae vel rimae per quas sponsus prospicit. – II. Quomodo cuique nostrum post parietem sit, et de eius praesentia vel absentia. – III. Quomodo quidam parietes multos inter se et sponsum construunt, et qui sunt cancelli vel fenestrae secundum moralem.

I. Quis est paries, quae fenestrae vel rimae per quas sponsus prospicit.

1. *En ipse stat post parietem, respiciens per fenestras, prospiciens per cancellos*[a]. Secundum litteram quidem videtur dicere, quia is qui cum saltibus adventare prospiciebatur, appropiasset usque ad contubernium sponsae
5 et, stans *post parietem*, curiosius introspiceret *per fenestras* et rimas, et verecunde non praesumeret sese ingerere. Secundum spiritum autem appropiasse quidem nihilominus intelligitur, sed aliter, ita sane quemadmodum et a caelesti Sponso agi oportuit, et a Spiritu Sancto dici. Nil quippe
10 quod vel auctorem dedeceat, vel narratorem, verus et spiritualis intellectus admittet. Ergo appropiavit parieti, cum adhaesit carni. Caro[b] paries est, et appropiatio Sponsi,

---

1.a. Cant. 2, 9 ≠   b. cf. I Cor. 6, 17; cf. Jn 1, 14

1. L'Époux céleste est décrit comme le protagoniste et l'Esprit-Saint comme le narrateur. Cf. D. FARKASFALVY, *L'inspiration de l'Écriture sainte dans la théologie de saint Bernard* (*Studia Anselmiana* 53), Rome 1964, p. 34.

2. * Bernard désigne souvent la force de l'amour qui remonte de l'homme vers Dieu par *adhaerere*, «s'attacher à». Les *SBO* comptent ainsi 50 emplois de *I Cor*. 6, 17, dont 19 dans les seuls *SBO* I et II et seulement 2 dans les *SBO* VII et VIII. Il y a aussi 22 emplois du verset

SERMON 56

I. Quel est le mur, quelles sont les fenêtres et les fentes par où l'Époux guette. – II. Comment l'Époux se tient derrière le mur pour chacun de nous. Présence et absence de l'Époux. – III. Comment certains bâtissent beaucoup de murs entre eux et l'Époux. Quelles sont les lucarnes et les fenêtres selon le sens moral.

I. Quel est le mur, quelles sont les fenêtres et les fentes par où l'Époux guette.

1. «Le voici qui se tient debout derrière le mur; il regarde par les fenêtres, il guette par les lucarnes[a].» Selon la lettre, le texte semble dire que celui qu'on voyait venir en bondissant s'est approché jusqu'à la demeure de l'épouse. Se tenant debout «derrière le mur», il jette des regards fort curieux «par les fenêtres» et les fentes, et par pudeur il n'ose pas s'introduire. Selon l'esprit, on comprend aussi qu'il s'est vraiment approché, mais d'une autre manière, convenable à la façon d'agir de l'Époux céleste et à la façon de parler de l'Esprit-Saint. Car la vraie et spirituelle compréhension du texte ne saurait admettre rien de malséant pour le protagoniste ou pour le narrateur[1]. Il s'est donc approché du mur lorsqu'il s'est uni[2] à la chair. Le mur, c'est la chair[b]; et l'approche de

---

Ps. 72, 28 : «Mon bonheur, c'est m'attacher à Dieu.» Ici, il s'agit non du mouvement de l'homme «qui devient un seul esprit avec Dieu», mais de celui du Verbe qui «s'attache à la chair». De là, au long de ce paragraphe, l'affirmation de cette nouveauté en Dieu (en particulier deux fois *experimentum,* mais aussi : *cepit, sciebat, didicit),* nouveauté dont Bernard avait parlé en *Hum* 6-9, en citant déjà *Hébr.* 2, 17; 4, 5; 5, 8.

Verbi incarnatio. Porro cancellos et fenestras, per quas
respicere perhibetur, sensus, ut opinor, carnis et humanos
15 dicit affectus, per quos experimentum cepit omnium
humanarum necessitatum. Denique *languores nostros ipse*
115   *tulit, et dolores nostros ipse portavit*[c]. Humanis ergo affec-
tionibus sensibusque corporeis pro foraminibus usus est
et fenestris, ut miserias hominum homo factus experi-
20 mento sciret, et *misericors fieret*[d]. Sciebat et ante, sed
aliter. Sciebat denique virtutem oboediendi *ipse Dominus*
virtutum[e], et tamen, teste Apostolo, *didicit ex his quae*
passus est oboedientiam[f]. In hunc modum et misericordiam
didicit, etsi *misericordia Domini ab aeterno*[g]. Docet hoc
25 quoque idem *gentium Doctor*[h], ubi eum asserit *tentatum*
per omnia pro similitudine absque peccato, ut misericors
fieret[i]. Videsne factum esse quod erat, et quod noverat
didicisse, et sibi apud nos quaesisse rimas et fenestras,
per quas calamitates nostras diligentius exploraret? Tot
30 autem in nostro ruinoso et pleno rimarum pariete invenit
foramina[j], quot nostrae infirmitatis et corruptionis in suo
corpore[k] sensit experimenta.

2. Sic itaque Sponsus *post parietem stans, et per fenestras*
et cancellos respiciens[a] erat. Et bene «stans», quia solus
revera in carne stetit, qui carnis peccatum non sensit.
Possumus et hoc fideliter sapere, quia stetit per divini-
5 tatis potentiam, qui *per carnis infirmitatem*[b] occubuit,
dicente ipso : *Spiritus quidem promptus est, caro autem*

c. Is. 53, 4   d. Hébr. 2, 17   e. Ps. 23, 10 ≠, etc.   f. Hébr. 5,
8   g. Ps. 102, 17   h. I Tim. 2, 7 ≠   i. Hébr. 4, 15; Hébr. 2, 17
j. cf. Cant. 5, 4   k. cf. Is. 53, 3; cf. I Pierre 2, 24
2.a. Cant. 2, 9 ≠   b. Gal. 4, 13 ≠

1. *Caro paries est, et appropiatio Sponsi Verbi incarnatio.* Première
signification du mur : l'humanité du Christ.

2. *sensus carnis et humanos dicit affectus :* en *Par* VI, Bernard donne
une autre interprétation allégorique des cinq fenêtres de l'humanité du
Christ. Cf. *SBO* VI-2, p. 292, l. 6-11.

l'Époux, c'est l'incarnation du Verbe[1]. Quant aux lucarnes et aux fenêtres, par où il est dit regarder, je pense qu'ils désignent les sens de la chair et les sentiments humains[2], par lesquels il a fait l'expérience de toutes les infirmités humaines. En effet, «il s'est chargé lui-même de nos maladies, et il a porté lui-même nos douleurs[c]». Il s'est servi des sentiments humains et des sens corporels comme d'ouvertures et de fenêtres pour que, devenu homme, il puisse connaître par expérience les misères des hommes et «devenir miséricordieux[d]». Il les connaissait déjà auparavant, mais d'une autre manière. Car il connaissait la vertu d'obéissance, «lui, le Seigneur des vertus[e]», et pourtant, au témoignage de l'Apôtre, «il apprit, de ce qu'il souffrit, l'obéissance[f]». C'est aussi de cette manière qu'il apprit la miséricorde, même si «la miséricorde du Seigneur est de toujours[g]». Le même «Docteur des Gentils[h]» nous l'enseigne encore, lorsqu'il affirme qu'«il fut tenté en toutes choses à notre ressemblance, sans pécher, pour devenir miséricordieux[i]». Vois-tu qu'il devint ce qu'il était, et qu'il apprit ce qu'il savait[3], et qu'il se chercha parmi nous des fentes et des fenêtres par où il pût scruter plus attentivement nos malheurs? Dans notre mur délabré et plein de fentes il trouva autant d'ouvertures[j] qu'il fit d'expériences, dans son propre corps[k], de notre faiblesse et de notre corruption.

2. C'est ainsi que l'Époux «se tenait debout derrière le mur, et qu'il regardait par les fenêtres et par les lucarnes[a]». C'est bien dit, «il se tenait debout»: car seul il s'est vraiment tenu debout dans la chair, lui qui n'a pas connu le péché de la chair. Nous pouvons aussi comprendre avec le sens de la foi qu'il s'est tenu debout par la puissance de la divinité, lui qui a succombé «par la faiblesse de la chair[b]». Il dit lui-même: «L'esprit est

3. Explication théologique du sens de l'Incarnation.

infirma[c]. Ego autem puto etiam illud huic sententiae suffragari, quod sanctus David in hoc mysterio, utpote propheta Domini et prophetans, de Domino loquebatur,
10 et quidem Moysen loquens, sed Dominum intuens. Ipse enim verus est Moyses, qui vere *per aquam venit, et non in aqua tantum, sed in aqua et sanguine*[d]. Ait itaque memoratus Propheta : *Dixit ut disperderet eos* – Patrem siquidem loquebatur –, *si non Moyses electus eius stetisset*
15 *in confractione in conspectu eius, ut averteret iram eius, ne disperderet eos*[e]. Quonam modo, quaeso, *Moyses stetit in confractione?* Quemadmodum, inquam, aut stetit si confractus est, aut, si stetit, confractus est? At ego ostendo tibi, si vis, qui vere *stetit in confractione*. Ego alium novi
20 neminem qui hoc potuerit, nisi Dominum meum Iesum, qui certe in morte vivebat, qui corpore fractus in cruce, divinitate stabat cum Patre : in uno nobiscum supplicans, in altero cum Patre propitians. Et *stabat post parietem*, dum *quod* iacebat in illo, *manifestum erat in carne*[f], et
25 quod stabat in ipso, quasi post carnem latebat : sane unus idemque homo manifestus, et *Deus absconditus*[g].

II. Quomodo cuique nostrum post parietem sit, et de eius praesentia vel absentia.

3. Et unicuique nostrum, qui desideramus adventum ipsius, puto illum nihilominus *post parietem stare*[a], dum

---

c. Matth. 26, 41　　d. I Jn 5, 6 ≠　　e. Ps. 105, 23　　f. I Tim. 3, 16 ≠　　g. Is. 45, 15
3.a. Cant. 2, 9 ≠

---

1. Sur le thème de la « mort vivante », cf. *SC* 130, p. 334-335. Cf. *Csi* V, 25 : *Horreo incidire in manus mortis viventis et vitae morientis,* « Je tremble de tomber aux mains d'une mort qui vivra toujours, et d'une vie qui meurt sans cesse. » Bernard parle ici de la mort éternelle de l'enfer.
2. Traduction du Père Antoine de Saint-Gabriel : « Une seule et même

prompt, mais la chair est faible[c].» Pour ma part, je pense
que cette interprétation est aussi confirmée par ce que
le saint roi David, à propos de ce mystère, disait du Seigneur, en sa qualité de prophète du Seigneur et parlant
en prophète. Certes, il parlait de Moïse, mais il avait le
Seigneur en vue. Car c'est lui le vrai Moïse, «qui est
vraiment venu par l'eau, et non seulement avec l'eau,
mais avec l'eau et le sang[d]». Voici donc ce que dit le
Prophète cité : «Il déclara qu'il allait les disperser – David
parlait du Père – si Moïse, son élu, ne s'était pas tenu
debout devant lui, tout brisé qu'il était, pour détourner
sa colère et empêcher la dispersion[e].» Comment, je te
prie, «Moïse s'est-il tenu debout, s'il était tout brisé»?
Comment, dis-je, s'est-il tenu debout s'il était brisé ou
comment, s'il s'est tenu debout, était-il brisé? Mais je vais
te montrer, si tu veux, qui «s'est vraiment tenu debout,
tout brisé qu'il était». Je ne connais personne d'autre qui
en fût capable, sinon mon Seigneur Jésus, qui certes était
vivant dans la mort[1] et qui, brisé dans son corps sur la
croix, se tenait debout dans sa divinité avec le Père :
d'un côté il suppliait avec nous, de l'autre il pardonnait
avec le Père. «Il se tenait debout derrière le mur» lorsque
«ce qui» en lui était accablé «était manifeste dans la
chair[f]», et que ce qui en lui se tenait debout était comme
caché derrière la chair : un seul et même sans aucun
doute, homme manifeste et «Dieu caché[g][2]».

II. Comment l'Époux se tient derrière le mur pour chacun de nous. Présence et absence de l'Époux.

3. Pour chacun de nous qui désirons son avènement,
je pense «qu'il se tient debout derrière le mur[a]», tandis

personne, faisant voir ce qui était de l'homme en lui, et cachant ce
qui était de Dieu.»

corpus hoc nostrum, quod certe *peccati*[b] est, *abscondat*
interim *nobis faciem eius*[c], et praesentiam intercludat.
5 Denique *quamdiu sumus in hoc corpore,* inquit, *peregri-*
namur a Domino[d]. Non quia in corpore, sed quia in
corpore hoc, quod utique de peccato est et sine peccato
non est. Et ut scias quoniam obstant, non corpora, sed
peccata, audi Scripturam : *Peccata nostra,* inquit, *separant*
10 *inter nos et Deum*[e]. Et utinam unus mihi tantum obstet
paries corporis, solumque obicem patiar id *quod est in*
carne peccatum[f], et non multae intersint maceriae
vitiorum! Vereor enim ne etiam praeter illud quod in
natura est, quam plurima de propria iniquitate adiecerim,
15 quorum a me interiectu nimium elongaverim Sponsum,
ita ut, si verum dicere velim, post parietes magis mihi
illum stare fatear, non post parietem[g].

4. Sed dico hoc planius. Sponsus quidem aequaliter
atque indifferenter praesto ubique est, divinae utique praesentia maiestatis *et magnitudine virtutis suae*[a]. Gratiae
tamen exhibitione, seu inhibitione, quibusdam longe,
5 quibusdam prope esse[b] dicitur, angelorum dumtaxat et
hominum, id est rationabilium creaturarum. Denique *longe*
a peccatoribus salus[c]. Et Sanctus nihilominus dicit : *Ut*
quid, Domine, recessisti longe[d]? Ceterum a sanctis pia
dispensatione ad tempus, et non ex toto, sed iuxta aliquid

b. Rom. 6, 6 ≠   c. Is. 64, 7 (Patr.)   d. II Cor. 5, 6 ≠   e. Is. 59,
2 (Patr.)   f. Rom. 7, 17-18 ≠   g. cf. Cant. 2, 9
4.a. Éphés. 1, 19 ≠   b. cf. Éphés. 2, 13   c. Ps. 118, 155   d. Ps. 9,
22

1. * Bernard a employé 11 fois le texte *Vl* (avec *peccata, separant* et
nostra, au lieu de *iniquitates, diviserunt* et *vestrae, Vg*), souvent sous
forme d'allusions ténues, en ce cas au singulier. Dans ce contexte-ci,
Bernard tient à bien préciser la différence entre les péchés personnels
(dirions-nous) et l'obstacle envers l'union à Dieu qu'est le corps : *paries*
et *maceria* du *Cant.* (2, 9 et 2, 14), «le mur et la paroi». Augustin et

que notre corps, qui est certes «un corps de péché[b]», «nous cache pour l'instant son visage[c]» et nous prive de sa présence. «Tant que nous sommes dans ce corps, est-il dit, nous sommes en exil loin du Seigneur[d].» Non parce que nous sommes dans un corps, mais parce que nous sommes dans ce corps-ci, qui est né du péché et n'est pas sans péché. Pour que tu saches que ce ne sont pas les corps, mais les péchés qui font obstacle, écoute l'Écriture : «Nos péchés, est-il dit, créent une séparation entre nous et Dieu[e1].» Si seulement il n'y avait que le mur du corps pour me faire obstacle! Si seulement je ne rencontrais que la seule barrière «du péché qui est dans la chair[f]», et si les multiples murailles des vices ne s'interposaient pas! Je crains d'avoir ajouté à ce qui est inhérent à la nature d'innombrables fautes venant de ma propre iniquité. En les interposant, j'ai infiniment éloigné de moi l'Époux, si bien que, à dire vrai, je devrais avouer qu'à mon égard il se tient debout plutôt derrière des murs, non derrière le mur[g2].

4. Mais je vais dire cela plus clairement. L'Époux est certes partout également et indifféremment présent, par la présence de sa majesté divine «et par la grandeur de sa puissance[a]». Néanmoins il est dit que, en accordant ou en retirant la grâce, il est éloigné de certains et proche de certains autres[b] : entendons des anges et des hommes, c'est-à-dire des créatures douées de raison. Car «le salut est éloigné des pécheurs[c]». Et le saint roi David n'en dit pas moins : «Pourquoi, Seigneur, t'es-tu retiré bien loin[d]?» Mais Dieu s'éloigne parfois des saints par une disposition miséricordieuse, pour un temps, et non

Jérôme avaient employé le même texte que Bernard, et il a été souvent employé entre eux et Bernard. Cf. *3 NatV* 2, *SBO* IV, p. 213, l. 11.

2. Dans ce troisième paragraphe, le mur a un autre sens. Ici il s'agit de tout ce qui fait obstacle à la présence divine.

10 aliquando longe se facit. Peccatoribus autem, de quibus
dicitur : *Superbia eorum ascendit semper*[e], et item : *Inqui-*
natae sunt viae illius in omni tempore[f], semper valdeque
longe est, atque in ira hoc, et non in misericordia.
Quamobrem orat ad Dominum Sanctus, et ait : *Non*
15 *declines in ira a servo tuo*[g], sciens quia et in misericordia
potuerit declinare. *Prope est* ergo *Dominus*[h] sanctis et
electis suis, etiam cum longe esse videtur, et non aequaliter omnibus, sed aliis plus, aliis minus, pro meritorum
diversitate. Nam etsi *prope est Dominus omnibus invo-*
20 *cantibus eum in veritate*[i], et *iuxta est his qui tribulato*
sunt corde[j], non tamen omnibus forsan, ita ut dicere
possint, quia *ipse* est *post parietem*. Sponsae vero quam
prope est, quae uno tantum pariete dividitur! Propterea
cupit dissolvi et, rupto medio pariete, *cum illo esse*[k], quem
25 *post parietem* esse confidit.

5. Ego autem, quoniam *peccator sum*[a], dissolvi non
cupio[b], sed formido, sciens quia *mors peccatorum*
pessima[c]. Quomodo non pessima mors, ubi non subvenit
Vita? Formido exire, et in ipso contremisco portus ingressu,
5 dum non confido propter assistere qui excipiat exeuntem.
Quid enim? Securenum exeo, si non *Dominus custodiat*
exitum meum[d]? Heu! ero ludibrio daemonum interci-

---

e. Ps. 73, 23 ≠   f. Ps. 9, 26   g. Ps. 26, 9 ≠   h. Ps. 144, 18
i. Ps. 144, 18 ≠   j. Ps. 33, 19 ≠   k. Phil. 1, 23 (Patr.); cf. Éphés. 2,
14
5.a. Lc 5, 8   b. cf. Phil. 1, 23 (Patr.)   c. Ps. 33, 22   d. Ps. 120,
8 ≠

---

1. * *Cupio* est, chez Bernard comme dans la tradition patristique, bien
plus fréquent que son équivalent *Vg, desiderium habens*. Dans ce
passage-ci, Bernard, à son ordinaire, porte ses regards non sur la mort,
dissolvi, mais sur le «côté positif», la vie avec l'Époux, *cum illo esse;*
cf. *SC* 431, p. 149, n. 1 sur *SCt* 21, 1.
2. Multiples expériences de la présence et de l'absence de l'Époux.
L'absence se signale par sécheresse, péché et mort. Cf. *SC* 452, p. 202,
n. 1 sur *SCt* 42, 1.

totalement, mais dans une certaine mesure. Quant aux pécheurs, dont il est dit : «Leur orgueil s'élève toujours[e]» et «Ses voies sont souillées en tout temps[f]», Dieu se tient toujours éloigné d'eux, et très éloigné; et cela avec colère, et non avec miséricorde. C'est pourquoi le saint adresse sa prière au Seigneur et dit : «Ne te détourne pas de ton serviteur avec colère[g]»; car il sait qu'il pourrait aussi se détourner de lui avec miséricorde. «Le Seigneur est proche[h]» de ses saints et de ses élus, même lorsqu'il semble en être éloigné; et il n'est pas également proche de tous, mais plus proche des uns, moins des autres, selon la diversité des mérites. Bien que «le Seigneur soit proche de ceux qui l'invoquent en vérité[i]» et qu'«il soit tout près de ceux qui ont le cœur affligé[j]», néanmoins il n'est peut-être pas aussi proche d'eux tous, qu'ils puissent dire : «Il est derrière le mur.» En revanche, combien est-il proche de l'épouse! Elle n'en est séparée que par un seul mur. C'est pourquoi «elle désire[1] mourir», abattre le mur qui s'interpose «et être avec celui[k]» qui – elle en a l'assurance – est «derrière le mur[2]».

5. Moi en revanche, parce que «je suis pécheur[a]», je ne désire pas mourir[b], j'en ai peur au contraire, sachant que «la pire mort est celle des pécheurs[c][3]». Comment cette mort ne serait-elle pas la pire, puisqu'elle n'est point secourue par la Vie? J'ai peur de sortir de mon corps, et je tremble à l'entrée même du port, car je ne suis pas sûr que l'Époux se tiendra auprès de moi pour m'accueillir à ma sortie. Quoi donc? Est-ce que je puis sortir avec assurance, si «le Seigneur ne veille pas sur ma sortie[d]»? Hélas! je serai la risée des démons qui vont m'attraper au passage,

---

3. La mort est décrite comme la séparation définitive d'avec Dieu ou bien comme la rencontre définitive avec lui, selon les cas.

pientium me, *non* assistente *qui redimat neque qui salvum faciat*[e]. Nil tale verendum erat animae Pauli, cui ab
10 aspectu et amplexu dilecti unus tantummodo paries obsistebat, videlicet *lex peccati*, quam inveniebat *in membris suis*[f]. Ipsa est *carnis concupiscentia*[g], qua carere omnino non potuit, donec in carne fuit. Hoc sane quo interiecto pariete, non longe *peregrinabatur a Domino*[h]; unde et
15 optabat clamans : *Quis me liberabit de corpore mortis huius*[i]? sciens se mortis compendio continuo perventurum. Hac ergo Paulus se fatebatur una lege teneri, scilicet concupiscentia, quam carni suae immobiliter insitam tolerabat invitus; de cetero *nihil mihi,* inquit, *conscius*
20 *sum*[j].

III. Quomodo quidam parietes multos inter se et sponsum construunt, et qui sunt cancelli vel fenestrae secundum moralem.

6. Verum quis similis Paulo, qui non videlicet huic interdum consentiat concupiscentiae ad oboediendum peccato[a]? Noverit proinde is qui peccato consenserit, et alterum sibi se opposuisse parietem, ipsum utique pravum
5 illicitumque consensum; nec potest gloriari qui huiusmodi est, quia stet sibi post parietem sponsus, quando iam parietes intersint, non paries. Multo minus si consensus pervenerit ad effectum, cum tertius quoque iam paries sponsi arceat impediatque accessum, actus videlicet ipse
10 peccati. Quid si et consuetudo forte peccatum in usum, aut usus etiam in contemptum perduxerit, sicut scriptum est : *Impius, cum venerit in profundum malorum, contemnit*[b]? Nonne si ita exieris, millies ante *a rugien-*

---

e. Ps. 7, 3 ≠　　f. Rom. 7, 23 ≠　　g. I Jn 2, 16 ≠　　h. II Cor. 5, 6 ≠　　i. Rom. 7, 24　　j. I Cor. 4, 4
6.a. cf. Rom. 6, 16; 7, 16　　b. Prov. 18, 3 ≠ (Patr.)

si «personne» ne se tient là «pour me racheter et me sauver[e]». L'âme de Paul n'avait à craindre rien de tel : pour lui un seul mur faisait obstacle à la vue et à l'étreinte du bien-aimé, à savoir «la loi du péché» qu'il trouvait «dans ses membres[f]». Cette loi est «la convoitise de la chair[g]», dont il ne put être complètement exempt, tant qu'il fut dans la chair. Malgré l'obstacle de ce mur, «il n'était pas en exil loin du Seigneur[h]»; d'où son cri de désir : «Qui me délivrera de ce corps de mort[i]?» Il savait que par le raccourci de la mort il parviendrait aussitôt au but. Paul s'avouait retenu par cette seule loi, la convoitise, qu'il supportait malgré lui, car elle était immuablement gravée dans sa chair. Pour le reste, dit-il, «ma conscience ne me reproche rien[j]».

III. Comment certains bâtissent beaucoup de murs entre eux et l'Époux. Quelles sont les lucarnes et les fenêtres selon le sens moral.

6. Mais qui est assez semblable à Paul pour ne pas consentir parfois à la convoitise et obéir au péché[a]? Celui qui a consenti au péché doit savoir qu'il a mis devant soi un autre mur : ce consentement mauvais et interdit. Un tel homme ne peut plus se glorifier de ce que l'Époux se tienne debout pour lui derrière le mur, puisqu'il y a désormais entre eux des murs, non pas un mur. Il pourra encore bien moins se glorifier si le consentement a passé à l'acte, parce qu'un troisième mur écarte désormais et empêche l'approche de l'Époux : l'acte même du péché. Que dire si, de plus, la répétition a conduit le péché à devenir habitude ou si l'habitude l'a conduit jusqu'à devenir mépris? Il est écrit en effet : «L'impie, tombé dans l'abîme des maux, méprise tout[b1].» Si tu sors de

---

1. * Ici, comme en *SCt* 38, 1 (*SC* 452, p. 142, n. 1) et en 9 autres lieux, Bernard remplace le *peccatorum* de *Vg* par le *malorum* de *Vl*, que l'on trouve chez plusieurs Pères, en particulier Augustin, Jérôme et Grégoire le Grand, mais aussi Fauste de Riez, Césaire d'Arles.

tibus praeparatis ad escam[c] poteris devorari, quam
15 pervenire ad sponsum, non uno siquidem iam, sed tanta
a te parietum numerositate interclusum? Primus, concupiscentia; secundus, consensus; tertius, actus; quartus,
consuetudo; quintus, contemptus. Cura ergo priori concupiscentiae totis resistere viribus, ut non pertrahat in
20 consensum, et omnis deinceps malignitatis fabrica
evanescit; nec est omnino quod Sponsum prohibeat appro-
pinquare tibi, praeter solum parietem corporis, quatenus
gloriari possis et tu, dicens de illo quia *en ipse stat post
parietem*[d].

7. Sed et hoc tibi tota vigilantia providendum, ut apertas
semper inveniat fenestras et cancellos quosdam confes-
sionum tuarum, per quos te intus benigne respiciat[a],
quoniam respectus eius, profectus tuus. Aiunt cancellos
5 angustiores esse fenestras, quales utique hi, qui libros
describunt, aptare sibi solent ad recipiendum lumen
paginis. Unde et puto cancellarios eos appellari, qui chartis
conscribendis ex officio deputantur. Cum ergo sint duo
genera compunctionis, unum in moerore pro nostris exces-
10 sibus, alterum in exsultatione pro divinis muneribus,
quoties sane eam, quae sine *angustia cordis*[b] minime fit,
peccatorum scilicet meorum facio confessionem, videor
mihi cancellum, id est angustiorem aperire fenestram. Nec
dubium quin libenter per istam *respiciat* is, qui *stat post
15 parietem*[c], pius explorator, quia *cor contritum et humi-*

---

c. Sir. 51, 4 ≠   d. Cant. 2, 9
7.a. cf. Cant. 2, 9   b. II Cor. 2, 4   c. Cant. 2, 9 ≠

---

1. On retrouve la même série de murs dans *Sent* III, 89 (*SBO* VI-2,
p. 136-137) et dans *Sent* III, 98 (*SBO* VI-2, p. 160-162).

2. Allusion à une lucarne de taille suffisante pour éclairer une page
entière. Ce qui en dit long sur l'étroitesse des prises de jour dans les
cellules ou dans le *scriptorium*.

ton corps dans un tel état, ne pourras-tu pas être dévoré mille fois «par les lions rugissants guettant leur proie[c]» avant de parvenir à rejoindre l'Époux, séparé maintenant de toi non par un seul mur, mais par des murs en si grand nombre? Le premier, c'est la convoitise; le deuxième, le consentement; le troisième, l'acte; le quatrième, l'habitude; le cinquième, le mépris[1]. Aie donc soin de résister de toutes tes forces à la convoitise qui se présente la première, de peur qu'elle ne t'entraîne au consentement; du coup, tout l'édifice de la méchanceté s'effondre. Il n'y a plus rien qui empêche l'Époux de s'approcher de toi, sauf le seul mur du corps, en sorte que toi aussi, tu puisses te glorifier et dire de lui: «Le voici qui se tient debout derrière le mur[d].»

7. Mais tu dois aussi veiller avec la plus grande attention à ce que l'Époux trouve toujours ouvertes les fenêtres et les lucarnes qui figurent tes confessions, par où il puisse regarder[a] avec bonté ton intérieur; car son regard fait ton progrès. On dit que les lucarnes sont des fenêtres bien étroites, analogues à celles dont les copistes ont coutume de se servir pour recevoir la lumière sur leurs pages[2]. D'où, je pense, le nom de chanceliers donné à ceux qui ont pour fonction de rédiger les chartes[3]. Or, il y a deux sortes de componction: l'une dans la tristesse à cause de nos écarts, l'autre dans l'exultation à cause des dons divins. Chaque fois que je fais la confession de mes péchés, ce qui ne peut se faire sans «un serrement de cœur[b]», c'est comme si j'ouvrais une lucarne, c'est-à-dire une fenêtre bien étroite. Par elle, sans aucun doute, il est heureux de «regarder, celui qui se tient debout derrière le mur[c]», miséricordieux guetteur,

---

3. L'étymologie bernardine du mot *cancellarius* est douteuse. Les chanceliers étaient d'abord des employés de la justice qui faisaient leur travail sur les *cancelli,* c'est-à-dire sur les bancs des tribunaux.

liatum Deus non despiciet[d]. Denique et hortatur ad hoc ipsum : *Dic tu,* inquiens, *iniquitates tuas, ut iustificeris*[e]. Quod si interdum, corde dilatato in caritate, pro consideratione divinae dignationis ac miserationis libet animum
20 laxare *in vocem laudis et gratiarum actionem*[f], puto me non iam angustam, sed amplissimam stanti post parietem Sponso aperire fenestram, per quam, nisi fallor, tanto libentius respicit, quanto amplius *sacrificium laudis honorificat eum*[g]. Ad manum est de Scripturis utramque hanc
25 approbare confessionem; sed *scientibus* ista *loquor*[h], et non estis superfluis onerandi, qui vix necessariis inda-

119   gandis sufficitis : tanta quippe sunt sacramenta epithalamii huius, et laudum praeconia, quae in eo decantantur Ecclesiae et sponso eius, Iesu Christo Domino nostro, *qui*
30 *est super omnia Deus benedictus in saecula. Amen*[i].

---

d. Ps. 50, 19 ≠   e. Is. 43, 26 (Patr.)   f. Is. 51, 3 ≠   g. Ps. 49, 23 ≠   h. Rom. 7, 1 ≠   i. Rom. 9, 5

---

1. * Bernard ne cite ce verset qu'ici, bien démarqué de la *Vg.* Jérôme le cite plusieurs fois, en des termes voisins de Bernard, eux-mêmes variables. Jusqu'à Bernard, la phrase est souvent citée, mais avec le mot *prius* ou *primus,* «en premier»; la suppression de ce mot, ici, la rapproche d'un dicton.

car «Dieu ne méprisera pas un cœur broyé et humilié[d]».
Il nous y exhorte lui-même, en disant : «Avoue tes iniquités afin d'être justifié[e][1].» Mais si parfois, le cœur dilaté
par la charité[2], en considérant la bonté et la miséricorde
divines je prends plaisir à épancher mon esprit «dans la
louange et l'action de grâces[f]», ce n'est plus une fenêtre
étroite, me semble-t-il, que j'ouvre à l'Époux debout derrière le mur, mais une fenêtre très grande. Par elle, si
je ne me trompe, il regarde avec d'autant plus de plaisir
que «le sacrifice de louange lui rend un plus grand
honneur[g]». J'ai sous la main de quoi approuver l'une et
l'autre confession par des passages de l'Écriture. Mais «je
parle à des gens qui savent[h]» tout cela, et il ne faut
pas vous accabler de paroles superflues, puisque à peine
suffisez-vous à scruter celles qui sont nécessaires. Si profonds sont les mystères de cet épithalame, et les paroles
de louange que ce chant adresse à l'Église et à son
Époux, Jésus-Christ notre Seigneur, «qui est au-dessus de
tout, Dieu béni dans les siècles. Amen[i]».

---

2. * «Le cœur dilaté par la charité» *(corde dilatato in caritate)* : c'est
là une expression bien bernardine. C'est ainsi que, dans le paragraphe
final de ce sermon, au «cœur dilaté» de l'épouse correspond à dessein
la «fenêtre très grande» par laquelle son Époux la regarde. Il y a une
quinzaine de passages des *SBO* qui joignent *cor* à *dilatare*. Ces passages font surtout penser à *Ps.* 118, 32, mais en même temps à *RB*
Prol 49; car la *Règle* cite ce verset en usant de la forme passive et
rare *curritur,* que Bernard introduit deux fois dans son texte (ainsi :
AdvV 5, *SBO* VI-1, p. 15, l. 12). Il faut encore mentionner les citations
ou allusions à *II Cor.* 6, 11. 13, avec l'étonnante attribution à «l'Apôtre»
de *Dilatamini in caritate* (*SCt* 27, 10; *SC* 431, p. 336); dans la 2e moitié
du xiie s., elle a été reproduite, avec plusieurs lignes du contexte bernardin, par HERMANN DE REUN, *Sermons festifs,* 94, l. 80.

SERMO LVII

I. De gradibus dignationis Dei vel de intuitu eius, qualiter aliis metum, aliis securitatem praestat. – II. Quod singulis quibusque convenit adventum sponsi observare, et de Dei testimoniis. – III. Quibus gradibus accessum vel adventum sponsi anima perpendit. – IV. De vicissitudine castae contemplationis, et distinctio amicae, columbae, formosae, in Maria, Lazaro et Martha.

I. De gradibus dignationis Dei vel de intuitu eius, qualiter aliis metum, aliis securitatem praestat.

1. *Et dilectus meus loquitur mihi*[a]. Videte processus gratiae, et dignationis divinae advertite gradus. Attendite sponsae devotionem atque sollertiam, quam vigili utique oculo sponsi observat adventum, et deinceps ipsius omnia
5 intuetur. Venit ille, accelerat, appropiat, adest, respicit, alloquitur, et nihil horum momentorum sponsae industriam effugit anticipatve notitiam. Venit in angelis, accelerat in Patriarchis, appropiat in Prophetis, adest in carne, respicit in miraculis, alloquitur in Apostolis. Vel sic : venit
10 affectu et studio miserendi, accelerat subveniendi zelo, appropiat *humiliando semetipsum*[b], adest praesentibus, prospicit in futuros, loquitur docens *et suadens de regno Dei*[c]. Sic ergo est adventus Sponsi. Benedictiones et

---

1.a. Cant. 2, 10   b. Phil. 2, 8 ≠   c. Act. 19, 8

1. Bernard mentionne d'abord les multiples venues de l'Époux chez son peuple élu : cf. *Hébr.* 1, 1. La fin du paragraphe retourne au registre individuel de l'âme-épouse.

SERMON 57

I. Les degrés de la complaisance de Dieu et son regard. Comment son regard inspire aux uns la crainte, aux autres l'assurance. – II. Il convient que chacun guette la venue de l'Époux. Les témoignages de Dieu. – III. Les degrés qui permettent à l'âme d'évaluer l'approche ou la venue de l'Époux. – IV. Va-et-vient de la contemplation chaste. Distinction entre les noms «amie, colombe, belle» rapportés à Marthe, Marie et Lazare.

I. Les degrés de la complaisance de Dieu et son regard. Comment son regard inspire aux uns la crainte, aux autres l'assurance.

1. «Mon bien-aimé me parle[a].» Voyez les progrès de la grâce, et remarquez les degrés de la complaisance divine. Faites attention à la ferveur et à la finesse de l'épouse : avec quel regard vigilant elle observe la venue de l'Époux et discerne ensuite tous ses mouvements. Il vient, se hâte, s'approche, est là, regarde, parle; aucun de ces moments n'échappe au zèle de l'épouse ni ne prévient sa connaissance. Il vient dans les anges, il se hâte dans les Patriarches, il s'approche dans les Prophètes, il est là dans la chair, il regarde dans les miracles, il parle dans les Apôtres[1]. Ou encore : il vient dans un sentiment et dans une intention de miséricorde, il se hâte par son empressement à secourir, il s'approche «en s'humiliant lui-même[b]», il est là pour ceux qui sont présents, il regarde vers ceux qui viendront, il parle en nous instruisant «du royaume de Dieu dans un langage persuasif[c]». Telle est la venue de l'Époux. Les bénédictions

divitiae salutis[d] cum eo, et universa quae de ipso sunt,
15 *affluunt deliciis*[e], redundantia certe iucundis ac salutaribus sacramentis. Porro quae amat, vigilat et observat.
Et *beata, quam Dominus invenerit vigilantem.* Non
transibit[f] illam, nec praeteribit ab ea, sed stabit et loquetur
ei, loqueturque amatoria : loquetur siquidem ut dilectus.
20 Sic quippe habes : *Et dilectus meus loquitur mihi.* Bene
dilectus, qui venit amatoria locuturus, non autem incre-
patoria.

120   **2.** Neque enim de illis est, qui a Domino merito
arguuntur, quod *faciem caeli diiudicare nossent, tempus*
vero *adventus eius minime cognovissent*[a]. Haec namque
tam sollers et prudens, ac bene vigilans, et *venientem* a
5 longe *prospexit*, et *salientem* pro festinatione advertit, *et*
transilientem[b] superbos, ut humili sibi per humilitatem
propinquaret, vigilantissime observavit; et demum, cum
iam *staret*, et occultaret se *post parietem*, nihilominus praesentem agnovit, sed *respicientem per fenestras cancel-*
10 *losque*[c] persensit; et nunc, pro remuneratione tantae
devotionis et religiosae sollicitudinis, loquentem audit.
Sane enim si respexisset, et minime locutus fuisset,
suspectus poterat esse ille respectus, ne forte magis indi-
gnationis foret quam dilectionis. Denique *respexit Petrum*[d],
15 et non fecit ei verbum; et fortassis ideo *flevit*[e] ille, quod
tacuit, cum respexit. Haec autem, quoniam post aspectum
meruit et affatum, non modo non flet, sed et gloriatur
prae laetitia clamans : *Et dilectus meus loquitur mihi*[f].
Vides intuitum Domini, cum in se semper maneat idem,
20 non tamen eiusdem semper efficaciae esse, sed conformari

d. Is. 33, 6   e. Cant. 8, 5 ≠; Job 22, 26, etc.   f. Lc 12, 37 ≠
2.a. Matth. 16, 4 ≠; cf. Matth. 24, 39   b. Cant. 2, 8-9 ≠   c. Cant. 2,
9 ≠   d. Lc 22, 61   e. Lc 22, 62   f. Cant. 2, 10

1. Ici commence la comparaison entre deux regards bibliques : Jésus
regarda Pierre pour lui inspirer la crainte et Dieu regarda Marie pour
la combler de grâce.

et «les richesses du salut[d]» sont avec lui, et tout ce qui
se rapporte à lui «regorge de délices[e]», débordant de
mystères joyeux et salutaires. Or, celle qui aime veille et
observe. «Heureuse l'âme que le Seigneur trouvera en
train de veiller! Il ne passera pas outre[f]», ni ne s'écartera
d'elle, mais s'arrêtera et lui parlera, et lui dira des paroles
d'amour : il lui parlera comme son bien-aimé. Ainsi tu
peux lire : «Mon bien-aimé me parle.» Oui, bien-aimé,
lui qui vient pour dire des paroles d'amour, et non de
reproche.

2. L'épouse n'est pas de ceux qui sont justement répri-
mandés par le Seigneur parce qu'«ils savaient bien inter-
préter le visage du ciel, mais n'avaient point connu le
temps de sa venue[a]». Elle qui est si fine et si prudente,
et très vigilante, «l'a aperçu de loin, lorsqu'il venait», et
a remarqué «qu'il bondissait» dans sa hâte. Elle l'a observé
avec la plus grande attention «tandis qu'il sautait par-
dessus[b]» les orgueilleux pour s'approcher, par l'humilité,
d'elle si humble. Enfin, lorsqu'«il se tenait debout» et se
cachait «derrière le mur», elle ne l'a pas moins reconnu ;
elle s'est aperçue «qu'il regardait par les fenêtres et par
les lucarnes[c]». Et maintenant, en récompense d'une si
grande ferveur et d'une si pieuse sollicitude, elle l'entend
parler. Certes, s'il avait regardé sans mot dire, ce regard
aurait pu être inquiétant et paraître un regard d'indignation plutôt que d'amour. C'est ainsi qu'«il regarda
Pierre[d]» sans lui adresser la parole[1]. C'est peut-être pour
cela que Pierre «pleura[e]» : parce qu'il le regarda en
silence. L'épouse au contraire, puisqu'elle a mérité de
recevoir la parole de l'Époux après son regard, non seulement ne pleure pas, mais se glorifie en s'écriant dans
sa joie : «Mon bien-aimé me parle[f].» Tu vois que le
regard du Seigneur, toujours le même en soi, n'a pourtant
pas toujours la même vertu, mais se conforme aux mérites

meritis singulorum quos respicit, et aliis quidem incutere
metum, aliis vero magis consolationem et securitatem
afferre. Denique *respicit terram et facit eam tremere*[g], cum
e regione respexerit Mariam et infuderit gratiam. *Respexit*,
25 ait, *humilitatem ancillae suae, et ecce ex hoc beatam me
dicent omnes generationes*[h]. Non sunt haec verba plorantis
aut trepidantis, sed gaudentis. Respexit similiter hoc loco
sponsam, et nec tremuit illa, nec flevit ad instar Petri[hh],
quia non sapiebat terram[i], sicut ille; *dedit* vero *laetitiam
30 in corde eius*[j], affatu testificans, quo eam affectu respexerit.

3. Denique verba quae loquitur audi, quam non indi-
gnantis sint, sed amantis.

II. Quod singulis quibusque convenit adventum sponsi observare, et de Dei testimoniis.

Sequitur : *Surge, propera, amica mea, columba mea,
formosa mea*[a]. Felix conscientia, quae de se ista meretur
5 audire! Quis putas in nobis est adeo vigilans et observans
tempus visitationis suae[b], sponsumque adventantem ita
per singula eius momenta diligenter explorans, ut, *cum
venerit et pulsaverit, confestim aperiat ei*[c]? Non enim sic
121 ista de Ecclesia referuntur, ut non singuli nos, qui simul
10 Ecclesia sumus, participare his eius benedictionibus
debeamus. Etenim in hoc generaliter omnes atque indif-

---

g. Ps. 103, 32   h. Lc 1, 48 ≠   hh. cf. Lc 22, 62   i. cf. Matth. 16,
23; cf. Phil. 3, 19   j. Ps. 4, 7 ≠
3.a. Cant. 2, 10 ≠; Cant. 5, 2 ≠   b. Lc 19, 44 ≠   c. Lc 12, 36 ≠

---

1. *•-inguli nos, qui simul Ecclesia sumus, participare...*, «chacun de
nous, nous sommes tous ensemble l'Église et nous participons aussi à
ses bénédictions». Des expressions de ce genre, dans la lignée de bien
des Pères des premiers siècles, Augustin en particulier, se trouvent
éparses chez Bernard : *SCt* 12, 11 (*SC* 414, p. 276, l. 8 – 278, l. 24);

de chacun; aux uns il inspire la crainte, aux autres il apporte plutôt la consolation et l'assurance. Ainsi «il regarde la terre et la fait trembler[g]»; en revanche, il a regardé Marie et a répandu en elle la grâce. «Il a regardé, dit-elle, l'humilité de sa servante; voici que désormais toutes les générations me diront bienheureuse[h].» Ce ne sont pas là les paroles de quelqu'un qui pleure ou qui craint, mais celles de quelqu'un qui se réjouit. Ici, il a regardé l'épouse de cette même façon : elle n'a pas tremblé, elle n'a pas pleuré comme Pierre[hh], car elle n'avait pas des pensées terrestres[i] comme lui. L'Époux «a mis la joie dans son cœur[j]», car il a attesté par ses paroles la profonde tendresse de son regard.

3. Enfin, écoute les paroles qu'il prononce : elles ne sont pas d'un homme en colère, mais d'un amant.

II. Il convient que chacun guette la venue de l'Époux. Les témoignages de Dieu.

Il est dit ensuite : «Lève-toi, hâte-toi, mon amie, ma colombe, ma belle[a].» Heureuse la conscience qui mérite de s'entendre dire ces paroles! Lequel d'entre nous, à ton avis, est assez en éveil pour prêter attention à «l'instant où Dieu le visite[b]»? Qui observe assez attentivement chacune des démarches de l'Époux, «pour être prêt à lui ouvrir dès qu'il arrive et frappe[c]»? Car ces paroles ne se rapportent pas si exclusivement à l'Église que chacun de nous, qui sommes tous ensemble l'Église, ne doive participer à ses bénédictions[1]. C'est à cela que nous tous, en général et sans distinction, nous avons été

SCt 29, 3 (SC 431, p. 382, l. 15-17); Apo 7 (SBO III, p. 87, l. 11-18); 6 Asc 5 (SBO V, p. 152, l. 27 – 153, l. 3). ~ La venue de l'Époux ne concerne pas seulement quelques âmes d'élite, mais tous les membres de l'Église. Les dons exceptionnels ne s'opposent pas à la vocation universelle au salut, mais confirment celle-ci et la rendent plus explicite.

ferenter vocati sumus, *ut benedictiones hereditate possi-deamus*[d]. Unde et audebat dicere ad Dominum quidam : *Hereditate acquisivi testimonia tua in aeternum, quia* 15 *exsultatio cordis mei sunt*[e] : illa puto hereditate, qua se esse praesumebat *filium Patris sui, qui est in caelis*[f]. Porro *si filium, et heredem : heredem Dei, coheredem Christi*[g]. Magnam vero rem gloriatur se *acquisisse hereditate* ista, *testimonia* Domini[h]. Utinam ego de me vel unum 20 meruerim tenere testimonium Domini, quia is non in uno, sed in multis exsultat testimoniis! Denique ait iterum : *In via testimoniorum tuorum delectatus sum, sicut in omnibus divitiis*[i]. Et revera quid *divitiae salutis*[j], quid deliciae cordis, quid animae vera et cauta securitas, nisi Domini 25 attestationes? *Non enim,* inquit, *qui seipsum commendat, ille probatus est, sed quem Deus commendat*[k].

4. Ut quid nos hactenus adhuc fraudamur commenda-tionibus seu attestationibus his divinis, et paterna here-ditate privamur? Quasi minime et *nos voluntarie genuerit verbo veritatis*[a], sic in nullo nos meminimus ab illo taliter 5 commendatos, nec ulla de nobis assecutos testimonia eius. Ubi est quod Apostolus dicit, quia *ipse Spiritus Dei testi-monium perhibet spiritui nostro, quod filii Dei sumus*[b]? Quomodo filii, si expertes hereditatis? Arguit nos pro certo negligentiae et incuriae ipsa inopia nostra. Nam si quis 10 nostrum integre et perfecte, iuxta verbum Sapientis, *cor suum tradat ad vigilandum diluculo ad Dominum qui fecit illum, et in conspectu Altissimi deprecetur*[c], simulque votis omnibus studeat, secundum Isaiam Prophetam,

d. I Pierre 3, 9 ≠ e. Ps. 118, 111 f. Matth. 5, 45 ≠; Matth. 7, 21 g. Rom. 8, 17 ≠ h. Ps. 118, 111 ≠ i. Ps. 118, 14 j. Is. 33, 6 k. II Cor. 10, 18 ≠
4.a. Jac. 1, 18 ≠ b. Rom. 8, 16 ≠ c. Sir. 39, 6 ≠

appelés, «afin de recevoir les bénédictions en héritage[d]».
De là vient que quelqu'un osait dire au Seigneur : «J'ai
obtenu en héritage tes témoignages pour l'éternité, car
ils sont la joie de mon cœur[e].» Grâce à cet héritage, je
pense, il se savait d'avance «le fils de son Père qui est
aux cieux[f]». Or, «s'il était fils, il était aussi héritier :
héritier de Dieu, cohéritier du Christ[g]». C'est une grande
chose qu'il se glorifie «d'avoir obtenu par cet héritage :
les témoignages» du Seigneur[h]. Pour moi, si seulement
j'avais mérité de recevoir du Seigneur un seul témoignage
en ma faveur, puisque celui-là se réjouit d'en avoir reçu
non pas un seul, mais plusieurs! Car il dit encore : «Dans
la voie de tes témoignages j'ai trouvé autant de délices
que dans toutes les richesses[i].» En fait, que sont «les
richesses du salut[j]», les délices du cœur, la sécurité vraie
et garantie de l'âme, sinon les attestations du Seigneur?
«Car, est-il dit, ce n'est pas celui qui se recommande
lui-même qui est agréé, mais celui que Dieu recommande[k].»

4. Pourquoi, jusqu'ici, sommes-nous frustrés de ces
recommandations ou de ces attestations divines et privés
de l'héritage paternel? Comme s'«il ne nous avait pas
engendrés, nous aussi, de son plein gré par sa parole
de vérité[a]», nous ne gardons aucun souvenir d'avoir été
ainsi recommandés par lui, ni d'avoir reçu de sa part
aucun témoignage en notre faveur. Où est ce que dit
l'Apôtre : «L'Esprit même de Dieu rend témoignage à
notre esprit que nous sommes fils de Dieu[b]»? Comment
serions-nous fils, si nous sommes privés d'héritage? Notre
dénuement lui-même nous accuse certes de négligence
et d'incurie. Imaginons que l'un d'entre nous, selon la
parole du Sage, «applique son cœur» entièrement et parfaitement «à veiller dès l'aube près du Seigneur qui l'a
créé, et à supplier en présence du Très-Haut[c]»; qu'en
même temps, selon le Prophète Isaïe, il s'emploie de tout

parare vias Domini, rectas facere semitas Dei sui[d], cui
15 cum Propheta sit dicere : *Oculi mei semper ad Dominum*[e],
et quia *providebam Dominum in conspectu meo semper*[f],
nonne *hic accipiet benedictionem a Domino, et miseri-*
cordiam a Deo salutari suo[g]? Visitabitur profecto frequenter, nec umquam ignorabit *tempus visitationis suae*[h],
20 quantumlibet is qui in spiritu visitat, clandestinus veniat
et furtivus, utpote verecundus amator. *Adhuc* ergo *longe*
agentem[i] bene vigilans anima sobria mente prospiciet, et
122   deinceps universa comperiet, quae in dilecti adventu
sponsam tam sollerter quam signanter advertisse mons-
25 travimus, quia ipse ait : *Qui mane vigilaverint ad me,*
invenient me[j]. Nam et desiderium festinantis agnoscet, et
quando prope, et quando praesto iam erit, continuo
sentiet; sed et respicientis se oculum, quasi solis radium
per fenestras[k] et rimas parietis subeuntem, beato oculo
30 cernet; et demum audiet voces exsultationis et amoris,
appellata *amica, columba, formosa*[l].

III. Quibus gradibus accessum vel adventum sponsi anima perpendit.

5. *Quis sapiens et intelliget haec*[a], ita ut ea etiam digne
ab invicem distinguere et designare singula queat, ac
diffinire ad intelligentiam aliorum? Si a me illud speratur,
ego ea mallem ab experto audire, et qui assuetus sit et
5 exercitatus in talibus. At quoniam quisque huiusmodi est,
verecunde magis silentio abscondere eligit quod silentio

---

d. Is. 40, 3 ≠; Matth. 3, 3 ≠   e. Ps. 24, 15   f. Ps. 15, 8   g. Ps. 23,
5 ≠   h. Lc 19, 44 ≠   i. Lc 14, 32 ≠   j. Prov. 8, 17 ≠   k. cf. Cant. 2, 9
l. Cant. 2, 10 ≠; Cant. 5, 2 ≠
5.a. Os. 14, 10 ≠

1. Cette phrase rappelle l'expression «les yeux dans les yeux» *(oculum*
ad oculum); GUILLAUME DE SAINT-THIERRY, *Exposé sur le Cantique*
32 (*CCM* 87, p. 35, l. 162). Cf. *IV Rois* 4, 34.

son vouloir «à préparer les voies du Seigneur, à rendre droits les sentiers de son Dieu[d]», si bien qu'il puisse dire avec le Prophète : «Mes yeux sont toujours tournés vers le Seigneur[e]», et : «Je gardais le Seigneur toujours présent devant moi[f].» Est-ce que «cet homme ne recevra pas la bénédiction du Seigneur, et la miséricorde de Dieu son sauveur[g]»? Il sera certes visité fréquemment, et n'ignorera jamais «le temps de sa visite[h]», bien que celui qui visite en esprit vienne en cachette et à la dérobée, comme un amant pudique. «Lorsqu'il est encore loin[i]», l'âme bien vigilante l'apercevra grâce à son esprit bien disposé. Aussitôt elle découvrira toutes les démarches que l'épouse, nous l'avons montré, avait remarquées avec autant de finesse que de netteté dans la venue de son bien-aimé, puisqu'il dit lui-même : «Ceux qui veilleront dès le matin pour m'attendre, me trouveront[j].» Cette âme reconnaîtra le désir de l'Époux qui vient en hâte; lorsqu'il sera proche, et lorsqu'il sera là, elle s'en apercevra aussitôt; elle verra d'un œil ravi l'œil de l'Époux qui la regarde[l], se glissant comme un rayon de soleil par les fenêtres[k] et les fentes du mur; enfin, elle entendra les paroles d'exultation et d'amour, lorsqu'elle sera appelée «amie, colombe, belle[l]».

III. Les degrés qui permettent à l'âme d'évaluer l'approche ou la venue de l'Époux.

5. «Qui est assez sage pour comprendre ces choses[a]» de telle sorte qu'il puisse aussi, comme il faut, les distinguer les unes des autres, les désigner chacune en particulier et les définir pour en donner l'intelligence aux autres? Si l'on espère cela de moi, j'aimerais plutôt, pour ma part, l'entendre de celui qui en a l'expérience et l'habitude et la pratique. Mais tout homme de cette sorte préfère, par modestie, cacher dans le silence ce qu'il

percipit, et servare *secretum sibi*[b], id sibi tutius arbitratur,
dico ego, cui ex officio loqui est, nec tacere licet, quidquid
illud est quod de huiusmodi vel proprio, vel alieno teneo
10 experimento, et quod facile experiri plures queunt, sane
altiora relinquens apprehendere illa valentibus. Si igitur
admonitus fuero, vel foris ab homine, vel intus a Spiritu,
de tuenda iustitia et servanda aequitate, istiusmodi salutaris
suasio erit mihi profecto praenuntia imminentis adventus
15 Sponsi, et praeparatio quaedam ad digne suscipiendum
supernum visitatorem, Propheta id mihi indicante, dicendo
quia *iustitia ante eum ambulabit*[c]; et item loquitur Deo
sic : *Iustitia et iudicium,* inquit, *praeparatio sedis tuae*[d].
Nihilominus vero spes eadem arridebit, si sermo inso-
20 nuerit de humilitate vel patientia, seu etiam de fraterna
dilectione et oboedientia deferenda praelatis, maxime
autem de sectanda sanctimonia et pace[e], et cordis puritate
quaerenda, quoniam quidem secundum Scripturas et
domum Domini decet sanctitudo[f], et *factus est in pace*
25 *locus eius*[g], et *mundi corde Deum videbunt*[h]. Quidquid
itaque sive de his, sive de aliis quibuslibet virtutibus
suggestum animo fuerit, significatio, ut dixi, erit mihi, visi-
tationem *Domini virtutum*[i] imminere animae meae.

123   **6.** Sed et si *corripuerit me iustus in misericordia et
increpaverit me*[a], idipsum sentiam, sciens quia aemulatio
iusti et benevolentia *iter faciunt ei qui ascendit super
occasum*[b]. Bonus occasus, cum ad correptionem iusti stat

---

b. Is. 24, 16 ≠   c. Ps. 84, 14   d. Ps. 88, 15   e. cf. Hébr. 12, 14
f. Ps. 92, 5 ≠   g. Ps. 75, 3   h. Matth. 5, 8 ≠   i. Ps. 23, 10 ≠, etc.
6.a. Ps. 140, 5 ≠   b. Ps. 67, 5 ≠

1. «Garder son secret pour lui-même». On trouve la même idée chez
Guillaume de Saint-Thierry à la fin de la «Lettre d'Or». «Au frontispice
de la cellule on trouve cette épigraphe : Mon secret est à moi; mon

perçoit dans le silence; il estime plus sûr pour lui de garder «son secret pour lui-même[b1]». Quant à moi, ma fonction m'impose de parler et ne me permet pas de me taire. Je vous dirai donc, sur ce sujet, tout ce que je puis tenir soit de ma propre expérience, soit de celle d'autrui. Je me limiterai à ce que plusieurs peuvent aisément expérimenter, laissant les vérités les plus hautes à ceux qui sont capables de les saisir. Si je suis averti, soit du dehors par un homme, soit du dedans par l'Esprit, d'observer la justice et de garder l'équité, ce conseil salutaire sera certes pour moi une annonce de l'imminente venue de l'Époux, et comme une préparation pour recevoir dignement le céleste visiteur. Le Prophète me l'apprend, en disant que «la justice marchera devant lui[c]»; et ailleurs, il parle ainsi à Dieu : «La justice et le jugement sont la préparation de ton trône[d].» La même espérance me sourira également, si j'entends parler d'humilité ou de patience, ou encore de dilection fraternelle et de l'obéissance due aux supérieurs, et surtout du devoir de poursuivre la sainteté et la paix[e], et de chercher la pureté de cœur. Car, selon les Écritures, «la sainteté sied à la maison du Seigneur[f]», et «sa demeure est établie dans la paix[g]», et «les cœurs purs verront Dieu[h]». Tout ce qui est suggéré à mon esprit touchant ces vertus ou n'importe quelles autres, sera pour moi, je l'ai dit, le signe que la visite «du Seigneur des vertus[i]» est toute proche de mon âme.

6. Mais également si «le juste me corrige et me reprend avec miséricorde[a]», j'éprouverai le même sentiment, sachant que le zèle et la bienveillance du juste «fraient le chemin à celui qui s'élève au-dessus du couchant[b]». Heureux couchant, lorsque sous la correction du juste

---

secret est à moi» (*SC* 223, p. 385). Voir aussi : *SCt* 23, 9 (*SC* 431, p. 218); *SCt* 67, 3 (*SBO* II, p. 190, l. 3). Cf. p. 211, n. 2 sur *SCt* 59, 5.

5 homo, et corruit vitium, et Dominus ascendit super illud, conculcans hoc pedibus, et conterens ne resurgat. Non ergo contemnenda increpatio iusti, quae ruina peccati, cordis sanitas est, necnon et Dei via ad animam. Sed nec ullus omnino sermo, qui aedificet ad pietatem, ad virtutes,
10 ad mores optimos, negligenter est audiendus, quoniam *et illic iter quo ostenditur salutare Dei*[c]. Quod si sermo gratus venit et placitus, quatenus pulso fastidio cum desiderio audiatur, iam non modo venire sponsus, sed accelerare, id est in desiderio venire, credendus est. Illius namque
15 desiderium, tuum creat; et quod tu eius properas sermonem admittere, inde est quod ipse festinat intrare : *non* enim *nos eum, sed ipse,* inquit, *prior dilexit nos*[d]. Iam si etiam *ignitum eloquium*[e] sentis, atque ex eo conscientiam uri in recordatione peccati, recordare tunc
20 de quo Scriptura dicit, quia *ignis ante ipsum praecedet*[f], et ipsum prope esse non dubites. Denique *iuxta est Dominus his qui tribulato sunt corde*[g].

7. Si vero non solum compungeris in sermone illo, sed et converteris totus ad Dominum, *iurans et statuens custodire iudicia iustitiae eius*[a], etiam adesse ipsum iam noveris, praesertim si te inardescere sentias amore eius.
5 Etenim utrumque de illo legis, et *ignem* videlicet *ante ipsum praecedere*[b], et ipsum nihilominus ignem esse. Moyses siquidem de illo dicit, quia *ignis consumens est*[c].

---

c. Ps. 49, 23 ≠   d. I Jn 4, 10 ≠   e. Ps. 118, 140   f. Ps. 96, 3
g. Ps. 33, 19
7.a. Ps. 118, 106 ≠   b. Ps. 96, 3 ≠   c. Deut. 4, 24

---

1. * Bernard emploie 12 fois *Deus prior dilexit nos,* « Dieu nous a aimés le premier », ce qui peut être référé à *I Jn* 4, 10 aussi bien qu'à *I Jn* 4, 19; mais les divers contextes des emplois par Bernard permettent d'avancer le verset 10, dont la totalité est seule en consonance avec l'ensemble des contextes de Bernard; cf. *SCt* 39, 10, *SC* 452, p. 170, n. 1; *SCt* 67, 10, *SBO* II, p. 194, l. 22. Bien que le grec et l'édition

l'homme se tient debout et le vice tombe, et que le Seigneur s'élève au-dessus de lui, le foulant aux pieds et l'écrasant pour qu'il ne se relève pas. Il ne faut donc pas mépriser la réprimande du juste, qui est la ruine du péché, la guérison du cœur, et aussi la voie par laquelle Dieu vient visiter l'âme. Mais il ne faut pas non plus écouter distraitement toute parole qui affermit dans la piété, dans les vertus, dans une conduite exemplaire, puisque « là aussi est le chemin où se fait voir le salut de Dieu[c] ». Si cette parole est bienvenue et agréable, et qu'on l'entende sans répugnance, avec désir, alors il faut croire non seulement que l'Époux vient, mais qu'il fait diligence, c'est-à-dire qu'il vient avec désir. Son désir crée le tien. Tu t'empresses d'accueillir sa parole ; de là vient que lui-même se hâte d'entrer. Car « ce n'est pas nous qui l'avons aimé, mais c'est lui, est-il dit, qui nous a aimés le premier[d1] ». Même si tu sens « sa parole comme un feu[e] » qui brûle ta conscience au souvenir de ton péché, souviens-toi alors de celui dont l'Écriture dit : « Le feu s'avancera devant lui[f] » ; et ne doute pas qu'il soit tout proche. Car « le Seigneur est tout près de ceux qui ont le cœur affligé[g] ».

7. Si, à l'écoute de cette parole, non seulement tu regrettes ton péché, mais encore tu te convertis tout entier au Seigneur, « jurant et décidant de garder les décrets de sa justice[a] », sache que déjà il est présent, surtout si tu te sens brûler d'amour pour lui. Tu lis à son sujet l'une et l'autre chose : et que « le feu s'avance devant lui[b] », et que pourtant lui-même est le feu. Moïse en effet dit de lui qu'« il est un feu consumant[c] ». Il y a néanmoins

critique de la *Vg* ne comportent pas pour le verset 10 « le premier », la plupart des manuscrits *Vg* et l'usage de bien des Pères attestent *prior*. Bernard ne pouvait omettre un mot à ce point conforme à sa pensée ; il vient précisément d'écrire : « Le désir de l'Époux crée ton propre désir. »

Differunt autem, quod is qui praemittitur ignis ardorem
habet, sed non amorem : coquens, sed non excoquens,
10 movens nec promovens. Tantum ad excitandum praemittitur et praeparandum, simulque ad commonendum, quid
ex te sis, quo dulcius sapiat postmodum quod ex Deo
mox eris. At vero ignis qui Deus est consumit quidem,
sed non affligit, ardet suaviter, desolatur feliciter. Est enim
124   15 vere *carbo desolatorius*[d], sed qui sic in vitia exerceat vim
ignis, ut in anima vicem exhibeat unctionis. Ergo in virtute
qua immutaris, et in amore quo inflammaris, Dominum
praesentem intellige. Nam *dextera Domini fecit virtutem*[e].
Non autem sit *haec mutatio dexterae excelsi*[f], nisi in
20 fervore spiritus et *in caritate non ficta*[g], ita ut dicat qui
huiusmodi est : *Concaluit cor meum intra me, et in meditatione mea exardescet ignis*[h].

8. Porro hoc igne consumpta omni labe peccati et
rubigine vitiorum, si, iam emundata ac serenata conscientia,
sequatur subita quaedam atque insolita latitudo mentis,
et infusio luminis illuminantis intellectum vel ad scientiam
5 Scripturarum, vel ad mysteriorum notitiam, quorum alterum
propter nos oblectandos, alterum propter aedificandos
proximos reor dari, oculus absque dubio respicientis est
iste, *educens quasi lumen iustitiam tuam et iudicium tuum
tamquam meridiem*[a], iuxta illud Prophetae Isaiae : *Orietur,*
10 inquit, *tamquam sol lux tua*[b] etc. Sed sane non per ostia

---

d. Ps. 119, 4 ≠   e. Ps. 117, 16   f. Ps. 76, 11   g. II Cor. 6, 6
h. Ps. 38, 4
8.a. Ps. 36, 6 ≠   b. Is. 58, 10 ≠

---

1. *coquens, sed non excoquens, movens nec promovens,* Antoine de
Saint-Gabriel traduit en 1686 : « Il brûle, mais il n'embrase pas ; il meut,
mais il n'emporte pas. »
2. Il est intéressant de constater que l'intelligence de l'homme spirituel est illuminée dans un double but : la science des Écritures et la

cette différence : le feu qui est envoyé à l'avance est ardent, mais sans amour; il chauffe, mais ne dévore pas; il met en mouvement, mais ne fait pas progresser[1]. Il est envoyé à l'avance seulement pour réveiller et préparer, comme aussi pour t'avertir de ce que tu es par toi-même, afin qu'ensuite tu savoures avec plus de plaisir ce que tu seras de par Dieu. En revanche, le feu qui est Dieu même consume, certes, mais ne fait pas souffrir; il brûle avec suavité, il ravage avec délice. C'est vraiment «une braise qui ravage[d]», mais qui exerce la violence du feu sur les vices de telle sorte qu'elle se répand dans l'âme comme une onction. Ainsi, dans la force qui te transforme et dans l'amour qui t'enflamme, reconnais la présence du Seigneur. Car «c'est la droite du Seigneur qui a agi avec force[e]». Et «cette transformation, œuvre de la droite du Très-Haut[f]» ne se produira que dans la ferveur de l'esprit et «dans une charité sans feinte[g]». Ainsi celui qui est en cet état peut dire : «Mon cœur s'est échauffé en moi-même, et dans ma méditation le feu va s'allumer[h].»

8. Toute tache du péché et toute rouille des vices étant consumées par ce feu, la conscience désormais purifiée et rassérénée, il s'ensuit une soudaine et inhabituelle dilatation de l'esprit et le don d'une lumière qui illumine l'intelligence soit pour la science des Écritures, soit pour la connaissance des mystères[2]. L'une de ces grâces, à mon avis, nous est donnée pour notre bonheur, l'autre pour l'édification du prochain. C'est là, sans aucun doute, l'œil du Seigneur qui te regarde et «qui fait jaillir ta justice comme la lumière et ton jugement comme le plein midi[a]», selon cette parole du Prophète Isaïe : «Ta lumière se lèvera comme le soleil[b], etc.» Mais ce rayon d'une si

---

connaissance des mystères. Le sens spirituel du texte biblique s'apparente à la grâce proprement mystique.

aperta, sed per angusta foramina is tantae claritatis radius
se infundet, stante adhuc dumtaxat hoc ruinoso pariete
corporis. Erras, si aliter speras, ad quantamcumque cordis
proficias puritatem, cum ille praecipuus contemplator
15 dicat : *Videmus nunc per speculum et in aenigmate, tunc
autem facie ad faciem*[c].

9. Post hunc tantae dignationis ac miserationis
respectum, sequitur vox blande et leniter divinam insi-
nuans voluntatem; quod non est aliud quam ipse amor,
qui otiosus esse non potest, de his quae Dei sunt solli-
5 citans et suadens. Denique audit sponsa ut surgat et
properet[a], haud dubium quin ad animarum lucra.

IV. De vicissitudine castae contemplationis, et distinctio amicae, columbae, formosae, in Maria, Lazaro et Martha.

Hoc siquidem vera et casta contemplatio habet, ut
mentem, quam divino igne vehementer succenderit, tanto
interdum repleat zelo et desiderio acquirendi Deo qui
10 eum similiter diligant, ut otium contemplationis pro studio
praedicationis libentissime intermittat; et rursum potita
votis, aliquatenus in hac parte tanto ardentius redeat in
idipsum, quanto se fructuosius intermisisse meminerit; et
125   item sumpto contemplationis gusto, valentius ad conqui-
15 renda lucra solita alacritate recurrat. Ceterum inter has
vicissitudines plerumque mens fluctuat, metuens et vehementer exaestuans, ne forte alteri horum, dum suis affec-
tionibus hinc inde distrahitur, plus iusto inhaereat, et sic

---

c. I Cor. 13, 12 (Patr.)
9.a. cf. Cant. 2, 10

1. * Contrairement à *Vg* et selon la pratique habituelle des Pères,
Bernard écrit : *et (in aenigmate);* cf. *SCt* 18, 6, *SC* 431, p. 100, n. 1.
2. Prière et apostolat ne sont pas seulement deux chemins parallèles
vers le mystère divin. Ils s'appellent mutuellement par une certaine
nécessité intérieure et psychologique.

vive clarté ne pénétrera certes pas par des portes grandes ouvertes, mais par des ouvertures étroites, tant que ce mur délabré du corps tiendra debout. Tu te trompes si tu espères autre chose, quels que soient tes progrès vers la pureté de cœur, puisque le plus grand des contemplatifs dit : « Nous voyons maintenant dans un miroir et en énigme ; mais alors, ce sera face à face[c1]. »

9. Après ce regard si plein de bonté et de miséricorde, suit la voix qui insinue doucement et agréablement la volonté divine. Ce n'est rien d'autre que l'amour même, qui ne peut pas être oisif, mais qui pousse et engage à prendre soin des intérêts de Dieu. Ainsi l'épouse entend l'ordre de se lever et de se hâter[a] ; c'est sans aucun doute pour gagner des âmes.

IV. Va-et-vient de la contemplation chaste. Distinction entre les noms « amie, colombe, belle » rapportés à Marthe, Marie et Lazare.

La contemplation vraie et chaste a ceci de particulier. Lorsqu'elle a violemment embrasé l'esprit du feu divin, elle le remplit parfois d'un si grand zèle et d'un si grand désir de gagner à Dieu des âmes pareillement aimantes, que cet esprit interrompt très volontiers le loisir de la contemplation pour le labeur de la prédication. En retour, une fois ses vœux comblés, il revient pour un temps à son loisir avec d'autant plus de ferveur qu'il se souvient de l'avoir interrompu avec plus de fruit. Puis, ayant de nouveau goûté la saveur de la contemplation, il retourne avec plus de vaillance à son œuvre de conquête, animé de son habituel élan[2]. Toutefois, pris dans ce va-et-vient, l'esprit la plupart du temps se sent ballotté. En butte à une violente agitation, tiraillé de-ci de-là par ses deux attraits, il craint de céder à l'un d'eux plus qu'il ne faut, et de s'écarter

in utrolibet vel ad modicum a divina deviet voluntate. Et
20 fortasse tale aliquid sanctus Iob patiebatur, cum diceret :
*Si dormiero, dico : Quando consurgam ? Et rursum
exspectabo vesperam*[b]; hoc est : Et quietus, neglecti operis,
et occupatus, perturbatae nihilominus quietis me arguo.
Vides virum sanctum inter *fructum operis*[c] et somnum
25 contemplationis graviter aestuare : et in bonis licet semper
versantem, semper tamen quasi de malis paenitentiam
agere, et Dei cum gemitu momentis singulis inquirere
voluntatem. Unicum quippe in huiusmodi remedium seu
refugium, oratio est et frequens gemitus ad Deum, ut
30 quid, quando et quatenus nos facere velit, assidue nobis
demonstrare dignetur. Habes, ut ego opinor, tria haec, id
est praedicationem, orationem, contemplationem, in tribus
commendata et designata vocabulis. Etenim merito *amica*[d]
dicitur, quae sponsi lucra studiose ac fideliter praedicando,
35 consulendo, ministrando conquirit. Merito *columba*[e], quae
nihilominus pro suis delictis in oratione gemens et
supplicans, divinam sibi non cessat conciliare misericordiam. Merito quoque *formosa*[f], quae caelesti desiderio
fulgens, supernae contemplationis *decorem se induit*[g],
40 horis dumtaxat, quibus commode et opportune id potest.

10. Sed et illud vide, si valeat coaptari huic triplici
unius animae bono, de tribus videlicet personis illis in
domo una commanentibus, amicis utique Salvatoris et
admodum familiaribus ei. Martham loquor ministrantem,

b. Job 7, 4   c. Phil. 1, 22 ≠   d. Cant. 2, 10   e. Cant. 2, 10. 14
f. Cant. 2, 10   g. Ps. 92, 1 ≠

ainsi, tant soit peu, de la volonté divine, d'une façon
ou de l'autre. Peut-être le bienheureux Job endurait-il
quelque chose de semblable, lorsqu'il disait : « Si je
m'endors, je dis : Quand me lèverai-je ? Mais ensuite, j'attendrai le soir avec impatience[b]. » Ce qui veut dire : si je
suis tranquille, je me reproche de négliger le travail ; si
je suis occupé, je me reproche aussi bien de troubler ma
tranquillité. Tu vois que cet homme saint est doulou-reu-
sement ballotté entre « le fruit du travail[c] » et le sommeil
de la contemplation. Bien qu'il s'applique toujours à des
choses bonnes, pourtant il est toujours en train de s'en
repentir comme si elles étaient mauvaises ; à tout
moment, il cherche en gémissant la volonté de Dieu.
Sans aucun doute, l'unique remède ou refuge en l'occurrence, c'est la prière et un gémissement fréquemment
adressé à Dieu pour qu'il daigne sans cesse nous
montrer ce qu'il veut que nous fassions, et à quel
moment, et jusqu'à quel point. A mon avis, ces trois réalités, la prédication, la prière, la contemplation, tu les
trouves recommandées et désignées dans les trois noms
de l'épouse. A juste titre elle est nommée « amie[d] », elle
qui cherche avec zèle et fidélité les intérêts de son
Époux par la prédication, l'accompagnement spirituel et
le service. A juste titre elle est nommée « colombe[e] », elle
qui ne laisse pas de gémir et de supplier pour ses fautes
dans la prière ; ainsi, elle ne cesse de s'attirer la divine
miséricorde. A juste titre elle est aussi nommée « belle[f] » :
resplendissante dans son désir du ciel, « elle revêt la
beauté[g] » de la contemplation divine, du moins aux
heures où il lui est convenable et opportun de le faire.

10. Mais vois aussi s'il ne serait pas possible de rapporter à ce triple bien d'une même âme le passage où
il est question de ces trois personnes demeurant ensemble
dans une même maison, à savoir les amis du Sauveur,
ses intimes. Je parle de Marthe qui servait, de Marie qui

5 et Mariam vacantem[a], et Lazarum quasi gementem sub
lapide, et resurrectionis gratiam flagitantem[b]. Haec dicta
sunt pro eo quod sponsa describitur adeo sollers et pervigil
in observando semitas sponsi, ut minime eam latere possit
quando et in quanta festinatione ad se veniat, sed et
10 quando longe, et quando prope, et quando praesens sit,
nulla subitatione praeoccupari valeat ut ignoret, et quia
perinde meruerit non solum respici misericorditer, sed et
dignanter laetificari amoris vocibus, et *gaudere gaudio
propter vocem sponsi*[c].

11. Nos quoque ad haec, quamvis audacter, adiecimus,
quod quaevis etiam de nobis anima, si similiter vigilet,
similiter et salutabitur ut amica, consolabitur ut columba,
amplexabitur ut formosa[a]. Perfectus omnis reputabitur, in
5 cuius anima tria haec congruenter atque opportune
126 concurrere videbuntur, ut et gemere pro se, *et exsultare
in Deo*[b] noverit, simul et proximorum utilitatibus potens
sit subvenire : *placens Deo*[c], cautus sibi, utilis suis. Sed
ad haec quis idoneus[d]? Utinam ipsa in universis nobis,
10 etsi non tota in singulis, saltem singula in diversis, sicut
hodie haberi videntur, longis reserventur temporibus!
Habemus siquidem Martham, tamquam Salvatoris amicam,
in his qui exteriora fideliter administrant. Habemus et
Lazarum, tamquam *columbam gementem*[e] : novitios utique,
15 qui nuper *peccatis mortui*[f], pro recentibus adhuc plagis
laborant in gemitu suo[g] sub timore iudicii, *et *sicut
vulnerati dormientes in sepulcris, quorum nemo est memor
amplius*[h], sic se non putant reputari, donec ad Christi

10.a. cf. Lc 10, 39-40   b. cf. Jn 11, 39-44   c. Jn 3, 29 ≠
11.a. cf. Cant. 2, 10. 14   b. cf. Is. 59, 11; Lc 1, 47 ≠   c. Sag. 4, 10
d. II Cor. 2, 16 ≠   e. Is. 59, 11 ≠   f. I Pierre 2, 24   g. Ps. 6,
7 ≠   h. Ps. 87, 6 ≠

---

1. « Lazare gémissant sous la pierre du tombeau. » Quelle belle trou-
vaille exégétique et psychologique! Dans le paragraphe 11, Lazare est
comparé aux novices.

vaquait à la contemplation[a], de Lazare qui, pour ainsi dire, gémissait sous la pierre du tombeau[1] et implorait la grâce de la résurrection[b]. Voilà pour cette description de l'épouse, qu'on nous montre si habile et si attentive à suivre les démarches de l'Époux que ni le moment, ni la promptitude de sa venue ne peuvent lui échapper. De plus, elle ne se laisse surprendre par aucune apparition soudaine de l'Époux au point d'ignorer quand il est loin, quand il est proche et quand il est là. Aussi a-t-elle mérité non seulement d'être regardée avec miséricorde, mais aussi d'être comblée avec bonté par des paroles d'amour, et «d'être ravie de joie à la voix de l'Époux[c]».

11. Nous avons aussi ajouté à cela, non sans audace, que parmi nous également toute âme qui aura montré pareille vigilance sera pareillement saluée par l'Époux comme son amie, consolée comme sa colombe, embrassée comme sa belle[a]. Sera estimé parfait tout homme dont l'âme laissera voir une harmonieuse et heureuse convergence de ces trois réalités. Il sait gémir pour lui-même «et exulter en Dieu[b]»; en même temps, il est en mesure de contribuer au bien de ses proches : «agréable à Dieu[c]», prudent pour lui-même, utile aux siens. Mais «de cela, qui est capable[d]?» Plaise à Dieu que ces trois qualités nous soient longtemps conservées, à nous tous ensemble, sinon toutes trois en chacun de nous, du moins chacune en plusieurs, comme nous les voyons réparties aujourd'hui! Car nous avons Marthe, amie du Sauveur, en ceux qui gèrent fidèlement les biens matériels. Nous avons aussi Lazare, «colombe gémissante[e]» : les novices qui, «morts depuis peu à leurs péchés[f]», à cause de leurs plaies encore récentes «s'épuisent en gémissements[g]» sous la crainte du jugement. «Pareils à des blessés dormant dans des sépulcres, dont personne ne se souvient plus[h]», ils ne pensent pas être tenus pour quelque chose, jusqu'à ce que, le poids de la crainte leur étant ôté sur l'ordre

iussionem sublato pondere timoris, tamquam prementis
20 lapidis mole, respirare in spem veniae possint. Habemus
quoque Mariam contemplantem in illis, qui processu
longioris temporis, cooperante gratia Dei, in aliquid melius
et laetius proficere potuerunt, quando iam de indulgentia
praesumentes, non tam versare intra se solliciti sunt tristem
25 imaginem peccatorum, quam certe *in lege Dei meditari
die ac nocte*[i] insatiabiliter delectantur, interdum etiam
revelata facie gloriam Sponsi cum ineffabili gaudio speculantes, *in eamdem imaginem transformantur de claritate
in claritatem, tamquam a Domini Spiritu*[j]. Iam ad quid
30 sponsam *surgere* et *properare*[k] hortetur is, qui paulo ante
defensare visus est eam, ne dormiens suscitaretur[l], alio
sermone videbimus. Adsit ipse, ut et huius nobis sacra-
menti rationem aperire dignetur, sponsus Ecclesiae[m], Iesus
Christus Dominus noster, *qui est super omnia Deus bene-
35 dictus in saecula. Amen*[n].

---

i. Ps. 1, 2 ≠   j. II Cor. 3, 18 ≠   k. Cant. 2, 10 ≠   l. cf. Cant. 2, 7
m. cf. Éphés. 5, 25. 32   n. Rom. 9, 5

du Christ, comme la grosse pierre accablante du tombeau, ils puissent respirer dans l'espérance du pardon. Nous avons aussi Marie la contemplative en ceux qui, après un temps assez long, avec la coopération de la grâce de Dieu, ont pu progresser vers un état meilleur et plus heureux. Confiant désormais dans le pardon, ils sont moins occupés à retourner en eux-mêmes la triste image de leurs péchés qu'à «méditer dans la loi de Dieu jour et nuit[i]», avec un plaisir jamais rassasié. Parfois même, «contemplant à visage découvert la gloire de l'Époux» avec une joie ineffable, «ils sont transformés en cette même image, de clarté en clarté, comme par l'Esprit du Seigneur[j][1]». Quant à savoir pourquoi l'Époux exhorte l'épouse «à se lever et à se hâter[k]», lui qui peu auparavant semblait la défendre pour qu'on ne la réveille pas de son sommeil[l], nous le verrons dans un autre sermon. Qu'il nous assiste lui-même, en daignant nous découvrir aussi le sens de ce mystère, lui, l'Époux de l'Église[m], Jésus-Christ notre Seigneur, «qui est au-dessus de tout, Dieu béni dans les siècles. Amen[n]».

---

1. Cette citation de *II Cor.* 3, 18 est placée par Guillaume de Saint-Thierry au début de son *Exposé sur le Cantique* (*SC* 82, p. 70-71). Le texte de Guillaume a été écrit en 1140, le sermon de Bernard sans doute peu de temps après.

SERMO LVIII

I. Consequentia litterae qua iubetur sponsa properare et ad quid. – II. De tempore congruo putationis, et quae sit hiems vel quis imber qui impedit. – III. Quae sunt nubes bonae malaeve vel imbres, et qui flores qui post apparuerunt. – IV. De putatione vineae moralis, id est animae, et quando sit necessaria, id est semper.

I. Consequentia litterae qua iubetur sponsa properare et ad quid.

1. *Surge, propera, amica mea, columba mea, formosa mea, et veni*[a]. Quis hoc dicit? Absque dubio sponsus. Et nonne ipse est, qui paulo ante suscitari dilectam tantopere prohibebat[b]? Quo pacto ergo nunc non solum ut surgat, 5 sed etiam ut acceleret iubet? Venit in mentem simile quid ex Evangelio. *Ea* nempe *nocte qua Dominus tradebatur*[c], cum fatigatos productioribus vigiliis discipulos, qui secum erant, dormire demum ac requiescere praecepisset[d], in ipsa hora : *Surgite, eamus,* inquit, *ecce appropinquavit qui* 10 *me tradet*[e]. Nunc quoque similiter uno pene momento et prohibet suscitari sponsam, et suscitat : *Surge,* inquiens, *et veni*[f]. Quid sibi itaque vult tam subita haec mutatio voluntatis sive consilii? Putamusne levitate usum sponsum, et aliquid voluisse prius, quod mox noluerit? Minime. Sed

1.a. Cant. 2, 10 ≠; Cant. 5, 2 ≠   b. cf. Cant. 2, 7   c. I Cor. 11, 23 ≠   d. cf. Matth. 26, 40. 45   e. Matth. 26, 46   f. Cant. 2, 10 ≠

SERMON 58

I. Cohérence du sens littéral, selon lequel l'épouse reçoit l'ordre de se hâter. Le but de cet ordre. – II. Le temps qui convient à la taille. Quels sont l'hiver et la pluie qui l'empêchent. – III. Quels sont les nuages et les pluies, bons ou mauvais. Quelles sont les fleurs qui sont ensuite apparues. – IV. La taille de la vigne au sens moral, c'est-à-dire de l'âme. Quand cette taille est nécessaire, c'est-à-dire toujours.

I. Cohérence du sens littéral, selon lequel l'épouse reçoit l'ordre de se hâter. Le but de cet ordre.

1. «Lève-toi, hâte-toi, mon amie, ma colombe, ma belle, et viens[a].» Qui dit cela? Sans aucun doute, l'Époux. Or, n'est-ce pas lui-même qui, peu auparavant, défendait expressément de réveiller la bien-aimée[b]? Comment se fait-il que maintenant il lui ordonne non seulement de se lever, mais même de se dépêcher? Il me revient en mémoire un passage semblable de l'Évangile. «La nuit où le Seigneur était livré[c]», il avait ordonné aux disciples qui étaient avec lui, fatigués par les veilles trop longues, de dormir enfin et de se reposer[d]. A l'heure même, il leur dit : «Levez-vous, allons; voici tout proche celui qui me livrera[e].» Pareillement ici, presque au même moment, il défend de réveiller l'épouse et il la réveille en disant : «Lève-toi et viens[f].» Que signifie un si soudain changement de volonté ou de résolution? Allons-nous penser que l'Époux a fait preuve de légèreté, et qu'il a d'abord voulu quelque chose qu'aussitôt après il n'a plus voulu? Sûrement pas. Reconnaissez plutôt ici ce que je

15 agnoscite eas quas vobis supra, si meministis, commendavi, et non semel, vicissitudines utique sanctae quietis ac necessariae actionis, et quia non sit in hac vita copia contemplandi nec diuturnitas otii, ubi officii et operis cogentior urget instantiorque utilitas. More igitur suo
20 sponsus, ubi dilectam paululum sinu proprio quievisse persentit, ad ea denuo quae utiliora visa sunt, trahere non cunctatur. Non tamen quasi invitam : nec enim quod fieri vetuit, faceret ipse. Sed trahi sane a sponso, sponsae est ab ipso accipere desiderium quo trahatur, desiderium
25 bonorum operum, desiderium fructificandi sponso, quippe *cui vivere* sponsus est, *et mori lucrum*[g].

128
    2. Et est desiderium vehemens, quod eam non tantum surgere, sed et surgere festinanter sollicitat. Sic quippe habes : *Surge, propera, et veni*[a]. Nec parum confortat quod audit, *veni,* et non, «vade», per hoc se intelligens non
5 tam mitti quam duci, et secum pariter sponsum esse venturum. Quid enim difficile sibi, illo comite, reputet? *Pone me,* inquit, *iuxta te, et cuiusvis manus pugnet contra me*[b]. Item : *Si ambulavero in medio umbrae mortis, non timebo mala, quoniam tu mecum es*[c]. Non itaque susci-
10 tatur praeterquam velit, quando fit prius ut velit : quod non est aliud, nisi sancti quaestus immissa aviditas. Animatur etiam ad opus iniunctum, et de temporis opportunitate redditur alacrior. *Tempus faciendi*[d], inquit, o sponsa, quia *hiems transiit*[e], *quando operari nemo*
15 *poterat*[f]. *Imber,* quoque, qui, *inundatione facta*[g], operiebat terram, culturas impediebat, et vel sata necabat, vel seri

g. Phil. 1, 21 ≠
2.a. Cant. 2, 10 ≠   b. Job 17, 3   c. Ps. 22, 4   d. Ps. 118, 126
e. Cant. 2, 11   f. Jn 9, 4 ≠   g. Lc 6, 48

vous ai déjà montré plus haut, si vous vous en souvenez, et plus d'une fois : ce va-et-vient de la sainte quiétude et de l'action nécessaire. En cette vie, pas de contemplation facile ni de loisir durable ; l'exigence contraignante et impérieuse du devoir et du travail nous presse. Selon son habitude, l'Époux, lorsqu'il remarque que l'épouse s'est quelque peu reposée sur son sein, n'hésite pas à l'entraîner de nouveau à des tâches qui ont paru plus utiles. Pourtant, il ne l'entraîne pas comme contre son gré ; car il ne ferait pas lui-même ce qu'il a défendu de faire. Mais pour l'épouse, être entraînée par l'Époux, c'est recevoir de lui-même le désir d'être entraînée, le désir des bonnes œuvres, le désir de porter du fruit pour l'Époux. Car «pour elle, vivre, c'est l'Époux, et mourir c'est un gain[g]».

2. Il est violent, ce désir : il la presse non seulement de se lever, mais encore de se lever à la hâte. Car tu lis ceci : «Lève-toi, hâte-toi, et viens[a].» Ce n'est pas un mince réconfort pour elle que d'entendre : «Viens», et non : «Va». Elle comprend par là qu'elle est moins envoyée que conduite, et que l'Époux viendra également avec elle. Qu'estimerait-elle difficile en la compagnie de l'Époux? «Place-moi près de toi, est-il dit, et combatte qui voudra contre moi[b].» Et encore : «Marcherais-je au milieu de l'ombre de la mort, je ne craindrai aucun mal, parce que tu es avec moi[c].» Aussi n'est-elle pas réveillée sans qu'elle le veuille, puisqu'il se produit d'abord qu'elle le veuille. Ce n'est là rien d'autre que le vif désir du profit spirituel qui lui est inspiré. Elle est aussi encouragée à l'œuvre commandée, et le temps choisi pour l'éveiller la rend plus alerte encore. «Il est temps d'agir[d]», dit-il, ô mon épouse, puisque «est passé l'hiver[e] où personne ne pouvait travailler[f]». «La pluie» aussi, qui «par les crues[g]» couvrait la terre, empêchait la culture, et faisait mourir les semences ou interdisait les semailles,

vetabat, is inquam, *imber* excurrit, *abiit et recessit; flores apparuerunt in terra nostra*[h], vernalem profecto temperiem adesse signantes, operandi commoditatem, 20 frugum vicinitatem ac fructuum. Deinde subdit, ubi et quid primum operari oporteat : *Tempus,* inquiens, *putationis advenit*[i]. Ad vineas ergo excolendas ducitur, quae, ut possint uberioribus fructibus respondere colonis, ante omnia necesse est sarmenta sterilia proici, succidi noxia, 25 putari superflua. Haec iuxta litteram.

II. De tempore congruo putationis, et quae sit hiems vel quis imber qui impedit.

3. Nunc iam videamus quid istiusmodi quasi historico schemate spiritualiter nobis innuatur intelligendum. Et vineas quidem animas esse, vel ecclesias, simulque huius rei rationem quaenam sit, dixi vobis, et audistis, nec opus 5 habetis iterato audire. Ad has itaque revisendas, corrigendas, instruendas, salvandas, anima perfectior invitatur, quae tamen id ministerii sortita sit, non sua ambitione, *sed vocata a Deo tamquam Aaron*[a]. Porro invitatio ipsa quid est, nisi intima quaedam stimulatio caritatis, pie nos 10 sollicitantis aemulari fraternam salutem, aemulari *decorem domus Domini*[b], incrementa lucrorum eius, *incrementa frugum iustitiae eius*[c], laudem et gloriam nominis eius? Istiusmodi itaque circa Deum religionis affectibus, quoties is qui animas regere aut studio praedicationis ex officio

---

h. Cant. 2, 11-12 ≠   i. Cant. 2, 12
3.a. Hébr. 5, 4 ≠   b. Ps. 25, 8 ≠   c. II Cor. 9, 10 ≠

---

1. *SCt* 29, 9 : L'épouse, c'est l'Église ou toute âme aimante (*SC* 431, p. 397). Ici Bernard parle au pluriel des âmes et des Églises, pour les comparer aux vignes plurielles.

cette «pluie», dis-je, a cessé, «s'en est allée et s'est
retirée. Les fleurs sont apparues sur notre terre[h]», marquant la venue du printemps, le moment favorable au
travail, l'approche des moissons et des fruits. Puis l'Époux
ajoute où et par quel travail il faut commencer, en disant :
«Le temps de la taille est venu[i].» L'épouse est donc
amenée à travailler les vignes. Pour que celles-ci puissent
répondre à l'attente des vignerons par des fruits plus
copieux, il faut avant tout enlever les sarments stériles,
couper les sarments nuisibles et tailler les superflus. Voilà
pour le sens littéral.

II. Le temps qui convient à la taille.
Quels sont l'hiver et la pluie qui l'empêchent.

3. Voyons maintenant quel sens spirituel nous est
suggéré sous ces traits pour ainsi dire historiques. Que
les vignes sont les âmes ou les églises, et quelle en est
la raison, je vous l'ai déjà dit; vous l'avez entendu et
n'avez pas besoin de le réentendre[1]. C'est à les examiner,
à les corriger, à les instruire, à les sauver, qu'est invitée
une âme plus parfaite, pourvu qu'elle ait obtenu ce
ministère non par brigue[2], «mais par l'appel de Dieu,
comme Aaron[a]». Or, qu'est-ce que cette invitation, sinon
un certain aiguillon intérieur de la charité, qui doucement
nous incite à avoir du zèle pour le salut de nos frères,
du zèle pour «la beauté de la maison du Seigneur[b]»,
pour «l'accroissement» de ses gains et «des fruits de sa
justice[c]», à la louange et à la gloire de son nom? Celui
qui doit diriger les âmes ou s'adonner, de par sa charge,
au travail de la prédication, chaque fois qu'il sentira en

---

2. «non par brigue», *non sua ambitione*. Bernard est souvent
intervenu dans les nominations d'évêques. Il s'est opposé à toute forme
de simonie, favorisant ainsi le programme de la réforme grégorienne.
Grégoire VII a été pape de 1073 à 1085.

129

15 intendere habet, hominem suum interiorem senserit permoveri, toties pro certo Sponsum adesse intelligat, toties se ab illo ad vineas invitari. Ad quid, nisi *ut evellat et destruat, et aedificet et plantet*[d]?

4. Verum, quoniam operi huic, sicut omni rei sub caelo, non omne tempus suppetit et aptum est[a], addit is qui invitat, *tempus putationis advenisse*[b]. Adesse hoc noverat qui clamabat : *Ecce nunc tempus acceptabile, ecce nunc*
5 *dies salutis : nemini dantes ullam offensionem, ut non vituperetur ministerium nostrum*[c]. Vitiosa sine dubio atque superflua, et omne denique *quod offendiculum dare*[d] et impedire *fructum salutis*[e] possit, putari et resecari monebat, sciens quia *tempus putationis advenerit*. Ideo et
10 aiebat fideli cuidam cultori vinearum : *Argue, increpa, obsecra*[f], in primo et secundo horum putationem vel exstirpationem, in ultimo plantationem indicens. Et haec quidem Sponsus per os Pauli de tempore operandi[g]. Sed audi quid per proprium os de temporum consideratione,
15 sub alio quidem rerum schemate et nomine, cum nova sponsa locutus sit. *Nonne vos dicitis,* inquit, *quia quatuor menses sunt, et messis venit? Ecce dico vobis : Levate oculos vestros et videte regiones, quia albae sunt iam ad messem*[h];
item : *Messis quidem multa, operarii pauci; rogate*
20 *Dominum messis, ut mittat operarios in messem suam*[i].
Sicut igitur ibi metendi animarum segetes tempus adesse monstrabat, ita et hic vineas aeque intelligibiles, id est animas vel ecclesias, *tempus putandi advenisse* denuntiat : id forsitan inter utrasque res volens vocabulorum diver-

---

d. Jér. 1, 10 ≠

4.a. cf. Eccl. 3, 1   b. Cant. 2, 12 ≠   c. II Cor. 6, 2-3 ≠   d. I Cor. 9, 12 ≠   e. Sir. 1, 22 ≠   f. II Tim. 4, 2 ≠   g. cf. Gal. 6, 10   h. Jn 4, 35 ≠   i. Matth. 9, 37-38 ≠

lui-même l'homme intérieur remué par de tels sentiments
de piété envers Dieu, comprendra sans doute possible
que l'Époux est là et qu'il l'invite à ses vignes. Pourquoi,
sinon « pour arracher et détruire, pour bâtir et planter[d] » ?

4. Mais, comme pour toute chose sous le ciel, ce n'est
pas n'importe quel temps qui se prête et qui convient[a]
à ce travail. C'est pourquoi celui qui invite ajoute que
« le temps de la taille est venu[b] ». Il savait que ce temps
était venu, l'Apôtre qui proclamait : « Voici maintenant le
temps favorable, voici maintenant le jour du salut : ne
donnons à personne un sujet de scandale, pour que
notre ministère ne soit pas décrié[c]. » Sans aucun doute,
sachant que « le temps de la taille était venu », il aver-
tissait de tailler et de retrancher le vice et le superflu,
et en général tout « ce qui peut causer du scandale[d] » et
empêcher « le fruit du salut[e] ». Aussi disait-il encore à un
fidèle vigneron : « Reprends, menace, exhorte[f]. » Par le
premier et par le second de ces verbes, il signifiait la
taille et l'éradication ; par le dernier, la plantation. C'est
bien l'Époux qui, par la bouche de Paul, nous donne
ces consignes sur le temps propre au travail[g]. Mais écoute
ce qu'il a dit de sa propre bouche à sa nouvelle épouse,
sous une autre image et un autre nom, à propos de
l'observation des temps : « Ne dites-vous pas : encore
quatre mois, et ce sera la moisson ? Eh bien, je vous le
dis : Levez vos yeux et voyez les campagnes ; elles sont
déjà blanches pour la moisson[h]. » Et ailleurs : « La moisson
est abondante, les ouvriers peu nombreux ; priez le Seigneur de la moisson d'envoyer des ouvriers à sa
moisson[i]. » Comme il montrait alors qu'il était temps de
moissonner les champs des âmes, de même ici il annonce
que « le temps est venu de tailler » également les vignes
spirituelles, c'est-à-dire les âmes ou les églises. Peut-être
veut-il, par la diversité des mots, établir entre les deux
choses cette distinction : que nous entendions par les

25 sitate distingui, ut messes plebes, vineas congregationes
sanctorum cohabitantium intelligamus.

5. Porro hiemale tempus, quod praeteriisse significat,
illud mihi designare videtur, cum Dominus *Iesus iam non
in palam ambularet apud Iudaeos*[a], eo quod conspirassent
adversus eum, volentes eum interficere[b]. Unde et dicebat
5 ad quosdam : *Tempus meum nondum advenit, tempus
autem vestrum semper est paratum*[c]; et rursum : *Ascendite
vos ad diem festum hunc, ego non ascendam*[d]. *Ascendit
tamen postea et ipse, non palam, sed quasi in occulto*[e].
Ex tunc ergo et deinceps usque ad adventum Spiritus
10 Sancti, quo recaluerunt torpentia fidelium corda, tamquam
igne[f], *quem* Dominus ad hoc ipsum *misit in terram*[g],
hiems fuit[h]. Tunc negaveris hiemem tunc fuisse, cum
Petrus sederet ad prunas, non minus gelido corde quam
corpore? Denique *erat frigus*[i], inquit. Magnum revera
15 frigus cor negantis constrinxerat. Nec mirum tamen, cum
ignis ab eo ablatus esset. Nam paulo ante non parvo
fervebat zelo, quippe adhuc igni proximus, qui, evaginato
gladio, ne ignem perderet, *servi auriculam amputavit*[j].
Sed non erat tempus putationis; et ideo audit : *Converte
20 gladium tuum in locum suum*[k]. *Erat* enim *hora et potestas
tenebrarum*[l], et quisquis tunc discipulorum levaret gladium
vel ferri, vel verbi, aut ferro truncandus erat, et neminem
lucraretur nec quippiam fructus afferret, aut certe timoris
gladio ad negandum cogendus, et sic magis ipse periret,
25 iuxta verbum Domini quod subiunxit mox, ita dicens :
Omnis qui acceperit gladium, gladio peribit[m]. Quis nempe

5.a. Jn 11, 54 ≠   b. cf. Jn 11, 53   c. Jn 7, 6   d. Jn 7, 8 ≠
e. Jn 7, 10 ≠   f. cf. Act. 2, 3   g. Lc 12, 49 ≠   h. Jn 10, 22 ≠
i. Jn 18, 18 ≠   j. Matth. 26, 51 ≠   k. Matth. 26, 52   l. Lc 22, 53 ≠
m. Matth. 26, 52 ≠

moissons les peuples, par les vignes les communautés des saints qui vivent ensemble.

5. La saison d'hiver, qu'il déclare passée, me semble désigner le temps où le Seigneur «Jésus ne se montrait plus en public parmi les Juifs[a]», parce qu'ils avaient conspiré contre lui dans l'intention de le tuer[b]. D'où vient qu'il disait à quelques-uns : «Mon temps n'est pas encore venu; votre temps à vous est toujours favorable[c].» Et après : «Vous, montez à cette fête. Pour moi, je n'y monterai pas[d].» «Il y monta pourtant lui aussi, par la suite, non en public, mais comme en cachette[e].» A partir de ce moment et ensuite, jusqu'à la venue de l'Esprit-Saint qui réchauffa les cœurs engourdis des fidèles comme un feu[f], «que» le Seigneur pour cela même «envoya sur terre[g]», «ce fut l'hiver[h]». Pourrais-tu nier que c'était l'hiver, quand «Pierre était assis près des braises», le cœur non moins glacé que le corps? Bref, «il faisait froid[i]», est-il dit. Un grand froid assurément avait durci le cœur du renégat. Rien d'étonnant toutefois, puisque le feu lui avait été retiré. Peu auparavant il brûlait d'un zèle non médiocre, car il était encore tout proche du feu; pour ne pas perdre ce feu, il dégaina le glaive et «trancha l'oreille du serviteur[j]». Mais ce n'était pas le temps de la taille; aussi entendit-il ces mots : «Remets ton glaive à sa place[k].» Car «c'étaient l'heure et la puissance des ténèbres[l]». Tout disciple qui levait alors le glaive – glaive de fer ou glaive de la parole – devait soit être massacré par le fer, sans gagner personne ni porter aucun fruit, soit être forcé au reniement par la peur du glaive, et ainsi périr lui-même, selon la parole que le Seigneur ajouta aussitôt en disant : «Quiconque prendra le glaive périra par le glaive[m][1].» Qui des autres

---

1. *Matth*. 26, 52 met cette phrase au pluriel. On trouve le singulier dans *Apoc*. 13, 10. La source la plus proche du texte bernardin est : AMBROSIASTER, *CSEL* 50, p. 228, l. 3.

ceterorum ante pavendam mortis imaginem impavidus
staret, trepidante et cedente principe ipso, et qui voce
confortatoria sui Imperatoris fuerat praemunitus, et prae-
30 monitus alios confortare[n]?

6. Ceterum nec is, nec illi sibi adhuc *induerant virtutem
ex alto*[a]; et ob hoc tutum non erat eis exire in vineas,
exserere linguae sarculum, et *gladio Spiritus*[b] putare *vites,
purgare palmites, ut fructum plus afferrent*[c]. Denique ipse
5 Dominus *tacebat*[d] in passione, et *in multis interrogatus
non respondebat*[e], *factus,* iuxta Prophetam, *sicut homo
non audiens et non habens in ore suo redargutiones*[f].
Dicebat autem : *Si vobis dixero, non creditis mihi; si autem
et interrogavero, non respondebitis mihi*[g], sciens *tempus
10 putationis nondum advenisse*[h], nec responsuram prorsus
vineam suam impensis laboribus, id est nec fidei, nec
boni operis fructum aliquem relaturam. Quare? Quia *hiems
erat*[i] in cordibus perfidorum, et hiemales quidam malitiae
imbres occupaverant terram, iacta semina verbi suffocare[j]
15 quam fovere paratiores, sed et cultui vinearum omnem
nihilominus impendendam operam frustraturi.

7. Quos vos me nunc putatis dicere imbres? Istosne
quos videmus currentes per aera nubes turbulento spiritu
spargere super terram? Non est ita. Sed quos de terra in
aerem sursum ferunt homines turbulenti spiritus, *ponentes
5 in caelum os suum, et lingua eorum transiens in terram*[a],
tamquam pluvia amarissima, terram ipsam palustrem ac
sterilem facit, et tam plantis quam satis inutilem, non

131

n. cf. Lc 22, 32

6.a. Lc 24, 49 ≠   b. Éphés. 6, 17 ≠   c. Jn 15, 2 ≠   d. Matth. 26,
63   e. Lc 23, 9 ≠   f. Ps. 37, 15 ≠   g. Lc 22, 67-68   h. Cant. 2,
12 ≠; Jn 7, 6 ≠   i. Jn 10, 22   j. cf. Lc 13, 7; cf. Matth. 13, 22
7.a. Ps. 72, 9 ≠

apôtres aurait pu tenir sans crainte face à la redoutable image de la mort, quand leur prince lui-même tremblait et fléchissait, lui que la voix encourageante de son Souverain avait fortifié d'avance et averti d'encourager les autres[n]?

6. Du reste, ni lui ni les autres ne «s'étaient encore revêtus de la force d'en haut[a]». Aussi n'était-il pas prudent pour eux de sortir au milieu des vignes, de mettre en œuvre le sarcloir de leur langue, de tailler «les ceps et d'émonder les sarments» «avec le glaive de l'Esprit[b]» «pour qu'ils portent plus de fruit[c]». Le Seigneur lui-même «se taisait[d]» dans sa passion; «interrogé sur bien des points, il ne répondait pas[e]». «Il était devenu, selon le Prophète, comme un homme qui n'entend pas et n'a pas de répliques dans sa bouche[f].» Mais il disait: «Si je vous parle, vous ne me croyez pas; et si je vous interroge, vous ne me répondrez pas[g].» Il savait que «le temps de la taille n'était pas encore venu[h]», et que sa vigne ne répondrait pas aux labeurs qu'il lui avait consacrés: elle ne rapporterait aucun fruit, ni pour la foi ni pour les bonnes œuvres. Pourquoi? Parce que «c'était l'hiver[i]» dans les cœurs des perfides. Les pluies froides de la méchanceté avaient inondé la terre, menaçant d'étouffer les semences épandues de la parole[j] au lieu de les féconder, et aussi de rendre inutile tout le travail qu'il fallait consacrer à la culture des vignes.

7. De quelles pluies pensez-vous que je parle maintenant? De celles que nous voyons déversées sur la terre par les nuages qui courent dans les airs, poussés par un vent déchaîné? Il n'en est rien. Je parle de ces nuages que des hommes à l'esprit déchaîné font monter de la terre dans les airs. «Ils tournent leur bouche contre le ciel, et leur langue, balayant la terre[a]» comme une pluie très malfaisante, rend cette terre marécageuse et stérile, aussi inapte aux plantes qu'aux semences. Je ne parle

quidem his visibilibus atque corporeis ad nostros utique
corporeos usus datis, de quibus nulla plane, sicut *nec de*
10 *bobus, cura est Deo*[b]. Sed quibus? Profecto quae sevit et
plantavit Dei manus[c], et non hominis, quae et vel
germinare, vel *radicari in fide et caritate*[d] poterant, et
fructus parturire[e] salutis, si bonis et temporaneis imbribus
rigarentur[ee]. Animae denique sunt, *pro quibus Christus*
15 *mortuus est*[f]. Vae nubibus pluentibus istiusmodi imbres
super eas, quae lutum faciant, *fructum* non *afferant*[g]!

III. Quae sunt nubes bonae malaeve vel imbres, et qui flores qui post apparuerunt.

Nam sicut sunt et bonae, et malae arbores, ferentes
quaeque fructus pro sui dissimilitudine differentes, bonae
videlicet bonos et malae malos[h], ita arbitror nubes et
20 bonas quae bonos, et malas esse quae malos pluant
imbres. Et vide ne forte innueret nobis hanc nubium
imbriumque differentiam, qui dicebat : *Mandabo nubibus*
meis, ne pluant super eam – haud dubium quin super
vineam – *imbrem*[i]. Cur putas adiunxisse signanter *meis,*
25 nisi quia sunt et malae nubes, quae non sunt eius? *Tolle,*
tolle, inquiunt, *crucifige eum*[j]! O nubes violentas et
turbidas! O imbrem procellosum! O *torrentem iniquitatis*[k],
evertere magis quam fecundare idoneum! Nec minus
malus minusve amarus, minori licet impetu proruens,
30 imber ille qui subsecutus est : *Alios salvos fecit, seipsum*
non potest salvum facere. Christus, rex Israel, descendat

---

b. I Cor. 9, 9 ≠   c. cf. Is. 5, 2   d. Éphés. 3, 17 ≠   e. cf. Cant. 7, 12
ee. cf. Job 24, 8   f. Rom. 14, 15 ≠   g. Jn 15, 2 ≠   h. cf. Matth. 12, 33
i. Is. 5, 6 ≠   j. Jn 19, 15   k. Ps. 17, 5 ≠

---

1. * Seul emploi de ce verset chez Bernard. *Vg* ne comporte pas
meis; mais Sedulius, Paschase Radbert, Rathier de Vérone avaient cité
ainsi ce verset.

pas, certes, de ces plantes visibles et corporelles qui nous sont données pour nos nécessités corporelles, et dont «Dieu ne se met nullement en peine, pas plus que des bœufs[b]». Mais alors, de quelles plantes s'agit-il? Assurément de celles qu'a semées et plantées la main de Dieu[c], et non celle de l'homme. Elles auraient pu germer et «s'enraciner dans la foi et la charité[d]», et produire les fruits[e] du salut, si elles avaient été arrosées par de bonnes pluies de saison[ee]. Bref, il s'agit des âmes «pour lesquelles le Christ est mort[f]». Malheur aux nuages qui versent sur ces âmes des pluies telles qu'elles produisent de la boue et ne «portent pas de fruit[g]»!

III. Quels sont les nuages et les pluies, bons ou mauvais. Quelles sont les fleurs qui sont ensuite apparues.

Comme il y a de bons et de mauvais arbres qui, selon leurs espèces différentes, portent chacun des fruits différents, les bons arbres de bons fruits et les mauvais de mauvais[h], il y a aussi, à mon sens, de bons nuages qui versent de bonnes pluies, et de mauvais qui en versent de mauvaises. Vois si ce n'est pas cette différence des nuages et des pluies que nous suggérait celui qui disait : «Je commanderai à mes nuages de ne verser aucune pluie sur elle[i]» – sans aucun doute, sur la vigne. A ton avis, pourquoi a-t-il explicitement précisé «mes nuages[1]», sinon parce qu'il y a aussi de mauvais nuages, qui ne sont pas à lui? «Supprime-le, supprime-le, disent-ils, crucifie-le[j]!» O nuages violents et sombres! O pluie orageuse! O «torrent d'iniquité[k]», plus propre à ravager qu'à féconder! Et la pluie qui vint ensuite ne fut pas moins mauvaise ni moins malfaisante, bien que sa véhémence fût moindre : «Il en a sauvé d'autres, il ne peut pas se sauver lui-même. Que le Christ, le roi d'Israël, descende

nunc de cruce, et credimus ei[1]. Philosophorum ventosa
loquacitas non bonus est imber, qui sterilitatem magis
intulit quam fertilitatem. Multo magis prava dogmata haere-
35 ticorum mali imbres sunt, quae *pro fructibus spinas
producunt et tribulos*[m]. Mali imbres etiam traditiones Phari-
132   saeorum, quas Salvator redarguit[n], et ipsi nubes malae.
Et nisi existimes me iniuriam facere Moysi, nam bona
nubes est illa, non omne quod pluit vel ipsa, bonum
40 tamen dicam, ne illi contradicam, qui ait : *Dedi illis,* id
est Iudaeis, *praecepta non bona* – haud dubium quin per
Moysen – *et iustificationes, in quibus non vivent in eis*[o].
Litteralis illa, verbi causa, observatio sabbati, sonantis
requiem, non donantis, indictus sacrificiorum ritus, inter-
45 dictus porcinae esus, nonnullorumque similium, quae
immunda a Moyse censentur, pluvia est hoc totum ex
illa nube descendens; sed nolo in agrum vel hortum
meum quandoque descendat. Fuerit sane bona suo
tempore; post tempus si venerit, non bonam iam censeo.
50 Omnis etiam lenis, etiam leniter descendens pluvia, si sit
intempestiva, molesta est.

8. Donec ergo istiusmodi aquae pestilentes occupa-
verunt terram et invaluerunt super eam[a], tempus suum
vineae non habuerunt, nec fuit quod sponsa invitaretur
ad putandas vineas. Ceterum, illis decurrentibus, *terra*
5 *apparuit arida*[b] et *flores apparuerunt in ea,* significantes

---

l. Matth. 27, 42 ≠; cf. Mc 15, 32   m. Gen. 2, 9 ≠; Gen. 3, 18 ≠
n. cf. Matth. 15, 2-3   o. Éz. 20, 25 ≠
8.a. cf. Gen. 7, 18   b. Sag. 19, 7 ≠; cf. Gen. 8, 5. 14

---

1. «Le bavardage creux des philosophes», *Philosophorum ventosa
loquacitas.* On pourrait lire ici une allusion à la controverse qui a
opposé Bernard à Abélard. Texte semblable dans *5 Asc* 2 : «La foi, elle
aussi, rend-elle l'âme magnanime? Sans aucun doute, et elle seule. Car
tout ce qu'on pense comprendre sans la foi, c'est une colique ven-
teuse et une vaine arrogance» (*SBO* V, p. 150, l. 1-3).

maintenant de la croix, et nous croirons en lui[1].» Le bavardage creux des philosophes n'est pas une bonne pluie[1] : il a amené la stérilité plus que la fertilité. Les doctrines perverses des hérétiques sont des pluies bien plus mauvaises : «au lieu de fruits, elles produisent des épines et des ronces[m]». Mauvaises pluies également, les traditions des Pharisiens blâmées par le Sauveur[n]; quant à eux, ce sont de mauvais nuages. Et, à moins que tu ne penses que je veuille faire injure à Moïse, car il est, lui, un bon nuage, je ne dirai pourtant pas bonne toute la pluie que lui-même a versée, de peur de contredire celui qui déclare : «Je leur ai donné – c'est-à-dire aux Juifs, évidemment par l'intermédiaire de Moïse – des préceptes qui n'étaient pas bons et des lois où ils ne trouveront pas la vie[o][2].» Par exemple, cette observance littérale du sabbat qui proclame le repos sans le donner; ce rituel prescrit pour les sacrifices; cette interdiction de manger du porc et d'autres viandes semblables que Moïse juge impures : tout cela est une pluie qui tombe de ce nuage; mais je ne veux pas qu'elle tombe un jour sur mon champ ou sur mon jardin. J'admets qu'elle ait été bonne en son temps; si elle vient après son temps, je ne l'estime plus bonne. Toute pluie, si douce soit-elle, si doucement qu'elle tombe, est malvenue hors de saison[3].

8. Tant que ces eaux pestilentielles ont inondé la terre et se sont répandues sur elle[a], les vignes n'ont pas eu le temps propice, et il n'y avait pas lieu d'inviter l'épouse à tailler les vignes. Mais, au fur et à mesure que ces eaux s'écoulaient, «la terre ferme est apparue[b]» et «sur elle sont apparues les fleurs», annonçant que «le temps

2. *Éz.* 20, 25. La source la plus proche du texte bernardin : AMBROSIASTER, *CSEL* 50, p. 76, l. 27.
3. «Toute pluie, si douce soit-elle, est malvenue hors de saison.» Cette petite phrase résume bien tout le sermon. Bernard souligne ici l'aspect historique de toute vérité. Témoignage bien précieux.

tempus putationis adesse[c]. Quaeris quando fuit? Quando,
putas, nisi cum *refloruit caro*[d] Christi in resurrectione? Et
hic primus et maximus flos, qui apparuit in terra nostra :
nam *primitiae Christus*[e]. Ipse, inquam, *flos campi et lilium*
10 *convallium*[f] *Iesus, ut putabatur filius Ioseph*[g] *a Nazareth*[h],
quod interpretatur flos. Is ergo flos apparuit primus, non
solus. Nam *et multa corpora sanctorum, qui dormierant,*
pariter *surrexerunt,* qui veluti quidam lucidissimi *flores*
simul *apparuerunt in terra nostra.* Denique *venerunt in*
15 *sanctam civitatem, et apparuerunt multis*[i]. Flores etiam
fuerunt qui primi crediderunt de populo, primitiae
sanctorum[j]. Flores eorum miracula, instar florum produ-
centia fructum fidei. Nam postquam ille infidelitatis *imber*
aliquantulum, vel ex parte, *abiit et recessit*[k], secuta mox
20 est *pluvia voluntaria,* quam *segregavit Deus hereditati*
suae[l], et flores apparere coeperunt. *Dominus dedit beni-*
133   *gnitatem, et terra nostra dedit flores suos*[m], ita ut una *die*
tria millia, in alia *quinque millia*[n], de populo crederent :
adeo in brevi crevit florum numerus, id est *credentium*
25 *multitudo*[o]. Et non potuit gelu malitiae praevalere adversus
flores qui apparebant, nec praeripere, ut assolet, fructum
vitae quem promittebant.

9. Nam cum omnes qui crediderant, *induerentur virtute*
ex alto[a], surrexerunt ex eis homines, qui minas hominum
contempserunt, *fortes in fide*[b]. Passi sunt quidem quam
plurimos contradictores; sed non cesserunt, neque subter-

---

c. Cant. 2, 12 ≠   d. Ps. 27, 7   e. I Cor. 15, 20 ≠   f. Cant. 2, 1
g. Lc 3, 23   h. Jn 1, 45   i. Matth. 27, 52-53 ≠; Cant. 2, 12 ≠
j. cf. I Cor. 15, 20   k. Cant. 2, 11 ≠   l. Ps. 67, 10 ≠   m. Ps. 84,
13 ≠   n. Act. 2, 41 ≠; Act. 4, 4 ≠   o. Act. 5, 14 ≠
9.a. Lc 24, 49 ≠   b. I Pierre 5, 9 (Lit.)

---

1. «Nazareth signifie fleur» (Jérôme, *Nom. hebr.*, *CCL* 72, p. 137,
l. 24). Cf. *SC* 393, p. 78, n. 1 sur *Dil* 8.

de la taille était là[c]». Tu demandes quand cela s'est
produit? Quand, à ton avis, sinon lorsque «la chair» du
Christ «a refleuri[d]» dans la résurrection? C'est là la première fleur, et la plus admirable, qui soit apparue sur
notre terre : car «les prémices, c'est le Christ[e]». C'est
bien lui, «Jésus», dis-je, qui est «la fleur des champs et
le lis des vallées[f]», lui «qui était tenu pour le fils de
Joseph[g]» «de Nazareth[h]» : or, Nazareth signifie fleur[1].
Cette fleur est donc apparue la première, mais pas toute
seule. Car «de nombreux corps de saints qui étaient
endormis» dans la mort «ressuscitèrent» en même temps
que lui et «apparurent, comme des fleurs éclatantes, sur
notre terre». «Ils vinrent dans la ville sainte et apparurent à bien des gens[i].» Ce furent aussi des fleurs ceux
qui, dans le peuple, crurent les premiers, prémices des
saints[j]. Fleurs encore leurs miracles, qui, comme des fleurs,
ont produit le fruit de la foi. Après que «la pluie» de
l'infidélité, un peu ou en partie, «s'en fut allée et se fut
retirée[k]», on vit suivre aussitôt «la pluie bienveillante
que Dieu avait réservée à son héritage[l]»; et les fleurs
commencèrent d'apparaître. «Le Seigneur donna la bénédiction, et notre terre donna ses fleurs[m]», si bien qu'en
un seul «jour trois mille personnes» du peuple crurent,
et «cinq mille[n]» un autre jour. Tant le nombre des fleurs,
c'est-à-dire «la multitude des croyants[o]», s'accrut en peu
de temps! La gelée de la méchanceté ne put prévaloir
contre les fleurs qui apparaissaient, ni ravir, comme il
arrive, le fruit de vie qu'elles promettaient.

9. Lorsque tous ceux qui avaient cru «furent revêtus
de la force d'en haut[a]», il se leva parmi eux des hommes
qui, «fermes dans la foi[b2]», méprisèrent les menaces
humaines. Ils eurent à endurer d'innombrables contra-

2. * *Fortes fide,* édition critique; *fortes in fide,* répons de complies,
chaque soir.

5 fugerunt, quominus et facerent, *et annuntiarent opera Dei*[c]. Nam iuxta illud in Psalmo, spiritualiter quidem : *Et seminaverunt agros, et plantaverunt vineas, et fecerunt fructum nativitatis*[d]. Processu temporis tempestas sedata est et, pace reddita terris, creverunt vineae, et propagatae,
10 et dilatatae sunt, et *multiplicatae sunt super numerum*[e]. Et tunc demum sponsa ad vineas invitatur, non quidem ad plantandum, sed ad putandum quod plantatum iam erat. Opportune quidem : nam id operis pacis tempora requirebat. Quando etenim persecutionis tempore id
15 liceret? Alioquin sumere *in manus gladios ancipites, facere vindictam in nationibus, increpationes in populis, alligare reges eorum in compedibus et nobiles eorum in manicis ferreis, et facere in eis iudicium conscriptum*[f] – hoc quippe putare vineas est –, haec, inquam, omnia vix vel pacis
20 tempore actitantur in pace. Et de his satis.

IV. De putatione vineae moralis, id est animae, et quando sit necessaria, id est semper.

10. Poterat finiri etiam sermo, si prius quemque vestrum iuxta morem meum de sua vinea monuissem. Quis enim ita ad unguem omnia a se superflua resecavit, ut nil se habere putet putatione dignum? Credite mihi, et putata
5 repullulant, et effugata redeunt, et reaccenduntur exstincta, et sopita denuo excitantur. Parum est ergo semel putasse; saepe putandum est, immo, si fieri possit, semper, quia semper quod putari oporteat, si non dissimulas, invenis.

---

c. Ps. 63, 10 ≠   d. Ps. 106, 37   e. Ps. 39, 6 ≠   f. Ps. 149, 6-9 ≠

dicteurs ; mais ils ne reculèrent ni ne se dérobèrent devant la tâche d'accomplir et « d'annoncer les œuvres de Dieu[c] ». Selon cette parole du Psaume, entendue certes au sens spirituel : « Ils ensemencèrent des champs, plantèrent des vignes et produisirent du fruit à récolter[d]. » Avec le temps, la tempête s'apaisa, la paix fut rendue aux terres, les vignes poussèrent, se propagèrent, s'étendirent et « se multiplièrent à l'infini[e] ». C'est alors que l'épouse est invitée à se rendre aux vignes, non pour planter, certes, mais pour tailler ce qui avait déjà été planté. Fort à propos : car ce travail demandait une époque de paix. Comment cela eût-il été possible à une époque de persécution ? Prendre « en main les épées à deux tranchants, exercer la vengeance sur les nations et le châtiment sur les peuples, lier de chaînes leurs rois et mettre aux fers leurs nobles, exécuter sur eux la sentence écrite[f] » : c'est bien cela tailler les vignes. Tout cela, dis-je, c'est à peine si en temps de paix on peut l'accomplir en paix. En voilà assez sur ce point.

**IV. La taille de la vigne au sens moral,
c'est-à-dire de l'âme. Quand cette taille
est nécessaire, c'est-à-dire toujours.**

10. Le sermon pourrait même se terminer, si, selon mon habitude, j'avais déjà averti chacun de vous à propos de sa vigne. Qui en effet a retranché si parfaitement de lui-même tout le superflu qu'il pense ne plus rien avoir qui mérite d'être taillé ? Croyez-moi : ce qui a été taillé repousse, ce qui a été chassé revient ; l'on voit se rallumer ce qui était éteint, et ce qui était en sommeil se réveille encore. C'est peu d'avoir taillé une fois ; il faut tailler souvent, ou mieux, si possible, toujours. Car, si tu ne t'en caches pas, tu trouves toujours à tailler. Tant que tu demeures en ce corps, aussi loin que tu progresses,

Quantumlibet in hoc corpore manens profeceris, erras si
10 vitia putas emortua, et non magis suppressa. Velis, nolis,
inter fines tuos habitat Iebusaeus[a] : subiugari potest, sed
non exterminari. *Scio,* inquit, *quia non habitat in me
bonum*[b]. Parum est, nisi et malum inesse fateatur. Ait :
Non quod volo, hoc ago; sed quod odi, illud facio. Si
15 *autem quod odi illud facio, iam non ego operor illud, sed
quod habitat in me peccatum*[c]. Aut te ergo, si audes,
praefer Apostolo – nempe ipsius ista vox est –, aut fatere
cum illo te quoque vitiis non carere. Medium denique
vitiorum virtus tenet, ac perinde sedula eget non solum
20 putatione, sed et circumcisione. Alioquin verendum ne,
undique allabentibus vel / potius arrodentibus vitiis, illa,
dum nescis, paulatim elangueat, aut, si supercreverint,
suffocetur[d]. Unum in tanto discrimine consilium est,
observare diligenter, et mox ut renascentium capita appa-
25 rebunt, prompta severitate succidere. Non potest virtus
cum vitiis pariter crescere. Ergo ut illa vigeat, ista pullulare
non sinantur. Tolle superflua, et salubria surgunt. Utilitati
accedit quidquid cupiditati demis. Demus operam puta-
tioni. Putetur cupiditas, ut virtus roboretur.

11. Nobis, fratres, *putationis* semper *est tempus*[a], sicut
semper est opus. Confido enim, quia nobis *hiems iam
transiit*[b]. Scitis quam hiemem dicam, *timorem* illum, qui
non est in caritate[c], qui, cum omnes initiet ad sapientiam[d],
5 neminem consummat, quoniam superveniens caritas extun-
dit illum, tamquam hiemem aestas. Aestas enim caritas

10.a. cf. Jug. 1, 21   b. Rom. 7, 18 ≠   c. Rom. 7, 15-16. 19-20 ≠
d. cf. Matth. 13, 7
11.a. Cant. 2, 12 ≠   b. Cant. 2, 11 ≠   c. I Jn 4, 18 ≠   d. cf. Ps. 110, 10

1. * Ce passage des *Juges* insiste sur la cohabitation, dans la Ville
sainte elle-même, des Hébreux avec la tribu des Jébuséens, qui n'avaient
été ni exterminés ni chassés; Bernard fait ici un parallèle entre Jérusalem et l'âme du fidèle, entre les Jébuséens et nos vices, qui sont
certes indéracinables, mais que nous devons réséquer sans trêve.

tu te trompes si tu crois tes vices anéantis, et non plutôt réprimés. Que tu le veuilles ou non, le Jébuséen habite à l'intérieur de tes frontières[a][1] : il peut être assujetti, mais non exterminé. «Je sais, dit l'Apôtre, qu'en moi n'habite aucun bien[b].» Ce serait peu dire, s'il n'avouait aussi que le mal est implanté en lui. Il dit : «Ce que je veux, je ne le fais pas; mais ce que je hais, je le fais. Or, si ce que je hais, je le fais, ce n'est plus moi qui l'accomplis, mais le péché qui habite en moi[c].» Préfère-toi donc à l'Apôtre, si tu l'oses, car c'est bien sa voix que tu entends; ou bien avoue avec lui que, toi aussi, tu n'es pas exempt de vices. La vertu tient le milieu entre les vices; dès lors, elle a besoin non seulement d'une taille attentive, mais aussi d'une large coupe tout autour. Sinon il y a fort à craindre que de toutes parts les vices ne s'avancent insensiblement, ou plutôt ne rongent la vertu, et qu'ainsi elle ne dépérisse peu à peu, sans que tu t'en doutes, ou bien qu'elle ne soit étouffée sous leur foisonnement[d]. Un seul conseil face à un si grand danger : rester sur ses gardes très attentivement et, dès que les pousses taillées réapparaîtront, les couper aussitôt avec fermeté. La vertu ne peut pas croître mêlée avec les vices. Pour qu'elle se fortifie, qu'on ne laisse pas ceux-ci foisonner. Enlève le superflu, et l'utile pourra pousser. Tout ce que tu ôtes à la convoitise s'ajoute au profit. Mettons la main à la taille. Que la convoitise soit taillée pour que la vertu s'affermisse.

11. Pour nous, frères, «c'est toujours le temps de la taille[a]», comme c'est toujours que nous en avons besoin. Car j'aime à croire que pour nous «l'hiver est déjà passé[b]». Vous savez de quel hiver je parle : de cette «crainte qui n'existe pas dans la charité[c]», cette crainte qui, bien qu'elle initie tout le monde à la sagesse[d], ne mène personne à la perfection. Car la charité, lorsqu'elle survient, chasse cette crainte, comme l'été chasse l'hiver. La charité,

est, quae si iam venit, immo quia venit – *sicut iustum
est mihi sentire de vobis*[e] –, siccaverit necesse est omnem
hiemalem imbrem, omnem videlicet anxietatis lacrimam,
10 quam amara recordatio peccati et timor ante extorquebat
iudicii. Itaque – quod non dubius dico, etsi non de
omnibus vobis, profecto de pluribus –, hic *iam imber
abiit et recessit,* nam et *flores apparent*[f], indices pluviae
suavioris. Habet et aestas pluvias suas suaves et uberes.
15 Quid dulcius lacrimis caritatis? Flet quippe caritas, sed ex
amore, non ex moerore; flet ex desiderio, *flet cum
flentibus*[g]. Tali imbre non ambigo rigatos uberius actus
oboedientiae vestrae, quos laetus intueor, non murmure
tetros, non tristitia subobscuros, sed quodam spirituali
20 gaudio iucundos et floridos. Sic sunt, ac si semper flores
gestetis in manibus.

135   **12.** Ergo si *hiems transiit, imber abiit et recessit,* si
demum *flores apparuerunt in terra nostra*[a], et subinde
quaedam spiritualis gratiae vernalis temperies *tempus putationis*[b] indicit, quid restat, nisi ut de cetero toti incum-
5 bamus huic operi tam sancto, tam necessario? *Scrutemur,*
iuxta Prophetam, *vias nostras et studia nostra*[c], et in eo
se quisque iudicet profecisse, non cum non invenerit
quod reprehendat, sed cum quod invenerit, reprehendet.
Tunc te non frustra scrutatus es, si rursum opus esse
10 scrutinio advertisti; et toties non te fefellit inquisitio tua,
quoties iterandam putaveris. Si autem semper hoc, cum

---

e. Phil. 1, 7 ≠   f. Cant. 2, 11-12 ≠   g. Rom. 12, 15 ≠
12.a. Cant. 2, 11-12 ≠   b. Cant. 2, 12 ≠   c. Lam. 3, 40; Jér. 18,
11 ≠

---

1. «les larmes de la charité» : Plus haut Bernard s'est plaint de la
dureté de son cœur : «Je ne puis même pas être amené à verser des
larmes de regret» (*SCt* 54, 8). Guillaume de Saint-Thierry considère les

c'est l'été. Si elle est venue – mieux : parce qu'elle est
venue, «ainsi qu'il est juste pour moi de le penser à
votre sujet[e]» – il faut qu'elle ait séché toute la pluie de
l'hiver, c'est-à-dire toute larme d'anxiété que le souvenir
amer du péché et la crainte du jugement faisaient couler
auparavant. Ainsi – je le dis sans hésiter, sinon de vous
tous, au moins de plusieurs d'entre vous – «déjà cette
pluie s'en est allée et s'est retirée». Car «les fleurs apparaissent[f]», signes d'une pluie plus douce. L'été aussi a
ses pluies, douces et fécondes. Quoi de plus doux que
les larmes de la charité[1]? Oui, la charité pleure, mais
d'amour, non de tristesse; elle pleure de désir, «elle
pleure avec ceux qui pleurent[g]». Je ne doute pas que
cette pluie n'arrose copieusement les actes de votre obéissance, que je me félicite de voir, non pas enlaidis par
les murmures ni assombris par la tristesse, mais égayés
et émaillés, pour ainsi dire, des fleurs de la joie spirituelle. C'est comme si, par ces actes, vous portiez toujours des fleurs dans vos mains.

12. Si donc «l'hiver est passé», si «la pluie s'en est
allée et s'est retirée», si «les fleurs sont apparues sur
notre terre[a]», si enfin une certaine douceur printanière
de la grâce spirituelle annonce «le temps de la taille[b]»,
que reste-t-il à faire, sinon de nous adonner tout entiers
à ce travail si saint, si nécessaire? «Examinons», selon
le Prophète, «nos voies et nos occupations[c]», et que
chacun s'estime en progrès non pas lorsqu'il n'aura rien
trouvé à corriger, mais lorsqu'il aura corrigé ce qu'il aura
trouvé. Tu ne t'es pas examiné en vain, si tu as constaté
que tu as besoin de t'examiner encore. Ton investigation
ne t'a pas trompé, chaque fois que tu as pensé devoir
la reprendre. Si tu fais cela autant de fois que tu en as

larmes comme un premier indice de la grâce mystique (*Exposé sur le
Cantique*, 33, *SC* 82, p. 117-119).

opus est, facis, semper facis. Semper ergo opus esse tibi
memineris superni auxilii, et misericordiae sponsi
Ecclesiae, Iesu Christi Domini nostri, *qui est super omnia*
15 *Deus benedictus in saecula. Amen*[d].

d. Rom. 9, 5

besoin, tu le feras toujours. Souviens-toi que tu as toujours besoin du secours d'en haut et de la miséricorde
de l'Époux de l'Église, Jésus-Christ notre Seigneur, « qui
est au-dessus de tout, Dieu béni dans les siècles. Amen [d] ».

SERMO LIX

I. Ratio qua sponsus dicit : *In terra nostra.* – II. De voce vel gemitu turturis, quando potissimum audita sit. – III. Cur unius tantum turturis dicitur, et de turturis castitate. – IV. Quod auditu vocis et visu floris, id est signorum, fides astruitur.

I. Ratio qua sponsus dicit : *In terra nostra.*

1. *Vox turturis audita est in terra nostra*[a]. Minime iam dissimulare queo, quod ecce secundo is, *qui de caelo est, de terra loquitur*[b] : utique tam dignanter, tam socialiter, quasi unus e terra. Sponsus est iste, qui cum praemit-
5 teret *flores apparuisse in terra*, adiunxit *nostra*[c], et nunc nihilominus : *Vox,* inquit, *turturis audita est in terra nostra.* Ergone ratione carebit Deo quidem tam insueta, ne dicam indigna, locutio? Nusquam, ut opinor, de caelo sic locutum reperies, nusquam alibi de terra. Adverte igitur, quantae
10 suavitatis sit Deum caeli dicere : *In terra nostra. Quique terrigenae et filii hominum*[d], audite : *Magnificavit Dominus facere nobiscum*[e]. Multum illi cum terra, multum cum sponsa, quam de terris sibi asciscere placuit. *In terra,* inquit, *nostra.* Non plane principatum sonat vox ista, sed

1.a. Cant. 2, 12   b. Jn 3, 31 ≠   c. Cant. 2, 12 ≠   d. Ps. 48, 3
e. Ps. 125, 3

SERMON 59

I. Pour quelle raison l'Époux dit : «Sur notre terre.»

1. «La voix de la tourterelle s'est fait entendre sur notre terre[a].» Je ne puis le taire davantage : voici la seconde fois que celui «qui est du ciel parle de la terre[b]». Et il en parle avec une telle bienveillance, une telle sympathie, qu'il semble être lui-même de la terre. Or, il s'agit de l'Époux. Lorsqu'il disait tout à l'heure que «les fleurs étaient apparues sur la terre», il ajouta «notre[c]». Maintenant encore il dit : «La voix de la tourterelle s'est fait entendre sur notre terre.» Cette façon de parler si inhabituelle de la part de Dieu, pour ne pas dire si indigne de lui, manquera-t-elle de raison? Nulle part, je crois, tu ne trouveras qu'il ait ainsi parlé du ciel; nulle part ailleurs, de la terre. Remarque alors quelle grande douceur il y a à entendre le Dieu du ciel dire : «Sur notre terre.» «Vous tous, nés de la terre et enfants des hommes[d]», écoutez : «Merveilles que fit avec nous le Seigneur[e].» Il a beaucoup de liens avec la terre, beaucoup avec l'épouse, cette épouse terrestre qu'il lui a plu de se choisir. «Sur notre terre», dit-il. Cette parole n'évoque certes pas la

15 consortium, sed familiaritatem. Tamquam sponsus hoc dicit, non tamquam dominus. Quid? Conditor est, et consortem se reputat? Amor loquitur, qui dominum nescit. Carmen nimirum amoris est, nec aliis hoc quam amatoriis fulciri oportuit. Amat et Deus, nec aliunde hoc habet, sed 20 ipse est unde amat. Et ideo vehementius, quia non amorem tam habet quam hoc est ipse. Verum quos amat, amicos habet, non servos. Denique amicus fit de magistro : nec enim amicos discipulos diceret[f], si non essent.

2. Vides amori cedere etiam maiestatem? Ita est, fratres : neminem suspicit amor, sed ne despicit quidem. Omnes ex aequo intuetur, qui perfecte se amant et in seipso celsos humilesque contemperat; nec modo pares, sed 5 unum eos facit. Tu Deum forsitan adhuc ab hac amoris regula excipi putas; sed *qui adhaeret Deo, unus spiritus est*[a]. Quid miraris hoc? Ipse *factus est tamquam unus ex nobis*[b]. Minus dixi : non tamquam unus, sed unus. Parum est parem esse hominibus : homo est. Inde terram nostram 10 vindicat sibi, sed quasi patriam, non quasi possessionem.

---

f. cf. Jn 15, 15
2.a. I Cor. 6, 17 (Patr.)   b. Gen. 3, 22 ≠

---

1. Le Christ qui est *princeps et magister* se manifeste ici comme ami. Voir : CICÉRON, *De amicitia* 71-72.

2. «Non seulement il les rend égaux, mais d'eux il ne fait plus qu'un.» L'Amour, en effet, suppose ou instaure l'égalité. On lit ici une des raisons principales pour lesquelles Bernard et ses successeurs ont préféré décrire les relations entre l'homme spirituel et son Dieu avec des mots empruntés au lien conjugal (surtout Époux et épouse).

3. * *Deo,* avec les Pères, et non pas *Domino,* avec la *Vg.* Cf. *SCt* 19, 5, *SC* 431, p. 117, n. 2. On retrouvera cette affirmation spirituelle – fréquente dans l'ensemble des *SBO,* mais qui l'est encore davantage dans les *Sermons sur le Cantique* – en *SCt* 61, 1, p. 244, l. 12.

4. * Bernard a employé 7 fois ce verset de *Gen.* dans son œuvre, 3 fois dans le sens obvie où le Dieu vengeur ironise sur la tentative prométhéenne de l'Homme («comme nous»); ainsi *SCt* 35, 3, l. 28, *SC* 452, p. 90; *SCt* 72, 7, *SBO* II, p. 230, l. 17. Mais en 4 passages,

souveraineté, mais le compagnonnage, la familiarité. C'est en l'Époux qu'il parle ainsi, non en seigneur. Eh quoi? Il est le créateur, et il se tient pour un compagnon? C'est l'amour qui parle; il ne connaît pas de seigneur. Oui, ce cantique est un poème d'amour; il ne devait être bâti que sur des paroles d'amour. Dieu aussi aime, et il ne tient pas son amour d'ailleurs, mais il est lui-même la source de son amour. Il aime avec d'autant plus de force que l'amour n'est pas quelque chose qu'il a, mais l'amour est son être. Et ceux qu'il aime, il les tient pour ses amis, non pour ses serviteurs. Car lui-même, de maître, se fait ami : il n'appellerait pas amis les disciples[f], s'ils ne l'étaient pas[1].

2. Vois-tu que même la majesté le cède à l'amour? Oui, frères : l'amour ne regarde personne comme au-dessus de lui, ni non plus comme au-dessous de lui. Il considère sur un pied d'égalité tous ceux qui s'aiment parfaitement, et en lui-même il harmonise les grands et les humbles. Non seulement il les rend égaux, mais d'eux il ne fait plus qu'un[2]. Peut-être penses-tu que Dieu fait exception à cette règle de l'amour; mais «celui qui s'attache à Dieu est avec lui un seul esprit[a 3]». Pourquoi t'en étonner? Lui-même «est devenu comme l'un de nous[b 4]». Ce n'est pas assez dire : non pas comme l'un de nous; il est devenu l'un de nous. C'est peu d'être l'égal des hommes : il est homme. De là vient qu'il revendique pour lui notre terre, mais comme sa patrie, non

les mots d'ironie vengeresse du Dieu outragé sont repris par l'Homme sauvé et sont transformés en un cri de joie : «[Dieu] lui-même est devenu comme l'un de nous. C'est trop peu dire : il est l'un de nous, etc.» Déjà, comme en passant, Bernard avait évoqué de la sorte ce verset dans *SCt* 54, 1, l. 19, p. 100. Deux sermons ont une «exégèse» aussi délibérée que celui-ci : *2 AdvA* 1 (*SBO* IV, p. 171, l. 14-17) et *3 EpiA* 7 (*SBO* IV, p. 309, l. 3-5); dans l'un et l'autre, on remarque ceci : *similis nobis, passibilis,* «semblable à nous, sujet à la souffrance».

Quidni vindicet? Inde illi sponsa, inde substantia corporis :
inde sponsus ipse, inde *duo in carne una*[c]. Si caro una,
cur non et patria una? *Caelum caeli Domino,* inquit;
terram autem dedit filiis hominum[d]. Ergo ut filius hominis
15 hereditat terram, ut dominus subicit, ut conditor admi-
nistrat, ut sponsus communicat. Dicendo nempe *in terra
nostra*[e], proprietatem profecto abnuit, societatem non
respuit. Et haec pro eo quod Sponsus tam benigno usus
est verbo, ut dignatus sit dicere : *In terra nostra.* Nunc
20 cetera videamus.

II. De voce vel gemitu turturis, quando potissimum audita sit.

3. *Vox turturis audita est in terra nostra*[a]. Et hoc tran-
sactae indicium hiemis est, *tempus* nihilominus *putationis*[b]
adesse denuntians. Id iuxta litteram. Alias turturis vox non
dulce admodum sonat, sed signat dulcia. Ipsa avicula, si
5 emis, non magni, si discutis, non parvi pretii est. Et vox
quidem gementi quam canenti similior, peregrinationis
nostrae nos admonet. Illius libenter doctoris audio vocem,
137   qui non sibi plausum, sed mihi planctum moveat. Vere
turturem exhibes, si gemere doceas : et si persuadere vis
10 gemendo[c] id magis quam declamando studeas oportebit.
Exemplum sane, cum in aliis multis, tum vel maxime hoc
in negotio, verbo efficacius est. *Dabis voci tuae vocem
virtutis*[d], si quod suades, prius tibi illud cognosceris

---

c. Gen. 2, 24; Éphés. 5, 31   d. Ps. 113, 24   e. Cant. 2, 12
3.a. Cant. 2, 12 ≠   b. Cant. 2, 12 ≠   c. cf. Is. 59, 11   d. Ps. 67,
34 ≠

---

1. *Monachus autem non doctoris habet sed plangentis officium,* «Le
moine ne doit pas enseigner comme un maître, mais il doit gémir. Il
doit pleurer sur lui-même ou sur le monde et attendre avec crainte la
venue du Seigneur» (JÉRÔME, *Contra Vigilantium,* 15, *PL* 23, 351 B).
Voir aussi : *SCt* 64, 3.

comme sa propriété. Pourquoi ne la revendiquerait-il pas?
C'est de là qu'il tient son épouse, de là qu'il tient la substance de son corps; de là vient qu'il est lui-même l'Époux,
de là qu'ils sont «deux en une seule chair[c]». S'ils ont la
même chair, pourquoi n'auraient-ils pas la même patrie?
«Le ciel est au Seigneur du ciel, est-il dit; la terre, il l'a
donnée aux fils des hommes[d].» Comme fils de l'homme,
il hérite de la terre; comme seigneur, il la domine; comme
créateur, il la gouverne; comme l'Époux, il la partage. En
disant «sur notre terre[e]», il refuse certes de la posséder
en propre, mais il ne dédaigne pas de la partager avec
d'autres. Voilà pour expliquer pourquoi l'Époux s'est servi
d'une parole si bienveillante, en daignant dire : «Sur notre
terre.» Voyons maintenant le reste.

II. La voix ou le gémissement de la tourterelle. Quand elle s'est fait entendre de préférence.

3. «La voix de la tourterelle s'est fait entendre sur
notre terre[a].» C'est le signe que l'hiver est passé et que
«le temps de la taille[b]» s'annonce. Voilà le sens littéral.
Par ailleurs, la voix de la tourterelle n'a pas un son particulièrement doux, mais elle évoque de doux sentiments.
Ce petit oiseau, si tu l'achètes, ne coûte pas bien cher;
mais, si tu y prêtes attention, il n'est pas de peu de prix.
Sa voix, plus semblable à un gémissement qu'à un chant,
nous rappelle notre exil. J'entends volontiers la voix d'un
prédicateur qui provoque non les applaudissements pour
lui, mais les larmes en moi. Vraiment tu imites la tourterelle, si tu enseignes à gémir. Si tu veux convaincre, il
faudra t'appliquer à le faire en gémissant[c] plutôt qu'en
déclamant[1]. Oui, comme en bien d'autres domaines, en
celui-ci surtout l'exemple est plus efficace que la parole.
«Tu donneras à ta voix une puissance de persuasion[d]»,
si l'on reconnaît que tu es toi-même bien persuadé de

persuasisse. Validior operis quam oris vox. Fac ut loqueris,
15 et non solum me facilius emendas, sed te quoque non
levi liberas probro. Non iam pertinebit ad te, si quis
dicat : *Alligant onera gravia et importabilia, et imponunt*
ea in humeros hominum; digito autem suo nolunt ea
movere[e]. Sed neque illud verearis oportet : *Tu qui alios*
20 *doces, teipsum non doces*[f]?

4. *Vox turturis audita est in terra nostra*[a]. Donec
homines pro Dei cultu mercedem tantum in terra, et
tantum *terram* acceperunt, illam utique *lacte et melle*
manantem[b], minime se cognoverunt *peregrinos super*
5 *terram*, nec more turturis ingemuerunt veluti *patriae remi-*
niscentes[c]; magis autem pro patria exsilio abutentes,
dederunt se *comedere pinguia et bibere mulsum*[d]. Ita
tamdiu non *est vox turturis audita in terra nostra*. Ubi
ergo regni caelorum promissio facta est, tunc intellexerunt
10 homines se *non habere hic manentem civitatem, et*
futuram inquirere[e] tota aviditate coeperunt; et tunc
primum manifeste sonuit in terra nostra vox turturis. Nam
dum sancta quaeque iam anima Christi praesentiam suspi-
raret, regni dilationem moleste ferret, desideratam patriam
15 gemitibus et suspiriis *a longe salutaret*[f], nonne tibi videtur
vice fungi gemebundae ac castissimae turturis, quae-
cumque in terris anima ita fecisset? Ex tunc ergo et
deinceps *vox turturis audita est in terra nostra*. Quidni

---

e. Matth. 23, 4 ≠   f. Rom. 2, 21 ≠
4.a. Cant. 2, 12   b. Deut. 6, 3 ≠   c. Hébr. 11, 13-15 ≠   d. Néh. 8,
10 ≠   e. Hébr. 13, 14 ≠   f. Hébr. 11, 13 ≠

---

1. * Bernard écrit 4 fois le pluriel, *alios*, et une fois le singulier. Ce
pluriel est rare jusqu'au XIIe siècle, tant dans les manuscrits *Vg* de la
Bible que chez les Pères, mais il se répand après Bernard.

ce que tu veux persuader aux autres. La voix des œuvres est plus puissante que celle de la bouche. Agis comme tu parles, et non seulement tu me corriges plus facilement, mais encore tu échappes à un sérieux reproche. Tu ne seras plus visé si l'on dit : «Ils lient des fardeaux pesants et insupportables, et les imposent aux épaules des gens; mais eux-mêmes se refusent à les remuer du doigt[e].» Et tu n'auras pas non plus à craindre ce reproche : «Toi qui enseignes les autres[1], tu ne t'enseignes pas toi-même[f]?»

4. «La voix de la tourterelle s'est fait entendre sur notre terre[a].» Tant que les hommes, pour le culte qu'ils rendaient à Dieu, n'ont reçu de récompense que sur la terre, et n'ont reçu de récompense que «la terre», à savoir cette «terre ruisselante de lait et de miel[b]», ils ne se sont point reconnus «exilés sur la terre» et n'ont pas gémi comme la tourterelle «au souvenir de leur patrie[c]». Bien plutôt, prenant à tort le lieu de leur exil pour leur patrie, ils se sont adonnés «à manger des viandes grasses et à boire du vin miellé[d]». Pendant tout ce temps-là, «la voix de la tourterelle ne s'est pas fait entendre sur notre terre». Mais lorsque la promesse du royaume des cieux a été faite, les hommes ont compris qu'ils «n'avaient pas ici-bas de cité permanente», et ils ont commencé à «rechercher» de tout leur désir «la cité future[e]». Alors pour la première fois la voix de la tourterelle a clairement retenti sur notre terre. Car désormais chaque âme sainte soupirait après la présence du Christ, supportait avec peine les atermoiements du royaume, «saluait de loin[f]» avec gémissements et soupirs la patrie désirée. Toute âme qui se comportait ainsi sur la terre, ne te semble-t-il pas qu'elle jouait le rôle de la tourterelle plaintive et très chaste? Dès ce moment et depuis lors, «la voix de la tourterelle s'est fait entendre sur notre terre». Comment l'absence du Christ ne provoquerait-elle

moveat mihi crebras lacrimas et gemitus quotidianos Christi
20 absentia? *Domine, ante te omne desiderium meum, et
gemitus meus a te non est absconditus*[g]. *Laboravi in gemitu
meo*, tu scis; sed beatus qui dicere potuit : *Lavabo per
singulas noctes lectum meum, lacrimis meis stratum meum
rigabo*[h]. *Non solum autem mihi, sed et omnibus qui
25 diligunt adventum eius*[i], gemitus isti comperti sunt. Hoc
quippe est quod ipse aiebat : *Numquid possunt,* inquit,
*filii sponsi lugere, quamdiu cum illis est sponsus? Venient
autem dies, cum auferetur ab eis sponsus, et tunc
lugebunt*[j]; ac si diceret : Et tunc vox turturis audietur.

5. Ita est, Iesu bone : venerunt dies illi. *Nam ipsa
creatura ingemiscit et parturit usque adhuc, revelationem
filiorum Dei exspectans. Non solum autem illa, sed et nos
ipsi intra nos gemimus, adoptionem filiorum exspectantes,*
5 *redemptionem corporis nostri*[a] : hoc scientes, quia *quamdiu sumus in corpore* hoc, *peregrinamur a* te[b]. Nec vacui
gemitus, quibus e caelo tam misericorditer respondetur :
*Propter miseriam inopum et gemitum pauperum, nunc
exsurgam, dicit Dominus*[c]. Fuit et in tempore Patrum vox
10 ista gementium, sed rara, et penes quemque gemitus suus.
Unde et dicebat quis : *Secretum meum mihi, secretum
meum mihi*[d]. Sed et qui aiebat : *Gemitus meus a te non
est absconditus*[e], profecto monstrabat absconditum esse,
qui soli non esset Deo absconditus. Et ideo tunc dici
15 non potuit : *Vox turturis audita est in terra nostra*[f],

g. Ps. 37, 10   h. Ps. 6, 7 ≠   i. II Tim. 4, 8 ≠   j. Matth. 9, 15 ≠
5.a. Rom. 8, 19. 21-23 ≠   b. II Cor. 5, 6 ≠   c. Ps. 11, 6   d. Is. 24,
16   e. Ps. 37, 10   f. Cant. 2, 12

1. * A la fin de cette citation de *Matth.*, unique dans son œuvre,
Bernard remplace à dessein « ils jeûneront » par « ils pleureront », invitant
son lecteur à quitter ce verset pour se souvenir de la Béatitude de
Matth. 5, 5 sans oublier le prolongement de *Lc* 6, 25. Mais Augustin
avait déjà fait cette adaptation du verset évangélique (AUGUSTIN, *Contra
Adimantum* 4, 17, *CSEL* 25/1, 170, 4).

pas en moi des larmes fréquentes et des soupirs quotidiens? «Seigneur, devant toi est tout mon désir, et mon gémissement ne t'est pas caché[g]. J'ai peiné dans mes gémissements», tu le sais; mais heureux celui qui a pu dire : «Chaque nuit, je baignerai mon lit de pleurs, j'arroserai ma couche de mes larmes[h].» Ces gémissements sont bien connus «non seulement de moi, mais aussi de tous ceux qui désirent son avènement[i]». C'est bien ce qu'il disait lui-même : «Les fils de l'Époux peuvent-ils pleurer, tant que l'Époux est avec eux? Mais des jours viendront où l'Époux leur sera enlevé, et alors ils pleureront[j1].» C'est comme s'il disait : «Alors la voix de la tourterelle se fera entendre.»

5. C'est bien ainsi, ô bon Jésus : ces jours-là sont venus. Car «la création elle-même gémit en travail d'enfantement jusqu'à ce jour, en attendant la révélation des fils de Dieu. Et non pas elle seule : nous aussi, nous gémissons nous-mêmes intérieurement, attendant l'adoption filiale, la rédemption de notre corps[a]». Car nous le savons : «Tant que nous sommes dans ce corps, nous sommes en exil loin de toi[b].» Et ces gémissements ne sont pas vains, puisque du ciel il leur est répondu avec tant de miséricorde : «A cause de la misère des indigents et du gémissement des pauvres, maintenant je me lèverai, dit le Seigneur[c].» Au temps des Pères aussi, cette voix gémissante s'éleva, mais rarement, et chacun gémissait à part lui. De là vient que quelqu'un disait : «Mon secret est à moi, mon secret est à moi[d2].» Mais même celui qui disait : «Mon gémissement ne t'est pas caché[e]», montrait bien qu'il était caché; car c'est à Dieu seul qu'il n'était pas caché. Aussi ne pouvait-on pas dire alors : «La voix de la tourterelle s'est fait entendre sur notre terre[f].» Car le

2. Cette citation d'*Is.* 24, 16 termine la *Lettre aux frères du Mont-Dieu* de Guillaume de Saint-Thierry (*SC* 223, p. 384). Cf. p. 162, n. 1 sur *SCt* 57, 5.

quoniam secretum adhuc paucorum iam tunc in multitudinem non exivit. At ubi palam clamatum est : *Quae sursum sunt quaerite, ubi Christus est in dextera Dei sedens*[g], ad omnes iam coepit pertinere gemitus iste
20 turtureus et una omnibus esse gemendi ratio, quia omnes sciebant Dominum, secundum quod in Propheta legitur : *Et cognoscent me omnes a minimo usque ad maximum, dicit Dominus*[h].

III. Cur unius tantum turturis dicitur, et de turturis castitate.

6. Ceterum si multi gementes, quid sibi vult unius designatio? *Vox turturis*[a], inquit. Quare non « turturum? » Forte Apostolus id solvit, ubi ait quia *ipse Spiritus postulat pro sanctis, gemitibus inenarrabilibus*[b]. Ita est : ipse inducitur
5 gemens, qui gementes facit. Et quamlibet multi sint, quos ita gemere audias, unius per omnium labia vox sonat.
139 Quidni illius, qui ipsam in ore singulorum pro quorumque necessitatibus format? Denique *unicuique datur manifestatio Spiritus ad utilitatem*[c]. Sua vox quemque manifestum
10 facit, et praesentem indicat. Et audi ex Evangelio, quod vocem habeat Spiritus Sanctus : *Spiritus*, inquit, *ubi vult spirat, et vocem eius audis, et nescis unde veniat aut quo vadat*[d]. Etsi ille nesciebat, qui *litteram occidentem*[e] docebat mortuos magister mortuus, nos sciamus qui,
15 *translati de morte ad vitam*[f] per *vivificantem Spiritum*[g], certo et quotidiano experimento, ipso nos illuminante, probamus vota et gemitus nostros ab ipso venire, et ad

g. Col. 3, 1   h. Jér. 31, 34 ≠
6.a. Cant. 2, 12   b. Rom. 8, 26-27 ≠   c. I Cor. 12, 7   d. Jn 3, 8 ≠   e. II Cor. 3, 6 ≠   f. I Jn 3, 14 ≠   g. I Cor. 15, 45 ≠

1. Bernard a très bien compris que l'intériorisation des promesses bibliques faite par les prophètes ne réserve plus ces promesses à tout le peuple d'Israël, mais les adresse à chaque fidèle individuel.
2. Nicodème, qui n'est pas encore « né d'en haut » (Jn 3,3).

secret, qui était encore réservé à un petit nombre, n'était pas parvenu à la multitude. Mais lorsque fut proclamé ouvertement : «Cherchez les réalités d'en haut, là où est le Christ, assis à la droite de Dieu[g]», ce gémissement de la tourterelle commença à être commun à tous, et tous eurent le même motif de gémir. Tous en effet connaissaient le Seigneur, selon qu'il est écrit dans le Prophète : «Ils me connaîtront tous, du plus petit jusqu'au plus grand, dit le Seigneur[h1].»

III. Pourquoi il n'est fait mention que d'une seule tourterelle. La chasteté de la tourterelle.

6. Mais s'ils sont nombreux à gémir, à quoi bon cette mention d'une seule tourterelle? «La voix de la tourterelle[a]», est-il dit. Pourquoi pas «des tourterelles»? Peut-être l'Apôtre nous l'explique-t-il, lorsqu'il dit que «l'Esprit lui-même intercède pour les saints en des gémissements ineffables[b]». Il en est bien ainsi : celui qui nous donne de gémir est lui-même représenté gémissant. Et si nombreux que soient ceux que tu entends gémir ainsi, c'est la voix d'un seul qui résonne sur les lèvres de tous. Comment ne serait-ce pas la voix de celui qui articule cette même voix dans la bouche de chacun selon ses nécessités particulières? Car «la manifestation de l'Esprit est donnée à chacun pour son bien[c]». La voix de chacun le manifeste et indique sa présence. Apprends de l'Évangile que l'Esprit-Saint a une voix : «L'Esprit, est-il dit, souffle où il veut ; tu entends sa voix, et tu ne sais d'où elle vient ni où elle va[d].» Il ne le savait pas, ce maître mort[2] qui enseignait à des morts «la lettre qui tue[e]». Mais nous devrions le savoir, nous qui, «transportés de la mort à la vie[f]» par «l'Esprit vivifiant[g]», éprouvons chaque jour par une expérience certaine, grâce à son illumination, que nos désirs et nos gémissements viennent de lui et

Deum ire, illicque *invenire* misericordiam *in oculis Dei*[h].
Quando enim Spiritus sui vocem irritam faceret Deus?
20 Atqui *ipse scit quid desideret Spiritus, quia secundum
Deum postulat pro sanctis*[i].

7. Nec soli commendant turturem gemitus : commendat
et castitas. Huius denique merito digna fuit dari hostia
pro virgineo partu. Sic quippe habes : *Par turturum aut
duos pullos columbarum*[a]. Et licet alias quidem per
5 columbam Spiritus Sanctus soleat designari, quia tamen
libidinosa avis est, non decuit offerri eam in sacrificium
Domini, nisi ea sane aetate quae nesciret libidinem. At
turturis non designatur aetas, quoniam agnoscitur castitas
in quacumque aetate. Denique compare uno contenta est ;
10 quo amisso, alterum iam non admittit, numerositatem in
hominibus nuptiarum redarguens. Nam etsi forsitan culpa
propter incontinentiam venialis est, ipsa tamen tanta incon-
tinentia turpis est. Pudet ad negotium honestatis rationem
non posse in homine, quod natura possit in volucre.
15 Cernere est turturem, tempore suae viduitatis, sanctae
viduitatis opus strenue atque infatigabiliter exsequentem.
Videas ubique singularem, ubique gementem audias ; nec
umquam in viridi ramo residentem prospicies, ut tu ab
eo discas voluptatum virentia virulenta vitare. Adde quod
20 in iugis montium et in summitatibus arborum frequentior
illi conversatio est, ut, quod vel maxime propositum pudicitiae decet, doceat nos terrena despicere et amare
caelestia.

---

h. Gen. 33, 10 ≠ ; Judith 10.12   i. Rom. 8, 26-27 ≠
7.a. Lc 2, 24

---

1. La chasteté de la tourterelle est un thème que Bernard trouvait
dans le *Physiologus*. Cf. Liselotte LUTZ *et alii*, *Lexikon des Mittelalters* 6
(1992), p. 2118. Les données naturelles provenaient plus des lectures
que de l'observation de la nature. Pour l'influence d'AMBROISE, cf. *SC*
452, p. 178, n. 2 sur *SCt* 40, 4. Voir : O. SEEL, *Der Physiologus*, Zürich
1992, p. 41-42.

vont à Dieu, et là «trouvent miséricorde aux yeux de Dieu[h]». Comment Dieu pourrait-il laisser sans effet la voix de son Esprit? Bien plus, «il sait lui-même ce que l'Esprit désire, puisque c'est selon Dieu que l'Esprit intercède pour les saints[i]».

7. Ce ne sont pas les seuls gémissements qui donnent du prix à la tourterelle : la chasteté aussi lui en donne. C'est grâce à cette vertu qu'elle fut digne d'être offerte en victime pour l'enfant né de la Vierge. Tu lis en effet : «Une paire de tourterelles ou deux jeunes colombes[a].» Bien qu'ailleurs l'Esprit-Saint soit habituellement figuré par la colombe, il n'empêche que ce soit un oiseau lascif. Aussi ne convenait-il pas qu'il fût offert pour le sacrifice du Seigneur, sinon à cet âge qui ne connaît pas le désir sexuel. En revanche, l'âge de la tourterelle n'est pas précisé, car à tout âge sa chasteté est bien connue[1]. En effet, elle se contente d'un seul compagnon; lorsqu'elle l'a perdu, elle n'en accepte plus d'autre. Elle reproche ainsi aux hommes la pluralité de leurs mariages. Bien que la faute soit peut-être vénielle, en raison du risque de débauche, une débauche si effrénée est tout de même déshonorante. C'est une honte qu'en ce qui concerne l'honnêteté la raison ne puisse pas chez l'homme ce que la nature peut chez un oiseau. On peut voir la tourterelle, au temps de son veuvage, observer avec un zèle infatigable la conduite qu'un saint veuvage exige. Tu la vois partout solitaire, partout tu l'entends gémir. Jamais tu ne la verras perchée sur une branche verdoyante : c'est pour apprendre d'elle à fuir la sève empoisonnée des plaisirs. Ajoute qu'elle demeure le plus souvent au sommet des montagnes et au faîte des arbres : c'est pour nous apprendre à dédaigner les réalités terrestres et à aimer les réalités célestes[2], ce qui convient tout particulièrement au choix de la chasteté.

2. * *Doceat... caelestia* : termes mêmes de la postcommunion du 2e dimanche de l'Avent.

140 **8.** Ex quibus colligitur, quod vox sit turturis etiam praedicatio castitatis. Neque enim a principio vox ista in terris
audita fuit, sed magis illa : *Crescite et multiplicamini, et
replete terram*[a]. Incassum profecto vox illa pudicitiae
5 sonuisset, necdum propalata resurgentium patria, in qua
longe felicius homines *neque nubent, neque nubentur,
sed sunt sicut angeli in caelis*[b]. Tune voci illi tempus
fuisse tunc dicas, cum maledicto omnis subiacebat sterilis
in Israel, cum Patriarchae ipsi plures simul habebant
10 uxores, cum *frater fratris absque liberis defuncti semen
suscitare*[c] ex lege compellebatur? At ubi insonuit ex ore
caelestis turturis commendatio illa spadonum, *qui se
castraverunt propter regnum* Dei[d], et item alterius
cuiusdam castissimae turturis *consilium de virginibus*[e]
15 ubique invaluit, tunc primum dici veraciter potuit, quia
vox turturis audita est in terra nostra[f].

**IV. Quod auditu vocis et visu floris,
id est signorum, fides astruitur.**

9. Ergo *in terra nostra* et *flores apparuerunt*, et *vox
turturis audita est*[a]; profecto et visu veritas comperta est,
et auditu. Vox quippe auditur, flos cernitur. Flos miraculum
est, ut nostra superior interpretatio habet, quod, voci

8.a. Gen. 1, 28; Gen. 9, 1   b. Mc 12, 25; cf. Lc 20, 35-36   c. Deut. 25,
5 ≠   d. Matth. 19, 12 ≠   e. I Cor. 7, 25 ≠   f. Cant. 2, 12
9.a. Cant. 2, 12 ≠

---

1. * Cette malédiction est citée à la manière d'un dicton, puis com-
mentée dans *Miss* III, 7-8 (*SC* 390, p. 185-190). On trouve de nom-
breux développements et allusions à ce thème dans Jérôme (*Comm.
Is.* II [sur *Is.* 4, 1], *CCL* 73, p. 59, l. 12), ainsi que dans Cassien,
Cassiodore, Hugues de Saint-Victor (avec *maledicta* ou *maledicta mulier;
avec* ou *sans in Israel*). Cf. N. Adkin, «An Unidentified Latin Quotation
Related to Is 31, 9», *RBén* 93, 1983, p. 123. Ici comme dans *Miss,*
Bernard se sert de ce texte pour montrer l'imperfection de l'ancienne
Loi et la sagesse de la nouvelle; la «Vierge prudente» avait «lu» tout

8. On peut conclure de cela que la voix de la tourterelle est aussi une exhortation à la chasteté. Ce n'est
pas cette voix qui a été entendue sur terre dès le commencement, mais plutôt cette autre : «Croissez et multi-
pliez-vous, et remplissez la terre[a].» La voix de la chasteté
aurait certes retenti en vain, lorsque la patrie des res-
suscités n'avait pas encore été révélée. En cette patrie,
avec bien plus de bonheur, les hommes «ne se marient
pas et ne sont pas mariés, mais ils sont pareils aux anges
dans les cieux[b]». Diras-tu que le temps était propice à
cette voix, lorsque toute femme stérile en Israël était sous
le coup de la malédiction[1], lorsque les Patriarches eux-
mêmes avaient plusieurs épouses à la fois, lorsque «le
frère» était obligé par la loi «à procurer une descendance à son frère mort sans enfants[c]»? Mais un jour vint
où la bouche de la tourterelle céleste fit entendre l'éloge
de ces eunuques «qui se sont châtrés pour le royaume
de Dieu[d]»; puis une autre très chaste tourterelle donna,
«au sujet des vierges, un conseil[e]» qui s'imposa partout.
Alors, pour la première fois, on put dire en toute vérité :
«La voix de la tourterelle s'est fait entendre sur notre
terre[f].»

**IV. La foi s'appuie sur l'écoute de la voix
et sur la vue de la fleur, c'est-à-dire sur les signes.**

9. C'est ainsi que «sur notre terre les fleurs sont
apparues» et que «la voix de la tourterelle s'est fait
entendre[a]». Oui, la vérité a été découverte par la vue
et par l'ouïe. La voix s'entend, la fleur se voit. La fleur,
selon l'interprétation que j'ai donnée plus haut[2], c'est le
miracle qui, s'ajoutant à la voix, produit le fruit de la

---

cela entre les lignes de la Bible (*Matth.* 19, 12 et *I Cor.* 7, 25 sont
cités dans *Miss* et ici).
2. Voir : *SCt* 51, 2, l. 12-23, p. 42.

5 accedens, fructum parturit fidei. Etsi *fides ex auditu*[b], sed
ex visu confirmatio est. Sonuit vox[c], splenduit flos, et
veritas de terra orta est[d] per fidelium confessionem, verbo
signoque pariter concurrentibus in *testimonium fidei*[e].
Testimonia ista *credibilia facta sunt nimis*[f], dum flos voci,
10 auri oculus attestatur. Audita visa confirmant, ut duorum
testimonium[g] – auris loquor et oculi – ratum sit. Propterea
Dominus aiebat : *Ite, renuntiate Ioanni* – eius nempe discipulis loquebatur – *quae audistis et vidistis*[h]. Nec brevius
illis, nec planius intimari fidei valuit certitudo. Eadem sane
15 in brevi etiam universae terrae persuasio facta est, et
eodem argumenti compendio. *Quae audistis,* inquit, *et
vidistis.* O *verbum abbreviatum*[i], attamen *vivum et efficax*[j]!
Haud dubius profecto assero, quod aure oculisque percepi.
Intonat tuba salutaris, coruscant miracula, et mundus credit.
20 Cito persuadetur quod dicitur, dum quod stupetur ostenditur. Habes autem, quia *profecti* Apostoli *praedicaverunt
ubique, Domino cooperante et sermonem confirmante,
sequentibus signis*[k]. Habes in monte stupenda claritate
transfiguratum, et nihilominus superna testificatum voce[l].
25 Habes in Iordane similiter et columbam designantem, et
vocem testificantem[m]. Ita haec duo ubique pariter, vox
et signum, ad introducendam fidem ex divina largitate

---

b. Rom. 10, 17   c. cf. Cant. 2, 14   d. Ps. 84, 12   e. Hébr. 11,
39 ≠   f. Ps. 92, 5 ≠   g. cf. Matth. 18, 16   h. Lc 7, 22 ≠;
Matth. 11, 4 ≠   i. Rom. 9, 28 (Patr.)   j. Hébr. 4, 12 ≠   k. Mc 16,
20 ≠   l. cf. Matth. 17, 2. 5   m. cf. Matth. 3, 13. 16-17

---

1. * «O parole abrégée», *Verbum abbreviatum* est une traduction
latine très ancienne, vite devenue une expression, que Bernard emploie
15 fois environ, parfois comme un simple synonyme du Christ, parfois
afin d'insister sur l'abaissement du Verbe, le dépouillement, l'humiliation
volontaire du Fils de Dieu devenu homme. Cf. *SC* 393, p. 112, n. 2 sur
Dil 21. Il y adjoint plusieurs fois *vivum et efficax,* «vivante et efficace»,

foi. Si «la foi naît de l'écoute[b]», la confirmation en est donnée par la vue. La voix a retenti[c], la fleur s'est montrée dans tout son éclat, et «la vérité a germé de la terre[d]» par la confession des fidèles, la parole et le signe rendant ensemble «témoignage à la foi[e]». Ces «témoignages sont devenus tout à fait crédibles[f]», puisque la fleur apporte sa confirmation à la voix, l'œil à l'oreille. Ce qui se voit confirme ce qui s'entend, pour que leur double témoignage[g] – je veux dire de l'oreille et de l'œil – soit accepté. C'est pourquoi le Seigneur disait : «Allez, rapportez à Jean – il parlait aux disciples de celui-ci – ce que vous avez entendu et vu[h].» La certitude de la foi ne pouvait leur être communiquée dans une formule plus brève ni plus nette. La terre entière fut, elle aussi, amenée à cette même croyance par quelques mots brefs et un argument tout aussi concis. «Ce que vous avez entendu et vu», est-il dit. O «parole abrégée[i][1]», et pourtant «vivante et efficace[j]»! Sans le moindre doute, j'affirme ce que j'ai perçu par l'oreille et par les yeux. La trompette du salut retentit[2], les miracles éclatent, et le monde croit. Les paroles trouvent vite créance, lorsque des prodiges sont montrés. Or, tu lis que les Apôtres «partirent prêcher partout, le Seigneur agissant avec eux et confirmant la parole par les signes qui l'accompagnaient[k]». Tu lis que sur la montagne le Seigneur fut transfiguré dans une clarté merveilleuse, et qu'en même temps une voix céleste lui rendit témoignage[l]. Tu lis qu'au Jourdain pareillement il y eut une colombe qui désigna le Seigneur et une voix qui lui rendit témoignage[m]. Ainsi, par un effet de la générosité divine, ces deux moyens, la

comme ici : Bernard entend bien ne jamais dissocier le Christ en ses abaissements des prérogatives et de la grandeur du Fils, aussi il évoque *Hébr.* 4, 12.

2. * *Intonat tuba salutaris :* trois mots du début de l'*Exsultet,* chant de bénédiction du cierge pascal, le Samedi saint.

concurrunt, ut latus ad animam per utrasque fenestras ingressus pateat veritati.

10. Sequitur : *Ficus protulit grossos suos*[a]. Non comedamus ex eis[b]; nec enim esui habiles sunt ob immaturitatem sui. Bonarum ficuum habent speciem, sed similitudinem, non saporem, forte hypocritas designantes.
5 Non abiciamus tamen : alias forsitan his opus habebimus. Alioquin satis per seipsos leviter et ante tempus cadent, sicut *fenum tectorum, quod, priusquam evellatur, exaruit*[c], quod ego de hypocritis dictum reor. Non sine causa tamen in carmine nuptiali eorum mentio facta est. Erunt sine
10 dubio, etsi non esui, usui qualicumque. Multa in nuptiis praeter dapes necessarie procurantur. Ego vero istud adeo minime praetereundum existimo, ut quidquid illud est, discutere inter angustias extremitatum sermonis huius nolim; sed differo in diem alterum et horam liberiorem.
15 An vero necessarie, vobis tunc experiri libebit; tantum mihi opportunitatem facultatemque obtineant vota vestra ad proferendum quod sentio, in vestram ipsorum aedificationem, in *laudem et gloriam*[d] sponsi Ecclesiae, Iesu Christi Domini nostri, *qui est super omnia Deus benedictus*
20 *in saecula. Amen*[e].

10.a. Cant. 2, 13   b. cf. Gen. 3, 3   c. Ps. 128, 6   d. Phil. 1, 11 ≠   e. Rom. 9, 5

voix et le signe, vont partout de pair pour faire pénétrer la foi, afin que par ces deux fenêtres la vérité se fraie une large entrée dans l'âme.

10. Il est dit ensuite : «Le figuier a poussé ses fruits verts[a][1].» N'en mangeons pas[b]; ils ne sont pas comestibles parce qu'ils ne sont pas mûrs. Ils ont l'apparence de bonnes figues, mais ils en ont le semblant, non la saveur; peut-être figurent-ils les hypocrites. Ne les jetons pas pourtant : nous en aurons peut-être besoin une autre fois. D'ailleurs, ils tomberont bien d'eux-mêmes, aisément et avant le temps, «comme l'herbe des toits, qui se dessèche avant qu'on l'arrache[c]»; ce qui, je pense, a été dit des hypocrites. Pourtant, ce n'est pas sans raison qu'il en est fait mention dans ce chant nuptial. Sans aucun doute, s'ils ne sont pas comestibles, ils seront utilisables de quelque manière. Lors des noces, il faut se procurer bien des choses, outre les mets pour le festin. Pour ma part, j'estime si peu devoir passer ce point sous silence que je ne voudrais pas l'examiner, quel qu'il soit, dans les limites étroites d'une fin de sermon. Je le remets à un autre jour et à un moment plus libre. Vous pourrez alors vérifier à votre gré si c'était nécessaire. Je vous demande seulement de m'obtenir par vos prières l'occasion et la capacité d'exprimer ce que je ressens, pour votre propre édification, «à la louange et à la gloire[d]» de l'Époux de l'Église, Jésus-Christ notre Seigneur, «qui est au-dessus de tout, Dieu béni dans les siècles. Amen[e]».

---

1. «Les fruits verts du figuier». Cf. PLINE, *Nat.* 13, 58 : *fructus quaternos fundit (ficus Cypria), totiens et germinat, sed grossus eius non maturescit nisi incisura emisso lacte*, «Le figuier de Chypre porte quatre récoltes et pousse autant de fois des bourgeons. Mais ses figues ne mûrissent que si on les incise pour en faire couler le lait» (*CUF*, p. 37).

SERMO LX

I. Quae sit ficus vel qui eius grossi, aut quando hos prodiderit. – II. Quae vineae, qui flos, quis odor eius, et quomodo vel quando haec dederint. – III. Quae sint ficus morales, qui grossi vel quae vineae.

I. Quae sit ficus vel qui eius grossi, aut quando hos prodiderit.

142   **1.** *Ficus protulit grossos suos*[a]. Ex superioribus pendet praesens locus. Dixerat enim *tempus putationis venisse*[b], tam ex floribus qui iam apparebant, quam ex audita turturis voce hoc asserens[c]. Idipsum adhuc ex grossorum
5 productione affirmat, quia non solum ex floribus et voce turturis experimentum capitur temporis : capitur et ex ficu. Non enim non est aer indulgentior tunc, cum ficus grossos suos protulerit. Ficus flores non habet, sed pro floribus grossos mittit, tempore quo ceterae arbores florent. Et
10 quomodo flores apparent et transeunt, ad nihil utiles, nisi quod secuturi fructus quidam praenuntii sunt, ita et grossi oriuntur, sed immature cadunt, et dant locum maturandis, ipsi minime habiles ad vescendum. Et hinc ergo, ut dixi, sumit sponsus experimentum temporis et argumentum
15 suasionis, ut non pigritetur pergere sponsa ad vineas, quia non perit opera, quae tempestiva venit. Et littera quidem sic.

1.a. Cant. 2, 13   b. Cant. 2, 12 ≠   c. cf. Cant. 2, 12

SERMON 60

I. Quel est le figuier et quels sont ses fruits verts. Quand le figuier les a produits.

1. « Le figuier a fait pousser ses fruits verts[a]. » Ce passage dépend de ce qui précède. L'Époux avait dit en effet que « le temps de la taille était venu[b] » ; il le prouvait soit par les fleurs qui déjà apparaissaient, soit par la voix de la tourterelle qui se faisait entendre[c]. Il le confirme en outre par la poussée des figues vertes. Car ce n'est pas seulement aux fleurs et à la voix de la tourterelle qu'on reconnaît la saison : c'est aussi au figuier. En effet, l'air n'est jamais plus doux que lorsque le figuier fait pousser ses fruits verts. Le figuier n'a pas de fleurs, mais au lieu de fleurs il donne des fruits verts, au temps où les autres arbres fleurissent. Les fleurs apparaissent et passent ; elles ne servent à rien, sinon à annoncer le fruit qui va suivre. De même les figues vertes poussent, mais tombent prématurément, et laissent la place aux figues qui mûriront, tandis qu'elles-mêmes ne sont nullement bonnes à manger. De là, je l'ai dit, l'Époux tire la preuve de la saison et un argument persuasif, afin que l'épouse ne soit pas lente à se rendre aux vignes. Car le travail fait à son heure n'est pas perdu. Tel est le sens littéral.

2. Quid vero spiritus? Ut plane hoc loco non ficum intueamur, sed populum : nempe de hominibus cura est Deo, non de arboribus[a]. Vere ficus est populus, fragilis carne, parvulus sensu, animo humilis, cuius primi fructus, ut interim nomini alludamus, grossi utique et terreni. Nec enim popularis est studii *primum quaerere regnum Dei et iustitiam eius*[b], sed, ut ait Apostolus, *cogitare quae mundi sunt, quomodo uxoribus placeant*[c], vel illae viris. *Tribulationem carnis habebunt huiusmodi*[d]; sed in novissimis non negamus eos fructus fidei assecuturos, si *bonam* habuerint novissimam *confessionem*[e], maximeque si *carnis opera*[f] *eleemosynis redemerint*[g]. Ergo primi plebium fructus nec fructus sunt, non magis quam ficuum grossi. Denique si *dignos* postmodum *fructus paenitentiae fecerint*[h], – *non enim prius quod spirituale est, sed quod animale*[i] –, dicetur illis : *Quem fructum habuistis in quibus nunc erubescitis*[j]?

3. Ego tamen hoc loco non quemvis populum interpretari puto liberum : unus signanter exprimitur. Neque enim «protulerunt» dixit, quasi de pluribus, sed quasi de una, *protulit,* inquit, *ficus grossos suos*[a], et, ut sentio ego, quae est plebs Iudaeorum. Quanta in hanc Salvator parabolice in Evangelio loqui videtur! ut est illud : *Arborem fici habebat quidam plantatam in vinea sua*[b] etc.; item : *Videte ficulneam et omnes arbores*[c]; et Nathanaeli dictum est : *Cum esses sub ficu, vidi te*[d]. Et rursum maledicit ficulneae, pro eo quod non invenit in ea fructum[e]. Bene

---

2.a. cf. I Cor. 9, 9   b. Matth. 6, 33 ≠   c. I Cor. 7, 33-34 ≠
d. I Cor. 7, 28   e. I Tim. 6, 12 ≠   f. Gal. 5, 19 ≠   g. Dan. 4,
24 ≠   h. Lc 3, 8 ≠   i. I Cor. 15, 46   j. Rom. 6, 21 ≠
3.a. Cant. 2, 13 ≠   b. Lc 13, 6   c. Lc 21, 29   d. Jn 1, 48
e. cf. Mc 11, 13-14. 21

---

1. Les premiers fruits s'appellent *grossi,* pluriel du substantif *grossus.*
Mais l'adjectif *grossus* signifie «vert» ou «grossier».

2. Il faut répéter que Bernard n'a jamais eu la réputation d'être antisémite. Cf. *SC* 414, p. 304, n. 1.

2. Or, quel est le sens spirituel? C'est sans doute qu'en ce passage nous ne regardions pas le figuier, mais le peuple; car Dieu se met en peine des hommes, non des arbres[a]. C'est vraiment un figuier que le peuple : chair fragile, intelligence bornée, esprit terre à terre; ses premiers fruits, pour faire un jeu de mots sur leur nom, sont tout à fait verts et terrestres[1]. Car le peuple ne se préoccupe pas de «chercher d'abord le royaume de Dieu et sa justice[b]», mais, comme dit l'Apôtre, «il a souci des affaires du monde : les hommes, comment ils peuvent plaire à leurs femmes[c]»; elles, à leurs maris. «Ces gens-là auront des tribulations dans la chair[d].» Mais nous ne nions pas qu'à la fin ils ne puissent obtenir les fruits de la foi, s'ils ont fait à la fin «une bonne confession[e]», et surtout s'«ils rachètent les œuvres de la chair[f] par des aumônes[g]». Aussi les premiers fruits des peuples ne sont-ils même pas des fruits, pas plus que les fruits verts des figuiers. Si ensuite «ils produisent de dignes fruits de repentir[h]» – car «ce n'est pas ce qui est spirituel qui paraît d'abord, mais ce qui est animal[i]» – il leur sera dit : «Quel fruit avez-vous recueilli d'actions dont maintenant vous rougissez[j]?»

3. Pourtant, je ne pense pas qu'on soit libre d'appliquer ce passage à n'importe quel peuple. Il en est un qui est expressément désigné. En effet, il n'a pas été dit : «Ils ont poussé», comme s'il s'agissait de plusieurs; mais il a été dit, comme pour parler d'un seul : «Le figuier a fait pousser ses fruits verts[a].» A mon sens, ce figuier est le peuple juif[2]. Combien de fois dans l'Évangile on voit le Sauveur parler en paraboles au sujet de ce peuple! Par exemple ici : «Un homme avait un figuier planté dans sa vigne[b]» etc. Et ailleurs : «Voyez le figuier et tous les arbres[c].» Et à Nathanaël il a été dit : «Quand tu étais sous le figuier, je t'ai vu[d].» Une autre fois il maudit le figuier, parce qu'il n'y a pas trouvé de fruit[e]. Fort à

ficus, quae bona licet Patriarcharum radice prodierit,
numquam tamen in altum proficere, numquam se humo
attollere voluit, numquam respondere radici proceritate
ramorum, generositate florum, fecunditate fructuum. Male
15 prorsus tibi cum tua radice convenit, arbor pusilla,
tortuosa, nodosa. *Radix* enim *sancta*[f]. Quid ea dignum
tuis apparet in ramis? *Ficus,* inquit, *protulit grossos suos.*
Non hos nobili a radice traxisti, semen nequam. *Quod
in ea est, de Spiritu Sancto est*[g], ac per hoc subtile totum
20 et suave. Tibi unde hi grossi? Et vere quid non grossum
in gente illa? Nec actus profecto, nec affectus, nec intellectus; sed nec ritus, quem in colendo Deum habuit. Nam
actus in bellis, affectus in lucris totus erat, intellectus in
crassitudine litterae, cultus in sanguine pecudum et armen-
25 torum.

4. At dicit aliquis : Cum istiusmodi grossos non
aliquando proferre gens illa cessaverit, ergo non aliquando
tempus putationis non exstitit, quia unum utrique rei
tempus exsistere perhibetur. Non ita est. Dicimus mulieres
5 filios procreasse, non cum parturiunt, sed cum iam pepe-
rerunt. Dicimus et arbores edidisse flores suos, non cum
coeperunt florere, sed potius cum desierunt. Ita hic quoque
dictum est, quia *ficus protulit grossos suos*[a], non cum
aliquos edidit, sed cum totos, id est cum ad finem pervenit
10 editio. Quaeris quo tempore istiusmodi complementum illi
populo accidit? Cum Christum occidit, tunc *completa est
malitia eius*[b], iuxta quod ipse eis praedixerat : *Implete*

---

f. Rom. 11, 16   g. Matth. 1, 20 ≠
4.a. Cant. 2, 13   b. I Sam. 20, 7

---

1. Le comportement des adversaires juifs du Christ est décrit pour
prémunir tout lecteur contre une attitude semblable.

propos ce peuple est comparé au figuier : bien qu'il soit
sorti de la noble racine des Patriarches, jamais pourtant
il n'a voulu se développer en hauteur, jamais s'élever du
sol ; jamais il n'a voulu répondre à l'excellence de la
racine ni par l'exubérance des branches, ni par la luxu-
riance des fleurs, ni par l'abondance des fruits. Oui, tu
corresponds mal à ta racine, arbre chétif, tordu, noueux.
Car « la racine est sainte[f] ». Que paraît-il dans tes branches
qui soit digne d'elle? « Le figuier, est-il dit, a fait pousser
ses fruits verts. » Ce n'est pas de ta noble racine que tu
les as tirés, mauvais rejeton. « Ce qui est en elle vient
de l'Esprit-Saint[g] » ; dès lors, tout y est délicat et doux.
D'où te viennent ces fruits verts? Vraiment, qu'y a-t-il
dans ce peuple qui ne soit grossier? Oui, soit l'action,
soit l'affection, soit l'intelligence ; mais aussi le culte rituel
qu'il a rendu à Dieu. Car son action était toute dans les
guerres, son affection dans les gains, son intelligence dans
la grossièreté de la lettre, son culte dans le sang des
bêtes et des troupeaux.

4. Mais quelqu'un dira : puisque ce peuple n'a jamais
cessé de faire pousser de tels fruits verts, il faut que le
temps de la taille ait été de toujours ; car on dit que le
temps de la taille coïncide avec celui des figues vertes.
Il n'en est pas ainsi. Nous disons que les femmes ont
eu des enfants non pas lorsqu'elles sont en travail, mais
lorsqu'elles ont accouché. Nous disons aussi que les arbres
ont produit leurs fleurs non pas quand ils commencent
à fleurir, mais plutôt quand ils ont cessé. De même ici
il est dit que « le figuier a fait pousser ses fruits verts[a] »
non quand il en a produit quelques-uns, mais quand il
les a tous produits, c'est-à-dire quand la production touche
à sa fin. Tu demandes en quel temps ce peuple a connu
un tel achèvement? Lorsqu'il a tué le Christ[1]. C'est alors
que « sa méchanceté fut achevée[b] », selon ce que le Christ
lui-même leur avait prédit : « Comblez la mesure de vos

mensuram patrum vestrorum[c]. Unde in patibulo *tradi-*
turus iam *spiritum*[d] : *Consummatum est*[e], inquit. O
15 qualem consummationem dedit grossis suis ficus haec
maledicta, et subinde aeterna ariditate damnata[f]! O quam
sunt *novissimi peiores prioribus*[g]! Incipiens ab inutilibus,
ad perniciosos pervenit et venenatos. O grossum vipe-
reumque affectum, odire hominem qui hominum et
20 corpora sanat, et salvat animas! O nihilominus intellectum
grossum et certe bovinum, qui Deum *non intellexerunt*
nec in operibus Dei[h]!

5. Nimium me fortasse queratur in sui suggillatione
Iudaeus, qui intellectum illius dico bovinum. Sed legat in
Isaia, et plus quam bovinum audiet : *Cognovit bos,* inquit,
possessorem suum, et asinus praesepe domini sui. Israel
5 *non cognovit me, populus meus non intellexit*[a]. Vides me,
Iudaee, mitiorem tibi Propheta tuo. Ego *comparavi* te
iumentis[b], ille subicit. Quamquam non in sua Propheta
persona dixit hoc, sed in Dei, qui Deum se et ipsis
operibus clamat : *Et si mihi,* inquit, *non creditis, operibus*
10 *credite*[c]; et *si non facio opera Patris mei, nolite credere*[d];
nec sic tamen evigilant ad intelligendum. Non fuga
daemonum, non oboedientia elementorum, non vita
mortuorum, bestialem hanc, et plus quam bestialem, hebe-
tudinem ab eis depellere quivit; de qua non minus mirabili
15 quam miserabili caecitate factum est, ut in illud tam
horrendum tamque enormiter grossum facinus proruerent,
Domino maiestatis[e] inicientes manus sacrilegas. Ex tunc

---

c. Matth. 23, 32   d. Jn 19, 30 ≠   e. Jn 19, 30   f. cf. Mc 11, 14
g. Matth. 12, 45 ≠   h. Ps. 27, 5 ≠
5.a. Is. 1, 3 ≠   b. Ps. 48, 13 ≠   c. Jn 10, 38 ≠   d. Jn 10, 37
e. I Cor. 2, 8 (Patr.)

---

1. * Bernard a souvent cité ce verset et très souvent évoqué le « Seigneur de gloire » ou de « majesté » bafoué pendant la Passion, *Dominus*

pères^c.» De là vient que sur le gibet, «au moment de
remettre l'esprit^d», le Christ dit : «Tout est accompli^e.»
O quel accomplissement ce figuier maudit a-t-il donné à
ses fruits verts! Aussitôt il fut condamné à une stérilité
éternelle^f. O combien «les derniers fruits sont pires que
les premiers^g»! Il a commencé par des fruits inutiles, il
finit par en donner qui sont vénéneux et mortels. O sentiment grossier et digne d'une vipère : haïr l'homme qui
guérit les corps des hommes et sauve leurs âmes! O
intelligence grossière et proprement bovine : «ils n'ont
pas reconnu Dieu, même dans les œuvres de Dieu^h!»

5. Peut-être le juif pourrait-il se plaindre violemment
de l'outrage que je lui fais, moi qui qualifie de bovine
son intelligence. Qu'il lise Isaïe, il y entendra pire que
l'épithète de bovin : «Le bœuf a reconnu son proprié-
taire, est-il écrit, et l'âne la crèche de son maître. Israël
ne m'a pas reconnu, mon peuple n'a pas compris^a.» Tu
vois, juif, que je suis plus tendre pour toi que ton Prophète. Moi, «je t'ai comparé aux bêtes^b»; lui te met plus
bas encore. Or, le Prophète n'a pas dit cela en son
propre nom, mais au nom de Dieu, qui se proclame
Dieu dans ses œuvres mêmes : «Si vous ne me croyez
pas, dit-il, croyez du moins aux œuvres^c; et si je ne fais
pas les œuvres de mon Père, ne croyez pas^d.» Pourtant,
cela non plus n'éveille pas l'intelligence des juifs. Ni la
fuite des démons, ni l'obéissance des éléments, ni la vie
rendue aux morts n'ont pu chasser d'eux cette stupidité
bestiale, et plus que bestiale. Elle les a conduits, par un
aveuglement non moins stupéfiant que pitoyable, à s'en-
foncer dans ce crime si horrible et si énorme de porter
des mains sacrilèges sur «le Seigneur de majesté^{e 1}».
Depuis lors on a pu dire que «le figuier a fait pousser

---

gloriae étant *Vg* et *Dominus maiestatis* étant *VI.* Cf. *SCt* 16, 7, *SC* 431,
p. 54, n. 2.

itaque dici potuit, quia *ficus protulit grossos suos*[f], cum
iam videlicet legitima illius populi esse coeperunt quasi
20 *in exitu super summum*[g], ut *novis*, iuxta veterem pro-
phetiam, *supervenientibus, vetera proicerentur*[h] : non aliter
sane, quam quomodo grossi cadunt et cedunt suborien-
tibus ficubus bonis. Quamdiu, inquit, non cessavit ficus
producere grossos suos, non te vocavi, o sponsa, sciens
145 25 non posse una prodire optimas ficus. Nunc autem
productis qui prius producendi erant, non iam intem-
pestive te invito, cum boni ac salutares fructus in proximo
esse noscantur, inutiles expuncturi.

II. Quae vineae, qui flos, quis odor eius,
et quomodo vel quando haec dederint.

6. Nam et *vineae*, inquit, *florentes odorem dederunt*[a],
quod nihilominus appropinquantis fructus indicium est.
Hic odor serpentes fugat. Aiunt florescentibus vineis omne
reptile venenatum cedere loco, nec ullatenus novorum
5 ferre odorem florum. Quod volo attendant novitii nostri
et *fiducialiter agant*[b], cogitantes qualem *spiritum acceperunt*, cuius *primitias*[c] daemones non sustinent ; si sic
novitius fervor, quid erit absoluta perfectio ? Perpendatur
ex flore fructus, et saporis virtus ex vi aestimetur odoris.
10 *Vineae florentes odorem dederunt.* Et in principio quidem
sic fuit : ad praedicationem novae gratiae secuta est *novitas
vitae*[d] in his qui crediderunt, qui *conversationem suam
inter gentes habentes bonam*[e], *Christi erant bonus odor*

---

f. Cant. 2, 13   g. Ps. 73, 5   h. Lév. 26, 10 ≠
6.a. Cant. 2, 13 ≠   b. Ps. 11, 6 ≠   c. Rom. 8, 15. 23 ≠   d. Rom. 6,
4 ≠   e. I Pierre 2, 12 ≠

---

1. «Ce parfum met en fuite les serpents.» Cf. PLINE, *Nat.* 25,
100 *(CUF)* : «Les serpents fuient aussi l'odeur de la lysimaque.» Pline
ne semble pas parler de l'odeur des vignes.

ses fruits verts[f]»; c'est-à-dire, lorsque les prescriptions légales de ce peuple, parvenues, pour ainsi dire, «à leur comble, ont touché à leur fin[g]». Selon l'ancienne prophétie, «à l'avènement des réalités nouvelles, les anciennes ont été abandonnées[h]», exactement comme les figues vertes tombent et laissent la place aux bonnes figues qui viennent ensuite. Tant que le figuier n'a pas cessé de produire ses fruits verts, dit l'Époux, je ne t'ai pas appelée, ô mon épouse, sachant que les figues excellentes ne pouvaient pas naître en même temps. Mais maintenant que les figues qui devaient pousser les premières ont poussé, ce n'est pas hors de saison que je t'invite. Car nous savons que les fruits bons et salutaires sont tout proches et les inutiles en passe d'être éliminés.

II. Quelles sont les vignes, quelle est la fleur, quel est son parfum. Quand et comment les vignes ont donné la fleur et le parfum.

6. En effet, est-il dit, «les vignes en fleur ont exhalé leur parfum[a]», nouvel indice de la prochaine venue du fruit. Ce parfum met en fuite les serpents[1]. On dit que, lorsque les vignes commencent à fleurir, tous les reptiles venimeux s'éloignent et qu'ils ne supportent, en aucune façon, le parfum des fleurs nouvelles. Je souhaite que nos novices fassent attention à cela et «prennent confiance[b]», considérant «l'esprit qu'ils ont reçu», dont les démons ne peuvent tolérer «les prémices[c]». Si la ferveur du noviciat a un tel pouvoir, que ne sera la perfection achevée? Qu'on juge du fruit d'après la fleur, et qu'on estime la force de la saveur d'après la puissance du parfum. «Les vignes en fleur ont exhalé leur parfum.» Il en fut ainsi dès l'origine. La prédication de la grâce nouvelle fut suivie «d'une vie nouvelle[d]» en ceux qui crurent. «Ayant parmi les nations une belle conduite[e]»,

in omni loco[f]. Odor bonus, testimonium bonum. Hoc de
15 bono opere tamquam de flore odor procedit. Et quoniam
tali flore et tali odore inter primordia nascentis fidei fideles
animae, veluti quaedam spirituales vineae, refertae apparuerunt, *habentes testimonium bonum* et *ab his qui foris
erant*[g], non incongrue, ut opinor, de ipsis dictum sentimus,
20 quia *vineae florentes odorem dederunt*. Ad quid? Ut eo
sane provocati etiam qui necdum crediderant[h], *ex bonis
operibus* illos *considerantes, glorificarent* et ipsi *Deum*[i],
atque ita eis *odor vitae ad vitam*[j] esse inciperet. Idcirco
ergo dedisse odorem non immerito referuntur, qui non
25 suam gloriam, sed aliorum de sua bona opinione
quaesiere[k] salutem. Alioquin poterant more quorundam
quaestum aestimare pietatem[l], verbi gratia ostentationis,
mercedis. At istud esset non dare odorem, sed vendere.
Nunc vero quia *omnia sua in caritate faciebant*[m], non
30 plane vendiderunt odorem, sed dederunt.

7. Ceterum si vineae animae, flos opus, odor opinio
est, fructus quid? Martyrium. Et vere fructus vitis, sanguis
est martyris. *Cum dederit,* inquit, *dilectis suis somnum,
ecce hereditas Domini filii, merces fructus ventris*[a]. Prope-
5 modum dixissem : «fructus vitis». Quidni *sanguinem uvae*
146   dixerim *meracissimum, sanguinem innocentis, sanguinem
iusti*[b]? Quidni mustum rubens, probatum, pretiosum[c]

f. II Cor. 2, 15. 14 ≠   g. I Tim. 3, 7 ≠   h. cf. I Pierre 2, 9
i. I Pierre 2, 12 ≠   j. II Cor. 2, 16 ≠   k. cf. Jn 8, 50   l. I Tim. 6,
5 (Patr.)   m. I Cor. 16, 14 ≠
7.a. Ps. 126, 2-3   b. Deut. 32, 14 ≠; Ps. 105, 38 ≠; Matth. 27, 24 ≠
c. cf. Is. 28, 16

1. * Dans chacun de ses 10 emplois de ce verset, Bernard emploie
toujours *aestim(antium);* il suit plusieurs Pères – dont Maxime de

«ils étaient en tous lieux la bonne odeur du Christ[f]». La
bonne odeur, c'est le bon témoignage qu'on reçoit. Celui-
ci provient des bonnes œuvres, comme le parfum émane
de la fleur. Aux origines de la foi naissante, les âmes
fidèles, semblables à des vignes spirituelles, parurent toutes
remplies de ces fleurs et de ce parfum, «recevant un
bon témoignage même de ceux du dehors[g]». Aussi, à
mon sens, pouvons-nous non sans justesse rapporter à
ces âmes les paroles : «Les vignes en fleur ont exhalé
leur parfum.» Pourquoi? Afin que, stimulés par ce parfum,
ceux-là mêmes qui ne croyaient pas encore[h] «remarquent
les fidèles à leurs bonnes œuvres et glorifient Dieu[i]» eux
aussi. Ainsi ce parfum commencerait d'être pour eux «une
odeur de vie conduisant à la vie[j]». Voilà pourquoi il est
dit des fidèles, non sans raison, qu'ils ont exhalé leur
parfum : par leur bonne réputation, ils n'ont pas cherché
à obtenir leur propre gloire[k], mais le salut des autres.
Sinon, à la manière de certains, ils auraient pu «voir
dans la piété une source de profit[l]», par exemple pour
en tirer de la vanité ou un salaire. Ce qui eût été non
pas exhaler leur parfum, mais le vendre. Mais puisqu'«ils
faisaient tout dans la charité[m]», ils n'ont certes pas vendu
leur parfum, ils l'ont exhalé.

7. Si les vignes sont les âmes; la fleur, les œuvres; le
parfum, la réputation; qu'est le fruit? Le martyre. Oui,
vraiment, le fruit de la vigne, c'est le sang du martyr.
«Lorsque Dieu, est-il écrit, aura donné le sommeil à ses
bien-aimés, voici que des fils seront la part que donne
le Seigneur, et le fruit des entrailles sera leur récompense[a].» J'allais presque dire : «le fruit de la vigne.»
Pourquoi n'appellerai-je pas «sang très pur du raisin le
sang de l'innocent, le sang du juste[b]»? Pourquoi ne
l'appellerai-je pas vin rouge excellent, précieux[c], vraiment

Turin –, alors que *Vg* a *existim(antium)*. De même, en *SCt* 62, 8, l. 14,
p. 280.

plane de vinea Sorech, torculari[d] passionis expressum?
Denique *pretiosa in conspectu Domini mors sanctorum*
10 *eius*[e]. Haec pro eo quod dictum est *vineas florentes*
odorem dedisse[f].

8. Ita si ad tempora gratiae hunc locum respicere
malimus, aut si placet magis referri ad Patres – nam *vinea*
Domini Sabaoth populi Israel est[a] –, erit sensus : Christum
in carne nasciturum et moriturum odoraverunt Prophetae
5 et Patriarchae, sed non dederunt tunc eumdem odorem
suum[b], quia non exhibuerunt in carne, quem in spiritu
praesenserunt. Non dederunt odorem suum, nec secretum
publicaverunt, exspectantes *ut revelaretur in suo tempore*[c].
Quis sane tunc caperet *sapientiam in mysterio abscon-*
10 *ditam*[d], in corpore non exhibitam? Ita *vineae* tunc quidem
non *dederunt odorem suum*[e]. Dederunt autem postea,
cum per successiones generationum nascentem *ex se*
Christum secundum carnem[f] partu virgineo saeculis
ediderunt. Tunc plane, inquam, spirituales illae *vineae*
15 *dederunt odorem suum, cum apparuit benignitas et*
humanitas Salvatoris nostri Dei[g], et coepit praesentem
habere mundus, quem pauci adhuc absentem praesen-
serant. Vir ille, verbi causa, qui Iacob tangens et Christum
sentiens : *Ecce,* inquit, *odor filii mei sicut odor agri pleni,*

d. cf. Is. 5, 2; cf. Jér. 2, 21 (Lit.)   e. Ps. 115, 15   f. Cant. 2,
13 ≠

8.a. Is. 5, 7 (Lit.)   b. cf. Cant. 2, 13   c. II Thess. 2, 6 ≠   d. I Cor. 2,
7 ≠   e. Cant. 2, 13 ≠   f. Rom. 9, 5 ≠   g. Tite 3, 4 (Lit.)

1. * Sorech (Sorek, Sorec) est la vallée de Palestine où habitait Dalila
(*Jug.* 16, 4). La vallée était connue pour son vin. Isaïe donne le nom
de Sorech à toute vigne de qualité (*Is.* 5, 2). La Septante a gardé le
mot hébreu Sorech. Ce nom, inconnu de *Vg,* peut provenir du trait
qui suit la 8e prophétie du Samedi saint. Dans ce trait, on trouve également *(vinea) Domini Sabaoth,* que Bernard cite au début du paragraphe suivant, à la place de *(vinea) Domini exercituum,* qui est la
traduction de *Vg* pour ces mêmes mots de *Is.* 5, 7.

de la vigne de Sorech[1], exprimé par le pressoir[d] de la passion? Car «précieuse aux yeux du Seigneur est la mort de ses saints[e]». Voilà pour expliquer pourquoi il est dit que «les vignes en fleur ont exhalé leur parfum[f]».

8. C'est ainsi que nous devons comprendre ce passage si nous préférons le rapporter au temps de la grâce. S'il nous plaît de l'entendre plutôt des Pères – car «la vigne du Seigneur Sabaoth[2] est le peuple d'Israël[a]» – le sens sera le suivant : les Prophètes et les Patriarches ont senti le parfum du Christ qui devait naître et mourir dans la chair; mais ils n'ont pas exhalé alors ce parfum[b], parce qu'ils n'ont pas montré dans la chair celui qu'ils ont pressenti en esprit. Ils n'ont pas exhalé leur parfum, ni divulgué le secret, attendant «qu'il fût révélé en son temps[c]». Qui aurait pu comprendre alors «la sagesse cachée dans le mystère[d]», pas encore manifestée dans un corps? Ainsi «les vignes n'exhalèrent pas alors leur parfum[e]». Elles l'exhalèrent plus tard, lorsque, à travers la succession des générations, elles mirent au monde «le Christ, né d'elles selon la chair[f]» par l'enfantement virginal. Alors, dis-je, ces «vignes» spirituelles «exhalèrent leur parfum», «lorsque apparut la bonté et l'humanité de Dieu notre Sauveur[g][3]» et que le monde commença à jouir de la présence de celui que seul un petit nombre avait pressenti quand il était encore absent. Tel fut, par exemple, l'homme qui, touchant Jacob et sentant le parfum du Christ, s'écria : «Voilà que l'odeur de mon fils est comme l'odeur d'un champ fertile, que le Seigneur a

2. Sabaoth : mot hébreu que certains Pères latins n'ont pas traduit. En latin : *exercitus, militiae, virtutes :* «Le Seigneur des puissances célestes».

3. * L'une des 7 citations de ce verset, toutes identiques. L'ordre des premiers mots avait été modifié par la liturgie en vue de la proclamation, et c'est ce texte que Bernard a retenu.

20 *cui benedixit Dominus*[h], cum hoc dicebat, habebat delicias
suas *sibi, nec cuiquam* illas *communicabat*[i]. *At ubi venit
plenitudo temporis, in quo misit Deus Filium suum factum
ex muliere, factum sub lege, ut eos qui sub lege erant
redimeret*[j], tunc prorsus odor, qui in illo erat, sese ubique
25 sparsit, adeo ut *a finibus terrae* ipsum sentiens *clamaret*[k]
Ecclesia : *Oleum effusum nomen tuum, currerentque
adolescentulae in odore*[l] olei. Ita ista vinea dedit odorem
suum, et eo temporis dederunt et ceterae, in quibus hic
ipse *odor vitae*[m] exstiterat. Quidni dederunt, e quibus
30 *Christus secundum carnem*[n]? Dictum est itaque vineas
dedisse odorem, sive quia fideles animae bonam de se
ubique opinionem spargunt, sive quod palam facta sunt
mundo oracula et revelationes Patrum, et *in omnem terram
exivit* odoratus *eorum*[o], dicente Apostolo : *Manifeste
35 magnum est pietatis sacramentum, quod manifestatum est
in carne, iustificatum est in Spiritu, apparuit angelis, prae-
dicatum est gentibus, creditum est in mundo, assumptum
est in gloria*[p].

III. Quae sint ficus morales, qui grossi vel quae vineae.

9. Mirum vero, si nec ficus, nec vineae istae aliquid
habent quod mores aedificet. Ego hunc locum arbitror

---

h. Gen. 27, 27 (Lit.)   i. Prov. 5, 17 (Patr.)   j. Gal. 4, 4-5 (Lit.)
k. Ps. 60, 3 ≠   l. Cant. 1, 2-3 ≠   m. II Cor. 2, 16   n. Rom. 9, 5
o. Ps. 18, 5 ≠   p. I Tim. 3, 16

---

1. Cette citation de *Gen.* 27, 27 se trouve déjà au *SCt* 47, 3 (*SC* 452,
p. 298-299). Comme dans ses 7 emplois de ce verset, Bernard écrit
non *agri,* mais *agri pleni;* il suit le répons *Ecce odor* du 2e dimanche
de carême.

2. * «Il gardait son bonheur pour lui-même, et ne le communiquait
à personne.» Bernard fait une allusion discrète à ce verset *VI* de *Prov.*
5, 17, que l'on trouve plusieurs fois dans Augustin, mais aussi dans
Prosper d'Aquitaine, Hugues de Saint-Victor : *Fons aquae tuae sit tibi*

béni[h1].» En disant cela, il gardait son bonheur «pour lui-même, et ne le communiquait à personne[i2]». «Mais quand vint la plénitude des temps et que Dieu envoya son Fils, né d'une femme, devenu sujet de la loi, afin de racheter ceux qui étaient sous la loi[j]», alors le parfum qui était en lui se répandit si bien partout, que l'Église, le sentant «des extrémités de la terre, s'exclama[k] : «Ton nom est une huile répandue[3]», et que «les jeunes filles coururent au parfum[l]» de l'huile. Ainsi cette vigne exhala son parfum, et en même temps qu'elle toutes les autres vignes aussi, qui étaient remplies de ce même «parfum de vie[m]». Comment ne l'auraient-elles pas exhalé, puisque «le Christ» est issu d'elles «selon la chair[n]»? Il est donc dit que les vignes ont exhalé leur parfum, soit parce que les âmes fidèles répandent partout une bonne opinion d'elles-mêmes, soit parce que les prophéties et les révélations des Pères ont été proclamées à la face du monde et que «leur odeur s'est répandue par toute la terre[o]». Aussi l'Apôtre dit-il : «Assurément il est grand le mystère de la piété, qui a été manifesté dans la chair, justifié dans l'Esprit, vu des anges, prêché aux nations, cru dans le monde, emporté dans la gloire[p].»

III. Quels sont les figuiers, les figues vertes et les vignes selon le sens moral.

9. Il serait étonnant que ces figuiers et ces vignes n'eussent rien qui puisse affermir les bonnes mœurs.

---

proprius et alienus non communicet tibi. Communicet rappelle l'atmosphère festive du festin divin de *Prov.* 5 dont parlent les écrits d'Augustin; il en est de même de *habebat delicias suas sibi,* mais au festin se surajoute l'intimité contenue dans le *vivere sibi et Deo* cher à Grégoire le Grand. Cf. *SCt* 3, 1, *SC* 414, p. 101, n. 4; *SCt* 22, 2, *SC* 431, p. 173, n. 4; *SCt* 40, 5, *SC* 452, p. 184, n. 1.

3. «Ton nom est une huile répandue.» Voir : *SCt* 15 (*SC* 414, p. 326-347).

esse et moralem. *Dico* autem *per gratiam Dei quae in nobis est*[a], et ficus nos habere, et vineas. Ficus quidem,
5 qui suaviores in moribus sunt, vineas vero, qui *spiritu ferventiores*[b]. Omnis qui se inter nos communiter socialiterque agit, et non solum *sine querela conversatur*[c] inter fratres, sed et cum multa suavitate fruendum se omnibus praebet in omni officio caritatis, quidni vicem illum agere
10 ficus convenientissime dicam? Qui tamen grossos suos prius protulerit proieceritque oportet, *timorem* utique iudicii, quem *perfecta caritas foras mittit*[d], et amaritudinem peccatorum, quae verae confessioni et infusioni gratiae crebrarumque profusioni lacrimarum cedat necesse
15 est, ceteraque talia, instar grossorum praeeuntia fructuum suavitatem, quae vos quoque per vosmetipsos cogitare potestis[e].

10. Ut tamen adhuc ego aliquid adiciam de eiusmodi quod occurrit, videte ne forte etiam haec inter grossos deputari possint, scientia, prophetia, linguae, similiaque. Etenim ista grossorum more deficere habent et cedere
5 melioribus[a], dicente Apostolo, quia et *scientia destruetur,* et *prophetiae evacuabuntur,* et *linguae cessabunt*[b]. Fidem quoque ipsam intellectus excludet, speique succedat visio necesse est. *Quod* enim *videt quis, quid sperat*[c]? *Sola non excidit caritas*[d], sed illa qua *Deus toto corde, tota anima,*
10 *tota virtute diligitur*[e]. Ideo hanc minime grossis annumeraverim, ne ad ficum quidem dixerim pertinere, sed ad vineas. Iam qui vineae sunt, severiores nobis quam suaviores se exhibent, *in spiritu vehementi*[f] agentes,

---

9.a. Rom. 12, 3 ≠; II Tim. 1, 6 ≠   b. Rom. 12, 11 ≠   c. Phil. 2, 15; Phil. 3, 6 ≠   d. I Jn 4, 18 ≠   e. cf. II Cor. 3, 5
10.a. cf. I Cor. 13, 8; cf. I Cor. 12, 31   b. I Cor. 13, 8 ≠   c. Rom. 8, 24 ≠   d. I Cor. 13, 8. 13 ≠   e. Lc 10, 27; Mc 12, 30 ≠   f. Ps. 47, 8

J'estime que ce passage a aussi un sens moral. «Je dis que, par la grâce de Dieu qui est en nous[a]», nous avons à la fois des figuiers et des vignes. Les figuiers sont ceux qui sont plus aimables dans leur conduite; les vignes, ceux qui sont «plus fervents dans l'esprit[b]». Quiconque se conduit parmi nous en esprit d'union et de communion, et non seulement «vit sans reproche[c]» parmi les frères, mais se montre aussi disponible à tous avec beaucoup d'amabilité dans tous les services de la charité, pourquoi ne dirais-je pas qu'il joue parfaitement le rôle du figuier? Pour cela, il faut qu'il ait d'abord produit et rejeté ses fruits verts, c'est-à-dire «la crainte» du jugement que «bannit l'amour parfait[d]», et l'amertume des péchés commis qui cède nécessairement à la confession sincère, à l'infusion de la grâce et aux larmes souvent versées. Il aura aussi à se défaire d'autres sentiments semblables, que vous pouvez imaginer vous-mêmes[e], et qui, comme des figues vertes, précèdent la douceur des fruits.

10. J'ajouterai encore à ce sujet quelque chose qui me vient à l'esprit maintenant. Voyez si l'on ne peut pas aussi compter parmi les fruits verts la science, la prophétie, les langues et d'autres dons semblables. Car ces dons, à la manière des fruits verts, doivent disparaître et faire place à des dons meilleurs[a]. L'Apôtre dit en effet que «la science sera détruite, que les prophéties seront abolies et que les langues prendront fin[b]». L'intelligence exclura même la foi, et la vision remplacera nécessairement l'espérance. Car «ce qu'on voit déjà, comment l'espérer[c]?» «Seule la charité ne passe pas[d]», mais cette charité-là par laquelle «on aime Dieu de tout son cœur, de toute son âme, de toute sa force[e]». Je ne la mettrai point au nombre des figues vertes, et je ne dirai pas non plus qu'elle appartient au figuier, mais aux vignes. Ceux qui sont des vignes, se montrent plus sévères qu'aimables à notre égard. Ils agissent «avec un esprit véhément[f]», ils sont pleins de zèle pour la

zelantes pro disciplina, vitia acerrime corripientes, aptantes
15 sibi congruentissime vocem illam : *Nonne qui oderunt te,*
148 *Domine, oderam, et super inimicos tuos tabescebam*[g]?
item : *Zelus domus tuae comedit me*[h]. Et mihi quidem illi
in dilectione proximi, isti in dilectione Dei eminere
videntur[i]. Sed libet pausare sub hac vite et sub hac ficu[j],
20 ubi Dei proximique obumbrat dilectio. Utramque teneo,
cum te amo, Domine Iesu, qui *meus proximus es*, quoniam
homo es, et *fecisti mecum misericordiam*[k], et nihilominus
es *super omnia Deus benedictus in saecula. Amen*[l].

g. Ps. 138, 21   h. Ps. 68, 10   i. cf. Mc 12, 30-31   j. cf. III Rois
4, 25, etc.   k. Lc 10, 29-30. 36-37 ≠   l. Rom. 9, 5

discipline, ils poursuivent impitoyablement les vices; ils
s'appliquent fort à propos cette parole : «N'ai-je pas haï,
Seigneur, ceux qui te haïssent, et n'ai-je pas pris en dégoût
tes ennemis[g]?» Et encore : «Le zèle de ta maison me
dévore[h].» Pour ma part, les premiers me paraissent se distinguer dans l'amour du prochain, les seconds dans l'amour
de Dieu[i]. Mais il nous est doux de faire halte à l'abri de
cette vigne et de ce figuier[j], où l'amour de Dieu et du
prochain nous couvre de son ombre. Je possède l'un et
l'autre amour lorsque je t'aime, Seigneur Jésus, toi qui «es
mon prochain», puisque tu es «homme» et que «tu as
fait preuve de miséricorde envers moi[k]»; toi qui es néanmoins «au-dessus de tout, Dieu béni dans les siècles.
Amen[l]».

SERMO LXI

I. Litterae consequentia qua dicitur : *Columba mea in foraminibus petrae,* et quae sint petrae foramina. – II. Quod viri sapientis aedificium in hac petra consistit, et quam tuta sit haec habitatio. – III. Quod posteriora Dei sint vulnera Christi, id est petrae foramina, et in his habitat columba.

I. Litterae consequentia qua dicitur :
Columba mea in foraminibus petrae,
et quae sint petrae foramina.

1. *Surge, amica mea, sponsa mea, et veni*[a]. Commendat Sponsus multam dilectionem suam[b] iterando amoris voces. Nam iteratio, affectionis expressio est; et quod rursum ad laborem vinearum dilectam sollicitat, ostendit quam sit de
5 animarum salute sollicitus. Nam vineas animas esse iam audistis. Non immoremur supervacue in his quae dicta sunt. Videte sequentia. Sponsam tamen nusquam, ut memini, in toto hoc opere aperte adhuc nominarat, nisi modo cum ad vineas itur, cum vino caritatis[c] appropin-
10 quatur. Quae cum venerit et perfecta fuerit, faciet

1.a. Cant. 2, 13 (Patr.)   b. cf. Rom. 5, 8   c. cf. Éphés. 5, 18

---

1. * C'est la seule citation que fait Bernard de ce verset. Jérôme et Bède avaient écrit *sponsa,* comme lui; quant à la *Vg,* elle a *speciosa.*

SERMON 61

I. Comment ces paroles : «Ma colombe dans les trous du rocher» se relient à ce qui précède selon le sens littéral. Quels sont les trous du rocher. – II. La maison du sage est fondée sur le rocher. Combien cette demeure est sûre. – III. Les blessures du Christ, c'est-à-dire les trous du rocher, sont le dos de Dieu. C'est dans ces trous qu'habite la colombe.

I. Comment ces paroles :
«Ma colombe dans les trous du rocher»
se relient à ce qui précède selon le sens littéral.
Quels sont les trous du rocher.

1. «Lève-toi, mon amie, mon épouse, et viens[a][1].» L'Époux prouve son intense amour[b] en répétant des paroles d'amour. Car la répétition est une manière d'exprimer l'affection. En pressant une seconde fois sa bienaimée de se rendre au travail des vignes, l'Époux montre combien il est pressé de procurer le salut des âmes. Car vous avez déjà entendu que les vignes sont les âmes. Ne nous arrêtons pas inutilement sur ce qui a déjà été dit. Voyez la suite. Dans tout cet ouvrage, si j'ai bonne mémoire, l'Époux n'avait nulle part encore nommé expressément l'épouse, sinon à l'instant, lorsqu'on se rend aux vignes, lorsqu'on approche du vin de la charité[c]. Quand l'épouse y sera parvenue et qu'elle sera devenue parfaite, l'Époux conclura avec elle le mariage spirituel[2]. «Ils

---

2. *Spirituale coniugium,* «Le mariage spirituel». Ruusbroec a repris ces deux mots comme titre de son œuvre principale : *Les noces spirituelles.*

spirituale coniugium; *et erunt duo, non in carne una*[d],
sed *in uno spiritu*[e], dicente Apostolo : *Qui adhaeret Deo,
unus spiritus est*[f].

2. Sequitur : *Columba mea in foraminibus petrae, in
cavernis maceriae, ostende mihi faciem tuam, sonet vox
tua in auribus meis*[a]. Amat et pergit amatoria loqui.
Columbam denuo blandiendo vocat, suam dicit, et sibi
5 asserit propriam; quodque ipse rogari obnixius ab illa
solebat, ipsius, nunc versa vice, et conspectum postulat,
et colloquium. Agit ut sponsus; sed ut verecundus,
publicum erubescit, decernitque frui deliciis suis in loco
sequestri, utique *in foraminibus petrae et cavernis
10 maceriae*. Puta ergo sic dicere sponsum : «Ne timeas,
amica, quasi haec, ad quam te hortamur, opera vinearum,
negotium amoris impediat seu interrumpere habeat. Erit
certe et aliquis usus in ea ad id quod pariter optamus.
Vineae sane macerias habent, et hae diversoria grata vere-
15 cundis». Hic litteralis lusus. Quidni dixerim lusum? Quid
enim serium habet haec litterae series? Ne auditu quidem
dignum quod foris sonat, si non intus *adiuvet Spiritus
infirmitatem* intelligentiae *nostrae*[b]. Ne ergo remaneamus
foris, ne et turpium, quod absit, amorum videamur
20 lenocinia recensere, afferte pudicas aures ad sermonem
qui in manibus est de amore; et cum ipsos cogitatis
amantes, non virum et feminam, sed Verbum et animam

d. Éphés. 5, 31 ≠   e. I Cor. 12, 13   f. I Cor. 6, 17 (Patr.)
2.a. Cant. 2, 14 ≠   b. Rom. 8, 26 ≠

1. *unus spiritus :* l'unité spirituelle a dans l'Église latine le même sens
que la déification chez les Grecs. Voir : GUILLAUME DE SAINT-THIERRY,
Exposé sur le Cantique, 95, *SC* 82 p. 222-223. Cf. *SCt* 59, 2, l. 6, p. 204,
n. 3.

2. * Ici, puis à maintes reprises dans ce sermon et le suivant, ainsi
qu'en *3 Assp* 5 (*SBO* V, p. 242, l. 14), Bernard écrit sans exception
cavernis, au pluriel. Avant lui, il n'y eut guère que Paschase Radbert
et Pierre Damien pour employer ce pluriel.

seront deux, non en une seule chair[d]», mais «en un seul esprit[e]», selon cette parole de l'Apôtre : «Celui qui s'attache à Dieu est avec lui un seul esprit[f1].»

2. Il est dit ensuite : «Ma colombe dans les trous du rocher, dans les cavités[2] de la muraille, montre-moi ton visage, que ta voix résonne à mes oreilles[a].» L'Époux aime et continue à proférer des paroles d'amour. De nouveau, avec un mot caressant, il l'appelle colombe; il dit qu'elle est sienne et affirme qu'elle lui appartient en propre. Jusqu'à présent, c'était elle qui avait coutume de le prier instamment pour qu'il se montre et qu'il lui parle. Maintenant, au contraire, c'est lui qui fait cette demande. Il agit en époux; mais, en époux pudique, il a honte de la foule et choisit de jouir de ses plaisirs dans un lieu écarté, c'est-à-dire «dans les trous du rocher et dans les cavités de la muraille». Imagine donc que l'Époux parle ainsi : «Ne crains pas, mon amie, que ce travail des vignes, auquel nous t'exhortons, empêche ou interrompe nécessairement le commerce de l'amour. Dans ce travail, il y aura certes de quoi favoriser ce que nous désirons pareillement. Oui, les vignes ont des murailles, abri agréable aux amants pudiques.» Voilà le jeu que nous présente le sens littéral. Pourquoi ne l'appellerais-je pas jeu? Qu'a-t-il en effet de sérieux ce texte pris à la lettre? Ce qui résonne à l'extérieur n'est même pas digne d'être entendu, à moins que «l'Esprit ne vienne de l'intérieur aider la faiblesse de notre[b]» intelligence. Ne restons pas à l'extérieur, pour ne pas paraître, ce qu'à Dieu ne plaise, nous intéresser aux charmes de honteuses amours[3]. Prêtez une oreille pudique à ces propos d'amour que je commente. Lorsque vous pensez aux deux amants, il faut que vous vous représentiez, non pas un homme et une femme, mais le Verbe et l'âme. Si je dis :

3. Bernard signale le danger d'une interprétation purement charnelle. Il ne fait que rarement allusion au sens profane que peut avoir le Cantique. Cf. *SC* 452, p. 37, n. 3 sur *SCt* 33, 2.

sentiatis oportet. Et si Christum et Ecclesiam dixero[c], idem
est, nisi quod Ecclesiae nomine non una anima, sed
25 multarum unitas vel potius unanimitas designatur. Nec
sane «foramina petrae» aut «cavernas maceriae» latebras
putetis *operantium iniquitatem*[d], ne qua prorsus suspicio
subeat de *operibus tenebrarum*[e].

3. Alius hunc locum ita exposuit, «foramina petrae»
vulnera Christi interpretans. Recte omnino; nam *petra
Christus*[a]. Bona foramina, quae fidem astruunt resurrectionis, et Christi divinitatem. *Dominus meus,* inquit, *et
5 Deus meus*[b]. Unde hoc reportatum oraculum, nisi ex foraminibus petrae? In his *passer invenit sibi domum, et turtur
nidum ubi reponat pullos suos*[c]; in his se columba tutatur,
et circumvolitantem intrepida intuetur accipitrem. Et ideo
ait : *Columba mea in foraminibus petrae*[d]. Vox columbae :
10 *In petra exaltavit me*[e]; et item : *Statuit,* inquit, *supra
petram pedes meos*[f].

**II. Quod viri sapientis aedificium in hac petra
consistit, et quam tuta sit haec habitatio.**

150   *Vir sapiens aedificat domum suam supra petram*[g], quod
ibi nec ventorum formidet iniurias, nec inundationum[h].
Quid non boni in petra? *In petra exaltatus*[i], in petra
15 securus, in petra firmiter sto. Securus ab hoste, fortis a
casu, et hoc quoniam *exaltatus a terra*[j]. Anceps est enim

---

c. cf. Éphés. 5, 32   d. Ps. 6, 9 ≠   e. Rom. 13, 12 ≠
3.a. I Cor. 10, 4 ≠   b. Jn 20, 28   c. Ps. 83, 4 ≠   d. Cant. 2,
14   e. Ps. 26, 6   f. Ps. 39, 3 ≠   g. Matth. 7, 24 ≠   h. cf. Matth. 7,
25   i. Ps. 26, 6 ≠   j. Jn 12, 32 ≠

---

1. * «Un autre» : cf. APPONIUS, *Comm. Cant.* IV, 39-44 (*SC* 421, p. 50-
57) connu de Bernard par l'intermédiaire de BÈDE, *in Cant.* II, 495-
507 (*CCL* 119 B, p. 224). Ce passage d'Apponius comporte l'assimi-
lation des «cavités de la pierre» aux plaies du Christ, mais aussi les
deux citations *I Cor.* 10, 4 et *Jn* 20, 28, une définition similaire de
l'Église, et encore la mention du vautour (*accipiter*).

«Le Christ et l'Église[c]», c'est la même chose, à ceci près que le nom *Église* ne désigne pas une seule âme, mais l'unité ou plutôt l'unanimité d'âmes nombreuses. Oui, ne pensez pas que «les trous du rocher» ou «les cavités de la muraille» sont les cachettes «de ceux qui commettent l'iniquité[d]». Sinon, vous pourriez soupçonner ici je ne sais quelles «œuvres de ténèbres[e]».

3. Un autre[1] a expliqué ainsi ce passage : il a interprété «les trous du rocher» comme les blessures du Christ. Avec beaucoup de justesse; car «le rocher, c'est le Christ[a]». Heureux trous, qui confirment la foi en la résurrection, et la divinité du Christ. «Mon Seigneur et mon Dieu[b]», est-il dit. D'où vient cet oracle renvoyé comme un écho, sinon des trous du rocher? Dans ces trous «le passereau s'est trouvé une maison, et la tourterelle un nid pour y abriter ses petits[c]». Dans ces trous, la colombe se met en sûreté, et regarde sans crainte l'épervier qui voltige tout autour[2]. C'est pourquoi il est dit : «Ma colombe dans les trous du rocher[d].» Voix de la colombe : «Il m'a élevée sur le rocher[e]»; et encore : «Il m'a fait reprendre pied sur le rocher[f].»

II. La maison du sage est fondée sur le rocher. Combien cette demeure est sûre.

«Le sage bâtit sa maison sur le rocher[g]», parce que là il ne redoute ni les assauts des vents, ni ceux des inondations[h]. Qu'y a-t-il dans le rocher qui ne soit bon? «Sur le rocher je m'élève[i]», sur le rocher je suis sûr, sur le rocher je trouve un appui solide. Sûr contre l'ennemi, protégé des accidents, et cela parce que «élevé au-dessus de la terre[j]». Tout ce qui est terrestre est ambigu et

---

2. «La colombe y habite en sûreté et elle y considère sans effroi l'épervier qui vole autour du lieu de sa retraite» (François de Sales, *Sermon pour le dimanche de Quasimodo*, *Œuvres* VIII, Annecy, 1896, p. 431).

et caducum, terrenum omne. *Conversatio nostra in caelis sit*[k], et nec cadere, nec deici formidamus. In caelis petra, in illa firmitas atque securitas est. *Petra refugium heri-*
20 *naciis*[l]. Et revera ubi tuta firmaque infirmis requies, nisi in vulneribus Salvatoris? Tanto illic securior habito, quanto ille potentior est ad salvandum. Fremit mundus, premit corpus, diabolus insidiatur : non cado ; *fundatus enim sum supra firmam petram*[m]. *Peccavi peccatum grande*[n] : turba-
25 bitur conscientia, sed non perturbabitur, quoniam vulnerum Domini recordabor. Nempe *vulneratus est propter iniquitates nostras*[o]. Quid tam ad mortem, quod non Christi morte solvatur[p]? Si ergo in mentem venerit tam potens tamque efficax medicamentum, nulla iam
30 possum morbi malignitate terreri.

4. Et ideo liquet errasse illum qui ait : *Maior est iniquitas mea, quam ut veniam merear*[a]. Nisi quod non erat de membris Christi, nec pertinebat ad eum de Christi merito, ut suum praesumeret, suum diceret quod esset illius,
5 tamquam rem capitis membrum[b]. Ego vero fidenter quod ex me mihi deest, usurpo mihi ex visceribus Domini, quoniam misericordia affluunt, nec desunt foramina, per quae effluant. *Foderunt manus eius et pedes*[c], *latusque lancea foraverunt*[d], et per has rimas licet mihi *sugere mel*
10 *de petra, oleumque de saxo durissimo*[e], id est *gustare et videre quoniam suavis est Dominus*[f]. *Cogitabat cogitationes pacis*[g], *et ego nesciebam*[h]. *Quis enim cognovit sensum Domini, aut quis consiliarius eius fuit*[i]? At clavis

---

k. Phil. 3, 20 ≠　l. Ps. 103, 18　m. Lc 6, 48 ; Matth. 7, 24 (Lit.)
n. II Sam. 24, 10 ≠　o. Is. 53, 5　p. cf. I Jn 5, 16 ; cf. Apoc. 1, 5
　4.a. Gen. 4, 13　b. cf. I Cor. 12, 12. 14-15　c. Ps. 21, 17 ≠　d. Jn
19, 34 ≠　e. Deut. 32, 13 ≠　f. Ps. 33, 9 ≠　g. Jér. 29, 11 (Lit.)
h. Gen. 28, 16　i. Rom. 11, 34

---

1. * Bernard a presque toujours employé ce verset avec l'adjectif *firmam*, qui se trouve dans plusieurs pièces de la liturgie de la Dédicace d'une église, en particulier l'antienne *Bene facta est* des vêpres.

caduc. «Que notre vie soit dans les cieux[k]», et nous ne craindrons ni de tomber, ni d'être jetés à bas. Le rocher est dans les cieux; en lui, solidité et sécurité. «Le rocher est le refuge des hérissons[l].» Et en vérité, où les faibles peuvent-ils trouver un repos sûr et stable, sinon dans les blessures du Sauveur? Je demeure là d'autant plus assuré qu'il est plus puissant pour sauver. Le monde frémit, le corps pèse de tout son poids, le diable dresse des embûches : je ne tombe pas; «je suis campé sur le rocher solide[m1]». «J'ai commis un péché grave[n]» : ma conscience sera troublée, mais non perturbée, parce que je me souviendrai des blessures du Seigneur. Oui, «il a été blessé pour nos fautes[o]». Qu'y a-t-il de si totalement voué à la mort que la mort du Christ ne puisse le délier[p]? Si je pense à un remède si puissant et si efficace, je ne puis plus être effrayé par aucune maladie, pour maligne qu'elle soit.

4. A l'évidence il se trompait, celui qui dit : «Mon iniquité est trop grande pour que je puisse mériter le pardon[a].» C'est vrai qu'il n'était pas un des membres du Christ, et que les mérites du Christ ne lui appartenaient pas. Aussi ne pouvait-il pas revendiquer pour lui et dire siens les biens du Christ, comme un membre peut dire siens les biens de la tête[b]. Pour ma part, ce qui me manque en moi, je le puise hardiment pour moi dans les entrailles du Seigneur, car elles débordent de miséricorde, et les trous ne manquent pas, par où cette miséricorde peut se répandre. «Ils ont percé ses mains et ses pieds[c]», ils ont transpercé «son côté d'un coup de lance[d]»; par ces ouvertures il m'est loisible «de recevoir le miel du rocher et l'huile de la pierre très dure[e]», c'est-à-dire «de goûter et de voir combien le Seigneur est doux[f]». «Il nourrissait des pensées de paix[g], et je ne le savais pas[h].» «Qui a connu en effet la pensée du Seigneur? Ou qui a été son conseiller[i]?» Mais le clou qui

reserans clavus penetrans factus est mihi, *ut videam volun-*
15 *tatem Domini*[j]. Quidni videam per foramen[k]? Clamat
clavus, clamat vulnus, quod vere *Deus sit in Christo*
mundum reconcilians sibi[l]. *Ferrum pertransiit animam*
eius[m], *et appropinquavit cor illius*[n], ut non iam *non* sciat
151 *compati infirmitatibus meis*[o]. Patet arcanum cordis per
20 foramina corporis, patet *magnum* illud *pietatis sacra-*
mentum[p], patent *viscera misericordiae Dei nostri, in*
quibus visitavit nos oriens ex alto[q]. Quidni viscera per
vulnera pateant? In quo enim clarius, quam in vulneribus
tuis eluxisset, quod *tu, Domine, suavis et mitis, et multae*
25 *misericordiae*[r]? *Maiorem* enim miserationem *nemo habet,*
quam ut animam suam ponat quis pro addictis et
damnatis[s].

5. Meum proinde meritum, miseratio Domini. Non plane
sum meriti inops, quamdiu ille miserationum non fuerit.
Quod si *misericordiae Domini multae*[a], multus nihilominus ego in meritis sum. Quid enim, si multorum sim
5 mihi conscius delictorum? Nempe *ubi abundaverunt*
delicta, superabundavit et gratia[b]. Et si *misericordiae*
Domini ab aeterno et usque in aeternum[c], ego quoque
misericordias Domini in aeternum cantabo[d]. Numquid
iustitias meas? *Domine, memorabor iustitiae tuae solius*[e].
10 Ipsa est enim et mea; nempe *factus es mihi tu iustitia*
a Deo[f]. Numquid mihi verendum, ne non una ambobus

---

j. Ps. 26, 4   k. cf. Cant. 2, 9; Cant. 5, 4   l. II Cor. 5, 19 ≠
m. Ps. 104, 18 ≠   n. Ps. 54, 22   o. Hébr. 4, 15 ≠   p. I Tim. 3,
16 ≠   q. Lc 1, 78   r. Ps. 85, 5   s. Jn 15, 13 (Patr.)
5.a. II Sam. 24, 14 ≠   b. Rom. 5, 20 ≠   c. Ps. 102, 17 ≠   d. Ps. 88, 1
e. Ps. 70, 16   f. I Cor. 1, 30 ≠

---

1. * A la suite de Cicéron et de Jérôme, Bernard a parsemé ses
œuvres de ce dicton. Ici, il le redouble par l'allitération *clamat clavus,*
clamat vulnus; cf. *SCt* 20, 4; *SC* 431, p. 133, n. 3.

2. * Ici, c'est un «jeu» mi-biblique mi-liturgique que fait Bernard.
Pateant aures misericordiae tuae, dit la collecte du 9e dimanche après

pénètre[1] en lui est devenu pour moi la clé qui ouvre,
«afin que je puisse voir la volonté du Seigneur[j]».
Comment ne pas voir par ce trou[k]? Le clou le proclame,
la blessure le proclame : vraiment «Dieu est dans le Christ,
se réconciliant le monde[l]». «Un fer a transpercé son
âme[m] et s'est approché de son cœur[n]», pour qu'il sache
désormais «compatir à mes faiblesses[o]». Le secret de son
cœur paraît à nu par les trous percés dans son corps ;
«le grand mystère de la piété[p]» paraît à nu ; «les entrailles
de miséricorde de notre Dieu[2]» paraissent à nu ; «grâce
à elles nous a visités l'Astre levant venu d'en haut[q]».
Comment ses entrailles ne paraîtraient-elles pas par ses
blessures? Où, mieux que dans tes blessures, pourrait
éclater en pleine lumière que «toi, Seigneur, tu es doux
et indulgent, et plein de miséricorde[r]»? «Nul n'a plus
grande» compassion «que celui qui donne sa vie pour»
des hommes condamnés et damnés[s].

5. Ainsi mon mérite, c'est la compassion du Seigneur.
Je ne serai certes pas à court de mérite tant que le Seigneur ne sera pas à court de compassion. Si «les miséricordes du Seigneur sont abondantes[a]», je suis également
pourvu de mérites en abondance. Mais qu'en sera-t-il, si
je suis conscient de nombreux péchés? «Là où les péchés
ont abondé, la grâce, elle, a surabondé[b].» Et si «les
miséricordes du Seigneur sont de toujours à toujours[c], je
chanterai moi aussi les miséricordes du Seigneur pour
toujours[d].» Est-ce ma propre justice que je chanterai?
«Seigneur, c'est de ta seule justice que je me souviendrai[e].» Car elle est aussi ma justice, puisque «tu es
devenu pour moi justice venant de Dieu[f]». Devrais-je
craindre qu'une seule ne suffise pas pour deux? Elle n'est

---

la Pentecôte (sans doute en usage à Cîteaux vers 1130), ce que Bernard
a greffé sur un verset de *Lc*, en remplaçant *aures* par *viscera*. Le même
jeu se trouve en *9 QH* 7 (*SBO* IV, p. 441, l. 8) et en *Csi* V, 9 (*SBO* III,
p. 474, l. 12).

sufficiat? Non est *pallium breve* quod, secundum Prophetam, *non possit operire duos*[g]. *Iustitia tua, iustitia in aeternum*[h]. Quid longius aeternitate? Et te pariter et
15 me operiet largiter larga et aeterna iustitia. Et in me quidem *operit multitudinem peccatorum*[i]; in te autem, Domine, quid, nisi pietatis thesauros, *divitias bonitatis*[j]? Hae in foraminibus petrae repositae mihi[k]. *Quam magna multitudo dulcedinis tuae*[l] in illis, opertae quidem, sed
20 *in his qui pereunt*[m]! Ut quid enim *sanctum detur canibus*, vel *margaritae porcis*[n]? *Nobis autem revelavit Deus per spiritum suum*[o], etiam et apertis foraminibus introduxit in sancta[p]. *Quanta* in his *multitudo dulcedinis*[q], plenitudo gratiae, perfectioque virtutum!

6. Ibo mihi ad illa sic referta cellaria, atque ad admonitionem Prophetae *relinquam civitates, et habitabo in*
152 *petra. Ero quasi columba nidificans in summo ore foraminis*[a], ut cum Moyse positus *in foramine petrae,*
5 *transeunte Domino* merear saltem *posteriora eius* prospicere[b]. Nam faciem stantis, id est incommutabilis claritatem, quis videat, nisi qui introduci iam meruit non in sancta, sed in sancta sanctorum[c]?

III. Quod posteriora Dei sint vulnera Christi, id est petrae foramina, et in his habitat columba.

Nec vilis tamen aut contemnenda posteriorum contem-
10 platio. Contemnat Herodes; ego tanto magis non contemno, quanto magis contemptibilem se ostendit Herodi[d]. Habent

---

g. Is. 28, 20 ≠   h. Ps. 118, 142   i. Jac. 5, 20   j. Rom. 2, 4
k. cf. II Tim. 4, 8   l. Ps. 30, 20   m. cf. II Cor. 4, 3; II Cor. 2, 15
n. Matth. 7, 6 ≠   o. I Cor. 2, 10   p. cf. Is. 60, 11; cf. Apoc. 21, 25; Hébr. 9, 12 ≠   q. Ps. 30, 20 ≠
6.a. Jér. 48, 28 ≠   b. Ex. 33, 22-23 ≠   c. cf. Ex. 33, 20; cf. Hébr. 9, 3. 12   d. cf. Lc 23, 11

pas ce «court manteau» qui, selon le Prophète, «ne pourrait pas couvrir deux personnes[g]». «Ta justice est justice pour toujours[h].» Quoi de plus long que l'éternité? Cette justice, dans son ampleur et son éternité, nous couvrira amplement tous deux, toi et moi. En moi, certes, elle «couvre une multitude de péchés[i]»; en toi, Seigneur, que recouvre-t-elle, sinon les trésors de ta pitié, «les richesses de ta bonté[j]»? Ces richesses ont été gardées pour moi[k] dans les trous du rocher. «Qu'elle est grande, l'abondance de ta douceur[l]» dans ces trous! Douceur cachée, certes, mais «pour ceux qui se perdent[m]». Pourquoi «donnerait-on ce qui est sacré aux chiens, ou les perles aux pourceaux[n]»? «Quant à nous, Dieu nous l'a révélé par son Esprit[o].» Et même, par ces trous béants, il nous a introduits dans le sanctuaire[p]. Dans ces trous, «quelle abondance de douceur[q]», quelle plénitude de grâce, et quelle perfection des vertus!

6. Pour ma part, j'irai à ces celliers si bien garnis. Selon l'admonition du Prophète, «je quitterai les villes et j'habiterai sur le rocher. Je serai comme la colombe qui construit son nid à l'entrée du trou[a]». Ainsi, posté avec Moïse «dans le trou du rocher, lorsque passera le Seigneur», je mériterai de l'apercevoir au moins «de dos[b]». Car la face de Celui qui se tient debout, c'est-à-dire la splendeur de l'Immuable, qui pourrait la voir, sinon celui qui a déjà mérité d'être introduit non dans le sanctuaire, mais dans le saint des saints[c]?

III. Les blessures du Christ, c'est-à-dire les trous du rocher, sont le dos de Dieu. C'est dans ces trous qu'habite la colombe.

D'ailleurs, contempler Dieu de dos, n'a rien de vil ni de méprisable. Qu'Hérode le méprise! Pour moi, je le méprise d'autant moins qu'il a voulu paraître plus méprisable à Hérode[d]. Il y a même quelque plaisir à voir le

aliquid et posteriora Domini quod videre delectet. *Quis
scit si convertatur et ignoscat* Deus, *et relinquat post se
benedictionem*[e]? Erit cum *ostendet faciem suam, et salvi*
15 *erimus*[f]. Sed interim *praeveniat nos in benedictionibus
dulcedinis*[g], illis utique, quas post se relinquere consuevit.
Nunc dignationis suae posteriora demonstret, alias in gloria
dignitatis faciem suam demonstraturus. Sublimis in regno,
sed suavis in cruce. In hac me visione praeveniat, in illa
20 adimpleat. *Adimplebis me,* ait, *laetitia cum vultu tuo*[h].
Utraque visio salutaris, utraque suavis; sed illa in subli-
mitate, ista in humilitate : illa in splendore, haec in pallore
est.

7. Denique : *Et posteriora,* inquit, *dorsi eius in pallore
auri*[a]. Quomodo non in morte palleat? Sed melius pallens
aurum, quam fulgens aurichalcum, et : *Quod stultum est
Dei, sapientius est hominibus*[b]. Aurum Verbum, aurum
5 sapientia est. Hoc aurum semetipsum decoloravit[c], abscon-
dens *formam Dei et formam servi* praetendens[d]. Decoloravit et Ecclesiam, quae ait : *Nolite considerare quod fusca
sim, quia decoloravit me sol*[e]. Ergo *et posteriora ipsius in
pallore auri,* quae fuscum non erubuit crucis, ustionem
10 passionis non horruit, livorem vulnerum non refugit. Etiam
complacet sibi in illis[f], et optat *novissima sua fore horum
similia*[g]. Idcirco denique audit : *Columba mea in foraminibus petrae*[h], quod in Christi vulneribus tota devotione
versetur, et iugi meditatione demoretur in illis. Inde martyri

---

e. Joël 2, 14 ≠   f. Ps. 79, 4 ≠   g. Ps. 20, 4 ≠   h. Ps. 15, 11
7.a. Ps. 67, 14   b. I Cor. 1, 25   c. cf. Lam. 4, 1; cf. Cant. 1, 5
d. Phil. 2, 6-7 ≠   e. Cant. 1, 5 ≠   f. Is. 42, 1 ≠   g. Nombr. 23,
10 ≠   h. Cant. 2, 14

---

1. « Les trous de la pierre sont, dit saint Bernard, les plaies sacrées du
Sauveur. …Qu'est-ce qu'habiter dans les plaies de Jésus? C'est avoir une
dévotion tendre pour les plaies sacrées du Sauveur, s'élancer vers elles
par les affections d'un cœur brûlant d'amour, y tenir l'âme comme collée
par une méditation continuelle » (FRANÇOIS DE SALES, *Œuvres* VIII, p. 430).

Seigneur de dos. «Qui sait si Dieu ne se retournera pas pour pardonner et laisser derrière lui une bénédiction[e]?» Un jour viendra où «il montrera sa face, et nous serons sauvés[f]». Mais, en attendant, «qu'il nous prévienne de ses douces bénédictions[g]»; celles, j'entends, qu'il a coutume de laisser derrière lui. Pour l'instant, qu'il nous montre sa bonté de dos; ailleurs il nous montrera sa face dans la gloire de sa beauté. Il est sublime dans le Royaume; mais il est doux sur la croix. Qu'il me prévienne de cette vision-ci; qu'il me comble par celle-là. «Tu me combleras de joie par ton visage[h]», est-il dit. Les deux visions sont salutaires, les deux sont douces; mais l'une est dans la sublimité, l'autre dans l'humilité, l'une est dans la splendeur, l'autre dans la pâleur.

7. Car il est dit : «Son dos a la pâleur de l'or[a].» Comment ne pâlirait-il pas dans la mort? Mais l'or pâle vaut mieux que le laiton luisant, et «la folie de Dieu est plus sage que les hommes[b].» L'or, c'est le Verbe; l'or, c'est la sagesse. Cet or s'est terni lui-même[c], en cachant sa «figure divine» et en montrant «une figure de serviteur[d]». Il a aussi terni l'Église, puisqu'elle dit : «Ne prenez pas garde à mon teint basané, car c'est le soleil qui m'a ternie[e].» «Le dos de l'Église aussi a la pâleur de l'or», car elle n'a pas rougi de l'ignominie de la croix, elle n'a pas pris en horreur la brûlure de la Passion, elle ne s'est pas détournée des blessures livides du Seigneur. «Elle se complaît même dans ces blessures[f]», et souhaite que «sa propre fin leur ressemble[g]». Si elle entend ces paroles : «Ma colombe dans les trous du rocher[h]», c'est qu'elle se tient dans les blessures du Christ avec toute sa ferveur et y demeure par une méditation continuelle[1]. De là vient au martyr son endurance[2], de là sa «grande

---

2. *Inde martyri tolerantia,* «De là vient au martyr son endurance». Suit une belle description de l'extase vécue dans les affres des tourments.

¹⁵ tolerantia, inde illi *fiducia magna* apud Altissimum[i]. Non
est quod vereatur martyr exsanguem lividamque levare
ad eum faciem, *cuius livore sanatus est*[j], gloriosam reprae-
sentare similitudinem mortis eius, utique *in pallore auri*.
Quid vereatur cui etiam a Domino dicitur : *Ostende mihi*
153   ²⁰ *faciem tuam*[k]? Ad quid? Ut mihi videtur, se magis
ostendere vult. Ita est : videri vult, non videre. Quid enim
ille non videt? Non est ei opus ut quis se ostendat[l], a
quo nil non videtur, nec si se abscondat[m]. Vult ergo
videri, vult benignus dux devoti militis vultum et oculos
²⁵ in sua sustolli vulnera, ut illius ex hoc animum erigat, et
exemplo sui reddat ad tolerandum fortiorem.

8. Enimvero non sentiet sua, dum illius vulnera intue-
bitur. Stat martyr tripudians et triumphans, toto licet lacero
corpore; et rimante latera ferro, non modo fortiter, sed
alacriter sacrum e carne sua circumspicit ebullire cruorem.
⁵ Ubi ergo tunc anima martyris? Nempe in tuto, nempe in
petra, nempe in visceribus Iesu, vulneribus nimirum paten-
tibus ad introeundum. Si in suis esset visceribus, scrutans
ea ferrum profecto sentiret; et dolorem non ferret, succum-
beret et negaret. Nunc autem *in petra habitans*[a], quid
¹⁰ mirum, si in modum petrae duruerit? Sed neque hoc

---

i. Tob. 4, 12 ≠   j. Is. 53, 5 ≠   k. Cant. 2, 14   l. cf. Jn 2, 25
m. cf. Ps. 18, 7
8.a. Jér. 48, 28 ≠

---

1. Ce paragraphe a été paraphrasé par saint François de Sales : «Quel
admirable spectacle! Dès que la colombe a établi son nid dans les
trous de la pierre, elle y puise une force et un courage invincible. Ce
n'est plus une créature faible et timide que le moindre péril épou-
vante; c'est un héros intrépide qui ne respire que le bonheur de souffrir
et de mourir pour Jésus. Voyez un martyr toujours inébranlable demeurer
ferme quand on lui déchire tout le corps, quand on promène le fer
dans ses entrailles. Avec quelle allégresse il contemple son sang qui
coule à gros bouillons. Il triomphe, il ne peut contenir les transports
de sa joie. ... Est-ce donc qu'il ne sent pas la douleur? Il la sent, et

confiance» dans le Très-Haut[i]. Le martyr n'a pas à craindre de lever son visage exsangue et meurtri vers celui «dont les meurtrissures l'ont guéri[j]», et de reproduire «dans la pâleur de l'or» l'image glorieuse de la mort du Seigneur. Qu'aurait-il à craindre, puisque le Seigneur même lui dit : «Montre-moi ton visage[k]»? Pourquoi ces paroles? A mon avis, le Seigneur veut se montrer davantage. C'est bien cela : il veut être vu, et non voir. Qu'y a-t-il en effet qu'il ne voie? Il n'a pas besoin qu'on se montre à lui[l], puisque rien n'échappe à sa vue, fût-il caché[m]. Il veut donc être vu. Chef plein de bonté, il veut que le visage et les yeux du soldat qui l'aime se lèvent vers ses blessures, afin de lui rendre le courage par cette vue et de le fortifier dans la patience par son exemple.

8. Oui, tandis qu'il contemplera les blessures du Seigneur, il ne sentira pas les siennes. Le martyr se tient debout, exultant et triomphant, bien que tout son corps soit déchiré; tandis que le fer lui ouvre les flancs, il regarde avec courage, et même avec allégresse, le sang sacré jaillir de sa chair[1]. Où est alors l'âme du martyr? Sans aucun doute, elle est en sûreté, elle est dans le rocher, elle est dans les entrailles de Jésus, car ses blessures s'ouvrent toutes grandes pour la laisser entrer. Si elle était dans ses propres entrailles, elle sentirait certes le fer qui les pénètre; elle ne supporterait pas la douleur, elle fléchirait et renierait sa foi. Mais «puisqu'elle demeure dans le rocher[a]», pourquoi s'étonner si elle a pris la dureté du rocher? Ce n'est pas étonnant non plus que,

---

vivement. Mais il la surmonte, mais il la méprise. *Nec deest dolor, sed superatur, sed contemnitur.* Où est donc alors son âme? Ah! elle est dans le lieu sûr, elle est dans la pierre, elle est dans les entrailles de Jésus, elle habite dans ses plaies sacrées. ... Là elle s'anime par l'exemple de son Bien-aimé; là elle renouvelle continuellement sa vigueur; là elle puise la force de boire le calice du Seigneur; là elle s'enivre des délices qui sont cachées dans les souffrances (*Œuvres* VIII, p. 431).

mirum si, exsul a corpore, dolores non sentiat corporis.
Neque hoc facit stupor, sed amor. Submittitur enim sensus,
non amittitur. Nec deest dolor, sed contemnitur. Ergo ex
petra martyris fortitudo, inde plane potens ad *bibendum*
15 *calicem Domini*[b]. *Et calix* hic *inebrians quam praeclarus
est*[c]! Praeclarus, inquam, atque iucundus non minus impe-
ratori spectanti, quam militi triumphanti. *Gaudium etenim
Domini, fortitudo nostra*[d]. Quidni *gaudeat ad vocem*[e]
fortissimae confessionis? Denique et requirit eam cum
20 desiderio, *sonet,* inquiens, *vox tua in auribus meis*[f]. Nec
cunctabitur rependere vicem secundum suam promissionem : continuo ut *se confessus fuerit coram hominibus,
confitebitur et ipse eum coram Patre suo*[g]. Rumpamus
sermonem; nec potest enim finiri modo, ne sit sine modo,
25 si cuncta quae adhuc ex proposito capitulo restant, uno
isto velimus sermone complecti. Ergo quod superest
servemus principio alteri, ut de nostro sane et verbo et
modo *gaudeat sponsus*[h] Ecclesiae, Iesus Christus Dominus
noster, *qui est super omnia Deus benedictus in saecula.*
30 *Amen*[i].

---

b. cf. Matth. 20, 22; I Cor. 11, 27 ≠   c. Ps. 22, 5 ≠   d. Néh. 8,
10 ≠   e. Jn 3, 29 ≠   f. Cant. 2, 14   g. Matth. 10, 32 ≠   h. Jn
3, 29 ≠   i. Rom. 9, 5

1. *Neque hoc facit stupor sed amor :* l'allitération est intraduisible.

2. «Les sens sont maîtrisés, non pas perdus» : Bernard était-il conscient
de décrire ainsi les effets de l'extase mystique?

3. «Glorieux… aussi bien pour le chef qui regarde que pour le soldat
qui triomphe» : on se rend compte ici de la culture chevaleresque que
Bernard a connue dès sa jeunesse. Texte semblable : *OS* 2, 3 (*SBO* V,
p. 344).

exilée de son corps, elle ne sente pas les douleurs du corps. Ce n'est pas un effet de l'engourdissement, mais de l'amour[1]. Les sens sont maîtrisés, non pas perdus[2]. La douleur n'est pas absente, mais elle est dédaignée. C'est du rocher que vient la fermeté du martyr; c'est de là qu'il tire la force de «boire le calice du Seigneur[b]». «Qu'il est glorieux, ce calice enivrant[c]!» Glorieux, dis-je, et agréable aussi bien pour le chef qui regarde que pour le soldat qui triomphe[3]. «Car c'est la joie du Seigneur que notre fermeté[d].» Comment ne «se réjouirait-il pas à la voix[e4]» d'une si courageuse confession de foi? Il la demande même avec désir, en disant : «Que ta voix résonne à mes oreilles[f].» Il ne tardera pas à lui rendre la pareille selon sa promesse : «Celui qui se sera déclaré pour lui devant les hommes, il se déclarera pour lui devant son Père[g].» Arrêtons le sermon; il ne peut pas être achevé maintenant, de peur de dépasser la mesure, si nous voulions embrasser dans ce seul sermon tout ce qui reste encore à dire sur le présent passage. Gardons la suite pour un autre développement, afin que «se réjouisse» et de notre parole et de notre mesure «l'Époux[h]» de l'Église, Jésus-Christ notre Seigneur, «qui est au-dessus de tout, Dieu béni dans les siècles. Amen[i]».

---

4. * Bernard a employé ce verset 7 fois avec *gaud(ere) propter,* ce qu'avait fait la *Vg;* il l'a employé d'autre part 6 fois avec *gaud(ere) ad,* ici et par exemple en *AssO* 12 (*SBO* V, p. 272, l. 12). On trouve ce verset avec *ad* çà et là chez les Pères, 4 fois dans Augustin, une fois dans la Glose («Walafrid Strabon»), plusieurs fois chez Guillaume de Saint-Thierry.

SERMO LXII

I. Quae sit maceria, vel quae ipsius cavernae, in quibus columba manet. – II. Quomodo has sibi cavernas anima facit in maceria angelorum, et quemadmodum cavat petram, id est Christum, exemplo Pauli et David. – III. De duobus generibus contemplationis supernae, et quos opprimat gloria scrutantes, et quos non. – IV. Quomodo Ecclesia habitat in petra in suis perfectis, in minus perfectis in maceria, per infirmos in fossa humo, et cui dicitur : *Ostende mihi faciem tuam, sonet vox tua in auribus meis.*

I. Quae sit maceria, vel quae ipsius cavernae, in quibus columba manet.

1. *Columba mea in foraminibus petrae, in cavernis maceriae*[a]. Non tantum *in foraminibus petrae* tutum reperit columba refugium : reperit et *in cavernis maceriae.* Quod si «maceriam» non congeriem lapidum, sed sanctorum
5 communionem accipimus, videamus ne forte cavernas maceriae dixerit angelorum, qui ob superbiam lapsi sunt, loca quasi vacua derelicta, quippe quae repleri ex hominibus habent, tamquam ruinae de lapidibus vivis reficiendae. Unde Apostolus Petrus : *Accedentes,* inquit, *ad*
10 *lapidem vivum, et ipsi tamquam lapides vivi superaedificamini, domos spirituales*[b]. Nec puto ab re esse, si

---

1.a. Cant. 2, 14 ≠   b. I Pierre 2, 4-5 ≠

1. * Cf. *SCt* 61, 2, l. 1, p. 244, n. 2.
2. Le remplacement des anges déchus est une idée augustinienne. Cf. *Enchiridion* IX, 29 (*BA* 9, p. 156-157 et 351); *De Civ. Dei* XX, 1, 2 (*PL* 41, 752). Voir aussi : ANSELME, *Cur Deus homo* II, 16-18 (*SC* 91, p. 281-309).

SERMON 62

I. Quelle est la muraille, et quelles sont ses cavités, où la colombe demeure. – II. Comment l'âme se creuse ces cavités dans la muraille des anges. Comment elle creuse le rocher, c'est-à-dire le Christ, à l'exemple de Paul et de David. – III. Les deux sortes de contemplation des réalités célestes. Quelles personnes cherchant à scruter la majesté divine sont accablées par la gloire, et quelles personnes ne le sont pas. – IV. L'Église habite dans le rocher par les âmes parfaites, dans la muraille par les âmes moins parfaites, dans la terre creusée par les âmes malades. A qui sont adressées ces paroles : «Montre-moi ton visage, que ta voix résonne à mes oreilles.»

I. Quelle est la muraille, et quelles sont ses cavités, où la colombe demeure.

1. «Ma colombe dans les trous du rocher, dans les cavités de la muraille[a][1].» Ce n'est pas seulement «dans les trous du rocher» que la colombe trouve un refuge sûr : elle le trouve aussi «dans les cavités de la muraille». Si nous entendons par «muraille» non pas un tas de pierres, mais la communion des saints, voyons si par hasard le texte n'a pas appelé «cavités de la muraille» les places laissées comme vides par les anges qui sont déchus par orgueil. Car ces vides doivent être comblés par les hommes, comme des ruines destinées à être réparées par des pierres vivantes[2]. D'où ces paroles de l'Apôtre Pierre : «Vous approchant de la pierre vivante, vous-mêmes, comme des pierres vivantes, prêtez-vous à être édifiés en maisons spirituelles[b].» Je ne pense pas non plus qu'il soit aberrant de dire que la protection des

intelligimus angelorum custodiam vicem exhibere maceriae in *vinea Domini*[c], quae est Ecclesia praedestinatorum, cum Paulus dicat : *Nonne omnes administratorii spiritus*
15 *sunt, missi in ministerium propter eos qui hereditatem capiunt salutis*[d]? Et Propheta : *Immittit angelus Domini in circuitu timentium eum*[e]. Et si ita sedet, erit sensus, quia Ecclesiam tempore et *loco peregrinationis suae*[f] duae res consolentur : de praeterito quidem memoria passionis
20 Christi, de futuro autem, quod se *in sortem sanctorum*[g] cogitat et confidit recipiendam. Ambo haec, veluti *ante et retro oculata*[h], insatiabili desiderio contuetur; et uterque illi intuitus admodum gratus, uterque est illi *refugium a*
155   *tribulatione malorum et dolore*[i]. Integra consolatio, cum
25 non solum quid sibi exspectandum, sed et unde id sit praesumendum noverit. *Exspectatio laeta*[j] nec dubia, quae Christi morte firmata est. Cur paveat ad praemii magnitudinem, quae pretii dignitatem considerat? Quam libens mente invisit foramina, per quae sibi sacrosancti sanguinis
30 pretium fluxit! Quam libens cavernas perambulat, et diversoria et *mansiones, quae sunt in domo Patris multae*[k] atque diversae, in quibus habet collocare filios suos pro quorumque diversitate meritorum! Et nunc quidem, quod solum interim potest, sola in his memoria requiescit,
35 caeleste habitaculum, *quod desursum est*[l], iam animo induens. Erit autem cum *implebit ruinas*[m], cum cavernas et corpore inhabitabit et mente : cum vacua domicilia, quae antiqui reliquerunt habitatores, ipsa suae universitatis illustrabit praesentia, nec ultra apparebit caverna
40 penitus ulla in caelesti maceria, felici de cetero perfectione sui atque integritate gaudente.

---

c. Is. 5, 7   d. Hébr. 1, 14 ≠   e. Ps. 33, 8 ≠   f. Ps. 118, 54 ≠
g. Col. 1, 12 ≠   h. Apoc. 4, 6 ≠   i. Ps. 31, 7 ≠; Ps. 106, 39 ≠
j. Prov. 10, 28 ≠   k. Jn 14, 2 ≠   l. Jac. 3, 17 ≠   m. Ps. 109, 6 ≠

anges joue le rôle d'une muraille dans « la vigne du Seigneur[c] », qui est l'Église des prédestinés. Car Paul dit : « Ne sont-ils pas tous des esprits chargés d'un ministère, envoyés pour servir ceux qui héritent du salut[d] ? » Et le Prophète : « L'ange du Seigneur campe autour de ceux qui le craignent[e]. » Si cela convient, le sens sera que deux choses consolent l'Église dans le temps et « le lieu de son exil[f] » : pour le passé, la mémoire de la Passion du Christ ; pour le futur, la pensée et l'espérance d'être admise « à partager le sort des saints[g] ». Comme si elle était « douée d'yeux par-devant et par derrière[h] », elle contemple ces deux réalités avec un insatiable désir. Ce double regard lui est extrêmement agréable ; il lui sert de « refuge contre le tourment des maux et la souffrance[i] ». Consolation complète, puisqu'elle sait non seulement ce qu'elle doit attendre, mais aussi d'où elle doit l'espérer. « Attente joyeuse[j] » et nullement incertaine, car elle se fonde sur la mort du Christ. Pourquoi l'Église serait-elle effrayée devant la grandeur de la récompense, quand elle considère le prix de la rançon ? Avec quel plaisir elle regarde en esprit les trous par où le sang très saint ruissela pour la racheter ! Avec quel plaisir elle parcourt les cavités, les logements et « les demeures, qui sont nombreux et divers dans la maison du Père[k] » et où il doit placer ses enfants selon la diversité de leurs mérites ! Pour le moment – car en attendant elle ne peut faire que cela – elle se repose en ces lieux par le simple souvenir ; elle habite déjà en esprit la demeure céleste « qui est là-haut[l] ». Un jour viendra où « elle comblera les brèches[m] », où elle habitera de corps et d'esprit les cavités. Alors, par sa présence universelle, elle redonnera leur éclat aux demeures vides, abandonnées de leurs anciens habitants ; et plus aucune cavité ne paraîtra dans la muraille céleste, rendue désormais à la joie de sa perfection et de son intégrité bienheureuses.

II. Quomodo has sibi cavernas anima facit in maceria angelorum, et quemadmodum cavat petram, id est Christum, exemplo Pauli et David.

2. Aut si id magis probas, dicemus has cavernas a studiosis et piis mentibus non inveniri, sed fieri. Quonam, inquis? Cogitatione et aviditate. Cedit nempe in modum materiae mollioris pia maceries *desiderio animae*[a], cedit
5 purae contemplationi, cedit crebrae orationi. Denique *oratio iusti penetrat caelos*[b]. Non utique aeris huius corporei spatiosas altitudines, veluti quodam remigio alarum suarum instar volucris volantis scindet, aut quasi *gladius acutus*[c] ipsius firmamenti solidum celsumque
10 verticem perforabit; sed sunt *caeli sancti, vivi, rationabiles*, qui *enarrant gloriam Dei*[d], qui favorabili quadam pietate nostris se votis libenter inclinant, et sinuatis ad tactum nostrae devotionis affectibus in sua nos recipiunt viscera, quoties digna ad eos intentione pulsamus. *Pulsanti*
15 enim *aperietur*[e]. Licebit itaque unicuique nostrum, etiam hoc tempore nostrae mortalitatis, cavare sibi, quacumque parte volet supernae maceriae : nunc quidem Patriarchas revisere, nunc vero salutare Prophetas, nunc senatui etiam misceri Apostolorum, nunc Martyrum inseri choris; sed et
20 beatarum Virtutum status et mansiones, a minimo angelo usque ad Cherubim et Seraphim, tota mentis alacritate percurrendo lustrare, prout quemque sua devotio feret.
156 Apud quos magis afficietur, immittente sibi *Spiritu prout*

2.a. Is. 26, 8   b. Sir. 35, 21 (Patr.)   c. Ps. 56, 5   d. Rom. 12, 1 ≠; Ps. 18, 1 ≠   e. Matth. 7, 8

---

1. * Trois mots d'une antienne particulière au bréviaire cistercien, présente dans le Bréviaire dit de S. Étienne Harding (env. 1132), pour les 2es vêpres d'un confesseur non pontife : *Iste sanctus... in hac peregrinatione solo corpore constitutus, cogitatione et aviditate in illa aeterna patria conversatus est.* On trouve plusieurs autres insertions similaires dans les *SBO,* dont cette allusion dans le § 3 de ce Sermon : *avida cogitatione* (*SBO* II, p. 157, l. 7).

II. Comment l'âme se creuse ces cavités
dans la muraille des anges. Comment elle creuse
le rocher, c'est-à-dire le Christ, à l'exemple de Paul
et de David.

2. Ou bien, si tu préfères cette interprétation, nous dirons que les esprits fervents et pieux ne trouvent pas ces cavités déjà creusées, mais les creusent eux-mêmes. Comment cela, dis-tu? Par la pensée et l'ardent désir[1]. Oui, la sainte muraille, telle une matière malléable, cède «au désir de l'âme[a]»; elle cède à la pure contemplation; elle cède à l'oraison fréquente. Car «la prière du juste pénètre les cieux[b2]». Non pas qu'elle fende du battement de ses ailes, à la manière d'un oiseau en plein vol, les vastes espaces de cet air matériel; ni qu'elle perce, comme «un glaive acéré[c]», la haute voûte solide du firmament; mais il y a «des cieux saints, vivants, intelligibles, qui proclament la gloire de Dieu[d]», qui se penchent volontiers sur nos prières avec une bonté bienveillante, qui, touchés par notre ferveur, nous font une place dans leur affection et nous accueillent dans leurs entrailles, chaque fois que nous frappons à leur porte dans une intention pure. Car «à celui qui frappe, on ouvrira[e]». Il sera donc permis à chacun de nous, même au temps de notre vie mortelle, de se creuser une cavité dans la muraille céleste à l'endroit de son choix. Il pourra tantôt rendre visite aux Patriarches, tantôt saluer les Prophètes, tantôt se mêler au collège des Apôtres, tantôt se joindre aux chœurs des Martyrs. Mais il pourra aussi parcourir, dans un joyeux élan de l'esprit, les rangs et les demeures des Vertus bienheureuses, depuis le dernier des anges jusqu'aux Chérubins et aux Séraphins; chacun ira où le portera sa ferveur. S'il s'arrête «et frappe à la porte» de ceux que son cœur préfère, poussé par «l'Esprit qui souffle où il

2. * Cf. *SCt* 54, 8, l. 37, p. 116, n. 1.

vult[f], si steterit *et pulsaverit, confestim aperietur ei*[g], et
25 facta quasi caverna *in montibus*, vel potius mentibus
sanctis[h], dum se ultro inflectunt ad pietatem, requiescet
vel paululum apud illos. Omnis animae sic facientis et
facies et vox Deo grata exsistit : facies propter puritatem,
vox propter confessionem. Etenim *confessio et pulchritudo*
30 *in conspectu eius*[i]. Unde et dicitur illi qui eiusmodi est :
Ostende faciem tuam, sonet vox tua in auribus meis[j]. Vox
admiratio in animo contemplantis, vox gratiarum actio est.
Delectatur admodum istiusmodi cavernis Deus, e quibus
sibi vox resonat *gratiarum actionis, vox* admirationis et
35 *laudis*[k].

   3. Felix mens quae sibi in hac maceria frequenter cavare
studuerit, sed quae in petra felicior! Licet quidem cavare
et in petra; sed ad hoc puriore mentis acie opus est, et
vehementiori omnino intentione, etiam et meritis potio-
5 ribus. *Et ad haec quis idoneus*[a]? Nempe ille qui dixit :
In principio erat Verbum, et Verbum erat apud Deum, et
Deus erat Verbum; hoc erat in principio apud Deum[b].
Nonne tibi videtur ipsis se Verbi penetralibus immersisse,
et de abditis pectoris eius[c] quamdam intimae sapientiae
10 sacrosanctam eruisse medullam? Quid ille qui *sapientiam*
loquebatur inter perfectos, sapientiam in mysterio abscon-
ditam, quam nemo principum mundi huius cognovit[d]?
Nonne uno et altero caelo acuta sed pia curiositate tere-
bratis, e tertio tandem hanc pius scrutator evexit[e]? At

---

   f. I Cor. 12, 11 ≠   g. Lc 12, 36 ≠   h. Ps. 86, 1 ≠   i. Ps. 95, 6
j. Cant. 2, 14 ≠   k. Is. 51, 3 ≠
   3.a. II Cor. 2, 16 ≠   b. Jn 1, 1-2   c. cf. Jn 21, 20   d. I Cor. 2,
6-8 ≠   e. cf. II Cor. 12, 2

---

   1. *puriore mentis acie :* cf. Augustin, *In Ps.* 134, 6, 5 (*CCL* 40, p. 1942).
Cf. Guillaume de Saint-Thierry, *Aenigma fidei*, PL 180, 434 C; *Lettre*
aux Frères du Mont-Dieu, 249 (*SC* 223, p. 342, l. 11).

veut[f]», «on lui ouvrira aussitôt[g]». Une sorte de cavité se creusera «dans les montagnes saintes[h]», ou plutôt dans les esprits bienheureux, qui se laissent volontiers fléchir par la piété; et il pourra se reposer chez eux, ne fût-ce qu'un bref instant. Le visage et la voix de toute âme qui agit de la sorte sont agréables à Dieu : le visage, pour sa pureté; la voix, pour son chant de louange. Car «en présence de Dieu, louange et beauté[i].» C'est pourquoi il est dit à toute âme de cette sorte : «Montre ton visage, que ta voix résonne à mes oreilles[j].» La voix, c'est l'émerveillement dans l'âme qui contemple; la voix, c'est l'action de grâces. Dieu se plaît beaucoup dans de telles cavités, d'où résonne à ses oreilles la voix «de l'action de grâces, la voix» de l'émerveillement et «de la louange[k]».

3. Heureuse l'âme qui s'applique souvent à se creuser une cavité dans cette muraille! Mais plus heureuse encore celle qui s'en creuse une dans le rocher. Oui, il est loisible de creuser aussi dans le rocher. Mais pour cela il faut la pointe plus pure de l'âme[l], un effort bien plus violent et aussi de plus grands mérites. «Mais de cela, qui est capable[a]?» Sans aucun doute, celui qui a dit : «Au commencement était le Verbe, et le Verbe était près de Dieu, et le Verbe était Dieu; il était au commencement près de Dieu[b].» Ne te semble-t-il pas que cet homme s'était plongé dans les entrailles mêmes du Verbe, et que du tréfonds de son cœur divin[c] il avait retiré comme la moelle très sainte d'une secrète sagesse? Et que dire de cet autre qui «parlait sagesse parmi les parfaits, la sagesse cachée dans le mystère, qu'aucun des princes de ce monde n'a connue[d]»? Ce pieux explorateur[2], après avoir percé avec une curiosité aiguë mais pieuse le premier et le deuxième ciel, n'a-t-il pas finalement ramené cette sagesse du troisième ciel[e]? Il ne nous

---

2. «explorateur», *scrutator*. Ce mot a ici un sens positif : «examinateur spirituel». Cf. H. Jaeger, art. «*Examinatio* (Guillaume de Saint-Thierry)», *DSp* 4/2 (1961), col. 1863-1865.

15 ipsam non siluit nobis, verbis quibus potuit fideliter
fidelibus intimans. *Audivit* autem *verba ineffabilia, quae*
non licuit illi *loqui,* non utique *homini*[f], nam *sibi illa*
loquebatur et Deo[g]. Puta ergo Deum quasi sollicitam Pauli
caritatem hoc modo consolari et dicere : «Quid anxiaris,
20 quod conceptum tuum auditus non capit humanus? *Sonet*
vox tua in auribus meis[h]; hoc est : Si quod sentis non
licet revelare mortalibus, consolare tamen, quod vox tua
divinas queat mulcere aures». Vides sanctam animam,
nunc quidem caritate *sobriam* nobis, nunc vero puritate
25 *excedentem Deo*[i]? Vide etiam de sancto David, ne forte
157   ipse ille sit homo, de quo cum Deo quasi de alio loquitur :
Quoniam cogitatio hominis confitebitur tibi, et reliquiae
cogitationis diem festum agent tibi[j]. Ergo quod de cogitatione prophetica, verbo et exemplo Prophetae, venire
30 ad medium poterat, id Propheta in publicam mox laxabat
confessionem, et ex eo confitebatur in populis Domino,
reliquum sibi et Deo servans, unaque festivum ducens *in*
laetitia et exsultatione[k]. Hoc ergo est quod nobis intimare
memorato versiculo voluit. Quidquid videlicet sua illa scru-
35 tabunda et avida cogitatione ex arcano sapientiae eruere
praevalebat, partem quam poterat in salutem populorum
sollicita praedicatione impertiebatur; reliquum quod capere
plebes non poterant, festiva iubilatione in Dei laudibus
expendebat. Vides sanctae contemplationi deperire nihil,
40 dum quod expendi in plebium aedificationem non potest,
id vel maxime *Deo sit iucunda decoraque laudatio*[l].

f. II Cor. 12, 4 (Patr.)   g. I Cor. 14, 28 ≠   h. Cant. 2, 14
i. II Cor. 5, 13 ≠   j. Ps. 75, 11   k. Ps. 44, 16   l. Ps. 146, 1 ≠

l'a pas tue; il l'a fidèlement communiquée aux fidèles avec les mots qu'il pouvait. Mais «il entendit des paroles ineffables, qu'il ne lui a pas été permis de redire, aux hommes[f1]» du moins, car «il les redisait à lui-même et à Dieu[g]». Tu peux donc penser que Dieu console ainsi la charité empressée de Paul en disant : «Pourquoi te tourmenter de ce que l'oreille des hommes ne peut pas saisir ta pensée? 'Que ta voix résonne à mes oreilles[h].'» C'est-à-dire : «S'il ne t'est pas permis de révéler aux mortels ce que tu éprouves, console-toi néanmoins, puisque ta voix peut charmer les oreilles divines.» Vois-tu cette âme sainte, tantôt «raisonnable» pour nous grâce à sa charité, tantôt «hors de sens pour Dieu[i]» grâce à sa pureté? Quant au saint prophète David, vois si par hasard il ne serait pas lui-même cet homme dont il parle avec Dieu comme s'il s'agissait d'un autre : «Car la pensée de l'homme te rendra gloire, et les restes de sa pensée te feront fête[j].» Ce qui pouvait être divulgué de la pensée prophétique par la parole et l'exemple du Prophète, tout cela le Prophète le dévoilait aussitôt sous forme de louange publique, et par là il rendait gloire au Seigneur parmi les peuples. Mais le reste, il le gardait pour lui-même et pour Dieu, et il en menait avec lui grande fête «dans la joie et dans l'allégresse[k]». Voilà ce qu'il a voulu nous faire entendre par le verset que je viens de citer. Tout ce qu'il pouvait tirer du secret de la sagesse par sa pensée pénétrante et avide, il s'empressait de le communiquer autant que possible par la prédication, en vue du salut des peuples. Quant au reste, que les foules ne pouvaient pas saisir, il l'employait à louer Dieu avec des chants de joie. Tu vois que rien ne se perd de la sainte contemplation, puisque ce qui ne peut être employé à l'édification des foules «devient la louange la plus agréable à Dieu et la plus digne de lui[l]».

---

1. * Cf. *SCt* 51, 7, l. 11, p. 52, n. 1.

III. De duobus generibus contemplationis supernae, et quos opprimat gloria scrutantes, et quos non.

4. Quae cum ita sint, duo liquet contemplationis genera esse : unum de statu, et felicitate, et gloria civitatis supernae, quo vel actu, vel otio ingens illa caelestium civium occupata sit multitudo, alterum de Regis ipsius
5 maiestate, aeternitate, divinitate. Illa in maceria, ista in petra. Sed haec quanto difficilius cavatur, tanto suavius quod inde eruis sapit. Nec verearis illud quod Scriptura minatur *scrutatoribus maiestatis.* Tantum affer purum et *simplicem oculum*[a] : non *opprimeris a gloria*[b], sed admit-
10 teris, nisi, non Dei, sed *tuam quaesieris gloriam*[c]. Alioquin sua quisque opprimitur, non Dei gloria, dum proclivis in istam, ad illam levare cervicem non sinitur, nimirum gravem cupiditate. Hac excussa, secure fodiamus in Petra, *in qua thesauri absconditi sapientiae et scientiae sunt*[d].
15 Si adhuc dubitas, audi ipsam Petram : *Qui operantur,* inquit, *in me, non peccabunt*[e]. *Quis dabit mihi pennas sicut columbae, et volabo, et requiescam*[f]? Ibi *requiem invenit*[g] mansuetus et simplex, ubi dolosus opprimitur, vel elatus et *cupidus inanis gloriae*[h]. Ecclesia columba
20 est, et ideo requiescit. *Columba,* quia innocens, quia *gemens*[i]. Columba, inquam, quae *in mansuetudine suscipit insitum verbum*[j]. Et requiescit in Verbo, hoc est in petra :

4.a. Lc 11, 34 ≠   b. Prov. 25, 27 ≠   c. Jn 7, 18 ≠   d. Col. 2, 3 ≠   e. Sir. 24, 30   f. Ps. 54, 7   g. Matth. 11, 29 ≠   h. Gal. 5, 26 ≠   i. Is. 59, 11 ≠   j. Jac. 1, 21 ≠

**III. Les deux sortes de contemplation des réalités
célestes. Quelles personnes cherchant à scruter
la majesté divine sont accablées par la gloire,
et quelles personnes ne le sont pas.**

4. Cela étant, il est clair qu'il y a deux sortes de
contemplation. L'une a pour objet l'état, le bonheur et la
gloire de la cité d'en haut, l'activité ou le loisir auxquels
s'adonne l'immense multitude des citoyens du ciel. L'autre
a pour objet la majesté, l'éternité, la divinité du Roi lui-
même. La première a pour lieu la muraille; la deuxième
le rocher. Mais plus le rocher est difficile à creuser, plus
la saveur de ce que tu en retires est douce. Ne crains
pas les menaces de l'Écriture à l'égard de «ceux qui
scrutent la majesté divine». Apportes-y seulement «un
œil simple[a]» et pur. «Tu ne seras pas accablé par la
gloire[b]», mais tu seras accueilli, sauf si «tu cherches»,
non pas la gloire de Dieu, mais «la tienne propre[c]».
Autrement, c'est par sa propre gloire, non par celle de
Dieu, que chacun est accablé; tant qu'il se penche sur
la sienne, il n'est pas libre de lever vers la gloire de
Dieu une tête tout alourdie par la convoitise. Celle-ci une
fois rejetée, creusons avec assurance dans le Rocher «où
sont cachés les trésors de la sagesse et de la science[d]».
Si tu as encore des doutes, écoute le Rocher lui-même :
«Ceux qui creusent en moi, dit-il, ne pécheront point[e].»
«Qui me donnera des ailes comme à la colombe, que
je m'envole et me repose[f]?» L'homme doux et simple
«trouve le repos[g]» là où est accablé l'homme rusé, ou
l'homme orgueilleux et «avide de vaine gloire[h]». L'Église
est une colombe, c'est pourquoi elle se repose. «Une
colombe», parce qu'elle est innocente et qu'«elle gémit[i]».
Une colombe, dis-je, parce qu'elle «accueille avec douceur
la parole semée en elle[j]». Et elle se repose dans le
Verbe, c'est-à-dire dans le rocher : car le rocher, c'est le

nam petra est Verbum[k]. Ecclesia ergo *in foraminibus petrae*[l], per quam introspicit, et videt gloriam Sponsi sui;
158   25 nec *opprimitur* tamen *a gloria,* quoniam non sibi usurpat eam. Non *opprimitur,* quia non *scrutatrix maiestatis*[m] est, sed voluntatis. Nam quod maiestati attinet, interdum quidem et in ipsam intendere audet, sed quasi admirans, non quasi scrutans. Sed et si quando per excessum rapi
30 in illam[n] contingat, *digitus Dei est*[o] iste dignanter levans hominem, non hominis temeritas insolenter Dei alta pervadens. Cum enim Apostolus raptum se memoret, ut ausum excuset[p], quisnam alter praesumat mortalium huic se divinae maiestatis horrendo scrutinio propriis intricare
35 conatibus et importunus contemplator pavenda irrumpere in arcana? *Scrutatores* proinde *maiestatis,* tamquam irruptores dici reor, non qui scilicet rapiuntur in eam, sed qui irruunt. Ipsi itaque *opprimuntur a gloria.*

5. Ergo formidolosa scrutatio maiestatis; at voluntatis, tam tuta quam pia. Quidni tota diligentia scrutando instem sacramento gloriae voluntatis, cui mihi parendum per omnia[a] scio? Suavis gloria, quae non aliunde quam de
5 ipsius suavitatis contemplatione procedit, quam de *divitiarum bonitatis*[b] ac *multae miserationis*[c] intuitu. Denique *vidimus gloriam hanc, gloriam quasi unigeniti a Patre*[d]. Totum nempe benignum et vere paternum, quod apparuit gloriae in hac parte. Non me opprimet gloria ista[e], totis
10 licet viribus intendentem in se; ego potius imprimar illi. Etenim *revelata facie speculantes, in eamdem imaginem*

---

k. cf. I Cor. 10, 4   l. Cant. 2, 14   m. Prov. 25, 27 ≠   n. cf. II Cor. 12, 2   o. Ex. 8, 19   p. cf. II Cor. 12, 2
5.a. cf. Col. 3, 20   b. Rom. 2, 4 ≠   c. Ex. 34, 6   d. Jn 1, 14 ≠ e. cf. Prov. 25, 27

Verbe[k]. L'Église demeure donc «dans les trous du rocher[1]», par où elle regarde et voit la gloire de son Époux. Mais elle n'est pas «accablée par la gloire», parce qu'elle ne l'usurpe pas pour elle-même. Elle n'est pas «accablée», parce qu'elle ne «scrute pas la majesté[m]» de Dieu, mais sa volonté. Pour ce qui est de la majesté, elle ose parfois y porter son regard, mais comme pour l'admirer, non pour la scruter. Même s'il lui arrive quelquefois d'être ravie en extase jusqu'à la majesté divine[n], «c'est le doigt de Dieu[o]» qui daigne alors élever l'homme; ce n'est pas la témérité de l'homme qui pénètre avec insolence dans les profondeurs de Dieu. L'Apôtre, pour excuser son audace, dit qu'il a été ravi[p]. Quel autre mortel osera s'aventurer par ses propres efforts dans cette effrayante investigation de la majesté divine et, observateur indiscret, forcer l'entrée de ces mystères redoutables? Ainsi, à mon sens, il est dit que «ceux qui scrutent la majesté» sont pareils à ceux qui en forcent l'entrée. Il ne s'agit pas, certes, de ceux qui sont ravis jusqu'à elle, mais de ceux qui veulent la forcer. Aussi «sont-ils accablés par la gloire».

5. Il est effrayant de scruter la majesté de Dieu; mais il est sans danger et conforme à la piété de scruter sa volonté. Pourquoi ne m'appliquerais-je pas à scruter avec le soin le plus attentif le mystère de la volonté glorieuse à laquelle je dois obéir en toutes choses[a]? Douce gloire, qui ne procède que de la contemplation de la douceur de Dieu, que de la vue «des richesses de sa bonté[b]» et «de son abondante miséricorde[c]». Car «nous avons vu cette gloire, la gloire qu'il tient du Père comme Fils unique[d]». La gloire qui s'est ainsi manifestée est certes tout empreinte de bonté vraiment paternelle. Cette gloire ne m'accablera pas[e], même si j'essaye de la pénétrer de toutes mes forces; c'est moi plutôt qui lui serai rendu semblable. Car «contemplant à visage découvert la gloire

transformamur de claritate in claritatem, tamquam a Domini Spiritu[f]. Transformamur cum conformamur. Absit autem ut in gloria maiestatis, et non magis in voluntatis
15 modestia, Dei ab homine conformitas praesumatur. *Gloria mea baec est*[g], si umquam de me audiero : «Inveni hominem *secundum cor meum*[h]». Cor Sponsi, cor Patris sui. Ipsum qualem? *Estote,* ait, *misericordes, sicut et Pater vester misericors est*[i]. Haec forma quam videre desiderat,
20 cum Ecclesiae dicit : *Ostende mihi faciem tuam*[j], forma pietatis et mansuetudinis. Hanc cum omni fiducia levat ad Petram, cui similis est. *Accedite,* inquit, *ad eum, et illuminamini, et facies vestrae non confundentur*[k]. Quo pacto humilis ab humili confundetur, a pio sancta, a
25 mansueto modesta? Non plane abhorrebit a puritate Petrae pura facies sponsae, non magis quam a virtute virtus, a lumine lumen.

**IV. Quomodo Ecclesia habitat in petra
in suis perfectis, in minus perfectis in maceria,
per infirmos in fossa humo, et cui dicitur :
*Ostende mihi faciem tuam, sonet vox tua
in auribus meis.***

6. Sed quia non ex omni se interim parte adhuc ad petram forandam accedere Ecclesia potest – neque enim omnium est, *qui in Ecclesia sunt*[a], *sacramenta* divinae *voluntatis*[b] inspicere, aut apprehendere per semetipsos
5 *profunda Dei*[c] –, ideo non solum *in foraminibus petrae,*

---

f. II Cor. 3, 18 ≠   g. II Cor. 1, 12 ≠   h. Act. 13, 22 ≠   i. Lc 6, 36   j. Cant. 2, 14   k. Ps. 33, 6
6.a. I Cor. 6, 4 ≠   b. Éphés. 1, 9 ≠   c. I Cor. 2, 10

---

1. Même citation que dans *SCt* 57, 11, p. 175, n. 1. On la lit treize fois dans les *SCt*.

de Dieu, nous sommes transformés en cette même image, de clarté en clarté, comme par l'Esprit du Seigneur[f][1]». Nous sommes transformés lorsque nous sommes conformés. Mais à Dieu ne plaise que l'homme présume se conformer à lui par la gloire de la majesté plutôt que par la docilité de la volonté. «Ma gloire sera[g]» de m'entendre dire un jour : «J'ai trouvé un homme selon mon cœur[h].» Le cœur de l'Époux, c'est le cœur de son Père. Et quel est-il? «Soyez miséricordieux, est-il dit, comme votre Père est miséricordieux[i].» Telle est la ressemblance que l'Époux désire voir, lorsqu'il dit à l'épouse : «Montre-moi ton visage[j]»; ressemblance dans la piété et dans la mansuétude. L'épouse lève en toute confiance ce visage vers le Rocher à qui ce visage est semblable. «Approchez-vous de lui, dit le psalmiste, et vous serez illuminés; vos visages ne seront pas couverts de confusion[k].» Comment une âme humble serait-elle confondue par celui qui est humble? Une âme sainte par celui qui est saint? Une âme docile par celui qui est doux? Oui, le pur visage de l'épouse ne jurera pas plus avec la pureté du Rocher que la vertu avec la vertu, la lumière avec la lumière.

IV. L'Église habite dans le rocher par les âmes parfaites, dans la muraille par les âmes moins parfaites, dans la terre creusée par les âmes malades. A qui sont adressées ces paroles : «Montre-moi ton visage, que ta voix résonne à mes oreilles.»

6. Mais pour l'instant l'Église ne peut pas encore s'approcher en toutes ses parties du rocher pour le perforer. Car il n'appartient pas à tous «ceux qui sont dans l'Église[a]» de percer «les mystères de la volonté[b]» divine ou de saisir par eux-mêmes «les profondeurs de Dieu[c]». C'est pourquoi il nous est montré qu'elle habite non seu-

sed et *in cavernis maceriae*[d] habitare ostenditur. Ergo in
perfectis quidem, qui rimari ac penetrare arcana sapientiae
et puritate conscientiae audent, et intelligentiae acumine
possunt, habitat *in foraminibus petrae*. De reliquo *in*
10 *cavernis maceriae*, ut qui in petra fodere per semetipsos
aut non sufficiunt, aut non praesumunt, in maceria fodiant,
contenti vel gloriam sanctorum mente intueri. Si cui ne
hoc quidem possibile sit, huic sane proponet *Iesum, et*
hunc crucifixum[e], ut et ipse absque suo labore habitet
15 in foraminibus petrae, in quibus non laboravit. Iudaei in
his *laboraverunt, et ipse in labores* infidelium *introibit*[f],
ut sit fidelis. Nec verendum quod patiatur repulsam, qui
et vocatur ut intret. *Ingredere*, inquit, *in petram,*
abscondere in fossa humo a facie timoris Domini, et a
20 *gloria maiestatis eius*[g]. Infirmae adhuc et inerti animae
quae, iuxta quod in Evangelio quidam de semetipso confitetur, *fodere non valet et mendicare erubescit*[h], fossa ostenditur humus ubi lateat, donec convalescat et proficiat, ut
possit et ipsa per se cavare sibi foramina in petra, per
25 quae intret ad interiora Verbi, animi utique vigore et
puritate.

7. Et si intelleximus fossam humum, illam quae ait :
Foderunt manus meas et pedes meos[a], non erit ambi-
gendum de sanitate in ea citius adipiscenda animae vulne-
ratae, quae in ea demorabitur. Quid enim tam efficax ad
5 curanda conscientiae vulnera, necnon ad purgandam
mentis aciem, quam Christi vulnerum sedula meditatio?
Verum donec purgata et sanata perfecte fuerit, non video
qualiter illi aptari possit quod dicitur : *Ostende mihi faciem*

---

d. Cant. 2, 14 ≠   e. I Cor. 2, 2 ≠   f. Jn 4, 38 ≠   g. Is. 2, 10 ≠
h. Lc 16, 3 ≠
7.a. Ps. 21, 17

---

1. * Cf. *SCt* 61, 2, l. 1, p. 244, n. 2.

lement «dans les trous du rocher[1]», mais aussi «dans les cavités de la muraille[d]». Elle habite «dans les trous du rocher» par les âmes parfaites, qui osent sonder et pénétrer les secrets de la sagesse par la pureté de leur conscience, et qui le peuvent par la subtilité de leur intelligence. Pour le reste, elle habite «dans les cavités de la muraille», afin que ceux qui par eux-mêmes ne peuvent ou n'osent pas creuser dans le rocher, creusent dans la muraille et se contentent au moins de contempler en esprit la gloire des saints. Si quelqu'un est incapable même de cela, l'Église lui proposera «Jésus, et Jésus crucifié[e]». Ainsi lui aussi, sans se donner de la peine, habitera «dans les trous du rocher» qu'il n'a pas peiné à creuser. Les Juifs «ont peiné» à les creuser, «et lui entrera dans ce qui a coûté de la peine[f]» aux infidèles, pour devenir lui-même fidèle. Il ne doit pas craindre d'essuyer un refus, puisqu'il est même invité à entrer. «Entre dans le rocher, est-il dit, cache-toi dans la terre creusée pour fuir la face redoutable du Seigneur et la gloire de sa majesté[g].» A l'âme encore faible et incapable qui, selon l'aveu de l'intendant dans l'Évangile, «n'a pas la force de creuser et a honte de mendier[h]», est montrée une terre creusée où se cacher, jusqu'à ce qu'elle reprenne des forces et progresse. Alors elle pourra se creuser elle-même dans le rocher, par la vigueur et la pureté de son esprit, des trous par où elle entrera dans l'intimité du Verbe.

7. Si par cette terre creusée nous entendons celui qui dit : «Ils ont percé mes mains et mes pieds[a]», sans nul doute l'âme blessée qui y demeurera y recouvrera au plus tôt la santé. Qu'y a-t-il d'aussi efficace pour soigner les blessures de la conscience et purifier la fine pointe de l'esprit que la méditation fervente des blessures du Christ? Oui, tant que l'âme ne sera pas parfaitement purifiée et guérie, je ne vois pas comment on pourrait lui appliquer ces paroles : «Montre-moi ton visage, que

tuam, sonet vox tua in auribus meis[b]. Quomodo denique
10 faciem suam ostendere audeat, vel levare vocem, cui et
latere indicitur? *Abscondere,* inquit, *in fossa humo*[c]. Quare?
160   Quia non est pulchra facie, nec digna quae videatur. Non
erit digna videri, quamdiu non erit videre idonea. Cum
autem per inhabitationem fossae humi in sanando oculo
15 interiori tantum profecerit, ut *revelata facie speculari
gloria Dei*[d] et ipsa possit, tunc demum quae videbit
fiducialiter iam loquetur voce et facie placens. Placeat
necesse est facies, quae in Dei claritatem intendere[e] potest.
Neque enim id posset, nisi clara ipsa quoque esset et
20 pura, utique transformata in eamdem quam conspicit claritatis imaginem[f]. Alioquin ipsa dissimilitudine resiliret,
insolito reverberata fulgore. Ergo cum pura puram intueri
potuerit veritatem, tunc faciem ipsius Sponsus videre
cupiet, consequenter et vocem eius audire.

8. Nam quantum illi placeat cum puritate quidem mentis
praedicatio veritatis, ostendit cum subinde infert : *Vox
enim tua dulcis*[a]. Quia enim non placeat vox si displiceat
facies, demonstrat cum illico subdit : *Et facies tua decora*[b].
5 Quid internae decor faciei, nisi puritas? In pluribus haec
absque praedicationis voce complacuit, illa absque ista in
nemine. Impuris se Veritas non ostendit, non se credit
Sapientia. Quid ergo loquuntur quam non viderunt? *Quod
scimus loquimur,* inquit, *et quae vidimus testamur*[c]. I ergo
10 tu et aude testari quod non vidisti, et loqui quod ignoras.
Quaeris quem dicam impurum? Qui laudes requirit

---

b. Cant. 2, 14   c. Is. 2, 10 ≠   d. II Cor. 3, 18 ≠   e. cf. II Cor. 3,
13   f. cf. II Cor. 3, 18
8.a. Cant. 2, 14   b. Cant. 2, 14   c. Jn 3, 11 ≠

---

1. «dans la guérison de son œil intérieur», *in sanando oculo interiori :
Éphés.* 3, 16 parle de l'homme intérieur. Cf. K. RAHNER, «Le début d'une
doctrine des cinq sens spirituels chez Origène», *RAM* 13 (1932), p. 113-
145.

ta voix résonne à mes oreilles[b].» Comment oserait-elle
montrer son visage ou élever la voix, l'âme à qui l'on
commande de se cacher? «Cache-toi, est-il dit, dans la
terre creusée[c].» Pourquoi? Parce que son visage n'est pas
beau ni digne d'être vu. Elle ne sera pas digne d'être
vue tant qu'elle ne sera pas capable de voir. Mais le
temps viendra où, par son séjour dans la terre creusée,
elle aura fait assez de progrès dans la guérison de son
œil intérieur[1] pour pouvoir «contempler à visage
découvert la gloire de Dieu[d]». Alors, parce qu'elle verra,
elle parlera désormais avec confiance, agréable par sa
voix et par son visage. Il est nécessairement agréable, le
visage qui peut regarder vers la clarté de Dieu[e]. Il ne
le pourrait pas s'il n'était pas lui-même clair et pur,
c'est-à-dire transformé en cette même image de clarté
qu'il contemple[f]. Sinon, à cause de sa dissemblance, il
reculerait, repoussé par un éclat inaccoutumé. Lorsque
l'épouse toute pure pourra regarder la pure vérité, alors
l'Époux désirera voir son visage et dès lors entendre sa
voix.

8. L'Époux montre en effet combien lui plaît la prédication de la vérité jointe à la pureté de l'âme, lorsqu'il
dit ensuite : «Car ta voix est douce[a].» Il fait savoir que
la voix ne saurait lui plaire si le visage lui déplaît, car
il ajoute aussitôt : «Et ton visage est beau[b].» Quelle est
la beauté du visage intérieur, sinon la pureté? Chez plusieurs Dieu a agréé la pureté sans la voix de la prédication; chez personne il n'a agréé la prédication sans la
pureté. Aux impurs, ni la Vérité ne se montre, ni la
Sagesse ne se livre. Comment parleraient-ils de celle qu'ils
n'ont pas vue? «Nous parlons de ce que nous savons,
est-il dit, et nous attestons ce que nous avons vu[c].» Vas-
y donc, et ose attester ce que tu n'as pas vu, parler de
ce que tu ignores. Tu me demandes qui j'appelle impur?
Celui qui recherche les louanges humaines, qui «n'offre

humanas, qui non *ponit sine sumptu Evangelium*[d], qui evangelizat ut manducet[e], *qui quaestum aestimat pietatem*[f], qui *non requirit fructum, sed datum*[g]. Impuri sunt
15 tales; et qui non habeant unde videant veritatem propter impuritatem[h], habent tamen unde illam loquantur. Quid praepropere agitis? Cur lucem non exspectatis? Cur opus lucis ante lucem praesumitis? *Vanum est vobis ante lucem surgere*[i]. Lux est puritas, lux *caritas*, quae *non quaerit*
20 *quae sua sunt*[j]. Haec praecedat, et pes linguae in incerto non ponitur. *Superbo oculo*[k] veritas non videtur, sincero patet. Non est quod se veritas deneget intuendam puro cordi, ac per hoc ne eloquendam. *Peccatori autem dicit Deus: Quare tu enarras iustitias meas, et assumis testa-*
25 *mentum meum per os tuum*[l]? Multi, puritate neglecta, ante loqui quam videre conati sunt, et aut graviter erraverunt,
161 nescientes de quibus loquerentur neque de quibus affirmarent, aut turpiter viluerunt, dum *qui alios docerent, seipsos non docuissent*[m]. A quo nos gemino malo semper
30 custodiat exoratus a vobis sponsus Ecclesiae, Iesus Christus Dominus noster, *qui est super omnia Deus benedictus in saecula. Amen*[n].

---

d. I Cor. 9, 18 ≠   e. cf. II Thess. 3, 8   f. I Tim. 6, 5 (Patr.)
g. Phil. 4, 17 ≠   h. cf. Matth. 5, 8   i. Ps. 126, 2   j. I Cor. 13, 4-
5 ≠   k. Ps. 100, 5   l. Ps. 49, 16 ≠   m. Rom. 2, 21 ≠   n. Rom. 9, 5

pas sans salaire l'Évangile[d]», qui évangélise pour manger[e],
«qui tient la piété pour une source de profit[f][1]», qui «ne
recherche pas le fruit, mais l'aumône[g]». Ces gens-là sont
impurs. Ils n'ont pas le moyen de voir la vérité à cause
de leur impureté[h], mais ils ont le moyen d'en parler.
Pourquoi vous précipitez-vous de la sorte? Pourquoi n'at-
tendez-vous pas la lumière? Pourquoi prétendez-vous faire
l'œuvre de la lumière avant la lumière? «Il est inutile de
vous lever avant la lumière[i].» La lumière, c'est la pureté;
la lumière, c'est «la charité» qui «ne cherche pas son
avantage[j]». Que cette lumière vous précède; alors votre
langue ne bronchera pas. La vérité n'est pas perçue «par
l'œil hautain[k]»; elle se dévoile à l'œil pur. La vérité ne
se refuse jamais à la contemplation d'un cœur pur, et
par là elle lui permet de parler d'elle. «Mais le pécheur,
Dieu lui déclare : Pourquoi récites-tu mes préceptes et
as-tu mon alliance à la bouche[l]?» Bien des gens, dédai-
gnant la pureté, ont entrepris de parler avant de voir.
Ainsi, ou bien ils sont tombés dans des erreurs gros-
sières, ne sachant pas de quoi ils parlaient ni ce qu'ils
affirmaient; ou bien ils se sont couverts de honte, «eux
qui instruisaient les autres sans s'être instruits eux-
mêmes[m]». Que de ce double mal nous préserve toujours, grâce à vos prières, l'Époux de l'Église, Jésus-Christ
notre Seigneur, «qui est au-dessus de tout, Dieu béni
dans les siècles. Amen[n]».

---

1. * Cf. *SCt* 60, 6, l. 27, p. 232, n. 1.

SERMO LXIII

I. Quae sit vinea quam vulpes demoliuntur. – II. Quod solus sapiens vineam habet, vitem, palmitem, vinum, et quae vulpes hanc demoliuntur, et quomodo capiantur. – III. Qui sunt vineae fructus, et quod novitii sunt flores, quidve his floribus timendum.

I Quae sit vinea quam vulpes demoliuntur

1. *Capite nobis vulpes parvulas, quae demoliuntur vineas; nam vinea nostra floruit*[a]. Liquet quod non otiose ad vineas itum sit, quando ibi inventae sunt vulpes demolientes eas. Littera quidem istud. Spiritus quid? Ante omnia
5 sane, ut communem et usitatum litterae sensum ab hac explanatione penitus respuamus, utpote ineptum et insulsum, indignumque plane qui recipiatur in Scriptura tam sancta, tam authentica. Nisi quis forte ita vecors et animo stolidus sit, ut pro magno habeat didicisse ex ea,
10 instar *filiorum huius saeculi*[b], curam gerere terrenarum possessionum, custodire et defensare vineas ab incursantibus bestiis ne forte contingat amittere fructum *vini, in quo est luxuria*[c], simulque pereat opera et impensa. Grande scilicet damnum, ut propterea librum sanctum
15 tanto studio et tanta cum veneratione legamus, quod docemur in eo a vulpibus vineas custodire, ne, in excolendis illis, frustra marsupia vacuarentur, si in custodiendis pigri fuerimus. Non estis tam rudes, neque adeo spiri-

---

1.a. Cant. 2, 15 ≠   b. Lc 16, 8 ≠; 20, 34 ≠   c. Éphés. 5, 18 ≠

SERMON 63

I. Quelle est la vigne que les renards ravagent. – II. Seul le sage a une vigne, un cep, des sarments, du vin. Quels sont les renards qui ravagent cette vigne, et comment on les attrape. – III. Quels sont les fruits de la vigne. Les fleurs, ce sont les novices. Ce qu'il faut craindre pour ces fleurs.

I. Quelle est la vigne que les renards ravagent.

1. « Attrapez-nous les petits renards qui ravagent les vignes ; car notre vigne a fleuri[a]. » De toute évidence, ce n'est pas en vain qu'on est allé aux vignes, puisqu'on y a découvert les renards en train de les ravager. Tel est certes le sens littéral. Quel est le sens spirituel ? Tout d'abord, il nous impose de rejeter complètement de notre commentaire le sens littéral commun et ordinaire, car celui-ci est déplacé et insipide, tout à fait indigne d'être admis dans une Écriture si sainte, si authentique. A moins qu'on ne soit si stupide et si obtus qu'on tienne pour un grand avantage d'apprendre d'elle, comme « les enfants du siècle[b] », à prendre soin des possessions terrestres, à garder et à protéger les vignes des incursions des bêtes, pour ne pas perdre la récolte, « le vin qui entraîne à la débauche[c] », sans parler du travail et de la dépense. Oui, ce serait grand dommage de lire avec tant d'attention et de respect le livre saint pour apprendre de lui à garder les vignes des renards, de peur qu'en les cultivant nous ne vidions nos bourses pour rien, si nous négligeons de garder ces vignes. Vous n'êtes pas si frustes, ni si

tualis expertes gratiae, ut ita carnaliter sapiatis[d]. Ergo in
spiritu ista quaeramus. Ibi sane invenimus, sano quidem
intellectu, sensuque nihilominus digno, et vineas florentes,
et vulpes demolientes, in quibus capiendis vel amovendis,
et honestius laboratur, et fructuosius. An vos dubitatis
longe vigilantius insistendum mentibus servandis quam
frugibus, longe curiosius · invigilandum cavendis propter
illas *spiritualibus nequitiis*[e], quam capiendis propter istas
fraudulentis vulpeculis[f]?

2. Sed iam a me demonstrandae sunt spirituales istae
tam vites quam vulpes. Vestra intererit, filii, suae quemque
vineae providere, cum me disputante adverterit in quibus
sibi et a quibus maxime sit cavendum. Viro sapienti sua
vita vinea est, sua mens, sua conscientia. Nil quippe
incultum desertumve in se sapiens derelinquet. Stultus
non ita : cuncta apud eum neglecta invenies, cuncta
iacentia, cuncta inculta et sordida. Non est vinea stulto.
Quomodo vinea, ubi nil plantatum, nil elaboratum uspiam
paret? Tota *spinis* silvescit *et tribulis*[a] stulti vita; et vinea
est? Etsi fuit, iam non est, *redacta in solitudinem*[b]. Ubi
vitis virtutis? Ubi botrus boni operis? Ubi vinum laetitiae
spiritualis? *Per agrum hominis pigri transivi,* inquit, *et per
vineam viri stulti; et ecce, totum repleverant urticae, et*

---

d. cf. Rom. 8, 5   e. Éphés. 6, 12 ≠   f. cf. Cant. 2, 15
2.a. Gen. 3, 18 ≠   b. Jér. 50, 13 ≠

---

1. * *Capiendis... vulpeculis :* cette allusion rapide à Cant. 2, 15 ouvre
une série de 10 emplois par Bernard du diminutif *vulpecula* dans les
SCt 63 à 66. A la place de *vulpes parvulas, Vg,* «petits renards», Bernard
emploie *vulpeculas,* «renardeaux», *Vl,* à la suite de plusieurs Pères,
Grégoire le Grand, Rémi d'Auxerre, Pierre Damien. Certains Pères et
Bernard écrivent aussi *vulpes pusillas* (même sens). Bernard insiste sur

dépourvus de grâce spirituelle, que vous entendiez ce passage d'une façon si charnelle[d]. Examinons donc ces paroles en esprit. Nous trouvons certes ici, mais selon la juste compréhension et le sens plus digne, des vignes en fleur et des renards ravageurs, qu'il faut attraper ou chasser par un travail plus louable et plus fructueux. Eh quoi! Mettriez-vous en doute qu'il ne faille apporter bien plus de soin et de vigilance à garder les âmes que les récoltes? Qu'il ne faille veiller avec bien plus d'empressement pour protéger les âmes «contre les esprits du mal[e]», que pour attraper les renardeaux rusés[1] qui menacent les vignes[f]?

2. Mais il est temps que je vous montre quels sont ces vignes et ces renards selon le sens spirituel. Il est dans votre intérêt, mes fils, que chacun veille sur sa propre vigne, lorsqu'il aura vu, par mes explications, en quoi et contre qui surtout il faut faire bonne garde. Pour l'homme sage, la vigne c'est sa vie, son âme, sa conscience. Le sage ne laissera en lui-même rien en friche ni à l'abandon. L'insensé ne fait pas de même : chez lui, tu trouveras que tout est négligé, tout est en ruine, tout est inculte et sale. L'insensé n'a pas de vigne. Comment y aurait-il une vigne là où n'apparaît nulle part quoi que ce soit de planté ou de travaillé? La vie de l'insensé n'est qu'une forêt «d'épines et de ronces[a]»; et elle serait une vigne? Même si elle l'a été, elle ne l'est plus maintenant qu'elle est «réduite à la désolation[b]». Où est le cep de la vertu? Où est la grappe des bonnes œuvres? Où est le vin de la joie spirituelle? «J'ai traversé le champ du paresseux, est-il dit, et la vigne de l'insensé. Or voici :

---

le caractère insidieux, rusé, mensonger de ces renardeaux; il les définit : «le mal sous les apparences du bien» (SCt 64, 3, 1. 29, p. 302) et il entend les empêcher de nuire à la vigne du Seigneur en les dévoilant; dans ce but, il s'appuie sur ces deux passages de Paul qu'il utilise volontiers : II Cor. 11, 14 et II Cor. 2, 11; on les trouve en SCt 64, 6. Cf. SCt 30, 7, SC 431, p. 410, n. 2.

15 *operuerant superficiem eius spinae, et maceria lapidum
destructa erat*[c]. Audis Sapientem irridentem stultum, quod
bona naturae et dona gratiae, quae forte *per lavacrum
regenerationis*[d] acceperat, tamquam illam, quam plantavit
Deus et non homo[e], primam suam vineam in non vineam
20 negligendo redegit. Denique non potest vinea esse, ubi
vita non est. Nam stultus quod vivit, mortem potius quam
vitam esse censuerim. Quomodo vita cum sterilitate? Arbor
arida et in sterilitatem versa, nonne mortua iudicatur? Et
sarmenta mortua sunt. *Et occidit,* inquit, *in grandine vineas
25 eorum*[f], monstrans vita privatas, quae sterilitate damnatae
sint. Sic stultus, eo ipso quod inutiliter vivit, *vivens mortuus
est*[g].

II. Quod solus sapiens vineam habet, vitem, palmitem, vinum, et quae vulpes hanc demoliuntur, et quomodo capiantur.

3. Soli itaque convenit sapienti habere vel potius esse
vineam, qui vitam habet. Est lignum *fructiferum in domo
Dei*[a], ac per hoc lignum vivens. Siquidem et ipsa sapientia,
qua sapiens dicitur et est, *lignum vitae est apprehenden-
5 tibus eam*[b]. Quidni vivat apprehensor eius? Vivit, sed ex
fide. Iustus nempe est sapiens, et *iustus ex fide vivit*[c]. Et
si *anima iusti sedes est sapientiae*[cc], sicut est, profecto is
sapiens qui iustus. Is ergo sive iustum nomines, sive
sapientem, numquam absque vinea vivet, quia numquam

163

---

c. Prov. 24, 30-31 ≠   d. Tite 3, 5   e. cf. Lc 20, 9   f. Ps. 77,
47 ≠   g. I Tim. 5, 6 ≠
3.a. Ps. 51, 10 ≠   b. Prov. 3, 13. 18 ≠   c. Rom. 1, 17
cc. cf. Prov. 12, 23 (secundum LXX),...

---

1. Remarquons l'assonance des mots : *vinea – vita*. Il est clair que
c'est le jeu littéraire qui a guidé la pensée de Bernard.
2. * «L'âme du juste...» : dicton patristique qui amalgame des versets
bibliques divers et qui remonte à Augustin. Cf. *SCt* 25, 6, *SC* 431, p. 268,

les orties avaient tout envahi, les épines en avaient couvert la surface, la muraille de pierres était écroulée[c]. » Tu entends le Sage qui se moque de l'insensé, parce qu'il a laissé périr par sa négligence les biens de la nature et les dons de la grâce, qu'il avait peut-être reçus « par le bain de la nouvelle naissance[d] »; tout comme par sa négligence il a réduit à tout le contraire d'une vigne cette première vigne plantée par Dieu et non par l'homme[e]. Bref, il ne saurait y avoir de vigne là où il n'y a pas de vie[1]. Car ce que vit l'insensé, je croirais que c'est une mort plutôt qu'une vie. Comment la vie peut-elle aller de pair avec la stérilité? L'arbre sec et devenu stérile, n'est-il pas tenu pour mort? Et ses sarments aussi sont morts. « Il a fait périr leurs vignes par la grêle[f] », est-il dit, montrant que les vignes condamnées pour leur sté-rilité sont privées de vie. Ainsi l'insensé, par le fait même qu'il vit inutilement, « est un mort vivant[g] ».

II. Seul le sage a une vigne, un cep, des sarments, du vin. Quels sont les renards qui ravagent cette vigne, et comment on les attrape.

3. Au sage seul, qui possède la vie, il convient d'avoir, ou plutôt d'être une vigne. Il est un arbre « fécond dans la maison de Dieu[a] », et donc un arbre vivant. Car « la sagesse » elle-même, par laquelle il est dit être sage, et il l'est, « est un arbre de vie pour ceux qui l'acquièrent[b] ». Comment ne vivrait-il pas, celui qui l'acquiert? Il vit, mais par la foi. Car le sage est un juste, et « le juste vit par la foi[c] ». Et si « l'âme du juste est le siège de la sagesse[cc 2] », comme elle l'est en effet, sans aucun doute celui qui est juste est sage. Que tu l'appelles juste ou sage, jamais il

n. 2 et *Conv* 60, *SC* 457, p. 278, n. 1. Bernard, à chacun de ses nom-breux emplois de ce dicton, le relie à son texte d'une manière diffé-rente.

¹⁰ non vivet. Hoc quippe est illi vinea quod vita. Et bona
vinea iusti; immo bona vinea iustus, cui virtus vitis, cui
actio palmes[d], et cui vinum testimonium conscientiae[e],
cui lingua torcular expressionis. Denique *gloria nostra
haec est,* inquit, *testimonium conscientiae nostrae*[f]. Vides
¹⁵ apud sapientem vacare nihil? Sermo, cogitatio, conversatio, et si quid aliud ex eo, quidni totum *Dei agricultura,
Dei aedificatio est*[g], et *vinea Domini Sabaoth*[h]? Quid
denique illi de se perire possit, quando *et folium eius
non defluet*[i]?

4. Ceterum tali vineae numquam infestationes, numquam
insidiae deerunt. Nempe *ubi multae opes, multi sunt et
qui comedunt eas*[a]. Sapiens erit sollicitus servare vineam
suam non minus quam excolere, nec sinet eam vorari a
⁵ vulpibus. Pessima vulpes occultus detractor, sed non minus
nequam adulator blandus. Cavebit sapiens ab his. Dabit
operam sane, quod in ipso est, capere illos qui talia
agunt, sed capere beneficiis atque obsequiis, monitisque
salutaribus, et *orationibus pro eis ad Deum*[b]. Non cessabit
¹⁰ istiusmodi *carbones ignis congerere super caput*[c] maledici,
et item super adulatoris, quousque, si fieri potest, et illi
invidiam, et huic simulationem de corde tollat, faciens
mandatum sponsi dicentis : *Capite nobis vulpes parvulas,
quae demoliuntur vineas*[d]. Annon tibi captus ille videtur,
¹⁵ qui suffusus ora rubore, quippe proprium erubescens
iudicium, ipse suae confusionis et paenitudinis testis est,
sive quod oderit hominem amore dignissimum, sive quod

---

d. cf. Jn 15, 5   e. cf. II Cor. 1, 12   f. II Cor. 1, 12   g. I Cor. 3,
9 ≠   h. Is. 5, 7 (Lit.)   i. Ps. 1, 3
4.a. Eccl. 5, 10 ≠   b. Act. 12, 5 ≠   c. Rom. 12, 20 ≠   d. Cant. 2,
15 ≠

---

1. * Cf. *SCt* 60, 8, l. 3, p. 234, n. 1.

ne vivra sans vigne, puisqu'il ne sera jamais sans vie.
Car pour lui la vigne est la même chose que la vie. Et
la vigne du juste est bonne. Ou mieux, le juste est une
bonne vigne : sa vertu est le cep; son action, les sarments[d]; le témoignage de sa conscience[e], le vin; sa
langue, le pressoir qui l'exprime. Car «notre gloire, la
voici : le témoignage de notre conscience[f]». Vois-tu que
rien n'est inutilisé chez le sage? Paroles, pensées, manière
de vivre, et tout le reste, comment tout ne «serait-il pas
le champ que Dieu cultive, la construction de Dieu[g]»,
et «la vigne du Seigneur Sabaoth[h1]»? Enfin, qu'est-ce qui
pourrait se perdre chez lui, puisque «son feuillage même
ne tombera pas[i]?»

4. Une telle vigne, d'ailleurs, ne sera jamais à l'abri
d'attaques et d'embûches. Car «là où les richesses
abondent, abondent aussi ceux qui les dévorent[a]». Le
sage sera attentif à garder sa vigne non moins qu'à la
cultiver, et il ne la laissera pas dévorer par les renards.
Le pire des renards, c'est le détracteur caché, mais le
flatteur mielleux n'est pas moins méchant. Le sage se
gardera de ces gens-là. Il mettra tout en œuvre, dans la
mesure de ses forces, pour attraper ceux qui agissent
de la sorte; mais pour les attraper par ses bienfaits et
ses services, par ses avertissements salutaires et «par les
prières qu'il fera à Dieu pour eux[b]». Il ne cessera pas
d'«amasser ce genre de charbons ardents sur la tête[c]»
du médisant, comme sur la tête du flatteur, jusqu'à enlever,
si faire se peut, l'envie du cœur de l'un et la simulation
du cœur de l'autre. Ainsi accomplira-t-il le commandement
de l'Époux qui dit : «Attrapez-nous les petits renards qui
ravagent les vignes[d].» Ne te semble-t-il pas qu'il est
attrapé, celui qui, le visage couvert de rougeur, est le
propre témoin de sa confusion et de son repentir? Car
il rougit de son propre jugement, soit pour avoir haï un
homme très digne d'amour, soit pour avoir aimé

dilexerit *tantum verbo et lingua* eum, a quo se *diligi opere et veritate*[e] vel sero expertus est? Captus plane, et
20 captus Domino, secundum quod signanter expressit : *Capite,* inquiens, *nobis.* Utinam ego *omnes adversantes mihi sine causa*[f] ita capere possim, ut Christo eos vel
164 restituam, vel acquiram! Sic, sic *confundantur et revereantur qui quaerunt animam meam, avertantur*
25 *retrorsum et erubescant, qui volunt mihi mala*[g], quatenus inveniar et ipse oboediens sponso, ut capiam et ipse vulpes non mihi, sed ipsi. Sed reflectatur sermo ad sui principium, ut suo ordine series explanationis procedat.

III. Qui sunt vineae fructus, et quod novitii sunt flores, quidve his floribus timendum.

5. *Capite nobis vulpes parvulas, quae demoliuntur vineas*[a]. Locus moralis est, et iuxta morum disciplinam nos iam ostendimus, spirituales has vineas nonnisi spirituales viros esse, quorum cum omnia interiora culta sint,
5 omniaque germinantia, omniaque fructificantia et *parturientia spiritum salutis*[b], sicut de regno Dei dictum est, ita de *vineis* his aeque *Domini Sabaoth*[c] dicere possumus quia intra nos sunt[d]. Denique in Evangelio legitur *datum iri gentibus regnum facientibus fructus eius*[e]. Hi sunt quos
10 Paulus enumerat dicens : *Fructus autem Spiritus est caritas, gaudium, pax, patientia, longanimitas, bonitas, benignitas, mansuetudo, fides, modestia, continentia, castitas*[f]. Fructus

---

e. I Jn 3, 18 ≠   f. Ps. 3, 8   g. Ps. 34, 4 ; Ps. 69, 4 (Lit.)
5.a. Cant. 2, 15 ≠   b. Is. 26, 18 (Patr.)   c. Is. 5, 7 (Lit.)   d. cf. Lc 17, 21   e. Matth. 21, 43 ≠   f. Gal. 5, 22-23 ≠

---

1. * Bernard a fait 3 citations et 6 allusions plus ou moins lointaines à ce texte *VI* d'*Isaïe,* dont *Vg* diffère au point de mettre *salutis* dans un autre membre de phrase. Jérôme avait souvent cité ce verset dans les termes précis que reproduit Bernard, par exemple en *2 EpiO* 8 (*SBO* IV,

«seulement en paroles et du bout des lèvres» un homme qui l'«aimait en actes et en vérité[e]» : il l'a reconnu, bien que tard. Oui, il a été attrapé, et attrapé pour le Seigneur, qui avait clairement exprimé son vouloir en disant : «Attrapez-nous les petits renards.» Plaise à Dieu que je puisse ainsi attraper «tous ceux qui me sont hostiles sans raison[f]», pour les rendre ou les gagner au Christ! «Qu'ils soient ainsi couverts de confusion et de honte, ceux qui s'en prennent à mon âme; qu'ils reculent et rougissent, ceux qui me veulent du mal[g].» Alors, obéissant moi aussi à l'Époux, j'attraperais moi aussi les renards, non pas pour moi, mais pour lui. Mais il faut que l'entretien revienne à son point de départ, afin que la suite du commentaire se déroule selon l'ordre voulu.

III. Quels sont les fruits de la vigne.
Les fleurs, ce sont les novices.
Ce qu'il faut craindre pour ces fleurs.

5. «Attrapez-nous les petits renards qui ravagent les vignes[a].» Ce passage a un sens moral. Or, nous avons déjà montré qu'au point de vue de la morale ces vignes selon le sens spirituel ne sont autre chose que les hommes spirituels, dont tout l'intérieur est cultivé, bourgeonne, fructifie «et produit l'esprit du salut[b1]». Aussi pouvons-nous dire de ces «vignes du Seigneur Sabaoth[c]», comme il a été dit du règne de Dieu, qu'elles sont au-dedans de nous[d]. Car on lit dans l'Évangile que «le règne sera donné aux nations, qui lui feront produire ses fruits[e]». Ces fruits sont ceux que Paul énumère en disant : «Or, le fruit de l'Esprit est charité, joie, paix, patience, magnanimité, bonté, bienveillance, mansuétude, foi, modestie, continence, chasteté[f].» Ces fruits sont nos progrès. Ils

---

p. 325, l. 24). On trouve dans Ambroise plusieurs allusions *VI* qui rappellent le texte de Jérôme et qui présentent des variations entre elles.

isti, profectus nostri. Hi accepti sponso, quia *ipsi cura est de nobis*[g]. *Num de* virgultis *cura est Deo*[h]? Homines, non
15 arbores, amat Homo-Deus, et nostros profectus suos fructus reputat. Tempus horum diligenter observat, arridet apparentibus, et sollicitus satagit ne pereant nobis, cum apparuerint; immo vero ne pereant sibi : se enim reputat tamquam nos. Ideo providens capi sibi iubet insidiantes
20 vulpeculas, ne novellos fructus ipsae praeripiant. *Capite,* inquit, *nobis vulpes parvulas, quae demoliuntur vineas.* Et quasi quis dicat : «Praepropere times : nondum venit fructuum tempus[i]» – : «Non est ita», inquit; «iam *vinea nostra floruit*[j]». Post flores non est fructuum mora : adhuc
25 illis cadentibus, erumpunt isti, illico incipiunt apparere.

6. *Parabola* ista *instantis est temporis*[a]. Videtis istos novitios? Nuper venerunt, nuper conversi sunt. Non pos-
165 sumus de ipsis dicere quia *vinea nostra floruit*[b] : floret enim. Interim quod in eis apparere videtis, flos est;
5 fructuum tempus nondum advenit[c]. Flos novella conver-satio, flos formula recens vitae emendatioris est. Induerunt sibi faciem disciplinatam et bonam totius corporis compo-sitionem. Placent, fateor, quae in facie sunt : negligentior utique is, qui foris apparet, corporum cultus et vestium,
10 sermo rarior, vultus hilarior, aspectus verecundior, incessus maturior. Verum, quia de novo ista coepere, ipsa sui novitate flores censenda sunt, et spes fructuum magis quam fructus. Vobis, filioli, non timemus a fraude vulpium, quae fructibus magis quam floribus invidere noscuntur.

---

g. I Pierre 5, 7 ≠   h. I Cor. 9, 9 ≠   i. cf. Matth. 21, 34; Jn 7, 6
j. Cant. 2, 15
6.a. Hébr. 9, 9 ≠   b. Cant. 2, 15   c. cf. Matth. 21, 34; Jn 7, 6

---

1. Bernard s'adresse plusieurs fois aux novices de sa communauté. Cf. *SCt* 1, 12 (*SC* 414, p. 76); *SCt* 57, 11, p. 173; 60, 6, p. 231; 64, 3, p. 303. Cf. aussi A. DIMIER, *Saint Bernard, pêcheur de Dieu*, Paris 1953, p. 140-244.

sont agréables à l'Époux, car «lui-même prend soin de nous[g]». «Dieu se mettrait-il en peine[h]» des plants? L'Homme-Dieu aime les hommes, non les arbres, et il regarde nos progrès comme ses propres fruits. Il en observe attentivement la saison, sourit à leur apparition, et se donne beaucoup de peine pour que nous ne les perdions pas, lorsqu'ils sont apparus; ou plutôt, pour qu'il ne les perde pas lui-même : car il se met à notre place. Aussi, dans sa prévoyance, ordonne-t-il qu'on lui attrape les renardeaux à l'affût, de peur qu'ils ne s'emparent des fruits encore tendres. «Attrapez-nous, dit-il, les petits renards qui ravagent les vignes.» Puis, comme si quelqu'un disait : «Ta crainte est prématurée : la saison des fruits n'est pas encore venue[i]», il réplique : «Pas du tout : déjà 'notre vigne a fleuri[j]'.» Après les fleurs, les fruits ne tardent pas; les fleurs sont encore en train de tomber que déjà les fruits poussent, et les voici qui apparaissent.

6. «C'est là une parabole pour le temps présent[a].» Voyez-vous ces novices? Ils viennent d'arriver, ils viennent d'entrer dans la vie monastique[1]. Nous ne pouvons pas dire d'eux que «notre vigne a fleuri[b]» : car elle commence à fleurir. Pour l'instant, ce que vous voyez paraître en eux, c'est la fleur; la saison des fruits n'est pas encore venue[c]. La fleur, c'est leur nouveau genre de vie; la fleur, c'est la forme toute récente d'une vie plus pure. Leur visage a pris un air discipliné et tout leur corps une bonne tenue. Leur mine me plaît, je l'avoue : le soin extérieur du corps et du vêtement est plus négligé, la parole plus rare, le visage plus souriant, le regard plus modeste, la démarche plus grave. Mais puisque tout cela ne fait que commencer, à cause de cette nouveauté même il faut y voir des fleurs, et l'espérance des fruits plutôt que déjà les fruits. Pour vous, mes petits enfants, nous ne craignons pas les ruses des renards, car nous savons qu'ils en veulent aux fruits plutôt qu'aux fleurs. Le danger

15 Vestrum aliunde periculum est. Ustionem certe metuo
floribus, non subreptionem, sed ustionem a frigore. Aquilo
mihi suspectus est, et frigora matutina, quae intempes-
tivos solent perdere flores, praeripere fructus. Itaque *ab
aquilone panditur* vestrum *malum*[d]. *A facie frigoris quis*
20 *sustinebit*[e]? Hoc frigus si semel animam, animae, ut
assolet, incuria, spiritu dormitante, pervaserit, ac nemine
deinde, quod absit, inhibente, ad interiora eius pervenerit, descenderit in viscera cordis et sinum mentis, concus-
serit affectiones, occupaverit consilii semitas, perturbaverit
25 iudicii lumen, libertatem addixerit spiritus, mox, ut in
corpore solet evenire febricitantibus, subit quidam animi
rigor; et vigor lentescit, languor fingitur virium, horror
austeritatis intenditur, timor sollicitat paupertatis, contrahitur animus, subtrahitur gratia, protrahitur longitudo vitae,
30 sopitur ratio, *spiritus exstinguitur*[f], defervescit novitius
fervor, ingravescit tepor fastidiosus, *refrigescit* fraterna
caritas[g], blanditur voluptas, fallit securitas, revocat
consuetudo. Quid plura? Dissimulatur lex, abiudicatur ius,
fas proscribitur, *derelinquitur timor Domini*[h]. Dantur
35 postremo impudentiae manus : praesumitur ille temerarius,
ille pudendus, ille turpissimus, plenus ille ignominia et
confusione, saltus de excelso in abyssum, de pavimento
in sterquilinium, de solio in cloacam, de caelo in caenum,
de claustro in saeculum, de paradiso in infernum. Prin-
40 cipium et originem huius pestis et vel qua arte vitetur,

---

d. Jér. 1, 14 ≠   e. Ps. 147, 17 ≠   f. I Thess. 5, 19 ≠   g. Matth. 24,
12 ≠   h. Job 6, 14 ≠

---

1. * Le texte des Psautiers, gallican et romain, porte, sans variante :
ante faciem (frigoris). Bernard, 4 fois sur 5, écrit *a facie,* que l'on ne
trouve nulle part dans la *Patrologie latine* avant lui (notons que le
Psautier grec n'a pas un sens qui puisse justifier la préposition latine *a*).
Enfin, ce texte se répand après lui.

qui vous menace vient d'ailleurs. Oui, je crains que les fleurs ne soient brûlées, non pas volées, mais brûlées par le froid. L'aquilon m'inquiète, et les gelées matinales, qui ont coutume de faire périr les fleurs prématurées et de nous priver des fruits. Ainsi «c'est de l'aquilon que provient le danger[d]» pour vous. «Devant ce froid, qui pourra tenir[e1]?» D'ordinaire, ce froid pénètre dans l'âme à cause de sa négligence, tandis que l'esprit sommeille. Si par malheur personne ne l'arrête, ce froid parvient jusqu'à l'intime de l'âme. Il descend dans le tréfonds du cœur et dans les replis de l'intelligence, il ébranle les sentiments, il occupe les voies du conseil, il trouble la lumière du jugement, il compromet la liberté de l'esprit. Aussitôt, comme il arrive d'habitude dans le corps des gens pris de fièvre, il se produit une sorte de paralysie spirituelle. La vigueur s'affaiblit, on s'imagine que les forces défaillent, le dégoût de l'austérité augmente, la crainte de la pauvreté se fait pressante; le cœur se resserre, la grâce se retire, la vie devant soi paraît très longue, la raison s'assoupit, «l'esprit s'éteint[f]»; la ferveur du noviciat retombe, une tiédeur pleine d'ennui s'installe, «la charité» fraternelle «se refroidit[g]»; le plaisir retrouve sa séduction, on se laisse tromper par une fausse assurance, les vielles habitudes reviennent. Quoi encore? On ignore la loi, on rejette le droit, on bannit la justice, «on abandonne la crainte du Seigneur[h]». Pour finir, on capitule devant l'impudence : on ose faire ce saut téméraire et honteux, ce saut infâme, plein d'ignominie et de confusion, ce saut des hauteurs dans l'abîme, du palais dans la fosse à fumier, du trône dans l'égout, du ciel dans la boue[2], du cloître dans le siècle, du paradis dans l'enfer. Ce n'est pas le moment de montrer quel est le principe et l'origine

---

2. «du ciel dans la boue», *de caelo in caenum :* magnifique paronomase, signalée aussi par Dorette SABERSKY-BASCHO, *Studien zur Paronomasie bei Bernhard von Clairvaux,* Fribourg (CH) 1979, p. 187.

vel qua superetur virtute, non est huius temporis demonstrare; alias erit hoc. Nunc coepta prosequamur.

7. Ad provectiores et firmiores sermo est retorquendus,
ad vineam quae iam floruit, cui quidem, etsi non est
quod floribus formidet a frigore, sed non fructus sunt
securi a vulpibus. Dicendum apertius quid sint spiritualiter hae vulpes, cur pusillae dicantur, cur iubeantur potissimum capi, et non abigi vel occidi; etiam introducenda
diversa genera harum bestiarum ad maiorem audientium
notitiam et cautelam : non sane sermone isto, ut fastidio
consulamus, et nostrae devotionis alacritas perpetuetur in
gratia et confessione gloriae magni Ecclesiae sponsi,
Domini nostri Iesu Christi, *qui est super omnia Deus benedictus in saecula. Amen*[a].

7.a. Rom. 9, 5

de ce fléau, ni par quels moyens on peut l'éviter ou par quelle vertu on peut le surmonter. Nous y reviendrons une autre fois. Maintenant, continuons ce que nous avons commencé.

7. Il faut que le sermon s'adresse à nouveau aux religieux plus avancés et plus solides, à la vigne qui a déjà fleuri. Bien qu'elle n'ait plus à craindre le froid pour ses fleurs, il n'empêche que ses fruits ne sont pas à l'abri des renards. Il reste à dire plus clairement ce que sont ces renards selon le sens spirituel, pourquoi ils sont appelés petits, pourquoi il est commandé avant tout de les attraper, et non de les chasser ou de les tuer. Il faut aussi présenter les diverses espèces de ces bêtes, pour mieux instruire et prémunir ceux qui m'écoutent. Mais sûrement pas dans ce sermon, pour ménager l'ennui et pour que notre ferveur demeure ardente dans la grâce et la louange de la gloire du grand Époux de l'Église, notre Seigneur Jésus-Christ, «qui est au-dessus de tout, Dieu béni dans les siècles. Amen[a]».

SERMO LXIV

I. De diversis generibus vulpium, id est subtilium tentationum, quarum quatuor ponit. – II. Cur capi potius iubentur quam occidi vel abigi vulpes, vel quare parvulae dicuntur. – III. Quod haeretici sunt vulpes, et quid sit illos capi, vel quibus nobis iubet sponsus eos capi.

I. De diversis generibus vulpium, id est subtilium tentationum, quarum quatuor ponit.

1. Adsum meae promissioni. *Capite nobis vulpes parvulas, quae demoliuntur vineas; nam vinea nostra floruit*[a]. Vulpes, tentationes sunt. *Necesse est ut veniant* tentationes[b]. *Quis* enim *coronabitur, nisi legitime certaverit*[c]?
5 Aut quomodo certabunt, si desit qui impugnet? Tu ergo *accedens ad servitutem Dei, sta in timore et praepara animam tuam ad tentationem*[d], certus *omnes qui pie volunt vivere in Christo persecutionem passuros*[e]. Porro tentationes diversae sunt, pro temporum diversitate. Et in
10 initiis quidem nostris, tamquam novellarum teneris floribus plantationum, in evidenti vis algoris incumbit, cuius meminimus in sermone altero, et incipientes ab hac peste cautos reddidimus. Iam vero proficientium sanctioribus studiis minime quidem sese opponere contrariae virtutes
15 aperte audent, sed solent ex occulto insidiari, quasi quaedam fraudulentae vulpeculae : specie quidem virtutes,

167

1.a. Cant. 2, 15 ≠   b. Matth. 18, 7 ≠   c. II Tim. 2, 5 ≠   d. Sir. 2, 1 ≠   e. II Tim. 3, 12 ≠

SERMON 64

I. Les diverses espèces de renards, c'est-à-dire des tentations subtiles. Bernard en cite quatre. – II. Pourquoi il est commandé d'attraper les renards plutôt que de les tuer ou de les chasser. Pourquoi ils sont appelés petits. – III. Les renards, ce sont les hérétiques. Ce que c'est que de les attraper, et pour qui l'Époux nous commande de les attraper.

I. Les diverses espèces de renards, c'est-à-dire des tentations subtiles. Bernard en cite quatre.

1. J'en viens à ma promesse. « Attrapez-nous les petits renards qui ravagent les vignes ; car notre vigne a fleuri[a]. » Les renards, ce sont les tentations. « Il est nécessaire que les tentations surviennent[b] ». « Qui en effet sera couronné, à moins d'avoir lutté selon les règles[c] » ? Et comment lutter, s'il n'y a pas quelqu'un qui attaque ? Toi donc, « qui entres au service du Seigneur, tiens-toi dans la crainte et prépare ton âme à la tentation[d] », sachant bien que « tous ceux qui veulent vivre saintement dans le Christ souffriront la persécution[e] ». Or, les tentations sont diverses, selon la diversité des âges. A nos débuts, pareils aux tendres fleurs des nouveaux plants, nous sommes évidemment menacés par la violence du froid, que nous avons évoquée dans le sermon précédent. Nous avons mis en garde les débutants contre ce fléau. Mais quant aux occupations plus saintes des progressants, les puissances ennemies n'osent pas s'y opposer ouvertement. Pourtant, elles ont coutume de leur dresser des embûches dissimulées, comme des renardeaux rusés : vertus en appa-

re autem vitia. Quantos, verbi gratia, ingressos *vias vitae*[f],
progressos ad meliora, *super semitas iustitiae*[g] bene
secureque proficiscentes et proficientes, fraude, proh
20 pudor! vulpium harum turpiter supplantatos expertus sum,
et sero in se virtutum suffocatos plangere fructus!

2. Vidi ego hominem *currentem bene*[a]; et ecce cogitatio : quidni vulpecula fuit? «Quantis», inquit, «bonum,
quo solus fruor, si essem in patria, possem utique impertiri
fratribus et *cognatis et notis*[b]. Amant me, et facile
5 acquiescerent suadenti. *Ut quid perditio haec*[c]? Vado illuc,
et salvo multos ex illis, et me pariter[d]. Nec verendum in
loci mutatione. Etenim dum benefaciam, quid interest ubi,
nisi quod illic procul dubio satius, ubi fructuosius degam?»
Quid plura? It, et perit miser, non tam exsul ad patriam
10 quam *canis reversus ad vomitum*[e]. Et se perdidit infelix,
et suorum acquisivit neminem. En una vulpecula, ista
videlicet frustratoria spes, quam habuit in acquisitione
suorum. Potes tu quoque per teipsum in teipso alias atque
alias similes huic invenire seu advertere, si non negligas.

3. Vis tamen ut unam adhuc ego ostendam tibi? Facio
etiam et tertiam; et quartam quoque demonstrabo, si te
ad capiendas eas, quas forte ex his in tua adverteris
vinea, *invenero vigilantem*[a]. Interdum bene proficientis
5 cuiuspiam, cum sibi profusius aliquid supernae gratiae
senserit irrorari, subit animum desiderium praedicandi, non
quidem ad parentes et propinquos, iuxta illud : *Continuo*

---

f. Ps. 15, 11   g cf Prov. 2, 8; Ps. 22, 3
2.a. Gal. 5, 7 ≠   b. Lc 2, 44 ≠   c. Matth. 26, 8   d. cf. I Tim. 4,
16   e. II Pierre 2, 22 ≠
3.a. Lc 12, 37 ≠

---

1. Citation qu'on trouve treize fois dans les *SBO*. Voir aussi : GUILLAUME
DE SAINT-THIERRY, *Méditations* V, 10 (*SC* 324, p. 98).

rence, vices en réalité. Combien en ai-je vu, par exemple, qui étaient entrés dans «les voies de la vie[f]», qui avaient progressé vers les réalités les meilleures, qui marchaient et avançaient bien et avec assurance «sur les sentiers de la justice[g]», et qui, hélas, ont été honteusement terrassés par la ruse de ces renards! Trop tard ils ont déploré que les fruits de leurs vertus aient été gâtés.

2. J'ai vu un homme «qui courait bien[a]». Mais voilà une pensée : et comment ne serait-elle pas un renardeau? Il se dit : «Si j'étais dans mon pays, à combien de gens, frères, «parents et amis[b]», je pourrais sûrement faire partager le bien dont je jouis tout seul ici! Ils m'aiment, et ils se rendraient sans peine à mes paroles persuasives. «A quoi bon ce gaspillage[c]?» J'y vais, et je sauve beaucoup d'entre eux, et moi-même avec eux[d]. Il n'y a rien à craindre d'un changement de lieu. Pourvu que je fasse le bien, qu'importe l'endroit, sinon qu'il est sans aucun doute préférable celui où je demeure avec plus de fruit?» Quoi de plus? Le malheureux y va, et se perd; plutôt qu'un exilé de retour en sa patrie, il est «un chien retournant à son vomissement[e][1]». Il s'est perdu, le misérable, et il n'a gagné aucun des siens. Voilà un renardeau : cet espoir trompeur qu'il a eu de gagner les siens. Toi aussi, tu peux par toi-même trouver ou remarquer en toi-même bien d'autres renardeaux semblables à celui-ci, si tu fais attention.

3. Veux-tu cependant que je te montre encore un renardeau? Je t'en montre même un troisième; et je t'en signalerai un quatrième aussi, si «je te trouve attentif[a]» à attraper, parmi ceux-ci, ceux que tu auras peut-être remarqués dans ta vigne. Il arrive parfois qu'un religieux en très bonne voie se sente irrigué par une généreuse profusion de la grâce céleste. Aussitôt lui vient à l'esprit le désir de prêcher, non pas à ses parents et à ses proches – selon cette parole : «Je n'ai pas eu d'égard à

non acquievi carni et sanguini[b], sed, quasi purius, fructuosius fortiusque, passim ad extraneos et ad omnes. Caute
10 omnino. Sane timet propheticum incurrere maledictum si,
quae in abscondito accepit *frumenta, abscondat in populis*[c], et contra Evangelium facere, nisi *quae in aure audivit
praedicaverit super tecta*[d]. Vulpes est, atque illa priore eo
nocivior, quo occultior veniens. Sed capio tibi eam. Primus
15 Moyses dicit : *Non arabis in primogenito bovis*[e]. Hoc
Paulus interpretans : *Non neophytum,* inquit, *ne, in
superbiam elatus, incidat in iudicium diaboli*[f]; et rursum :
Nec quisquam, inquit, *sumit sibi honorem, sed qui vocatur
a Deo tamquam Aaron*[g]; item ipse : *Quomodo praedi-
20 cabunt,* ait, *nisi mittantur*[h]? Et scimus monachi officium
non docere esse, sed lugere. Ex his similibusque collectis
mihi texo rete, et *capio vulpem, ne demoliatur vineam*[i].
Ex his nempe claret et certum est, quod publice prae-
dicare nec monacho convenit, nec novitio expedit, nec
25 non misso licet. Porro contra haec tria venire, quanta
conscientiae demolitio est? Ergo quidquid tale animo
suggeratur, sive sit illud tua cogitatio, sive *immissio per
angelum malum*[j], dolosam agnosce vulpeculam, id est
malum sub specie boni.

4. Sed aspice aliam. Quantos ex monasteriis *spiritu
ferventes*[a] eremi solitudo suscepit et, aut tepefactos

---

b. Gal. 1, 16   c. Prov. 11, 26 ≠   d. Matth. 10, 27 ≠   e. Deut. 15,
19 (Patr.)   f. I Tim. 3, 6 ≠   g. Hébr. 5, 4   h. Rom. 10, 15
i. Cant. 2, 15 ≠   j. Ps. 77, 49 ≠
4.a. Rom. 12, 11

---

1. JÉRÔME, *Contra Vigilantium* 15 (*PL* 23, 351B). Cf. *SCt* 59, 3.
2. «un mal déguisé en bien», *malum sub specie boni.* Ignace de
Loyola signale le même danger dans les *Exercices Spirituels,* «Règles
pour un plus grand discernement des esprits», quatrième règle, (éd.
F. Courel, Paris 1960, p. 175).

la chair et au sang[b]» – mais, un peu partout, aux étrangers et à toute sorte de gens; cela lui paraît plus pur, plus fructueux et plus courageux. Excellente précaution. Il craint certes d'encourir la malédiction du Prophète, s'«il dérobe aux peuples le blé[c]» qu'il a reçu dans le secret. Il craint d'agir contre l'Évangile, s'«il ne proclame pas sur les toits ce qu'il a entendu dans le creux de l'oreille[d]». Voilà un renard, et d'autant plus dangereux que le premier, qu'il survient plus furtivement. Mais je vais te l'attraper. Moïse, le premier, dit : «Tu ne laboureras pas avec le premier-né de la vache[e].» Paul interprète ainsi cette parole : «Que ce ne soit pas un nouveau converti, de peur que, enflé d'orgueil, il ne tombe sous la condamnation portée contre le diable[f].» Et ailleurs : «Personne ne s'attribue cet honneur, mais seulement celui qui y est appelé par Dieu comme Aaron[g].» Il dit encore : «Comment prêcheront-ils, s'ils ne sont pas envoyés[h]?» Et nous savons que le devoir du moine n'est pas d'enseigner, mais de pleurer[1]. De ces textes rassemblés et d'autres semblables, je me tisse un filet et «j'attrape le renard, afin qu'il ne ravage pas la vigne[i]». Oui, de tous ces textes il ressort clairement et assurément que prêcher en public ne convient pas à un moine, n'est pas expédient pour un novice, et n'est pas permis à celui qui n'en a pas reçu mission. N'est-ce pas faire de terribles ravages dans sa conscience que de contrevenir à ces trois règles? Dans toute inspiration intérieure de telle sorte, qu'elle soit le fruit de ta pensée ou «la suggestion d'un ange mauvais[j]», reconnais un renardeau trompeur, c'est-à-dire un mal déguisé en bien[2].

4. Mais en voici un autre. Combien de «religieux fervents[a]» la solitude du désert a tirés des monastères[3],

---

3. «la solitude du désert», *eremi solitudo* : Bernard insiste souvent sur les avantages de la vie commune au monastère, avantages préférables à ceux de la vie érémitique. Cf. *Bernard de Clairvaux* p. 414 et 678.

evomuit[b], aut tenuit, contra eremi legem, non modo
remissos, sed dissolutos, sicque apparuit vulpeculam
5 affuisse, ubi tanta facta est vastatio vineae, id est vitae
et conscientiae hominis detrimentum! Cogitabat, si solus
degeret, multo se copiosiores fructus spiritus percepturum,
quippe qui in communi vita tantum spiritualis gratiae
fuisset expertus. Et bona visa est sua cogitatio sibi; sed
10 rei exitus indicavit, magis eamdem illi cogitationem vulpem
demolientem fuisse.

5. Quid illud quod nos quoque toties in domo ista et
tam graviter inquietat, notabilem loquor quorumdam, qui
inter nos sunt, superstitiosamque abstinentiam, ex qua se
omnibus sibique omnes molestos reddunt? Quomodo non
5 haec ipsa discordia tam generalis, et suae illius conscientiae dissipatio est et, quod in ipso est, grandis *vineae*
huius, *quam plantavit dextera* Domini[a], vestrae scilicet
omnium unanimitatis, demolitio? *Vae homini per quem
scandalum venit*[b]! *Qui scandalizaverit*, inquit, *unum de
10 his pusillis*[c], durum est quod sequitur. Quanto duriora
meretur qui tantam et tam sanctam multitudinem scan-
dalizat! *Iudicium* prorsus *portabit quicumque est ille*[d], et
durissimum. Sed haec alias.

II. Cur capi potius iubentur quam occidi vel abigi vulpes, vel quare parvulae dicuntur.

169   **6.** Nunc vero intendamus his quae a sponso dicuntur
super pusillis et astutis his animalibus demolientibus

---

b. cf. Apoc. 3, 16
5.a. Ps. 79, 16 ≠   b. Matth. 18, 7   c. Matth. 18, 6 ≠   d. Gal. 5,
10 ≠

qu'ensuite elle a dû soit vomir, parce qu'ils s'étaient
attiédis[b], soit garder contre la loi du désert, non seulement relâchés, mais dissolus qu'ils étaient! On a bien
vu ainsi qu'un renardeau était passé là où un si grand
dégât s'est fait dans la vigne, c'est-à-dire un tel désastre
dans la vie et dans la conscience d'un homme. Il pensait
que, dans la vie solitaire, il recueillerait des fruits spirituels bien plus abondants, puisque dans la vie commune
il avait déjà expérimenté une grâce spirituelle si grande.
Sa pensée lui semblait bonne; mais l'issue de l'affaire a
montré que cette même pensée était plutôt un renard
ravageur.

5. Que dire de cette attitude qui si souvent et si gra-
vement nous trouble dans cette maison-ci? J'entends l'abstinence voyante et superstitieuse de certains d'entre nous,
qui les rend insupportables à tous et qui leur rend insupportables tous les autres. Cette discorde elle-même, si
générale, n'est-elle pas la ruine de leur propre conscience?
Et ne ravage-t-elle pas, autant qu'elle le peut, cette grande
«vigne que la droite du Seigneur a plantée[a]»: je veux
dire votre unanimité à vous tous? «Malheur à l'homme
par qui le scandale arrive[b]! Qui scandalisera un seul de
ces petits[c]...», dit le Seigneur, et la suite de ces paroles
est dure. Combien plus durs sont les châtiments mérités
par celui qui scandalise une multitude si nombreuse et
si sainte! «Quel qu'il soit, il subira certes sa condamnation[d]», et elle sera très dure. Mais nous en parlerons
une autre fois.

II. Pourquoi il est commandé d'attraper les renards plutôt que de les tuer ou de les chasser. Pourquoi ils sont appelés petits.

6. Maintenant prêtons attention à ce que l'Époux dit
de ces petits animaux rusés qui ravagent les vignes. Je

vineas. Pusillis dixerim, non malitia, sed subtilitate. Astu-
tum siquidem natura hoc genus est animantis, promptum-
5 que admodum ad nocendum in occulto; et videtur mihi
congruentissime designare subtilissima quaedam vitia
specie palliata virtutum, qualium utique formam, prae-
missis ad notitiam exemplis, paucis licet, iam aliquan-
tisper expressi. Nec enim aliter nocere queunt, nisi quod
10 virtutes virtutum quadam similitudine mentiuntur. Sunt
autem aut *cogitationes hominum vanae*[a], aut factae *immis-
siones per angelos malos*[b], *angelos Satanae, qui se trans-
figurant in angelos lucis*[c], *parantes sagittas suas in
pharetra*, hoc est in occulto, *ut sagittent in obscuro rectos
15 corde*[d]. Unde et pusillas eas propter hoc reor dici, quod,
cum cetera vitia quadam quasi corpulentia sui manifesta
se praebeant, hoc genus pro sui subtilitate haud facile
agnosci, et ideo nec caveri possit, nisi dumtaxat a perfectis
et exercitatis, et qui habeant *illuminatos oculos cordis*[e]
20 ad discretionem boni et mali, maximeque ad *discretionem
spirituum*[f], qui cum Apostolo dicere possint, quia *non
ignoramus astutias Satanae neque cogitationes eius*[g]. Et
vide ne forte ob hoc a sponso iubeantur, non quidem
exterminari, vel abigi, vel occidi, sed capi : quod videlicet
25 huiusmodi spirituales dolosasque bestiolas omni vigilantia

---

6.a. Ps. 93, 11 ≠   b. Ps. 77, 49 ≠   c. II Cor. 12, 7 ≠; II Cor. 11,
14 ≠   d. Ps. 10, 3 ≠   e. Éphés. 1, 18   f. I Cor. 12, 10 ≠   g. II Cor. 2,
11 (Patr.)

---

1. « L'hypocrisie est l'hommage que le vice rend à la vertu » (F. DE
LA ROCHEFOUCAULD, *Maximes*).

2. * Bernard, qui emploie 11 fois ce verset, écrit 9 fois non pas
Satanas (texte biblique sans variante), mais *angelus Satanae,* qui semble
avoir été transposé de *II Cor.* 12, 7. Déjà Hilaire, Jérôme avaient inséré
dans leurs écrits le texte ainsi modifié, puis d'autres plus nombreux ;
Bernard allait renforcer ce courant. Cf. *SCt* 19, 7 ; *SC* 431, p. 122, n. 1.

dirais qu'ils sont petits non par la méchanceté, mais par la sveltesse et la subtilité. Car ce genre d'animal est rusé par nature, et très empressé à nuire en cachette. Il me semble désigner avec beaucoup d'à-propos certains vices très subtils qui se couvrent de l'apparence des vertus[1]. J'ai déjà quelque peu décrit leur physionomie, en donnant d'abord des exemples, bien que peu nombreux, pour les faire mieux reconnaître. Ils ne peuvent nuire qu'en simulant les vertus par une certaine ressemblance avec ces vertus. Ce sont soit «de vaines pensées humaines[a]», soit «des suggestions venant des mauvais anges[b]», «les anges de Satan, qui se déguisent en anges de lumière[c2]» et «qui préparent leurs flèches dans le carquois», c'est-à-dire en cachette, «pour tirer dans l'ombre sur les cœurs droits[d]». De là vient aussi, à mon sens, qu'ils sont appelés petits. Car les autres vices se dévoilent clairement par leur corpulence, pour ainsi dire; tandis que ceux-ci sont trop sveltes, trop subtils pour qu'on puisse les reconnaître aisément. Aussi est-il difficile de s'en garder, à moins d'être parfaits et bien exercés, et d'avoir «les yeux du cœur assez illuminés[e]» pour discerner le bien et le mal, et surtout pour «discerner les esprits[f]». De telles personnes peuvent dire avec l'Apôtre : «Nous n'ignorons pas les ruses de Satan ni ses pensées[g3].» Vois si ce n'est pas pour cela, peut-être, que l'Époux commande, non pas d'exterminer ces renards ou de les chasser ou de les tuer, mais de les attraper. Car il faut que ces petites bêtes spirituelles futées soient observées et examinées avec toute la vigilance et la circonspection possibles, et qu'elles soient

---

3. * Bernard a souvent cité ce verset, sous sa forme *Vg* (*cogitationes,* pensées) ou *Vl* (*astutias,* ruses). Quatre fois, il a même associé les deux traductions (ici; *SCt* 44, 1; *SC* 452, p. 240, n. 3; *SCt* 77, 6, *SBO* II, p. 265, l. 10; *Div* 24, 1, *SBO* VI-1, p. 183, l. 12). Il semble avoir varié à dessein la présentation de ces 4 passages, sans doute savait-il l'origine unique de ces deux mots.

et cautela observari oporteat et examinari, et sic capi, id est *comprehendi, in astutia sua*[h]. Ergo cum proditur dolus, cum fraus aperitur, cum convincitur falsitas, rectissime tunc dicitur *capta vulpis pusilla, quae demoliebatur* 30 *vineam*[i]. Denique dicimus hominem in sermone capi, sicut habes in Evangelio, quia *convenerunt Pharisaei in unum, ut caperent Iesum in sermone*[j].

7. Ita ergo sponsus *capi* iubet *vulpes pusillas, quae demoliuntur vineas*[a], id est deprehendi, convinci, prodi. Solum hoc malignitatis genus id proprium habet, ut agnitum iam minime noceat, ita ut agnosci sit illi 5 expugnari. Quis enim, nisi demens, comperta decipula, sciens et prudens pedem mittit in illam? Sufficit proinde 170 si capiantur, quae eiusmodi sunt : hoc est, si prodas et deducas ad medium, quippe quibus apparere, perire est. Non sic cetera vitia : nempe manifesta veniunt, manifeste 10 nocent; scientes captivant, superant reluctantes, utpote vi, non dolo agentia. Ergo contra huiuscemodi aperte saevientes bestias non investigatione opus est, sed refrenatione. Solas has vulpes parvulas, dissimulatrices maximas, quia proditae iam non nocent, sufficit educi in 15 lucem[b], et capi in calliditate sua : nam *foveas habent*[c]. Tali itaque ex causa vulpes istae et capi iubentur, et parvulae describuntur. Vel ideo parvulae, ut nascentia vitia in ipso ortu, donec utique parvula sunt, vigilanter observans, illico comprehendas, ne crescentia plus noceant 20 et difficilius capiantur.

h. Job. 5, 13; I Cor. 3, 19 ≠   i. Cant. 2, 15 (Patr.)   j. Matth. 22, 15. 34 ≠

7.a. Cant. 2, 15 (Patr.)   b. cf. Jn 3, 20   c. Matth. 8, 20

1. * Cf. *SCt* 63, 1, l. 27, p. 284, n. 1.

ainsi attrapées, c'est-à-dire «prises au piège de leur ruse[h]».
Lorsque la tromperie est dépistée, la fraude découverte
et la fausseté reconnue, alors on peut dire très justement
que «le petit renard qui ravageait la vigne est attrapé[i][1]».
Nous disons bien d'un homme qu'il se laisse attraper
dans ses paroles; ainsi tu peux lire dans l'Évangile que
«les Pharisiens se rassemblèrent afin d'attraper Jésus dans
ses paroles[j]».

7. C'est ainsi que l'Époux commande «d'attraper les
petits renards qui ravagent les vignes[a]», c'est-à-dire de
les surprendre, de les reconnaître, de les dépister. Seule
cette espèce de malice a ceci en propre, qu'une fois
reconnue, elle ne peut plus du tout nuire, si bien que
la reconnaître, c'est la vaincre. Qui, à moins d'être fou,
après avoir découvert un piège, y met le pied
sciemment et de propos délibéré? Il suffit donc d'attraper ces sortes de vices, c'est-à-dire de les tirer au
grand jour; car pour eux, paraître, c'est périr. Il n'en va
pas ainsi des autres vices : ils surviennent à découvert,
ils nuisent ouvertement; ils s'emparent d'âmes pleinement conscientes, ils viennent à bout de celles qui
résistent, car ils agissent par la force, non par la ruse.
Pour lutter contre de telles bêtes qui attaquent à
découvert, il n'est pas besoin de les dépister; il faut les
dompter. Seuls les petits renards, très habiles à se
cacher, sont impuissants à nuire une fois dépistés. Aussi
suffit-il de les amener à la lumière[b], et de les attraper
dans leur fourberie : car «ils ont des tanières[c]». C'est
pour cette raison qu'il est commandé d'attraper ces
renards et qu'ils sont décrits comme petits. Ou bien ils
sont appelés petits pour que tu surveilles attentivement
les vices en train de naître et que tu les saisisses au
moment même de leur apparition, tant qu'ils sont petits.
Sans quoi ils grandiraient, ils deviendraient plus nocifs et
plus difficiles à attraper.

III. Quod haeretici sunt vulpes,
et quid sit illos capi,
vel quibus nobis iubet sponsus eos capi.

8. Et si iuxta allegoriam ecclesias vineas, vulpes haereses vel potius haereticos ipsos intelligamus, simplex est sensus, ut haeretici capiantur potius quam effugentur. Capiantur, dico, non armis, sed argumentis, quibus refellantur errores
5 eorum; ipsi vero, si fieri potest, reconcilientur Catholicae, revocentur ad veram fidem. *Haec est enim voluntas eius*[a], *qui vult omnes homines salvos fieri et ad agnitionem veritatis venire*[b]. Hoc denique velle se perhibet, qui non simpliciter «capite vulpes», sed *capite,* inquit, *nobis*
10 *vulpes*[c]. Sibi ergo et Sponsae suae, id est Catholicae, iubet acquiri has vulpes, cum ait : «Capite eas nobis». Itaque homo de Ecclesia exercitatus et doctus, si cum haeretico homine disputare aggreditur, illo suam intentionem dirigere debet, quatenus ita errantem convincat, ut et convertat,
15 cogitans illud apostoli Iacobi, quia *qui converti fecerit peccatorem ab errore viae suae, salvabit animam eius a morte, et operit multitudinem peccatorum*[d]. Quod si reverti noluerit, nec convictus *post primam* iam *et secundam admonitionem,* utpote *qui* omnino *subversus est, erit,*
20 secundum Apostolum, *devitandus*[e]. Ex hoc iam melius, ut quidem ego arbitror, effugatur, aut etiam religatur, quam sinitur vineas demoliri.

9. Nec propterea sane nihil se egisse putet qui haereticum vicit et convicit, haereses confutavit, verisimilia a

---

8.a. Jn 6, 39-40 ≠   b. I Tim. 2, 4 ≠   c. Cant. 2, 15   d. Jac. 5, 20   e. Tite 3, 10-11 ≠

---

1. *Capiantur non armis, sed argumentis,* «Les attraper... non par les armes, mais par des arguments.» Cf. H. JANS, «La contrainte en matière de foi vis-à-vis des hérétiques et des païens, d'après la correspondance de Saint Augustin», *Bijdragen (Tijdschrift voor Filosofie en Theologie)*

III. Les renards, ce sont les hérétiques.
Ce que c'est que de les attraper,
et pour qui l'Époux nous commande de les attraper.

8. Si nous entendons, selon l'allégorie, que les vignes
sont les églises, les renards, les hérésies, ou plutôt les
hérétiques mêmes, alors le sens est simple : il faut attraper
les hérétiques plutôt que de les mettre en fuite. Les
attraper, dis-je, non par les armes, mais par des arguments qui réfutent leurs erreurs[1]. Quant à eux, si faire
se peut, qu'ils soient réconciliés avec l'Église catholique
et ramenés à la vraie foi. «Telle est la volonté de celui[a]»
«qui veut que tous les hommes soient sauvés et parviennent à la connaissance de la vérité[b].» Il montre bien
qu'il le veut, lui qui ne dit pas simplement : «Attrapez
les renards», mais : «Attrapez-nous les renards[c].» Ainsi
c'est à lui et à son épouse, l'Église catholique, qu'il commande de gagner ces renards, lorsqu'il dit : «Attrapez-les-
nous.» Si un homme d'Église expérimenté et savant entre-
prend de discuter avec un hérétique, il doit mettre tout
son effort à convaincre l'égaré et à le convertir. Il songera
à cette parole de l'Apôtre Jacques : «Celui qui ramènera
un pécheur du chemin où il s'égare, sauvera son âme
de la mort, et couvrira une multitude de péchés[d].» Si
l'hérétique ne veut pas revenir et qu'il ne se laisse pas
convaincre «après un premier et un second avertissement,
il faudra l'éviter», selon l'Apôtre, car «il est complètement
perverti[e]». Dès lors il vaut mieux le chasser, à mon avis,
ou même le mettre dans les liens, plutôt que de le laisser
ravager les vignes.

9. Qu'il ne pense pas n'avoir rien fait de valable,
l'homme qui a maîtrisé et démasqué un hérétique, qui a

22 (1961), p. 159-160 et 263-265. Cette étude montre comment Augustin,
pendant de longues années, a donné une préférence nette et sincère
aux méthodes de conversion qui renoncent à toute contrainte.

171   vero clare aperteque distinxit, prava dogmata, plana et
irrefragabili ratione prava esse demonstravit, pravum
5 denique *intellectum, extollentem se adversus scientiam Dei,
in captivitatem redegit*[a]. Nempe cepit nihilominus, qui
talia operatus est, vulpem, etsi non ad salutem illi; et
cepit eam Sponso et Sponsae, quamvis aliter. Nam si
haereticus non surrexit de faece, Ecclesia tamen confir-
10 matur in fide[b]; et quidem de profectibus Sponsae Sponsus
sine dubio gratulatur. *Gaudium etenim Domini fortitudo
nostra*[c]. Denique non putat a se aliena lucra nostra, qui
se nobis tam dignanter associat, dum iubet capi vulpes
non sibi, sed nobis secum : *Capite,* inquiens, *nobis.*
15 Advertere est enim quod ait : *nobis.* Quid hac voce
socialius? Annon tibi videtur hoc dicere, quasi quidam
paterfamilias, qui per se nihil habeat, sed omnia communia
cum uxore et filiis atque domesticis? Et qui loquitur Deus
est; minime tamen ut Deus id loquitur, sed ut sponsus.

10. *Capite nobis vulpes*[a]. Vides quam socialiter loquitur
qui socium non habet? Poterat dicere : «mihi», sed maluit
nobis, consortio delectatus. O suavitatem! O gratiam! O
amoris vim! Itane summus omnium, unus factus est
5 omnium? Quis hoc fecit? Amor, dignitatis nescius, dignatione dives, affectu potens, suasu efficax. Quid violentius?
Triumphat de Deo amor. Quid tamen tam non violentum?
Amor est. Quae ista vis, quaeso, tam violenta ad victoriam,
tam victa ad violentiam? Denique *semetipsum exinanivit*[b],

9.a. II Cor. 10, 5 ≠   b. cf. Col. 2, 7   c. Néh. 8, 10 ≠
10.a. Cant. 2, 15   b. Phil. 2, 7

---

1. *Triumphat de Deo amor,* «L'amour triomphe de Dieu», parce que
le Seigneur Dieu préfère se présenter comme Époux. Hadewijch d'Anvers
reprend la même idée : «Vous tous qui vénérez la sagesse, / Contemplez
la radieuse puissance de l'Amour / Sa force glorieuse gouverne / Tout
ce qui se meut dans le vouloir de Dieu / Il voua à la mort le Seigneur de la vie» (*Poèmes strophiques* XIII, 8, trad. R. Vande Plas).

réfuté ses hérésies, qui a clairement et nettement distingué le vrai du vraisemblable. Il a démontré par des raisons évidentes et irréfragables la fausseté des fausses doctrines; «il a réduit en captivité un esprit faux, qui se dressait contre la connaissance de Dieu[a]». Oui, celui qui a accompli de telles œuvres a attrapé le renard, même si ce n'est pas pour le sauver. Il l'a attrapé, bien que d'une autre manière, pour l'Époux et pour l'épouse. Car si l'hérétique n'est pas sorti de son bourbier, l'Église se trouve néanmoins affermie dans sa foi[b]; et, sans aucun doute, l'Époux se félicite des progrès de l'épouse. «Car c'est la joie du Seigneur que notre fermeté[c].» Aussi ne pense-t-il pas que nos gains lui soient étrangers, lui qui daigne s'associer à nous avec tant de bonté en commandant d'attraper les renards non pour lui seul, mais pour nous avec lui. «Attrapez-les-nous», dit-il. Il faut remarquer ce «nous». Quel mot pourrait nous unir plus étroitement à lui? Ne te semble-t-il pas qu'il parle comme un père de famille qui ne possède rien en propre, mais met tout en commun avec sa femme, ses enfants et sa maisonnée? Or, celui qui parle est Dieu; pourtant, il ne parle pas ici en Dieu, mais en Époux.

10. «Attrapez-nous les renards[a].» Vois-tu comment celui qui est sans compagnon emploie les mots du compagnonnage? Il pouvait dire: «Attrapez-moi», mais il a préféré dire: «nous», car il met sa joie dans la communion. O douceur! O grâce! O force de l'amour! Est-ce ainsi que notre souverain à tous s'est fait l'un de nous tous? Qui a fait cela? L'amour, oublieux de sa dignité, riche en bonté, puissant dans son affection, efficace dans son pouvoir de persuasion. Quoi de plus violent que l'amour? Il triomphe de Dieu[1]. Et pourtant, quoi de moins violent? Il est l'amour. Je te le demande: quelle est cette force assez violente pour remporter la victoire, et assez vaincue pour souffrir violence? Enfin, «il s'est anéanti lui-même[b]», pour que tu

10 ut scias amoris fuisse, quod plenitudo effusa est, quod altitudo adaequata est, quod singularitas associata est. Cum quonam tibi, o admirande Sponse, tam familiare consortium? *Nobis,* inquit, *capite.* Cui tecum? An Ecclesiae de gentibus[c]? De mortalibus et peccatoribus collecta est. 15 Illam scimus quae sit. Sed *tu quis es*[d], Aethiopissae huius tam devotus, tam ambitiosus amator? Sane non alter Moyses, sed plus quam Moyses[e]. Num tu ille es *speciosus forma prae filiis hominum*[f]? Parum dixi : *Candor es vitae aeternae*[g], *splendor et figura substantiae*[h] Dei, postremo 20 *super omnia Deus benedictus in saecula. Amen*[i].

c. cf. Rom. 16, 4   d. Jn 1, 19   e. cf. Nombr. 12, 1; cf. Matth. 12, 42   f. Ps. 44, 3   g. Sag. 7, 26 (Patr.)   h. Hébr. 1, 3 ≠   i. Rom. 9, 5

1. * En partant de *nobis,* « prenez-nous », Bernard présente l'Église dans des termes et avec le ton qui avaient été ceux de plusieurs Pères : Ambroise; Augustin surtout (l'un et l'autre avec *congregata* et non *collecta*). On peut citer : Augustin, *Cité de Dieu,* XII, ix; *CCL* 48, p. 364, l. 62); Raban Maur, *Comm. in Iosue,* I, 2; *PL* 108, 1010 C; Bruno d'Asti, *Expositio in Numeros,* c. 12; *PL* 164, 480 B (où l'« Éthiopienne » est mentionnée).

saches ceci : c'est par amour que la plénitude s'est répandue,
que la hauteur s'est aplanie, que la singularité a fait alliance.
O admirable Époux, avec qui donc es-tu entré dans une
communion si intime? «Attrapez-les-nous», dit-il. Pour qui
avec toi? Est-ce pour l'Église des nations[c]? Elle est com-
posée d'hommes mortels et pécheurs[1]. Nous savons qui
elle est. Mais toi, «qui es-tu[d]», amoureux si fervent et si
empressé de cette Éthiopienne? Certes, tu n'es pas un autre
Moïse, mais plus que Moïse[e]. N'est-ce pas toi qui es «le
plus beau des enfants des hommes[f]»? C'est trop peu dire :
«tu es la blancheur éclatante de la vie éternelle[g][2], l'image
resplendissante de la substance[h]» de Dieu; enfin tu es
«au-dessus de tout, Dieu béni dans les siècles. Amen[i]».

2. * A son habitude, Bernard remplace «lumière» par «vie» dans la
définition que ce verset donne de la Sagesse. Cf. *SCt* 17, 3; *SC* 431,
p. 76, n. 1. Pour clore son sermon, Bernard se sert de plusieurs titres
de l'Époux comme doxologie; mais il s'abstient de prononcer le nom
de cette «blancheur éclatante» qu'il vient de définir et il laisse son
auditeur deviner ce nom qu'il donne cependant si volontiers, à la suite
de Paul, au Christ : «Sagesse de Dieu».

SERMO LXV

I. Quod novi haeretici, illi Tolosani maxime, nomine vulpium signi-
ficentur, qui periurio suam sectam occultant. – II. Quomodo istae vulpes
deprehendantur feminis cohabitantes. – III. Quomodo capiuntur vulpes
hae, si non scandalum amovent cum possunt.

I. Quod novi haeretici, illi Tolosani maxime,
nomine vulpium significentur,
qui periurio suam sectam occultant.

1. Duos vobis super uno capitulo disputavi sermones;
tertium in eodem paro, si audire non taedeat. Et necessarium reor. Nam quod ad nostram quidem spectat domes-
ticam vineam, quae vos estis, satis me arbitror in duobus
5 fecisse sermonibus pro munimento illi adversus insidias
tripertiti generis vulpium, qui sunt adulatores, detractores,
ac seductorii quidam spiritus, gnari et assueti mala sub
specie boni inducere. Verum dominicae vineae non ita.
Illam loquor, quae *implevit terram*, cuius et nos portio
10 sumus : vineam grandem nimis, Domini *plantatam* manu[a],
emptam sanguine, rigatam verbo[b], propagatam gratia,
fecundatam Spiritu. Ergo plus proprii curam gerens, in

1.a. Ps. 79, 9-10 ≠   b. cf. I Cor. 3, 6

1. Cunan, le savant abbé de Margam au Pays de Galles (cf. *SC* 414,
p. 55) a pensé que Bernard s'opposait dans les sermons 65 et 66 aux
henriciens, hérétiques de Toulouse, contre lesquels il a écrit sa *Lettre* 241
(*SBO* VIII, p. 125-127). Mabillon a vu que les deux sermons s'opposaient
plutôt aux hérétiques de la région de Cologne, dont Bernard avait pris

SERMON 65

I. Des hérétiques nouveaux, surtout ceux de Toulouse, sont désignés par le nom de renards, parce qu'ils cachent leur secte par le parjure. – II. Comment ces renards sont surpris en cohabitation avec des femmes. – III. Comment on attrape ces renards, s'ils n'écartent pas le scandale lorsque cela est en leur pouvoir.

I. Des hérétiques nouveaux, surtout ceux de Toulouse[1], sont désignés par le nom de renards, parce qu'ils cachent leur secte par le parjure.

1. Je vous ai donné deux sermons sur un seul passage; je vous en prépare un troisième, si cela ne vous ennuie pas de l'entendre. Je le crois nécessaire. En ce qui concerne notre vigne particulière, qui n'est autre que vous-mêmes, je pense que par deux sermons j'ai assez pourvu à sa défense contre les embûches de trois espèces de renards. Ce sont les flatteurs, les détracteurs et certains esprits séducteurs, habiles et accoutumés à insinuer le mal sous l'apparence du bien. Mais il n'en est pas ainsi de la vigne du Seigneur[2]. Je parle de cette vigne qui « a rempli la terre » et dont nous aussi, nous sommes une partie. Vigne extrêmement grande, « plantée » de la main[a] du Seigneur, acquise par son sang, irriguée par sa parole[b], provignée par sa grâce, fécondée par son Esprit. Prenant davantage soin de

connaissance par une lettre d'Évervin, prévôt de Steinfeld (reproduite et traduite à la fin de ce livre, p. 411 s.). Cf. l'Introd., p. 21 s.

2. Les deux sermons 65 et 66 ne s'adressent plus aux seuls moines, mais à tous les membres de l'Église.

commune minus profui. Movet me autem pro ipsa multitudo demolientium eam, defensantium paucitas, diffi-
15 cultas defensionis. Difficultatem occultatio facit. Nam cum Ecclesia semper ab initio sui vulpes habuerit, cito omnes compertae et captae sunt. Confligebat haereticus palam – nam inde haereticus maxime, quod palam vincere cupiebat –, et succumbebat. Ita ergo facile illae capie-
20 bantur vulpes. Quid enim, si posita in lucem veritate, haereticus in suae pertinaciae tenebris remanens, solus foris religatus aresceret? Nihilominus capta reputabatur vulpes, condemnata impietate, et impio foras misso, ostentui utique iam victuro, non fructui. Ex hoc, iuxta
25 Prophetam, erant illi *ubera arentia*[c] et venter sterilis[d], quia non repullulat error publice confutatus, et falsitas aperta non germinat.

173   **2.** Quid faciemus his malignissimis vulpibus, ut capi queant, quae nocere quam vincere malunt, et ne apparere quidem volunt, sed serpere? Omnibus una intentio haereticis semper fuit, captare gloriam de singularitate scientiae.
5 Sola ista malignior ceteris versutiorque haeresibus, damnis pascitur alienis, propriae gloriae negligens. Docta, credo, exemplis veterum, quae proditae evadere non valebant, sed confestim capiebantur, cauta est novo maleficii genere *operari mysterium iniquitatis*[a], eo licentius quo latentius.
10 Denique indixere, ut dicitur, latebras sibi; *firmaverunt sibi sermonem nequam*[b] : «Iura, periura; secretum prodere

c. Os. 9, 14   d. cf. Lc 23, 29
2.a. II Thess. 2, 7 ≠   b. Ps. 63, 6

notre vigne particulière, j'ai été moins utile à la vigne commune. Or, ce qui me pousse à me soucier de celle-ci, c'est la multitude de ceux qui la ravagent, le petit nombre de ceux qui la défendent, et la difficulté de la défense. Ce qui fait cette difficulté, c'est que les ravageurs se cachent. Bien que l'Église, dès ses débuts, ait toujours eu des renards en elle, ceux-ci ont tous été vite repérés et attrapés. L'hérétique luttait publiquement – il était hérétique surtout du fait qu'il désirait une victoire publique – et il succombait. Aussi ces renards étaient-ils aisément attrapés. Qu'en était-il si l'hérétique, une fois la vérité mise en lumière, persistait dans les ténèbres de son entêtement et se desséchait, relégué tout seul au-dehors? Le renard était tout aussi bien tenu pour attrapé, une fois l'impiété condamnée et l'impie jeté dehors, voué désormais à une vie donnée en spectacle, mais infructueuse. C'est ainsi que, selon le Prophète, ses «seins» étaient «desséchés[c]» et son ventre stérile[d]. Car l'erreur publiquement réfutée ne repousse plus, et la fausseté percée à jour ne peut plus croître.

2. Que ferons-nous pour attraper ces renards très pervers, qui préfèrent nuire plutôt que vaincre, et qui ne veulent même pas se montrer, mais plutôt se glisser furtivement? Tous les hérétiques ont toujours eu une même intention : tirer gloire de la singularité de leur doctrine. Seule cette hérésie, plus perverse et plus retorse que les autres, se repaît des torts qu'elle cause à autrui, sans se soucier de sa propre gloire. Instruite, je pense, par les exemples des anciennes hérésies qui, mises au grand jour, ne pouvaient plus s'échapper, mais étaient aussitôt attrapées, elle a pris la précaution de «mettre en œuvre le mystère de l'iniquité[a]» par un nouveau genre de ruse, avec d'autant plus d'audace qu'elle le fait plus en cachette. Bref, à ce que l'on dit, ses adeptes se sont donné rendez-vous en des lieux retirés. «Ils ont établi entre eux une parole détestable[b]» : «Jure, parjure-toi; ne dévoile pas le

noli». Enimvero alias ne tenuiter quidem iurare ullatenus
acquiescunt, propter illud de Evangelio : *Non iurare, neque
per caelum, neque per terram*[c], etc. *O stulti et tardi corde*[d],
15 repleti plane pharisaico spiritu, *liquantes culicem et
camelum glutientes*[e]! Iurare non licet, et licet periurare?
An in hoc solo utrumque licet? De quonam mihi Evan-
geliorum loco producitis istam exceptionem, qui ne iota
quidem, ut falso gloriamini, praeteritis[f]? Patet vos et super-
20 stitiose observare de iuramento, et flagitiose praesumere
de periurio. O perversitatem! Quod ad cautelam consultum
est, videlicet non iurare, hoc isti mandati vice tam conten-
tiose observant; et quod immobili iure sancitum est, non
periurandum scilicet, hoc tamquam indifferens pro sua
25 voluntate dispensant. «Non», inquiunt, «sed ne mysterium
publicemus». Quasi *gloria Dei* non sit *revelare sermonem*[g].
An Dei invident gloriae? Sed magis credo quod pandere
erubescant, scientes inglorium. Nam nefanda et obscena
dicuntur agere in secreto : siquidem et vulpium poste-
30 riora foetent.

   3. Sed taceo quae negarent; ad manifesta respondeant :
an iuxta Evangelium cavent *sanctum dare canibus et
margaritas porcis*[a]? At istud aperte fateri est, se non esse
de Ecclesia, qui omnes, qui de Ecclesia sunt, canes censent
5 et porcos. Sine exceptione enim omnibus qui de sua

---

   c. Matth. 5, 34-35 ≠   d. Lc 24, 25   e. Matth. 23, 24 (Patr.)
f. cf. Matth. 5, 18   g. Prov. 25, 2 ≠; cf. Tob. 12, 7
   3.a. Matth. 7, 6 ≠

---

   1. Le refus du serment : devant les tribunaux, les hérétiques présumés
refusèrent souvent de prêter le serment obligatoire. Pour justifier ce
refus, ils évoquèrent des paroles évangéliques.
   2. * Dans ses 5 emplois de ce verset, Bernard se sert du verbe
liquare, Vl (Augustin, Grégoire le Grand), et non de *excolare*, Vg.
Cf. *Pre* 1; *SC* 457, p. 148, n. 1.
   3. Peut-on lire ici une allusion à l'homosexualité de certains hérétiques? Cf. *SCt* 66, 3.

secret[1].» D'ailleurs, ils ne consentent jamais à faire le moindre serment, à cause de cette parole de l'Évangile : «Ne jure ni par le ciel, ni par la terre[c], etc.» «O gens stupides et cœurs lents à croire[d]», vraiment remplis d'esprit pharisaïque, «qui filtrent le moucheron et avalent le chameau[e2]!» Il n'est pas permis de jurer, et il est permis de se parjurer? Eh quoi! les deux seraient-ils permis dans ce seul cas? De quel passage de l'Évangile me tirez-vous cette exception, vous qui n'en omettez pas le moindre iota[f], ainsi que vous vous en vantez faussement? Il est clair que vous observez avec un scrupule superstitieux le précepte sur le serment et qu'en même temps vous vous permettez une honteuse audace pour le parjure! Quelle perversion! Ce qui a été conseillé par prudence, c'est-à-dire de ne pas jurer, ils l'observent avec une obstination acharnée, comme s'il s'agissait d'un commandement. En revanche, ce qui a été prescrit par une loi immuable, à savoir de ne pas se parjurer, ils en usent à leur gré, comme si c'était chose indifférente. «Non pas, disent-ils, mais c'est pour ne pas divulguer le mystère.» Comme si «la gloire de Dieu» n'était pas de «révéler la parole[g]». Ou bien jalousent-ils la gloire de Dieu? Mais je crois plutôt qu'ils rougissent de manifester leur doctrine, sachant qu'elle est fort peu glorieuse. On dit qu'ils se livrent en secret à des pratiques impies et obscènes. Aussi bien le derrière des renards est-il puant[3].

3. Mais je passe sous silence ce qu'ils nieraient. Qu'ils répondent seulement à ce qui est manifeste! Serait-ce que, selon l'Évangile, ils se gardent de «donner ce qui est sacré aux chiens et les perles aux pourceaux[a]»? Mais alors, c'est reconnaître ouvertement qu'ils ne sont pas de l'Église. Car ils tiennent pour chiens et pourceaux tous ceux qui sont de l'Église. Ils pensent qu'il faut cacher leurs mystères, quels qu'ils soient, à tous ceux qui ne sont pas de leur secte, sans exception. Mais bien que tel

secta non sunt, suum illud, quidquid est, subtrahendum
existimant. Ceterum hoc etsi sentiant, non respondebunt,
ne *manifesti fiant*[b], nempe quod omni modo fugiunt, sed
non effugient[c].

II. Quomodo istae vulpes deprehendantur feminis cohabitantes.

174   10   Responde mihi, o homo qui *plus quam oportet sapis*[d],
et plus quam dici potest desipis : Dei est, an non,
mysterium quod occultas? Si est, cur non ad eius gloriam
pandis? Nam *gloria Dei revelare sermonem*[e]. Si non, cur
fidem habes in eo quod non est Dei, nisi quia haere-
15   ticus es? Aut igitur Dei secretum ad gloriam Dei prodant;
aut Dei negent mysterium, et minime se haereticos negent;
aut certe nihilominus manifestos se fateantur inimicos
gloriae Dei, qui nolunt manifestum fieri quod ei norunt
fore ad gloriam. Stat nempe Scripturae veritas : *Gloria*
20   *regum celare verbum, gloria Dei revelare sermonem*[f]. Non
vis tu revelare? Non ergo vis Deum glorificare. Sed forte
non recipis scripturam hanc. Ita est : solius se Evangelii
profitentur aemulatores, et solos. Respondeant proinde
Evangelio. *Quod dico,* ait, *in tenebris, dicite in lumine,*
25   *et quod in aure auditis, praedicate super tecta*[g]. Iam non
licet silere. Usquequo occultum tenetur, quod palam Deus
fieri iubet? Usquequo opertum Evangelium vestrum?
Suspicor vestrum, non Pauli : nam ille suum fatetur
opertum non esse. *Et si,* inquit, *opertum est Evangelium*
30   *meum, in his opertum est qui pereunt*[h]. Videte ne vos

---

b. I Cor. 11, 19   c. I Thess. 5, 3   d. Rom. 12, 3 ≠   e. Prov. 25,
2 ≠   f. Prov. 25, 2 ≠   g. Matth. 10, 27   h. II Cor. 4, 3 ≠

soit leur sentiment, ils ne répondront pas, de peur de
«se trahir[b]» : or, c'est justement cela qu'ils veulent éviter
à tout prix. Pourtant, «ils n'échapperont pas[c]».

II. Comment ces renards sont surpris
en cohabitation avec des femmes.

Réponds-moi, ô homme «plus sage qu'il ne faut[d]»
et plus insensé qu'on ne saurait dire : le mystère que tu
caches est-il de Dieu ou non? S'il l'est, pourquoi ne le
manifestes-tu pas pour sa gloire? Car «la gloire de Dieu,
c'est de révéler la parole[e]». S'il ne l'est pas, pourquoi mets-
tu ta foi dans ce qui n'est pas de Dieu, sinon parce que
tu es hérétique? De deux choses l'une : ou bien qu'ils
dévoilent le secret de Dieu pour la gloire de Dieu; ou bien
qu'ils nient que ce mystère soit de Dieu, et qu'ils cessent
de nier qu'ils sont hérétiques. Ou encore, qu'ils se proclament les ennemis déclarés de la gloire de Dieu, puisqu'ils ne veulent pas manifester un secret qui rendrait gloire
à Dieu, et ils le savent. Car telle est la vérité immuable de
l'Écriture : «La gloire des rois est de cacher la parole; la
gloire de Dieu est de la révéler[f].» Tu ne veux pas la
révéler? Alors, tu ne veux pas glorifier Dieu. Mais peut-
être n'admets-tu pas ce passage de l'Écriture. C'est bien
ainsi : ces gens se déclarent les gardiens jaloux de l'Évangile tout seul, et les seuls gardiens. Qu'ils répondent donc
à l'Évangile. On y lit ceci : «Ce que je dis dans les ténèbres,
dites-le en pleine lumière; ce que vous entendez dans le
creux de l'oreille, annoncez-le sur les toits[g].» Désormais il
n'est plus permis de se taire. Jusqu'à quand sera tenu caché
ce que Dieu commande de publier? Jusqu'à quand votre
Évangile sera-t-il voilé? Je soupçonne que cet Évangile est
bien le vôtre, mais pas celui de Paul : car il déclare que
le sien n'est pas voilé. «Si mon Évangile est voilé, dit-il,
il est voilé pour ceux qui se perdent[h].» Prenez garde que

diceret, apud quos Evangelium invenitur opertum. Quid
apertius quod pereatis? An forte nec Paulum recipitis? De
quibusdam ita audivi. Non enim inter vos omnes per
omnia concordatis, etsi a nobis omnes dissentiatis.

4. At vero eorum verba, et scripta, et traditiones, qui
corporaliter cum Salvatore fuerunt, pari auctoritate Evangelii, cuncti, ni fallor, indifferenter recipitis. Numquid illi
opertum tenuere Evangelium suum? Numquid in Deo
5 *carnis infirma*[a], mortis horrida, *crucis ignominiam*[b] tacuere?
Et quidem *in omnem terram exivit sonus eorum*[c]. Ubi
apostolica forma et vita quam iactatis? Illi clamant, vos
susurratis; illi in publico, vos in angulo[d]; illi *ut nubes
volant*[e], vos in tenebris[f] ac subterraneis domibus deli-
10 tescitis. Quid simile illis in vobis ostenditis? An quod
vobiscum mulierculas non utique circumducitis[g], sed inclu-
ditis? Non aeque comitatio, ut cohabitatio, suspicioni patet.
Verum quisnam de illis sinistrum quippiam suspicaretur,
175   qui mortuos suscitabant? *Fac tu similiter*[h], et una recu-
15 bantem putabo feminam virum. Alioquin temere tibi
usurpas illorum dispensationem, quorum sanctitatem non
habes. Cum femina semper esse, et non cognoscere
feminam, nonne plus est quam mortuum suscitare? Quod
minus est non potes, et quod maius est vis credam tibi?

4.a. Gal. 4, 13 ≠   b. I Cor. 1, 17-18 ≠   c. Ps. 18, 5   d. cf. Act. 26,
26   e. Is. 60, 8   f. cf. Matth. 10, 27   g. cf. II Tim. 3, 6; cf. I Cor. 9, 5
h. Lc 10, 37 ≠

---

1. Bernard n'entend pas décrire les femmes comme des tentatrices
sataniques. Il condamne une coutume des hérétiques de Rhénanie :
ceux-ci admettaient le mariage avec cohabitation des époux, mais sans
relations conjugales. Certains même enseignaient que le mariage ne
devrait être contracté qu'entre des conjoints vierges, qui prétendaient
demeurer tels, tout en cohabitant. Bernard pense que dans une telle

vous ne soyez les gens dont il parlait, vous chez qui l'Évangile se trouve voilé. Quoi de plus évident que vous êtes en train de vous perdre? Est-ce que par hasard vous n'admettez pas non plus saint Paul? Je l'ai entendu dire de certains d'entre vous. Car vous n'êtes pas tous d'accord entre vous sur tous les points, bien que vous soyez tous en désaccord avec nous.

4. Pourtant, si je ne me trompe, vous recevez tous indifféremment, avec la même autorité que l'Évangile, les paroles, les écrits et les traditions de ceux qui ont vécu corporellement avec le Sauveur. Est-ce que ceux-ci ont tenu leur Évangile voilé? Est-ce qu'ils ont caché en Dieu «les infirmités de la chair[a]», les affres de la mort, «l'ignominie de la croix[b]»? Au contraire, «leur voix a retenti sur toute la terre[c]». Où est cette vie et cette conduite apostoliques dont vous vous vantez? Les Apôtres clament, vous chuchotez; eux parlent en public, vous dans les recoins[d]; eux «volent comme des nuages[e]», vous vous cachez dans les ténèbres[f] et dans des demeures souterraines. En quoi vous montrez-vous semblables à eux? Est-ce en ceci, que vous ne vous faites pas accompagner par de bonnes femmes[g], mais que vous vous enfermez avec elles? La compagnie publique n'est pas aussi suspecte que la cohabitation. D'ailleurs, qui pourrait soupçonner quelque chose de mauvais à l'égard de gens qui ressuscitaient des morts? «Fais de même toi aussi[h]», et je tiendrai pour un homme la femme couchée avec toi. Sinon, c'est abusivement que tu t'arroges la situation de ceux dont tu ne possèdes pas la sainteté. Être toujours avec une femme et ne pas connaître de femme, n'est-ce pas plus difficile que de ressusciter un mort[1]? Tu ne peux pas faire ce qui est plus facile, et tu veux que je

situation la continence est presque impossible. Cf. J. LECLERCQ, *La femme et les femmes dans l'œuvre de saint Bernard,* Paris 1982, p. 111-112; ÉVERVIN DE STEINFELD, *Lettre* 6, p. 425.

20 Quotidie latus tuum ad latus iuvenculae est in mensa,
lectus tuus ad lectum eius in camera, oculi tui ad illius
oculos in colloquio, manus tuae ad manus ipsius in opere;
et continens vis putari? Esto ut sis; sed ego suspicione
non careo. Scandalo mihi es : tolle scandali causam, quo
25 te probes verum, ut iactitas, Evangelii aemulatorem[i]. *Qui*
scandalizaverit unum de Ecclesia[j], nonne Evangelium
condemnat illum? Tu Ecclesiam scandalizas; *vulpis* es
demoliens vineam[k]. Iuvate me, socii, ut capiatur, vel potius
capite vos nobis eam, o angeli sancti. Versuta est valde,
30 *operta est iniquitate et impietate sua*[l], plane tam pusilla
atque subtilis, ut humanos quidem facile frustretur obtutus.
Numquid et vestros? Propterea vox illa ad vos, utpote
sodales sponsi[m] : *Capite nobis vulpes parvulas*[n]. Ergo facite
quod iubemini : capite nobis hanc tam versipellem *vulpe-*
35 *culam*[o], quam ecce iam diu frustra insequimur. Docete
et suggerite, qualiter fraus deprehendatur. Hoc enim est
cepisse vulpem, quia longe plus nocet falsus catholicus
quam verus haereticus. Non est autem hominis *scire quid*
sit in homine[p], nisi quis forte ad hoc ipsum fuerit vel
40 illuminatus Spiritu Dei[q], vel angelica informatus industria.
Quod signum dabitis, ut palam fiat pessima haeresis haec,
docta mentiri non lingua tantum, sed vita?

5. Et quidem recens vastatio vineae vulpem indicat
affuisse; sed nescio qua arte fingendi ita sua confundit
vestigia callidissimum animal[a], ut qua vel intret, vel exeat,

---

i. cf. II Cor. 11, 2   j. Matth. 18, 6 ≠   k. Cant. 2, 15 ≠   l. Ps. 72,
6 ≠   m. cf. Cant. 1, 6   n. Cant. 2, 15   o. Cant. 2, 15 (Patr.)
p. Jn 2, 25 ≠   q. cf. I Cor. 2, 11
5.a. cf. Gen. 3, 1

---

1. * Cf. *SCt* 63, 1, l. 26, p. 284, n. 1.

croie de toi ce qui est plus difficile? Chaque jour, à table, tu es assis à côté d'une jeune fille; ton lit est à côté de son lit dans la chambre; tes yeux sont fixés sur ses yeux dans la conversation; tes mains sont près de ses mains dans le travail; et tu veux être tenu pour continent? Admettons que tu le sois; mais je ne peux pas m'empêcher d'avoir des soupçons. Tu m'es un objet de scandale : enlève la cause du scandale, pour prouver que tu es un vrai disciple de l'Évangile[i], comme tu t'en vantes. «Celui qui scandalise un seul membre de» l'Église[j], l'Évangile ne le condamne-t-il pas? Toi, tu scandalises l'Église entière; tu es «un renard qui ravage la vigne[k]». Aidez-moi à l'attraper, mes frères. Ou plutôt, vous, saints anges, attrapez-le-nous. Il est très rusé, «il se cache sous sa malice et son impiété[l]»; oui, il est si petit et si svelte qu'il échappe aisément à des regards humains. Mais pourra-t-il échapper aussi aux vôtres? C'est donc à vous, puisque vous êtes les compagnons de l'Époux[m], que s'adresse cette parole : «Attrapez-nous les petits renards[n].» Alors, faites ce qu'on vous commande : attrapez-nous ce «renardeau[o1]» si madré, que depuis longtemps nous poursuivons en vain. Enseignez-nous et inspirez-nous les moyens de surprendre ses fourberies. C'est là attraper le renard, car un faux catholique est de loin plus nuisible qu'un hérétique déclaré. Or, il n'appartient pas à l'homme de «savoir ce qu'il y a dans l'homme[p]», à moins qu'il n'ait reçu pour cela des lumières de l'Esprit de Dieu[q] ou des informations par l'entremise des anges. Quel signe donnerez-vous pour que soit démasquée cette détestable hérésie, habile à mentir non seulement par la parole, mais aussi par la vie?

5. Certes, la dévastation toute récente de la vigne dénonce le passage du renard. Mais je ne sais pas par quel raffinement d'astuce cet animal très rusé[a] arrive à si bien embrouiller ses traces que l'homme ne peut pas

haud facile queat ab homine deprehendi. Cumque pateat
5 opus, non apparet auctor : ita per ea quae in facie sunt
cuncta dissimulat. Denique si fidem interroges, nihil chris-
tianius; si conversationem, nihil irreprehensibilius : et quae
loquitur, factis probat. Videas hominem in testimonium
suae fidei frequentare ecclesiam, honorare presbyteros,
10 offerre munus suum, confessionem facere, sacramentis
communicare. Quid fidelius? Iam quod ad vitam moresque
176   spectat, *neminem concutit*[b], neminem circumvenit,
neminem supergreditur. Pallent insuper ora ieiuniis, *panem
non comedit otiosus*[c], *operatur manibus*[d] unde vitam
15 sustentat. Ubi iam vulpis? Tenebamus eam : quomodo
elapsa est manibus? Quomodo tam repente disparuit?
Instemus, vestigemus : *a fructibus eius cognoscemus eam*[e].
Et certe vinearum demolitio testatur vulpem[f]. Mulieres,
relictis viris, et item viri, dimissis uxoribus, ad istos se
20 conferunt. Clerici et sacerdotes, populis ecclesiisque
relictis, intonsi et barbati apud eos inter textores et textrices
plerumque inventi sunt. Annon gravis demolitio ista?
Annon opera vulpium haec?

III. Quomodo capiuntur vulpes hae, si non scandalum amovent cum possunt.

6. Verum non apud omnes forte ista tam manifesta
deprehenduntur; et si sint, non est unde probentur.
Quonam modo capimus illos? Revertamur ad consortium
et contubernium feminarum : hoc enim inter eos nemo

---

b. Lc 3, 14 ≠   c. Prov. 31, 27 ≠   d. I Thess. 4, 11 ≠   e. Matth. 7, 16 ≠   f. cf. Cant. 2, 15

---

1. ÉVERVIN DE STEINFELD, *Lettre* 6, p. 425 : «Nombre d'adhérents, et même beaucoup de nos clercs et de nos moines».

2. *inter textores et textrices,* «parmi les tisserands et les tisserandes», hérétiques masculins et féminins. Cf. A. BLAISE, *Lexicon latinitatis medii aevi, sub verbo : «Texentes».* Saint Bernard a été le premier (ou l'un des premiers) à utiliser le mot *textor* en ce sens.

découvrir facilement par où le renard entre ou ressort. Bien que son ouvrage soit manifeste, l'auteur n'apparaît pas, tant il est habile à tout dissimuler sous des apparences trompeuses. Enfin, si tu l'interroges sur sa foi, rien de plus chrétien ; si tu l'interroges sur sa conduite, rien de plus irréprochable : et il prouve ses paroles par les faits. Tu verras cet homme, en témoignage de sa foi, fréquenter l'église, honorer les prêtres, présenter son offrande, se confesser, participer aux sacrements. Quoi de plus fidèle ? Pour ce qui est de la vie et des mœurs, «il ne moleste personne[b]», il ne trompe personne, il ne s'élève au-dessus de personne. De plus, son visage pâlit à force de jeûnes, «il ne mange pas son pain dans l'oisiveté[c]», «il travaille de ses mains[d]» pour gagner sa vie. Où est donc le renard ? Nous le tenions : comment s'est-il échappé de nos mains ? Comment a-t-il disparu si soudain ? Poursuivons-le, traquons-le : «nous le reconnaîtrons à ses fruits[e]». Certes, la vigne ravagée atteste la présence du renard[f]. Les femmes, abandonnant leurs maris, et de même les maris, répudiant leurs femmes, se joignent à ces gens. Les clercs et les prêtres abandonnent leur peuple et leurs églises[1], et on les a retrouvés bien souvent, sans la tonsure et avec la barbe, chez ces gens, parmi les tisserands et les tisserandes[2]. N'est-ce pas là un grand ravage ? N'est-ce pas là l'œuvre des renards ?

III. Comment on attrape ces renards, s'ils n'écartent pas le scandale lorsque cela est en leur pouvoir.

6. Mais peut-être qu'on ne découvre pas chez tous ces gens des abus si évidents ; et s'il y en a, rien ne permet de les prouver. Comment attraper ces gens-là ? Revenons à leur société et cohabitation avec des femmes : car il n'y en a pas un parmi eux qui s'en prive. J'interroge

5 qui careat. Interrogo unum quempiam horum : «Heus tu,
bone vir, quaenam haec mulier, et unde huc tibi? Uxorne
tua?» – «Non», inquit, «nam voto istud non convenit
meo.» – «Filia ergo?» – «Non.» – «Quid? Non soror,
non neptis, non aliquo saltem propinquitatis vel affini-
10 tatis gradu attinens tibi?» – «Nullo prorsus.» – «Et
quomodo tuta tibi cum ista continentia tua? Sane nec
licet tibi istud. Cohabitationem, si nescis, virorum et
feminarum in his, qui vovere continentiam, Ecclesia vetat.
Si non vis scandalizare Ecclesiam, eice feminam. Alioquin
15 ex hoc uno cetera, quae non adeo manifesta sunt, procul
dubio credibilia fiunt.»

7. «Sed quo mihi», inquit, «Evangelii loco monstras
prohibitum istud?» – «Evangelium appellasti? Ad Evangelium ibis[a]. Si *oboedias Evangelio*[b], non facies scandalum; prohibet enim plane Evangelium scandalum facere[c].
5 Facis autem tu, istam non amovendo iuxta constitutum
Ecclesiae. Suspectus eras; at nunc manifeste censebere et
contemptor Evangelii, et Ecclesiae adversator». Quid
iudicatis, fratres? Si pertinax fuerit, ut *nec oboediat
Evangelio*[d], nec Ecclesiae acquiescat, quid iam tergiversari
10 potest? Nonne aperte vobis videtur deprehensa fraus,
comprehensa vulpes? Si non amovet feminam, non amovet
scandalum; si non amovet scandalum cum amovere possit,
transgressor tenetur Evangelii. Quid factura Ecclesia est,
177   nisi ut amoveat illum qui non vult amovere scandalum,
15 ne sit similis illi inoboediens? Nam *hoc mandatum*[e] habet
ex hoc Evangelio, non parcere ne proprio *oculo scan-
dalizanti se*, non *manui*, non *pedi*, sed *eruere illum*,

7.a. cf. Act. 25, 12   b. Rom. 10, 16 ≠   c. cf. Matth. 18, 6-7
d. Rom. 10, 16 ≠   e. Jn 10, 18

n'importe lequel d'entre eux : «Hé! brave homme, qui
est donc cette femme, et d'où est-elle venue chez toi?
Est-ce ton épouse?» «Non, dit-il, car cela ne convient
pas à mon vœu.» «C'est donc ta fille?» «Non.» «Quoi
donc? Elle n'est ni ta sœur, ni ta nièce, ni une personne
liée à toi par quelque degré de parenté ou d'alliance?»
«A aucun degré.» «Comment ta continence peut-elle être
en sûreté avec elle? Sans aucun doute, même cette
proximité ne t'est pas permise. Si tu l'ignores, l'Église
interdit la cohabitation entre hommes et femmes à ceux
qui ont fait vœu de continence. Si tu ne veux pas scan-
daliser l'Église, chasse cette femme. Sinon, ce seul fait
rend pleinement crédibles tous les autres abus qui ne
sont pas si évidents.»

7. «Mais, dit-il, par quel passage de l'Évangile me
prouves-tu cette interdiction?» «Tu en appelles à l'Évangile? Tu seras jugé par l'Évangile[a]. Si «tu obéis à
l'Évangile[b]», tu ne provoqueras pas de scandale. Car l'Évangile interdit formellement de provoquer du scandale[c]. Or,
tu en provoques un en n'écartant pas cette femme selon
la loi de l'Église. Déjà tu étais suspect; mais maintenant
tu seras manifestement tenu pour un contempteur de
l'Évangile et pour un ennemi de l'Église.» Qu'en pensez-
vous, frères? Si cet homme s'obstine à «ne pas obéir à
l'Évangile[d]» et à ne pas écouter l'Église, à quoi bon
hésiter encore? A votre avis, la fraude n'est-elle pas clairement dévoilée, et le renard capturé? S'il n'écarte pas
la femme, il n'écarte pas le scandale; s'il n'écarte pas le
scandale lorsque cela est en son pouvoir, il est convaincu
de transgresser l'Évangile. Que pourra faire d'autre l'Église,
sinon d'écarter celui qui ne veut pas écarter le scandale?
Autrement, elle se rendrait semblable à lui dans la désobéissance. Car elle a reçu «ce commandement[e]» de l'Évangile, de ne pas épargner son propre «œil, ni sa main,
ni son pied, s'ils la scandalisent, mais d'arracher l'œil, de

abscindere ista, et proicere a se[f]. *Si,* inquit, *Ecclesiam non audierit, sit tibi sicut ethnicus et publicanus*[g].

8. Fecimusne aliquid? Puto quia fecimus. Cepimus vulpem, quia fraudem percepimus. Manifesti sunt qui latebant falsi catholici, veri depraedatores Catholicae. Etenim dum *mecum dulces capiebat cibos* – corpus dico
5 et sanguinem Christi –, dum *in domo Dei ambulavimus cum consensu*[a], fuit suadendi locus, immo opportunitas seducendi, iuxta illud Sapientiae : *Simulator ore decipit amicum suum*[b]. Nunc autem facile, secundum sapientiam Pauli, *post unam et secundam admonitionem haereticum*
10 *hominem devitabo, sciens quia subversus est qui huiusmodi est*[c], ac perinde cautus providere, ne iam sit et subversor. Itaque non nihil est, iuxta verbum Sapientis, *in insidiis suis captos esse iniquos*[d], illos praesertim iniquos, qui insidiis pro armis uti cauti sunt. Nam conflictus omnino
15 ab his et defensio periit. Vile nempe hoc genus et rusticanum, ac sine litteris, et prorsus imbelle. Denique vulpes sunt, et pusillae[e]; sed neque illa, in quibus male sentire dicuntur, defensibilia sunt, nec tam subtilia quam suasibilia, idque dumtaxat mulierculis rusticis et idiotis, quales
20 utique omnes sunt quotquot adhuc de secta hac esse expertus sum. Nec enim in cunctis assertionibus eorum – nam multae sunt –, novum quid aut inauditum audisse me recolo, sed quod tritum est et diu ventilatum inter antiquos haereticos, a nostris autem contritum et eventi-

f. Matth. 5, 29-30 ≠   g. Matth. 18, 17 ≠

8.a. Ps. 54, 15 ≠   b. Prov. 11, 9   c. Tite 3, 10-11 ≠   d. Prov. 11, 6 ≠   e. cf. Cant. 2, 15 (Patr.)

1. * Cf. *SCt* 63, 1, l. 27, p. 284, n. 1.

couper les membres, et de les jeter loin de soi[f]». «S'il n'écoute pas l'Église, est-il dit, qu'il soit pour toi comme un païen et un publicain[g].»

8. Sommes-nous arrivés à quelque chose? Je pense que oui. Nous avons attrapé le renard, puisque nous avons surpris sa ruse. Ils sont découverts, ces faux catholiques qui se cachaient, véritables pillards de l'Église catholique. Tandis qu'«il partageait avec moi des mets délicieux» – j'entends le corps et le sang du Christ –, tandis que «nous nous promenions en bonne entente dans la maison de Dieu[a]», il avait des chances de me persuader, et même de bonnes occasions de me séduire, selon cette parole de la Sagesse : «Le simulateur trompe son ami par ses discours[b].» Maintenant en revanche, suivant la sagesse de Paul, «j'éviterai aisément l'hérétique après un premier et un deuxième avertissement. Car je sais qu'un tel individu est un dévoyé[c]»; dès lors je veille et je prends mes précautions, pour qu'il ne puisse me dévoyer à mon tour. Ainsi ce n'est pas rien, selon le dire du Sage, «que les impies soient pris à leurs propres pièges[d]», surtout ces impies qui ont l'adresse de se servir de pièges au lieu d'armes. Car controverse et débat sont tout à fait impossibles avec ces gens-là. Oui, c'est une engeance vile et grossière, illettrée et absolument inapte au combat. Bref, ce sont des renards, et de petits renards[e1]. Quant aux opinions erronées qu'on leur prête, elles ne sont pas non plus défendables. Elles sont plus captieuses que subtiles, et elles captivent surtout de bonnes femmes simples et ignorantes, comme le sont d'ailleurs tous ceux dont, jusqu'à présent, j'ai reconnu qu'ils appartiennent à cette secte. Dans toutes leurs affirmations – et il y en a beaucoup – je ne me souviens pas d'avoir entendu rien de nouveau ou d'inconnu; ce sont des idées ressassées, cent fois rebattues par les anciens hérétiques, et battues en brèche et réfutées par nos docteurs. Il faut pourtant

25 latum. Dicendum tamen, et dicam, quaenam illae ineptiae
sint, partim quas sciscitantibus se catholicis minus caute
respondentes ipsi confessi sunt, partim quas divisi ab
invicem litigantes de invicem prodiderunt, partim quoque
quas nonnulli eorum redeuntes ad Ecclesiam detexerunt :
30 non quod ad omnes respondeam – nec enim necesse
est –, sed tantum ut innotescant. At istud alterius erit
opus sermonis, *in laudem et gloriam*[f] nominis[ff] sponsi
Ecclesiae, Iesu Christi Domini nostri, *qui est super omnia*
178   *Deus benedictus in saecula. Amen*[g].

---

f. I Pierre 1, 7   ff. cf. Ps. 78, 9   g. Rom. 9, 5

dire, et je le dirai, quelles sont ces inepties, soit celles qu'ils ont eux-mêmes avouées dans des réponses imprudentes aux catholiques qui les questionnaient, soit celles qu'ils ont mises au grand jour dans les disputes qui les opposaient entre eux, soit aussi celles que certains d'entre eux ont révélées lors de leur retour au sein de l'Église. Non pas que je veuille répliquer à toutes ces absurdités, car ce n'est pas nécessaire ; je veux seulement qu'elles soient connues. Mais ce sera l'objet d'un autre sermon, «à la louange et à la gloire[f]» du nom[ff] de Jésus-Christ notre Seigneur, l'Époux de l'Église, «qui est au-dessus de tout, Dieu béni dans les siècles. Amen[g]».

SERMO LXVI

I. Item de novellis his haereticis, quod hi sunt de quibus specialiter dicit Apostolus quod in hypocrisi loquuntur mendacium. – II. Quomodo nuptias condemnant, quas plerique in solis virginibus concedant, et quid contra valeat responderi. – III. De cibis quos immundos iudicant, et quod corpus Christi se conficere dicant, apostolicos se nominantes. – IV. Contra hoc quod dicunt infantes non baptizandos, pro mortuis non orandum, non expetenda sanctorum patrocinia. – V. Contra id quod ordines et statuta Ecclesiae contemnunt, quodque obstinatius pro sua secta mortem deprehensi suscipiunt.

I. Item de novellis his haereticis, quod hi sunt de quibus specialiter dicit Apostolus quod in hypocrisi loquuntur mendacium.

1. *Capite nobis vulpes parvulas, quae demoliuntur vineas*[a]. Ecce ego ad vulpes istas. Ipsae sunt *quae praetergrediuntur viam, et vindemiant vineam*[b]. Non sunt contentae *deserere viam*[bb], nisi et desertare vineam
5 possint, *addentes praevaricationem*[c]. Non sufficit haereticos esse, nisi et hypocritae sint, *ut sit supra modum peccans peccatum*[d]. Hi sunt *qui veniunt in vestimentis ovium*[e], ad nudandas oves et spoliandos arietes. Annon tibi utraque res impleta videtur, ubi et fide plebes, et
10 plebibus sacerdotes depraedati inveniuntur? Quinam isti praedones? Hi oves sunt habitu, astu vulpes, actu et crudelitate lupi. Hi sunt qui boni videri, non esse, mali

---

1.a. Cant. 2, 15 ≠   b. Ps. 79, 9. 13 ≠   bb. Deut. 9, 12.16, etc.
c. Is. 1, 5   d. Rom. 7, 13 ≠   e. Matth. 7, 15

SERMON 66

I. Toujours à propos de ces nouveaux hérétiques : ce sont eux notamment dont l'Apôtre dit qu'ils profèrent le mensonge avec hypocrisie. – II. Comment ils condamnent le mariage ; quelques-uns le permettent seulement à ceux qui sont vierges. Ce qu'on peut leur rétorquer. – III. Les aliments qu'ils estiment impurs. Ils disent pouvoir consacrer le corps du Christ et se donnent le nom d'apostoliques. – IV. Ils disent qu'il ne faut pas baptiser les petits enfants, ni prier pour les morts, ni demander le secours des saints. Réfutation de leurs thèses. – V. Ils méprisent les ordres et les décrets de l'Église et, une fois démasqués, acceptent la mort pour leur secte avec une obstination acharnée. Réfutation de leurs attitudes.

I. Toujours à propos de ces nouveaux hérétiques : ce sont eux notamment dont l'Apôtre dit qu'ils profèrent le mensonge avec hypocrisie.

1. «Attrapez-nous les petits renards qui ravagent les vignes[a].» Me voici aux prises avec ces renards. Ce sont eux «qui s'écartent du chemin et grappillent la vigne[b]». Ils ne se contentent pas de «quitter le chemin[bb]», ils veulent encore désoler la vigne «par une nouvelle transgression[c]». Il ne leur suffit pas d'être hérétiques, ils veulent aussi être hypocrites ; «ainsi le péché se déploie dans toute sa virulence de péché[d]». Ce sont eux «qui viennent vêtus en brebis[e]» pour dépouiller les brebis et spolier les béliers. A ton avis, ne commettent-ils pas ce double méfait, lorsqu'on les voit ravir la foi aux peuples et les peuples aux prêtres ? Qui sont ces ravisseurs ? Ce sont des brebis par leur aspect, des renards par leur ruse, des loups par leurs actes et leur cruauté. Ils veulent paraître bons, non

non videri, sed esse volunt. Mali sunt, et boni videri
volunt, ne soli sint mali; mali videri timent, ne parum
15 sint mali. Etenim minus semper malitia palam nocuit, nec
umquam bonus nisi boni simulatione deceptus est. Ita
ergo in malum bonorum boni apparere student; mali
nolunt, ut plus liceat malignari. Neque enim est apud eos
virtutes colere, sed vitia colorare quodam quasi virtutum
20 minio. Denique superstitionis impietatem nomine religionis
intitulant. Innocentiam diffiniunt tantum in aperto non
laedere, innocentiae perinde solum sibi vindicantes
colorem. In operimentum turpitudinis, continentiae se insi-
gniere voto. Porro turpitudinem in solis existimant repu-
25 tandam uxoribus, cum vel sola sit ea quae *cum uxore
est causa*[f], quae turpitudinem excusat in coitu. Rusticani
homines sunt et idiotae, et prorsus contemptibiles; sed
non est, dico vobis, cum eis negligenter agendum :
*multum enim proficiunt ad impietatem, et sermo eorum
30 ut cancer serpit*[g].

2. Denique non neglexit Spiritus Sanctus, qui de his
quondam tam manifeste vaticinatus est, dicente Apostolo :
*Spiritus autem manifeste dicit, quia in novissimis tempo-
ribus discedent quidam a fide, attendentes spiritibus erroris
5 et doctrinis daemoniorum, in hypocrisi loquentium mendacium, et cauteriatam habentium suam conscientiam, prohibentium nubere, abstinere a cibis, quos Deus creavit ad*

---

f. Matth. 19, 10 ≠   g. II Tim. 2, 16-17 ≠

1. Évervin de Steinfeld, *Lettre* 6, p. 425 : «Ils ont des femmes, vivant,
à ce qu'ils disent, dans la continence», *Habent inter se feminas (ut
dicunt) continentes.*

2. Id., *Lettre* 4, p. 423 : «Ils appellent tout mariage une fornication»,
Omne coniugium vocant fornicationem.

pas l'être; ne pas paraître méchants, mais l'être. Ils sont méchants, et veulent paraître bons, de peur d'être les seuls méchants; ils craignent de paraître méchants, de peur de ne pas l'être assez. Car la malice ouverte a toujours été moins nuisible; l'homme de bien n'a jamais été abusé que par la simulation du bien. Aussi s'efforcent-ils de paraître bons au détriment des hommes de bien; ils ne veulent pas paraître méchants, pour faire le mal avec plus d'aisance. Ils se soucient non de cultiver les vertus, mais de maquiller les vices, pour ainsi dire, par le fard des vertus. Bref, ils appellent du nom de religion l'impiété de la superstition. Selon eux, l'innocence se limite à ne léser personne ouvertement, car ils ne prennent pour eux que les dehors de l'innocence. Pour couvrir leur conduite honteuse, ils se sont parés du vœu de continence[1]. D'ailleurs, ils estiment qu'il ne faut regarder comme honteux que le mariage légitime[2], alors que «la liaison du mariage[f]» est la seule qui justifie l'aspect honteux de l'acte sexuel[3]. Ce sont des gens rustres et ignorants, tout à fait méprisables; mais, je vous le dis, il ne faut pas les prendre à la légère. «Car ils progressent toujours plus dans l'impiété, et leur parole est comme un cancer qui s'étend[g].»

2. Au reste, l'Esprit-Saint ne les a pas pris à la légère, lui qui jadis a prophétisé si clairement à leur sujet par ces paroles de l'Apôtre : «L'Esprit dit clairement que dans les derniers temps certains s'écarteront de la foi pour s'attacher aux esprits trompeurs et aux doctrines des démons, qui profèrent le mensonge avec hypocrisie, marqués au fer rouge dans leur conscience, qui interdisent le mariage et l'usage d'aliments que Dieu a créés pour être pris avec

---

3. «qui justifie l'aspect honteux de l'acte sexuel», *quae turpitudinem excusat in coitu.* A. Béguin traduit : «qui ôte à l'acte de chair son caractère impur». Bernard a une conception nettement pessimiste de la sexualité. Il considère celle-ci comme nécessaire mais honteuse.

percipiendum cum gratiarum actione[a]. Istos prorsus, istos
dicebat. Hi nubere prohibent, hi a cibis abstinent quos
10 Deus creavit, de quibus postea videbimus. Nunc autem
videte, si non proprie daemonum, et non hominum, ludi-
ficatio haec, secundum quod praedixerat Spiritus. Quaere
ab illis suae sectae auctorem : neminem hominem dabunt.
Quae haeresis non ex hominibus habuit proprium haere-
15 siarcham? Manichaei Manem habuere principem et prae-
ceptorem, Sabelliani Sabellium, Ariani Arium, Eunomiani
Eunomium, Nestoriani Nestorium. Ita omnes ceterae
huiusmodi pestes, singulae singulos magistros, homines
habuisse noscuntur, a quibus originem simul duxere et
20 nomen. Quo nomine istos titulove censebis? Quoniam *non*
est *ab homine* illorum haeresis, *neque per hominem* illam
acceperunt; absit tamen ut *per revelationem Iesu Christi*[b],
sed magis et absque dubio, uti *Spiritus Sanctus praedixit*[c],
per immissionem et fraudem *daemoniorum, in hypocrisi*
25 *loquentium mendacium, prohibentium nubere*[d].

3. In hypocrisi plane hoc et vulpina dolositate
loquuntur[a], fingentes se amore id dicere castitatis, quod
magis causa turpitudinis fovendae et multiplicandae
adinvenerunt. Res tamen tam in aperto est, ut mirer
5 quomodo umquam homini christiano persuaderi potuerit :
nisi quod hi adeo bestiales sunt, ut non advertant qualiter
omni immunditiae laxat habenas qui nuptias damnat; aut
certe ita pleni nequitia et diabolica malignitate absorpti,
ut advertentes dissimulent, et *laetentur in perditione*
10 *hominum*[b].

2.a. I Tim. 4, 1-3   b. Gal. 1, 1. 12 ≠   c. Act. 1, 16 ≠   d. I Tim. 4,
2-3
3.a. cf. I Tim. 4, 2   b. Sag. 1, 13 ≠

action de grâces[a].» C'est de ces gens qu'il parlait, oui,
de ces gens. Ils interdisent le mariage, ils s'abstiennent
d'aliments que Dieu a créés et dont nous parlerons tantôt.
Maintenant, voyez si cette imposture n'est pas l'œuvre
des démons plutôt que des hommes, ainsi que l'Esprit-
Saint l'avait prédit. Demande-leur qui est le fondateur de
leur secte : ils ne citeront aucun nom d'homme. Quelle
est l'hérésie qui n'a pas eu son hérésiarque parmi les
hommes? Les manichéens eurent Manès pour chef et pour
maître; les sabelliens, Sabellius; les ariens, Arius; les euno-
miens, Eunome; les nestoriens, Nestorius. Ainsi l'on sait
que toutes ces sectes pernicieuses ont eu chacune un
homme pour maître, dont elles ont tiré à la fois l'origine
et le nom. Mais par quel nom ou par quel titre vas-tu
appeler ceux-ci? Car leur hérésie «ne vient pas d'un
homme, ni par l'intermédiaire d'un homme»; et surtout
pas «par une révélation de Jésus-Christ[b]». Mais bien
plutôt et sans aucun doute, selon «la prédiction de l'Esprit-
Saint[c]», elle vient par la suggestion et la ruse «des
démons, qui profèrent le mensonge avec hypocrisie et
qui interdisent le mariage[d]».

3. Oui, c'est avec hypocrisie et avec une fourberie de
renard qu'ils parlent de la sorte[a]. Ils feignent de dire par
amour de la chasteté ce qu'ils ont bien plutôt inventé
pour attiser et pour multiplier les honteux plaisirs. Cela
est tellement manifeste que je me demande comment un
chrétien a jamais pu se laisser appâter. Ces gens sont si
bêtes qu'ils ne voient pas que condamner le mariage c'est
lâcher la bride à toutes les impuretés. Ou alors ils sont
si pleins de malice et imbus de méchanceté diabolique
que, tout en voyant cela, ils ferment les yeux et «prennent
plaisir à la perdition» des hommes[b].

II. Quomodo nuptias condemnant,
quas plerique in solis virginibus concedant,
et quid contra valeat responderi.

Tolle de Ecclesia *honorabile connubium et thorum*
180 *immaculatum*[c] : nonne reples eam concubinariis, inces-
tuosis, seminifluis, *mollibus, masculorum concubitoribus*[d],
et omni denique genere immundorum? Eligite ergo utrum-
15 libet : aut salvari universa monstra haec hominum, aut
numerum salvandorum ad continentium redigi paucitatem.
Quam parcus in uno, quam largus in altero! Neutrum
horum competit Salvatori. Quid? Coronabitur turpitudo?
Nihil minus decet honestatis Auctorem. Damnabitur univer-
20 sitas praeter pauculos continentes? Non est hoc esse Salvatorem. Rara in terris continentia; neque pro tantillo quaestu
ad terras *plenitudo* illa *semetipsam exinanivit*[e]. Et
quomodo *de illa omnes accepimus*[f], si solis indulsit continentibus participium sui? Non est quod ad hoc respon-
25 deant. Sed neque ad illud, credo : si honestati in caelis
est locus, non sit autem honesto et turpi consortium, sicut
non est *societas luci ad tenebras*[g], profecto neminem
immundorum locus in loco salutis manet. *Si quis aliter
sapit*[h], arguet illum apostolica vox, absque omni ambiguo
30 asserens : *Quoniam qui talia agunt, regnum Dei non possi-
debunt*[i]. Qua iam exiet de caverna haec insidiosa
vulpecula? Puto in fovea deprehensam, in qua sibi duo
quasi foramina fecerit : unum quo intret, alterum quo
exeat. Nam suevit ita. Vide ergo quomodo utrobique illi

---

c. Hébr. 13, 4 ≠   d. I Cor. 6, 10 ≠   e. Phil. 2, 7 ≠   f. Jn 1,
16 ≠   g. II Cor. 6, 14   h. Phil. 3, 15 ≠   i. Gal. 5, 21 ≠

II. Comment ils condamnent le mariage;
quelques-uns le permettent seulement à ceux
qui sont vierges. Ce qu'on peut leur rétorquer.

Ôte de l'Église «le mariage honnête et le lit sans tache[c]» : ne vas-tu pas la remplir de concubinaires, d'incestueux, d'onanistes, «d'efféminés, de sodomites[d]», et de toute sorte de débauchés? Des deux choses l'une : ou bien tous ces monstres humains sont sauvés, ou bien ceux qui doivent être sauvés sont réduits au petit nombre de ceux qui pratiquent la continence. Que tu es parcimonieux dans un cas, que tu es large dans l'autre! Ni l'un ni l'autre ne convient au Sauveur. Eh quoi? La conduite honteuse sera-t-elle couronnée? Rien n'est moins conforme à l'auteur de la vertu. Tout le monde sera-t-il damné, sauf le tout petit nombre des gens continents? Ce ne serait pas être le Sauveur. Rare est la continence sur la terre; ce n'est pas pour un si maigre profit que «la plénitude divine s'est anéantie[e]» jusqu'à descendre sur la terre. Comment «avons-nous tous reçu de cette plénitude[f]», si elle ne s'est donnée en partage qu'aux gens continents? A cela, les hérétiques n'ont pas de réponse. Et à ceci non plus, il me semble : si l'honnêteté a sa place aux cieux et qu'il n'y ait pas de sort commun à l'honnête et à l'infâme, comme il n'y pas d'«alliance entre la lumière et les ténèbres[g]», il est certain qu'aucune place n'attend les débauchés dans le lieu du salut. «Si quelqu'un pense autrement[h]», il sera réfuté par cette parole de l'Apôtre qui affirme sans aucune ambiguïté : «Ceux qui commettent de telles actions ne posséderont pas le royaume de Dieu[i].» Par où maintenant ce renardeau perfide va-t-il s'échapper de sa tanière? Je pense qu'il est pris dans son repaire, où il s'est aménagé, pour ainsi dire, deux issues : l'une pour entrer, l'autre pour s'échapper. Car c'est là son habitude. Vois comment la

35 interclusus sit exitus. Si solos in caelestibus collocat continentes, perit ex maxima parte salus; si omnem spurcitiam
pariter cum continentibus collocat, perit honestum. Sed
iustius perit ipsa, neque hac exitura neque illac, reclusa
perpetuo et capta *in fovea quam fecit*[j].

4. Quidam tamen dissentientes ab aliis, inter solos
virgines matrimonium contrahi posse fatentur. Verum quid
in hac distinctione rationis afferre possint, non video : nisi
quod pro libitu quisque suo sacramenta Ecclesiae,
5 tamquam matris viscera, dente vipereo decertatim inter se
dilacerare contendunt. Nam quod dicuntur praetendere de
primis coniugibus, quia virgines erant, quid istud, quaeso,
matrimonii praeiudicat libertati, quo minus et inter non
virgines contrahi liceat? Sed nescio quid se in Evangelio
10 invenisse susurrant, quod suae ineptiae frustra existimant
suffragari. Illud, credo, quod Dominus, cum praemisisset
testimonium de Genesi : *Et creavit hominem Deus ad
imaginem et similitudinem suam, masculum et feminam
creavit illos*[a], postea intulit : *Ergo quod Deus coniunxit,
15 homo non separet*[b]. «Hos», inquiunt, «coniunxit Deus,
quia virgines ambo erant, et iam non licuit separari; non
erit autem ex Deo copulatio secus praesumpta». – «Quis
tibi dixit propterea a Deo coniunctos, quia virgines erant?
Nam Scriptura hoc non loquitur». – «Annon virgines
20 erant?» inquit. – «Erant; sed non est idipsum copulatos
virgines, et copulatos quia virgines. Quamquam ne hoc
quidem nominatim dictum reperies, quod virgines essent,

181

---

j. Ps. 7, 16 ≠
4.a. Gen. 1, 26-27 ≠   b. Matth. 19, 6 ≠; Mc 10, 9

1. Évervin de Steinfeld, *Lettre* 4, p. 423 : «Ils appellent tout mariage
une fornication, excepté celui qui est contracté entre deux vierges.»
Suit la référence au premier couple du genre humain.

sortie lui est fermée de part et d'autre. S'il ne met aux cieux que les gens continents, le salut est perdu pour une très grande majorité; s'il y met toutes les impuretés en même temps que les gens continents, c'est l'honnêteté qui est perdue. Mais il est bien plus juste que le renard périsse, ne pouvant plus sortir ni par-ci ni par-là, enfermé à perpétuité et capturé «dans la tanière qu'il s'est aménagée[j]».

4. Certains pourtant ne sont pas d'accord avec les autres; ils professent que le mariage peut être contracté seulement entre ceux qui sont vierges[1]. Je ne vois vraiment pas quels arguments ils peuvent amener pour justifier cette distinction. Sa seule raison d'être, c'est qu'entre eux ils rivalisent avec acharnement, chacun essayant de déchirer à son gré les saints mystères de l'Église, comme des vipéreaux déchirent avec leurs dents les entrailles de leur mère. Ils prétextent, dit-on, que les deux premiers mariés étaient vierges. En quoi, je t'en prie, cela porte-t-il préjudice à la liberté du mariage et empêche-t-il qu'on le contracte même en dehors de la virginité? Mais ils disent tout bas qu'ils ont découvert dans l'Évangile je ne sais quel passage, qu'ils s'imaginent à tort confirmer leur sottise. C'est, je crois, le texte où le Seigneur, après avoir cité le témoignage de la Genèse: «Dieu créa l'homme à son image et à sa ressemblance; homme et femme il les créa[a]», ajouta: «Donc, ce que Dieu a uni, que l'homme ne le sépare pas[b].» Dieu, disent-ils, les a unis parce qu'ils étaient tous deux vierges; dès lors il ne fut plus permis de les séparer. Toute union autre que celle-là ne sera pas selon Dieu. – Qui t'a dit que Dieu les a unis parce qu'ils étaient vierges? L'Écriture n'en parle pas. – N'étaient-ils pas vierges?, dit-il. – Ils l'étaient. Mais ce n'est pas la même chose de dire qu'ils furent unis vierges, et unis parce que vierges. D'ailleurs, tu ne trouveras même pas expressément dit qu'ils étaient vierges,

quamvis essent. Sexuum sane expressa diversitas est, non
virginitas, cum dictum est : *Masculum et feminam creavit*
25 *illos*[c].» Merito quidem : non enim maritalis copula
corporum requirit integritatem, sed aptitudinem sexuum.
Bene proinde ipsam instituens Spiritus Sanctus, sexum
expressit, et virginitatem tacuit, nec dedit occasionem
venandi verbum insidiosis vulpeculis. Quod utique libenter
30 fecissent, quamvis id quoque frustra. Quid enim si dixisset :
«Virgines creavit illos»? Num propterea continuo obti-
nuisses solos virgines licere coniungi? Et tamen quomodo
exsultasses ex sola verbi occasione? Quomodo exsufflasses
secundas et tertias nuptias? Quomodo insultasses Catho-
35 licae, scorta lenonesque ad invicem tanto libentius coniun-
genti, quanto perinde eos de turpi ad honestum transire
non dubitat? Fortassis et reprehenderes Deum Prophetae
praecipientem fornicariam ducere[d] : nunc autem et occasio
deest, et libet gratis haereticum esse. Nam testimonium
40 quod usurpasti ad astruendum errorem tuum, plus ad
destruendum valere inventum est, pro te facere nihil,
contra te plurimum.

5. Nunc autem audi quod te ex toto aut confundit, aut
corrigit, et haeresim tuam prorsus *conterit et comminuit*[a].
Mulier, quanto tempore vir eius vivit, alligata est viro; sin
autem dormierit vir eius, soluta est a lege viri : cui vult
5 *nubat, tantum in Domino*[b]. Paulus est qui concedit viduae
ut *cui vult nubat;* et tu e contra praecipis, nulla praeter

c. Gen. 1, 27 ≠   d. cf. Os. 1, 2
5.a. Dan. 2, 40 ≠   b. I Cor. 7, 39 ≠; cf. Rom. 7, 2-3

bien qu'ils le fussent. Oui, c'est la différence des sexes,
et non la virginité, qui a été exprimée par cette parole :
«Homme et femme il les créa[c].» A fort juste titre. Car
l'union conjugale ne requiert pas l'intégrité des corps,
mais la correspondance des sexes. Ainsi, en instituant
cette union, l'Esprit-Saint a fort bien nommé le sexe, et
a passé sous silence la virginité; il n'a pas donné à ces
renardeaux perfides l'occasion d'ergoter sur un mot. Certes,
ils l'auraient fait très volontiers, quoiqu'en vain. Que
conclure en effet, si l'Esprit-Saint avait dit : «Il les créa
vierges»? Aurais-tu pu prouver, par voie de conséquence,
que le mariage n'est permis qu'aux vierges? Et pourtant,
comment aurais-tu triomphé au moyen de ce seul mot?
Comment aurais-tu balayé les secondes et les troisièmes
noces? Comment aurais-tu insulté l'Église catholique qui
marie ensemble les prostituées et les souteneurs d'autant
plus volontiers qu'elle est persuadée de les faire passer
d'une vie infâme à une vie honnête? Peut-être même
aurais-tu blâmé Dieu d'avoir enjoint au Prophète d'épouser
une prostituée[d]. Mais maintenant tout prétexte te manque,
et tu prends plaisir à être hérétique sans raison. Car le
témoignage de l'Écriture dont tu as abusé pour étayer
ton erreur s'est avéré bien plus efficace pour la réfuter;
bien loin de t'être favorable, il se montre très ferme
contre toi.

5. Écoute maintenant un passage qui ne peut que te
confondre entièrement, ou alors te redresser; un passage
qui «écrase et met en pièces[a]» complètement ton hérésie.
«La femme, aussi longtemps que son mari vit, demeure
liée à son mari. Mais si son mari meurt, elle est dégagée
du lien conjugal. Elle est libre d'épouser qui elle veut,
dans le Seigneur seulement[b].» C'est Paul qui accorde à
la veuve «d'épouser qui elle veut». Toi, au contraire, tu
prescris qu'aucune femme ne se marie si elle n'est vierge,
et seulement avec un homme vierge, si bien que même

virginem nubat, et hoc nisi virgini, ut non *cui vult nubat*
vel ipsa? Quid *manum Domini abbrevias*[c]? Quid largam
benedictionem nuptiarum restringis? Quid proprium
10 vindicas virgini, quod indultum est sexui? Non concederet
182   hoc Paulus, nisi liceret. At parum dico «concedit» : vult
quoque. *Volo,* inquit, *adolescentiores nubere*[d] : nec dubium
quin viduas dicat. Quid manifestius? Ergo quod concedit,
quia licet, etiam vult, quia expedit[e]. Quod licet et expedit,
15 haereticus prohibet? Nihil ex hac prohibitione persuadebit,
nisi quod haereticus est.

**III. De cibis quos immundos iudicant,
et quod corpus Christi se conficere dicant,
apostolicos se nominantes.**

6. Superest ut et de residuo apostolicae prophetiae istos
aliquantulum exagitemus. *Abstinent* namque hi, ut praedixit ille, *a cibis, quos creavit Deus ad percipiendum cum
gratiarum actione*[a], hinc quoque haereticos se probantes,
5 non sane quia abstinent, sed quia haeretice abstinent.
Nam et ego interdum abstineo; sed abstinentia mea satis-
factio est pro peccatis, non superstitio pro impietate. Num
redarguimus Paulum, *quod castigat corpus suum et in
servitutem redigit*[b]? Abstinebo a vino, quia *in vino luxuria
10 est*[c]; aut si *infirmus* sum, *modico utar*[d], iuxta consilium
Apostoli. Abstinebo a carnibus, ne dum nimis nutriunt
carnem, simul et carnis nutriant vitia. Panem ipsum cum
mensura[e] studebo sumere, ne onerato ventre stare ad
orandum taedeat, et ne improperet etiam mihi Propheta,

---

c. Is. 59, 1 ≠   d. I Tim. 5, 14 ≠   e. cf. I Cor. 6, 12
6.a. I Tim. 4, 3 ≠   b. I Cor. 9, 27 ≠   c. Éphés. 5, 18 ≠   d. I Tim. 5,
23 ≠   e. cf. Ps. 79, 6

---

1. * Seul emploi par Bernard. *Vg* a *iuveniores;* plusieurs Pères (Jérôme,
Cassiodore) ont comme Bernard *adolescentiores.*

une vierge n'est pas libre « d'épouser qui elle veut » ?
Pourquoi « raccourcis-tu la main du Seigneur [c] » ? Pourquoi
restreins-tu la généreuse bénédiction donnée au mariage ?
Pourquoi réserves-tu à la vierge ce qui a été accordé au
sexe ? Paul ne ferait pas cette concession, si elle n'était
pas permise. C'est trop peu dire : « il fait une concession » ;
il le veut même. « Je veux, dit-il, que les plus jeunes se
marient [d1] » : aucun doute qu'il parle des veuves. Quoi
de plus évident ? Ce qu'il accorde parce que c'est permis,
il le veut même parce que c'est profitable [e]. Ce qui est
permis et profitable, un hérétique l'interdit ? Par cette interdiction il ne prouvera rien, sinon son hérésie.

III. Les aliments qu'ils estiment impurs.
Ils disent pouvoir consacrer le corps du Christ
et se donnent le nom d'apostoliques.

6. Il nous reste à harceler encore un peu ces gens
moyennant la suite de la prophétie de l'Apôtre. Comme
il l'a prédit, « ils s'abstiennent d'aliments que Dieu a créés
pour que nous en prenions avec action de grâces [a] ». Par
là aussi ils prouvent qu'ils sont hérétiques, non pas certes
parce qu'ils s'abstiennent, mais parce qu'ils s'abstiennent
avec une intention hérétique. Moi aussi, parfois, je pratique l'abstinence. Mais mon abstinence est une répa-
ration pour mes péchés, non une superstition impie.
Allons-nous reprocher à Paul de « châtier son corps et
de le réduire en servitude [b] » ? Je m'abstiendrai du vin,
parce que « le vin entraîne à la débauche [c] » ; ou si je
suis « malade, j'en prendrai un peu [d] », selon le conseil
de l'Apôtre. Je m'abstiendrai des viandes, de peur qu'en
nourrissant trop la chair elles ne nourrissent en même
temps les vices de la chair. Je m'efforcerai de prendre
avec mesure le pain lui-même [e], pour que l'estomac alourdi
ne me rende fastidieuse la prière et que le Prophète ne

15 quod *panem meum comederim in saturitate*[f]. Sed ne
simplici quidem aqua ingurgitare me assuescam, ne
distentio sane ventris usque ad titillationem pertingat
libidinis. Haereticus aliter : nempe horret lac et quidquid
ex eo conficitur, postremo omne quod ex coitu procreatur.
20 Recte et christiane, si non idcirco quia ex coitu, sed ne
ad coitum provocent.

7. Ceterum quid sibi vult, quod ita generaliter omne
quod ex coitu generatur vitatur? Suspicionem generat mihi
observatio ista ciborum tam signanter expressa. Verumtamen si de regula medicorum hoc profers nobis, non
5 reprehendimus *curam carnis*, quam *nemo umquam odio
habuit*[a], si tamen non nimia fuerit; si de disciplina absti-
nentium, id est spiritualium medicorum schola, etiam
virtutem approbamus, qua carnem domas, frenas libidinem.
At si de insania Manichaei praescribis beneficentiae *Dei*,
10 ut quod ille *creavit* et donavit *ad percipiendum cum
gratiarum actione*[b], tu non modo ingratus, sed et censor
temerarius immundum decernas et tamquam a malo
183 abstineas, non plane abstinentiam collaudabo, sed
execrabor blasphemiam : te magis immundum dixerim,
15 qui immundum quid putas[c]. *Omnia munda mundis*[d], ait
ille rerum optimus aestimator, et nihil immundum nisi ei

---

f. Ex. 16, 3 ≠; Lév. 26, 5 ≠
7.a. Éphés. 5, 29 ≠; cf. Rom. 13, 14   b. I Tim. 4, 3 ≠   c. cf. Act. 10,
14-15. 28   d. Tite 1, 15

---

1. Évervin de Steinfeld, *Lettre* 3, p. 419 : «Dans leur nourriture ils
s'interdisent tout espèce de laitage, tout ce qu'on fait avec le lait, tout
ce qui a été procréé par génération.»
2. *insania Manichaei*, «la folie des manichéens». Cf. J. Ries, art.
«Manichéisme», *Catholicisme* 8, 1979, col. 304-322. Mani de Babylone
(216-277) est le fondateur d'une religion gnostique. Le manichéisme est
une gnose dualiste qui place aux origines deux principes coéternels et

me reproche «d'avoir mangé mon pain jusqu'à en être repu[f]». Mais je ne veux même pas m'habituer à boire de l'eau claire tout mon soûl, de peur que la dilatation des entrailles ne provoque des chatouillements sensuels. L'hérétique agit autrement. Il a horreur du lait et de tous les laitages, bref, de tout ce qui est le produit de l'acte charnel[1]. Ce serait juste et chrétien de s'abstenir, non de ce qui provient de l'acte charnel, mais de ce qui excite à l'acte charnel.

7. Or, que signifie cette volonté d'éviter sans distinction tout ce qui est engendré de l'acte charnel? Un tel régime alimentaire, exprimé de façon si précise, éveille mes soupçons. Pourtant, si tu nous le proposes parce que tu suis la prescription des médecins, nous ne blâmons pas «les soins de la chair», pourvu qu'ils ne soient pas excessifs, car «jamais personne n'a pris sa propre chair en aversion[a]». Si tu nous proposes ce régime parce que tu suis l'enseignement de ceux qui pratiquent l'abstinence, c'est-à-dire l'école des médecins spirituels, nous approuvons même ta vertu, qui te fait dompter la chair et réfréner la luxure. Mais si, suivant la folie des manichéens[2], tu mets des bornes à la générosité «de Dieu», bien loin de louer ton abstinence, je détesterai ton blasphème. Car non seulement tu refuses avec ingratitude ce que Dieu «a créé» et nous a donné «pour que nous le prenions avec action de grâces[b]»; tu vas jusqu'à le déclarer immonde, censeur téméraire, et à t'en abstenir comme étant mauvais. C'est toi plutôt que j'appellerai immonde, toi qui penses qu'il y a des choses immondes[c]. «Tout est pur pour les purs[d]», dit le meilleur des juges. Rien n'est immonde, sinon pour celui qui l'estime

---

radicalement opposés l'un à l'autre : la lumière et les ténèbres. Augustin a été manichéen entre les années 373 et 383. Quelques doctrines manichéennes ont été reprises par les Albigeois et par les hérétiques rhénans.

qui immundum quid putat : *Immundis autem et infide-*
libus nihil est mundum, sed polluta est eorum mens et
conscientia[e]. Vae qui respuistis *cibos quos Deus creavit*[f],
20 iudicantes immundos et indignos quos traiciatis in corpora
vestra, cum propterea vos *corpus Christi, quod est*
Ecclesia[g], tamquam pollutos et immundos exspuerit.

8. Non ignoro quod se et solos corpus Christi esse
glorientur; sed sibi hoc persuadeant qui illud quoque
persuasum habent, potestatem se habere quotidie in
mensa sua corpus Christi et sanguinem consecrandi, ad
5 nutriendum se in corpus Christi et membra. Nempe iactant
se esse successores Apostolorum, et apostolicos nominant,
nullum tamen apostolatus sui signum valentes ostendere.
Quousque *lucerna sub modio*[a]? *Vos estis lux mundi*[b],
dictum est Apostolis; et ideo Apostoli super candelabrum,
10 ut toto luceant mundo[c]. Pudeat successores Apostolorum
lucem non esse mundi, sed modii, mundi autem tenebras.
Dicamus eis : «Vos estis tenebrae mundi», et transeamus
ad alia. Se dicunt Ecclesiam; sed contradicunt ei qui dicit :
Non potest civitas abscondi super montem posita[d]. Itane
15 *lapidem* de monte *abscissum sine manibus, montem*
factum et implentem mundum[e], vestris creditis inclusum
antris? Et ne hic quidem immorandum : ipsa opinio refugit
publicari, suo contenta susurrio. Habet et semper habebit

---

e. Tite 1, 15 ≠   f. I Tim. 4, 3 ≠   g. Col. 1, 24 ≠; cf. I Cor. 12,
27

8.a. Matth. 5, 15 ≠   b. Matth. 5, 14   c. cf. Matth. 5, 15   d. Matth. 5,
14   e. Dan. 2, 34-35 ≠

1. ÉVERVIN DE STEINFELD, *Lettre* 3, p. 417 s. : «Voici leur hérésie. Ils
disent que l'Église ne se trouve que chez eux, etc.» Cf. l'Introd., p. 21 s.
2. «ils se donnent le nom d'apostoliques.» *Apostolicus* était un titre
utilisé fréquemment pour le pape dans le *Liber pontificalis* et les *Ordines*
romani. On trouve ce titre dans d'autres œuvres de Bernard : *Csi* I,

immonde. «Mais pour ceux qui sont immondes et infidèles rien n'est pur; leur esprit et leur conscience sont souillés[e].» Malheur à vous qui avez recraché «les aliments créés par Dieu[f]», les tenant pour immondes et indignes de passer dans vos corps. C'est pourquoi «le corps du Christ, qui est l'Église[g]», vous a vomis comme des gens souillés et immondes.

8. Je n'ignore pas qu'ils se targuent d'être, eux et eux seuls, le corps du Christ[1]. Ils peuvent bien s'en persuader, puisqu'ils sont aussi persuadés qu'ils ont le pouvoir de consacrer chaque jour à leur autel le corps et le sang du Christ pour s'en nourrir et devenir eux-mêmes le corps du Christ et ses membres. Car ils se vantent d'être les successeurs des Apôtres et se donnent le nom d'apostoliques[2]. Mais ils ne peuvent donner aucun signe visible de leur qualité d'Apôtres. Jusqu'à quand «la lampe restera-t-elle sous le boisseau[a]»? «Vous êtes la lumière du monde[b]», a-t-il été dit aux Apôtres. C'est pourquoi les Apôtres sont placés sur le candélabre, afin qu'ils brillent pour le monde entier[c]. Ces successeurs des Apôtres devraient avoir honte de ne pas être la lumière du monde, mais la lumière sous le boisseau et les ténèbres du monde. Disons-leur : «Vous êtes les ténèbres du monde», et passons à un autre point. Ils disent qu'ils sont l'Église. Mais ils contredisent celui qui dit : «Une ville ne peut se cacher, si elle est sise au sommet d'un mont[d].» Croyez-vous que «la pierre, détachée» de la montagne «sans l'intervention d'aucune main et devenue une montagne remplissant» le monde[e], se trouve enfermée dans vos antres? Ce n'est pas la peine non plus de s'attarder sur ce point. Cette croyance fuit d'elle-même toute publicité et se contente d'être chuchotée de bouche à oreille. Le

VI, 7 (*SBO* III, p. 401, l. 10); *Ep* 268 (*SBO* VIII, p. 177, l. 9); *Ep* 520 (*SBO* VIII, p. 481, l. 18). (Note signalée par B. de Vregille.)

integram Christus *hereditatem suam, et possessionem suam*
20 *terminos terrae*[f]. Se potius subtrahunt huic magnae hereditati, qui Christo illam conantur detrahere.

IV. Contra hoc quod dicunt infantes
non baptizandos, pro mortuis non orandum,
non expetenda sanctorum patrocinia.

9. Videte detractores, *videte canes*[a]. Irrident nos quod
baptizamus infantes, quod oramus pro mortuis, quod
sanctorum suffragia postulamus. In omni genere hominum
atque in utroque sexu festinant proscribere Christum, in
5 adultis et parvulis, in vivis et mortuis : hinc quidem infan-
184   tibus ex impossibilitate naturae, inde vero adultis ex diffi-
cultate continentiae praescribentes, porro mortuos
viventium fraudantes auxiliis, viventes nihilominus
sanctorum, qui decesserunt, suffragiis spoliantes. Absit :
10 *Non relinquit Dominus plebem suam*[b], quae est *sicut arena
maris*[c], nec contentus erit paucitate haereticorum, qui
omnes redemit. Neque enim parva, sed plane *copiosa
apud eum redemptio*[d]. Quantus vero numerus istorum, ad
magnitudinem pretii? Se magis pretio fraudant, qui ipsum
15 evacuare conantur. Quid enim si infans pro se loqui non
potest, pro quo *vox sanguinis fratris sui*, et talis fratris,
clamat ad Deum *de terra*[e]? Astat et clamat nihilominus
mater Ecclesia. Quid tamen infans? Nonne et ipse videtur
tibi inhiare quodammodo *fontibus Salvatoris*[f], vociferari
20 ad Deum, suisque vagitibus clamitare : *Domine, vim*

f. Ps. 2, 8 ≠
9.a. Phil. 3, 2   b. Ps. 93, 14 ≠; I Sam. 12, 22   c. Gen. 32, 12 ≠
d. Ps. 129, 7   e. Gen. 4, 10 ≠   f. Is. 12, 3

1. ÉVERVIN DE STEINFELD, *Lettre* 4 et 5, p. 423-425. François de Sales
a repris ce paragraphe dans un contexte de controverse avec les
réformés : *Œuvres* XXIII, Annecy 1928, p. 208.

Christ a et aura toujours «son héritage tout entier, et pour domaine les extrémités de la terre[f]». Ceux qui s'efforcent de lui enlever ce grand héritage s'en excluent plutôt eux-mêmes.

IV. Ils disent qu'il ne faut pas baptiser les petits enfants, ni prier pour les morts, ni demander le secours des saints. Réfutation de leurs thèses.

9. Voyez ces détracteurs, «voyez ces chiens[a]». Ils se moquent de nous parce que nous baptisons les petits enfants, parce que nous prions pour les morts, parce que nous invoquons l'intercession des saints[1]. Ils sont pressés de bannir le Christ de toutes les catégories de l'humanité, de l'un et de l'autre sexe : des adultes et des enfants, des vivants et des morts. Pour ce qui est des enfants, ils font valoir l'impuissance de leur nature; pour ce qui est des adultes, la difficulté à garder la continence. Ils privent les morts du secours des vivants; ils enlèvent aux vivants l'intercession des saints trépassés. Non, non : «le Seigneur n'abandonne pas son peuple[b]», qui est «comme le sable de la mer[c]»; il ne va pas se contenter du petit nombre des hérétiques, lui qui a racheté tous les hommes. Car «près de lui la rédemption» n'est pas avare, mais très «abondante[d]». Quel rapport y a-t-il entre le petit nombre de ces gens et la grandeur de la rançon? Ils se privent bien plutôt de la rançon, ceux qui essaient de la réduire à néant. Qu'importe qu'un petit enfant ne puisse pas parler en sa propre faveur! «La voix du sang de son frère», et de quel frère!, «crie» en sa faveur «de la terre vers[e]» Dieu. Sa mère l'Église, elle aussi, se tient à ses côtés et crie pour lui. Que fait néanmoins l'enfant? Ne te semble-t-il pas que lui-même, en quelque sorte, aspire «aux sources du Sauveur[f]», élève la voix vers Dieu, et s'exclame par ses vagissements : «Seigneur, je

patior: responde pro me[g]? Flagitat auxilium gratiae, quia
vim patitur a natura. Clamat innocentia miseri, clamat
ignorantia parvuli, clamat addicti infirmitas. Ita ergo
clamant haec omnia, sanguis fratris, fides matris, desti-
25 tutio miseri, et miseria destituti. Et clamatur ad Patrem;
porro Pater *seipsum negare non potest*[h] : Pater est.

10. Nemo mihi dicat, quia non habet fidem, cui mater
impertit suam, involvens illi in sacramento, quousque
idoneus fiat proprio, non tantum sensu, sed assensu,
evolutam puramque percipere. Numquid *breve pallium*
5 est, ut *non possit* ambos *cooperire*[a]? Magna est Ecclesiae
fides. Numquid minor fide Chananeae mulieris, quam
constat et filiae sufficere potuisse et sibi? Ideo audivit :
O mulier, magna est fides tua! Fiat tibi sicut petisti[b].
Numquid minor fide illorum, qui paralyticum per tegulas
10 demittentes[c], animae illi simul et corporis obtinuere
salutem? Denique habes : *Quorum fidem ut vidit, ait para-
lytico: Confide, fili: remittuntur tibi peccata*[d]; et paulo
post : *Tolle grabatum tuum, et ambula*[e]. Qui haec credit,
facile huic persuadebitur merito Ecclesiam praesumere,
15 non solum parvulis baptizatis in sua fide salutem, sed
etiam interfectis pro Christo infantibus coronam martyrii.
185 Quae cum ita sint, nullum praeiudicium sustinebunt rege-
nerati de eo quod dictum est : *Sine fide impossibile est
placere Deo*[f], cum sine fide non sint qui in *testimonium*
20 *fidei*[g] baptismi gratiam perceperunt. Sed neque de eo
quod item dictum est : *Qui vero non crediderit, condem-*

---

g. Is. 38, 14 ≠   h. II Tim. 2, 13 ≠
10.a. Is. 28, 20 ≠   b. Matth. 15, 28 (Lit.)   c. cf. Lc 5, 19; Mc 2, 5
d. Matth. 9, 2 ≠   e. Mc 2, 9   f. Hébr. 11, 6 ≠   g. Hébr. 11, 39

---

1. * Ici, dans *MalV* 55, *SC* 367, p. 316, l. 7 et dans *Ep* 412, 1,
SBO VIII, p. 395, l. 11, Bernard cite l'antienne de magnificat du jeudi
après le 1er dimanche de carême : *petisti*, «tu as demandé», et non *vis*,
«tu veux».

souffre violence : réponds pour moi[g] »? Il implore le
secours de la grâce, parce qu'il souffre violence de la part
de la nature. L'innocence du pauvre crie, l'ignorance du
petit crie, la faiblesse du condamné crie. Ainsi tout ceci
crie pour lui : le sang du frère, la foi de la mère, le
délaissement du pauvre et la pauvreté du délaissé. Et on
crie vers le Père. Or, le Père « ne peut pas se renier lui-
même[h] » : il est Père.

10. Que personne n'aille me dire que cet enfant n'a
pas la foi. Car sa mère lui communique la sienne, implicite
pour lui dans le sacrement jusqu'à ce qu'il devienne
capable de la recevoir, pure et explicite, non seulement
avec sa propre intelligence, mais aussi avec son propre
consentement. « Le manteau » est-il si « court qu'il ne
puisse pas couvrir[a] » ensemble la mère et l'enfant? Grande
est la foi de l'Église. Serait-elle moindre que la foi de la
Cananéenne, qui fut suffisante, c'est certain, pour elle-
même et pour sa fille? Aussi entendit-elle ces paroles :
« Femme, grande est ta foi! Qu'il t'advienne selon ta
demande[b1]. » Serait-elle moindre que la foi de ceux qui
firent descendre le paralytique à travers les tuiles[c] et lui
obtinrent en même temps la santé de l'âme et du corps?
Tu lis en effet ceci : « Lorsqu'il vit leur foi, il dit au paralytique : Confiance, mon fils; tes péchés te sont remis[d]. »
Et peu après : « Prends ton grabat et marche[e]. » Celui qui
croit cela, se persuadera aisément que l'Église peut à bon
droit présumer, non seulement le salut des petits enfants
baptisés dans sa foi, mais aussi la couronne du martyre
pour les enfants massacrés à cause du Christ. S'il en est
ainsi, ceux qui ont été régénérés par le baptême ne souffriront aucun préjudice de cette parole : « Sans la foi il
est impossible de plaire à Dieu[f]. » Car ils ne sont pas
sans la foi, eux qui ont reçu la grâce du baptême en
« témoignage de la foi[g] ». Mais ils n'auront pas à craindre
non plus cette autre parole : « Celui qui ne croira pas,

nabitur[h]. Quid enim credere est, nisi fidem habere? Itaque
et mulier *salvabitur per generationem filiorum, si perman-*
serit in fide[i], et infantibus *per lavacri regenerationem*[j]
25 succurretur, et adulti, qui continere non poterunt, coniugii
tricesimo fructu[k] se rediment; viventium quoque preces
et hostias mortui, qui opus habebunt et digni erunt,
mediantibus percipient angelis, et eorum qui iam pervenerunt venientibus adhuc nequaquam solatia deerunt, per
30 Deum, qui ubique est, et in Deo nusquam caritatis affectu
absentium. Nam et *Christus propter hoc mortuus est et*
resurrexit, ut vivorum dominaretur et mortuorum[l]. Propter
hoc quoque et infans natus est, et per singulos aetatum
gradus profecit[m] in virum, ut nulli deesset aetati.

11. Non credunt ignem purgatorium restare post
mortem, sed statim animam solutam a corpore vel ad
requiem transire, vel ad damnationem. Quaerant ergo ab
eo qui dixit quoddam peccatum esse, quod *neque in hoc*
5 *saeculo, neque in futuro remitteretur*[a], cur hoc dixerit, si
nullius in futuro manet remissio purgatiove peccati.

V. Contra id quod ordines et statuta Ecclesiae contemnunt, quodque obstinatius pro sua secta mortem deprehensi suscipiunt.

Iam vero qui Ecclesiam non agnoscunt, non est mirum
si ordinibus Ecclesiae detrahunt, si instituta non recipiunt,
si sacramenta contemnunt, si mandatis non oboediunt.
10 «Peccatores», inquiunt, «sunt apostolici, archiepiscopi,

---

h. Mc 16, 16   i. I Tim. 2, 15 ≠   j. Tite 3, 5 ≠   k. cf. Matth. 13, 8
l. Rom. 14, 9 ≠   m. cf. Lc 2, 52
11.a. Matth. 12, 32 ≠

---

1. ÉVERVIN DE STEINFELD, *Lettre* 5, p. 425.
2. Cf. p. 352, n. 2.

sera condamné[h].» Qu'est-ce que croire, sinon avoir la foi? Ainsi, la femme «sera sauvée par sa maternité, à condition de persévérer dans la foi[i]»; les enfants auront pour recours «le bain de la nouvelle naissance[j]»; les adultes qui ne pourront pas garder la continence se rachèteront par le fruit du mariage, qui rapporte trente[k]. Les morts qui en auront besoin et qui en seront dignes recevront les prières et les sacrifices des vivants par l'entremise des anges; et les secours de ceux qui sont déjà parvenus au but ne manqueront jamais à ceux qui sont encore en chemin. Car les saints ne sont nullement éloignés de nous, grâce à Dieu, qui est partout présent, et par leurs sentiments de charité en Dieu. «C'est pour cela que le Christ est mort et ressuscité : pour être le Seigneur des vivants et des morts[l].» C'est pour cela aussi qu'il est né petit enfant et qu'il a parcouru tous les degrés de l'âge[m] jusqu'à celui de l'homme mûr : pour ne faire défaut à aucun âge de la vie.

11. Ils ne croient pas qu'il subsiste un feu du Purgatoire après la mort[1], mais ils pensent qu'aussitôt déliée du corps l'âme va au repos ou à la damnation. Qu'ils demandent à celui qui a dit : «Il y a un péché qui 'ne sera remis ni en ce monde ni dans le monde à venir[a]'», pourquoi il a dit cela, s'il ne subsiste dans le monde à venir aucune rémission ou purification des péchés.

V. Ils méprisent les ordres et les décrets de l'Église et, une fois démasqués, acceptent la mort pour leur secte avec une obstination acharnée. Réfutation de leurs attitudes.

Ne nous étonnons pas, maintenant, si ces gens qui ne reconnaissent pas l'Église dénigrent les ordres de l'Église, ne reçoivent pas ses décrets, méprisent ses sacrements et n'obéissent pas à ses commandements. «Les papes[2], les

episcopi, presbyteri, ac per hoc nec dandis, nec acci-
piendis idonei sacramentis. Numquam duo ista conve-
nient, episcopum esse et peccatorem». Falsum est :
episcopus erat Caiphas, et tamen quantus peccator, qui
15 in Dominum mortis dictabat sententiam[b]! Si negas
186   episcopum, arguet te testimonium Ioannis, qui eum in
testimonium sui pontificatus etiam prophetasse refert[c].
Apostolus erat Iudas, et, licet avarus et sceleratus, electus
a Domino. An tu de illius dubitas apostolatu, quem
20 Dominus elegit? *Nonne ego,* inquit, *vos duodecim elegi, et
unus ex vobis diabolus est*[d]? Audis electum eumdem
Apostolum et exstitisse diabolum, et negas posse esse
episcopum qui peccator est? *Super cathedram Moysi
sederunt Scribae et Pharisaei*[e], et qui non oboedierunt
25 eis tamquam episcopis, inoboedientiae rei fuerunt, ipso
Domino praecipiente et dicente : *Quae dicunt facite*[f]. Patet
quamvis Scribae, quamvis Pharisaei, quamvis videlicet
maximi peccatores, propter cathedram tamen Moysi ad
eos quoque nihilominus pertinere quod item dixit : *Qui
30 vos audit, me audit; qui vos spernit, me spernit*[g].

12. *Multa quidem et alia*[a] huic *populo stulto et insi-
pienti*[b] a *spiritibus erroris*[c], *in hypocrisi loquentibus
mendacium*[d], mala persuasa sunt; sed non est respondere
ad omnia. Quis enim omnia novit? Deinde labor infinitus
5 esset, et minime necessarius. Nam quantum ad istos, nec
rationibus convincuntur, quia non intelligunt, nec auctoritatibus corriguntur, quia non recipiunt, nec flectuntur

---

b. cf. Jn 11, 50; cf. Matth. 26, 66   c. cf. Jn 11, 51   d. Jn 6, 71 ≠
e. Matth. 23, 2   f. Matth. 23, 3 (Patr., RB)   g. Lc 10, 16 ≠
12.a. Jn 20, 30   b. Deut. 32, 6 ≠   c. I Jn 4, 6 ≠   d. I Tim. 4,
2 ≠

---

1. * L'une des 4 citations de ce passage de *Matthieu,* telle que l'a
répétée un nombre étonnant de fois Augustin et telle que la Règle
(4, 61) l'a incluse parmi les «instruments des bonnes œuvres». Cf. *Pre*
56, *SC* 457, p. 270, n. 1.

archevêques, les évêques, les prêtres sont pécheurs, disent-
ils; dès lors, ils ne sont pas en état d'administrer les
sacrements ni de les recevoir. Jamais ces deux qualités
ne seront compatibles : être à la fois évêque et pécheur.»
C'est faux. Caïphe était évêque, et pourtant combien
pécheur, lui qui prononça contre le Seigneur la sentence
de mort[b]! Si tu nies qu'il était évêque, le témoignage de
Jean va te réfuter. Car Jean rapporte que Caïphe, en sa
qualité de pontife, fit même une prophétie[c]. Judas était
Apôtre et, bien qu'avide et scélérat, il fut choisi par le
Seigneur. Eh quoi! vas-tu mettre en doute le titre d'apôtre
d'un homme que le Seigneur a choisi? «N'est-ce pas moi
qui vous ai choisis, vous les Douze? Cependant, l'un de
vous est un diable[d].» Tu entends que le même homme
fut à la fois choisi comme apôtre et fut à la fois un
diable; et tu nies qu'un pécheur puisse être évêque? «Les
scribes et les pharisiens siègent sur la chaire de Moïse[e]»;
ceux qui ne leur ont pas obéi comme à des évêques se
sont rendus coupables de désobéissance. Car le Seigneur
lui-même ordonne et dit : «Ce qu'ils vous disent, faites-
le[f1].» C'est clair : bien qu'ils fussent scribes et pharisiens,
c'est-à-dire de très grands pécheurs, pourtant, à cause de
la chaire de Moïse, c'est à eux aussi que se rapportait
cette autre parole du Seigneur : «Qui vous écoute,
m'écoute; qui vous méprise, me méprise[g].»

12. «Les esprits trompeurs[c], qui profèrent le mensonge
avec hypocrisie[d]», ont fait croire à ce «peuple stupide
et insensé[b] bien d'autres[a]» doctrines perverses. Mais ce
n'est pas la peine de répondre à toutes. Qui peut les
connaître toutes? De plus, ce serait un travail immense
et nullement nécessaire. Car ces gens-là ne se laissent
pas convaincre par les arguments, puisqu'ils ne les com-
prennent pas; ni corriger par les autorités, puisqu'ils ne
les reconnaissent pas; ni fléchir par des paroles persuasives, puisqu'ils sont pervertis. La chose est prouvée : ils

suasionibus, quia subversi sunt. Probatum est : mori magis
eligunt, quam converti. *Horum finis interitus*[e], horum
10 novissima incendium manet. Horum siquidem in facto
Samson et succensis vulpium caudis figura praecessit[f].
Plerumque fideles iniectis manibus aliquos ex eis ad
medium traxerunt. Quaesiti fidem, cum de quibus suspecti
videbantur omnia prorsus suo more negarent, examinati
15 iudicio aquae, mendaces inventi sunt. Cumque iam negare
non possent, quippe deprehensi, aqua eos non recipiente,
arrepto, ut dicitur, freno dentibus, tam misere quam libere
impietatem non confessi, sed professi sunt, palam pietatem
astruentes et pro ea mortem subire parati, nec minus
20 parati inferre qui astabant. Itaque irruens in eos populus,
novos haereticis suae ipsorum perfidiae martyres dedit.
187 Approbamus zelum, sed factum non suademus, quia fides
suadenda est, non imponenda. Quamquam melius procul
dubio gladio coercentur, illius videlicet qui *non sine causa*
25 *gladium portat*[g], quam in suum errorem multos traicere
permittantur. *Dei enim minister* ille *est, vindex in iram ei*
qui male agit[h].

13. Mirantur aliqui, quod non modo patienter, sed et
laeti, ut videbatur, ducerentur ad mortem ; sed qui minus
advertunt quanta sit potestas diaboli non modo in corpora
hominum, sed etiam in corda, quae semel permissus

---

e. Phil. 3, 19 ≠   f. cf. Jug. 15, 4-5   g. Rom. 13, 4   h. Rom. 13,
4 ≠

---

1. *Iudicium aquae,* «l'épreuve de l'eau». Voir : H. PLATELLE, art.
«Ordalie», *Catholicisme* 10, 1985, col. 156. L'ordalie de l'eau se prati-
quait de la manière suivante : le candidat à ce test, soigneusement
ligoté mais retenu par une corde, était déposé à la surface de l'eau.
S'il s'enfonçait, c'est qu'il était innocent. En revanche s'il flottait, c'est
qu'il était coupable. Évidemment parce que l'eau rejetait cet être impur.
2. ÉVERVIN DE STEINFELD, *Lettre* 2, p. 417.
3. Par cette phrase, Bernard justifie les exécutions faites par le bras
séculier.

préfèrent mourir plutôt que de se convertir. « Leur fin sera la perdition[e] » ; leur dernier aboutissement, le feu qui les attend. Car ils ont été préfigurés par l'exploit de Samson mettant le feu aux queues des renards[f]. Souvent des fidèles ont mis la main sur quelques-uns d'entre eux et les ont fait sortir au grand jour. Interrogés sur leur foi, ils ont nié, selon leur coutume, tous les points qui les rendaient suspects. Soumis à l'épreuve de l'eau[1], ils ont été convaincus de mensonge. Ne pouvant plus nier, puisque l'eau refusait de les recevoir, ils ont été démasqués. C'est alors qu'ils ont pris le mors aux dents, comme l'on dit ; ils ont librement et pitoyablement, non pas avoué, mais professé leur impiété. Ils ont ouvertement prétendu que c'était la vraie foi, et qu'ils étaient prêts à subir la mort pour elle. L'assistance n'était pas moins prête à leur infliger la mort. Ainsi le peuple, se jetant sur eux, donna à ces hérétiques de nouveaux martyrs de leur perfidie[2]. Nous approuvons ce zèle, mais nous ne conseillons pas une telle action ; car il faut persuader la foi, non pas l'imposer. Pourtant, mieux vaut assurément les punir par le glaive que de les laisser entraîner bien des gens dans leurs erreurs. Je veux dire « le glaive de celui qui ne le porte pas en vain[g3] ». « Car l'autorité est au service de Dieu pour manifester sa colère envers le malfaiteur[h]. »

13. Certains s'étonnent qu'ils se laissent conduire à la mort non seulement avec patience, mais aussi, apparemment, avec joie. Ceux-là ne songent pas assez au grand pouvoir du diable non seulement sur les corps des hommes, mais aussi sur leurs cœurs, une fois qu'il en a pris possession avec la permission de Dieu[4]. Voir un

---

4. Réponse de Bernard à une question précise d'Évervin : « Je voudrais avoir votre avis et savoir pourquoi il y a dans ces membres du diable une telle fermeté dans leur hérésie, qu'à peine les hommes les plus religieux en ont-ils autant dans la foi du Christ » (*Lettre* 2).

5 possederit. Nonne plus est sibimet hominem inicere manus, quam id libenter ab alio sustinere? Hoc autem in multis potuisse diabolum frequenter experti sumus, qui seipsos aut submerserunt, aut suspenderunt. Denique *Iudas suspendit seipsum*[a], *diabolo* sine dubio immittente.

10 Ego tamen magis existimo magisque admiror quod potuit *immisisse in cor eius ut traderet Dominum*[b], quam ut semetipsum suspenderet. Nihil ergo simile habent constantia martyrum et pertinacia horum, quia mortis contemptum in illis pietas, in istis cordis duritia operatur.

15 Et ideo Propheta, martyris forsitan voce, dicebat : *Coagulatum est sicut lac cor eorum, ego vero legem tuam meditatus sum*[c] : pro eo videlicet quod, etsi poena eadem videretur, longe diversa esset intentio, illo durante utique cor contra Dominum[d], isto *in lege Domini meditante*[e].

14. Quae cum ita sint, non est opus, ut dixi, frustra multa adversus homines stultissimos atque obstinatissimos dicere; sufficit innotuisse illos, ut caveantur. Quamobrem ut deprehendantur, cogendi sunt vel abicere feminas, vel

5 exire de Ecclesia, utpote scandalizantes Ecclesiam in convictu et contubernio feminarum. Dolendum valde quod non solum laici principes, sed et quidam, ut dicitur, de clero, necnon et de ordine episcoporum, qui magis persequi eos debuerant, propter quaestum sustineant, acci-

10 pientes ab eis munera. «Et quomodo», inquiunt, «damnabimus nec convictos nec confessos?» Frivola satis non ratio, sed occasio. Hoc solo, etiamsi aliud non esset, facile

---

13.a. Matth. 27, 5 ≠   b. Jn 13, 2 ≠   c. Ps. 118, 70   d. cf. II Chr. 36, 13   e. Ps. 1, 2 ≠

homme se donner lui-même la mort, n'est-ce pas plus étonnant que de le voir subir volontiers la mort de la main d'un autre? Or, nous savons par expérience que le diable a souvent eu ce pouvoir sur plusieurs qui se sont noyés ou pendus eux-mêmes. Aussi «Judas s'est-il pendu lui-même[a]», sans aucun doute à l'instigation du «diable». Pour moi, néanmoins, j'estime bien plus étonnant que «le diable ait pu lui jeter au cœur la pensée de livrer le Seigneur[b]» que la pensée de se pendre. Rien de commun entre la constance des martyrs et l'opiniâtreté de ces gens; car dans les premiers c'est la piété, dans les seconds c'est la dureté du cœur qui produit le mépris de la mort. C'est pourquoi le Prophète disait, peut-être au nom d'un martyr: «Leur cœur s'est durci comme du lait caillé, mais moi j'ai médité ta loi[c].» Si les tourments semblent être les mêmes, l'intention est toute différente; car l'un endurcit son cœur contre le Seigneur[d], l'autre «médite la loi du Seigneur[e]».

14. S'il en est ainsi, il n'est pas besoin, je l'ai dit, de multiplier inutilement les paroles contre des hommes aussi insensés et aussi obstinés. Il suffit de les avoir fait connaître, pour qu'on s'en méfie. Ainsi, pour les démasquer, il faut les contraindre soit à renvoyer leurs femmes, soit à sortir de l'Église, puisqu'ils scandalisent l'Église par leur cohabitation et leur commerce avec des femmes. Il est très regrettable que non seulement des princes séculiers, mais aussi, dit-on, des membres du clergé et même des évêques, qui devraient plutôt les poursuivre, les protègent par intérêt, à cause des présents qu'ils en reçoivent. «Comment allons-nous condamner, disent-ils, des gens qui ne sont pas reconnus coupables et qui n'ont pas avoué?» Raison, ou plutôt prétexte, bien futile. A défaut d'autre preuve, tu peux aisément les démasquer par ce seul moyen: en séparant les uns des autres, comme je l'ai dit, ces hommes et ces

deprehendis si, ut dixi, viros et feminas, qui se continentes dicunt, ab invicem separes, et feminas quidem
15 cum aliis sui et sexus et voti degere cogas, viros aeque
cum eiusdem propositi viris. Per hoc enim consultum erit
utrorumque voto simul et famae, cum continentiae suae
et testes habuerint et custodes. Quod si non sustinent,
iustissime eliminabuntur de Ecclesia quam scandalizant
20 non solum notabili, sed etiam illicita cohabitatione. Ergo
ista sufficiant pro deprehendendis harum vulpium dolis,
ad dandam scientiam[a] et cautelam dilectae et gloriosae
sponsae Domini nostri Iesu Christi, *qui est super omnia
Deus benedictus in saecula. Amen*[b].

14.a. Lc 1, 77   b. Rom. 9, 5

femmes qui se déclarent continents. Tu obligeras les femmes à vivre avec d'autres femmes ayant prononcé le vœu de chasteté; et les hommes pareillement, avec des hommes ayant ce même propos[1]. Ainsi l'on ménagera à la fois le vœu et la réputation des unes et des autres, puisqu'ils auront des témoins et des gardiens de leur continence. S'ils n'y consentent pas, ils seront très justement retranchés de l'Église, qu'ils scandalisent par une cohabitation non seulement suspecte, mais interdite. Cela suffit pour démasquer les ruses de ces renards et «pour inspirer» une méfiance «avertie[a]» à l'épouse bien-aimée et glorieuse de notre Seigneur Jésus-Christ, «qui est au-dessus de tout, Dieu béni dans les siècles. Amen[b]».

---

1. Bernard n'a pas l'intention de forcer des hommes ou des femmes à prendre des vœux monastiques. Il ne veut que démasquer les faux continents. Cf. J. LECLERCQ, *La femme et les femmes dans l'œuvre de saint Bernard*, Paris 1983, p. 106-107.

SERMO LXVII

I. Cum quo sponsa loquatur in eo quod dicit : *Dilectus meus mihi, etc.,* et quod verbum sponsi epulo sit comparabile. – II. Quod melius intelligitur secum esse locuta, et quae sit causa tam defectivae locutionis. – III. Quod verbum sponsae quasi ructus sit, et de gustu vel odoratu, et quod iustus gustat, peccator odorat. – IV. De altera exspectationis acceptione qua iustus exspectat, peccator nihil, et de David ructu vel Ioannis atque Pauli. – V. Quid ad verba haec subintelligitur, et de ordine verborum sponsae vel Prophetae. – VI. De praeveniente gratia vel subsequente.

I. Cum quo sponsa loquatur in eo quod dicit : *Dilectus meus mihi, etc.,* et quod verbum sponsi epulo sit comparabile.

1. *Dilectus meus mihi, et ego illi*[a]. Hactenus verba Sponsi. Adsit ipse, ut digne ad gloriam ipsius, et nostram ipsorum salutem, sponsae eius possimus vestigare sermones. Neque enim tales sunt, qui a nobis considerari et discuti, prout 5 dignum fuerit, valeant, nisi *ipse fuerit dux verbi*[b]. Sunt enim quam suaves ad gratiam, tam fecundi ad sensus, tam etiam profundi ad mysteria. Cui similabo eos? Uni interim alicui epularum, quae triplici quadam emineat gratia, deliciosa ad saporem, solida ad nutrimentum, efficax ad medicinam. Sic, 10 inquam, sic singulus quisque sponsae sermo, et ex eo quod suaviter sonat, affectum mulcet, et de sensuum ubertate mentem impinguat et nutrit, et de altitudine mysteriorum,

1.a. Cant. 2, 16   b. Act. 14, 11 ≠

1. Il s'agit ici du sens caché de la parole biblique, plus que d'une expérience mystique de l'épouse.

SERMON 67

I. A qui parle l'épouse en disant : «Mon bien-aimé à moi, etc.» La parole de l'Époux est comparable à un festin. – II. Ce passage se comprend mieux si l'épouse se parle à elle-même. Quelle est la raison d'un propos si incomplet. – III. La parole de l'épouse est comme une éructation. Le goût et l'odorat. Ce que le juste goûte, le pécheur en respire le parfum. – IV. Autre signification de l'attente : c'est le juste qui attend ; le pécheur, lui, n'attend rien. L'éructation de David, de Jean et de Paul. – V. Ce qui est sous-entendu par ces paroles. L'ordre des paroles de l'épouse et de celles du Prophète. – VI. La grâce qui prévient et la grâce qui suit.

I. A qui parle l'épouse en disant : «Mon bien-aimé à moi, etc.» La parole de l'Époux est comparable à un festin.

1. «Mon bien-aimé à moi, et moi à lui[a].» Jusqu'ici c'étaient les paroles de l'Époux. Qu'il lui plaise de nous aider à expliquer dignement, pour sa gloire et pour notre propre salut, les paroles de son épouse. Car elles sont telles que nous ne saurions pas les considérer et les examiner comme il convient, si «lui-même n'était pas notre porte-parole[b]». Il y a en elles autant de richesse de sens et de profondeur mystique que de douceur de grâce. A quoi les comparerai-je? Pour l'instant, à l'un de ces mets qui se signalent par un triple agrément : une saveur délicieuse, une solide vertu nutritive, une efficacité médicale. Telle est, dis-je, la moindre des paroles de l'épouse. Douce à l'oreille, elle charme le cœur; par la richesse de son sens, elle rassasie et nourrit l'âme; par sa profondeur mystique[1], qui effraie d'autant plus l'intelligence

189

dum intellectum quo plus exercet, plus terret, miro modo tumorem sanat *inflantis scientiae*[c]. Etenim si unus quispiam ex his forte, qui sibi scioli videntur, curiosius sese dederit scrutinio horum, cum viderit ingenii sui succumbere vires, *et redigi in captivitatem omnem intellectum*[d] persenserit, nonne humiliatus ad illam vocem, compelletur ut dicat : *Mirabilis facta est scientia tua ex me, confortata est, et non potero ad eam*[e]? Et nunc quidem *principium verborum eius*[f] quantae suavitatis insigne praefert! Nam vide quale principium dederit : *Dilectus,* inquit, *meus mihi, et ego illi.* Simplex vox videtur, quoniam suaviter sonat; sed de hoc videbitur postea.

2. Nunc vero a dilectione incipit, de dilecto prosequitur, *nihil se aliud scire iudicans, nisi* dilectum[a]. Patet de quo sermo; cum quo non ita. Non enim ut cum ipso eodem fuerit sentire permittitur, cum ipse iam non affuerit. Neque id dubium; nempe mox eum revocare videtur, et quasi post tergum clamare : *Revertere,* inquiens, *dilecte mi*[b]. Unde adducimur non aliud sane conicere, nisi quod finitis verbis suis, iterum suo more se absentaverit, et illa remanserit nihilominus de eo loquens, qui numquam absens est sibi. Ita est : in ore retinuit, qui non recedebat a corde, nec quando recedebat. Quod de ore exit, de corde venit[c], et *ex abundantia cordis os loquitur*[d]. Ergo loquitur de dilecto, ut vere dilecta et vere diligenda, *quoniam diligit multum*[e]. Quaerimus cum quo, nam de quo novimus. Et non occurrit, nisi forte cum adolescentulis, quae a matre abesse non possunt, ubi discesserit sponsus.

---

c. I Cor. 8, 1 ≠   d. II Cor. 10, 5 ≠   e. Ps. 138, 6 ≠   f. Ps. 118, 160 ≠

2.a. I Cor. 2, 2 ≠   b. Cant. 2, 17 ≠   c. cf. Matth. 15, 18 d. Lc 6, 45   e. Lc 7, 47 ≠

qu'elle l'exerce davantage, elle guérit merveilleusement l'enflure «d'une science orgueilleuse[c]». Si quelqu'un de ceux qui croient savoir quelque chose s'adonnait avec trop de curiosité à scruter ces paroles, il verrait défaillir les forces de son esprit et sentirait que «toute son intelligence est réduite en servitude[d]». Humilié devant cette parole, ne serait-il pas obligé de dire : «Admirable est ta science, hors de ma portée; elle a fait ses preuves et je ne pourrai y atteindre[e]»? Et maintenant, quelle grande douceur annonce «le début des paroles de l'épouse[f]»! Vois par quel début elle a commencé : «Mon bien-aimé à moi, dit-elle, et moi à lui.» Cette parole paraît toute simple, parce qu'elle est douce à l'oreille; mais on verra cela plus tard.

2. A présent, l'épouse commence par parler d'amour; elle poursuit en évoquant son bien-aimé, «car elle estime ne rien savoir d'autre que» son bien-aimé[a]. De qui elle parle, est évident; mais non à qui. Il n'est pas possible de comprendre que ce soit avec le bien-aimé lui-même, puisqu'il ne s'est pas rendu présent. Cela ne fait pas de doute; car peu après elle semble le rappeler et lui crier comme par derrière, en disant : «Reviens, mon bien-aimé[b].» C'est pourquoi nous sommes amenés à supposer ceci : aussitôt son discours achevé, l'Époux s'est de nouveau absenté à son habitude; l'épouse demeurée seule continuait à parler de lui, qui n'est jamais un absent pour elle. C'est bien cela : elle a retenu sur ses lèvres celui qui ne saurait s'éloigner de son cœur, même lorsqu'il s'éloignait. Ce qui sort de la bouche vient du cœur[c] et «la bouche parle de l'abondance du cœur[d]». L'épouse parle de son bien-aimé, elle qui est vraiment aimée et vraiment digne d'amour, «parce qu'elle aime beaucoup[e]». Nous cherchons à qui elle parle, car nous savons de qui. Et nous ne trouvons pas de réponse, à moins que ce ne soit peut-être aux jeunes filles, qui ne peuvent pas être loin de leur mère, lorsque l'Époux est parti.

II. Quod melius intelligitur secum esse locuta, et quae sit causa tam defectivae locutionis.

Sed melius, ut opinor, sentimus secum potius, et non cum altero, sic locutam, praesertim quod trunca et minus
20 continens inveniatur ipsa locutio, insufficiens plane ad dandam intelligentiam auditori, ob quam vel maxime invicem loquimur. *Dilectus meus mihi,* inquit, *et ego illi*[f]. Non plus? Pendet oratio; immo non pendet, sed deficit. Suspenditur auditor, nec eruditur, sed erigitur.

3. Quid est hoc quod dicit : « ille mihi, et ego illi[a] »? *Nescimus quid loquitur*[b], quia non sentimus quod sentit. O sancta anima, quid tuus ille tibi, quid illi tu? Quaenam, quaeso, haec inter vos tam familiariter favorabiliterque
5 discurrens exhibitio et redhibitio? Tibi ille, tuque vicissim illi. Sed quid? Idipsum ei tu, quod tibi ille, an aliud? Si nobis, si ad nostram loqueris intelligentiam, evidenter quod sentis edicito. *Quousque animas nostras tollis*[c]? An, secundum Prophetam, *secretum tuum tibi*[d]? Ita est :
10 affectus locutus est, non intellectus, et ideo non ad intellectum. Ad quid ergo? Ad nihil, nisi quod mirabiliter delectata, et affecta vehementer ad desideratos affatus, finem illo faciente, nec tacere omnino quivit, nec tamen quod sensit exprimere. Neque enim ut exprimeret sic
15 locuta est, sed ne taceret. *Ex abundantia cordis os locutum est*[e], sed non pro abundantia. Habent suas voces affectus,

190

---

f. Cant. 2, 16
3.a. cf. Cant. 2, 16   b. Jn 16, 18   c. Jn 10, 24 ≠   d. Is. 24, 16 ≠   e. Lc 6, 45 ≠

---

1. Appel à l'expérience directe des auditeurs ou des lecteurs.

2. Même citation d'*Isaïe* 24, 16 dans *SCt* 23, 9 et 59, 5. Cf. aussi : *Hum* VIII, 23 (*SBO* III, p. 35, l. 2).

3. *Affectus locutus est, non intellectus.* Traduction du P. Antoine de Saint-Gabriël : « C'est l'affection qui a parlé et non l'entendement. » Cette phrase rappelle l'opposition entre l'amour et la raison dans les œuvres de GUILLAUME DE SAINT-THIERRY (*De natura et dignitate amoris, PL* 184, 393).

II. Ce passage se comprend mieux
si l'épouse se parle à elle-même.
Quelle est la raison d'un propos si incomplet.

Mais voici une meilleure interprétation, je pense. L'épouse se parlait plutôt à elle-même, et non à quelqu'un d'autre, d'autant que son propos paraît tronqué et incomplet, guère intelligible pour quelqu'un qui écouterait. Or, lorsque nous nous parlons mutuellement, c'est avant tout pour nous faire comprendre. «Mon bien-aimé à moi, dit l'épouse, et moi à lui[f].» Est-ce tout? Le discours reste suspendu; ou plutôt, non pas suspendu, mais inachevé. Celui qui l'écoute est tenu en suspens; il n'est pas informé, mais rendu attentif.

3. Qu'est-ce qu'elle veut dire par ces mots : «Lui à moi, et moi à lui[a]»? «Nous ne savons pas ce qu'elle dit[b]», parce que nous ne ressentons pas ce qu'elle ressent[1]. Ame sainte, qu'est pour toi celui qui est à toi? Et toi pour lui? Quel est, de grâce, ce don mutuel de vous-mêmes que vous vous faites l'un à l'autre avec tant de familiarité et de bienveillance? Lui à toi, et toi réciproquement à lui. Mais quoi? Lui es-tu la même chose que lui à toi, ou autre chose? Si c'est à nous que tu parles et à notre intelligence, explique-nous clairement ce que tu ressens. «Jusqu'à quand vas-tu tenir nos âmes en suspens[c]?» Est-ce que, selon le Prophète, «ton secret est à toi[d2]»? C'est bien cela : c'est le cœur qui a parlé, et non l'intelligence[3]; c'est pourquoi il ne s'adresse pas à l'intelligence. Mais à quoi donc? A rien! Simplement, ravie d'une joie merveilleuse et vivement touchée par les paroles de l'Époux tant désirées, lorsqu'il a fini de parler, l'épouse ne peut ni se taire ni non plus exprimer ce qu'elle a ressenti. Car ce n'est pas pour s'exprimer qu'elle a parlé ainsi, mais pour ne pas se taire. «Sa bouche a parlé de l'abondance du cœur[e]», mais non à la mesure de cette abondance. Les sentiments ont leur accent

per quas se, etiam cum nolunt, produnt : timor, verbi causa, meticulosas, dolor gemebundas, amor iucundas. Numquid dolentium planctus, maerentiumve singultus vel
20 gemitus percussorum, itemque paventium subitas et efferatas clamitationes, seu etiam saturatorum ructus, aut usus creat, aut ratio excitat, aut deliberatio ordinat, aut praemeditatio format? Eiusmodi certum est non nutu prodire animi, sed erumpere motu. Sic flagrans ac
25 vehemens amor, praesertim divinus, cum se intra se cohibere non valet, non attendit quo ordine, qua lege, quave serie seu paucitate verborum ebulliat, dummodo ex hoc nullum sui sentiat detrimentum. Interdum nec verba requirit, interdum nec voces omnino ullas, solis ad
30 hoc contentus suspiriis. Inde est quod sponsa sancto amore flagrans, idque incredibili modo, sane pro captanda quantulacumque evaporatione ardoris quem patitur, non considerat quid qualiter eloquatur, sed quidquid in buccam venerit, amore urgente, non enuntiat, sed eructat[f]. Quidni
35 eructet sic refecta, et sic repleta?

4. Revolve textum epithalamii huius ab ipso exordio usque huc, et vide si tanta uspiam illi, quanta hac vice, in cunctis visitationibus et allocutionibus sponsi, copia eius indulta fuerit, et si umquam ex ore ipsius, non modo tam
5 multos, sed et tam iucundos sermones acceperit. Quae ergo *repleverat in bonis desiderium suum*[a], quid mirum, si ructum potius quam verbum fecit? Et si verbum tibi fecisse videtur, eructatum puta, et non subornatum aut praeordinatum. Nec

---

f. cf. Ps. 44, 2
4.a. Ps. 102, 5 ≠

1. Pour le sens des «éructations» chez Bernard, cf. l'Introd. p. 24-29 et D. FARKASFALVY, *L'inspiration de l'Écriture sainte dans la théologie de Saint Bernard,* Rome 1964, p. 63-66.

propre, par lequel ils se découvrent, même sans le vouloir.
La crainte, par exemple, rend la voix tremblante, la douleur
la rend gémissante, l'amour la rend enjouée. Les plaintes
des souffrants, les sanglots des affligés ou les gémissements des personnes battues, ainsi que les clameurs sou-
daines et farouches de ceux qui ont peur, et même les
éructations [1] des gens gavés : tout cela serait-il produit par
l'habitude, ou provoqué par la raison, ou réglé par la
décision, ou préparé d'avance par la réflexion ? Il est certain
que tout cela ne vient pas d'un vouloir de l'esprit, mais
jaillit d'un mouvement impulsif. Ainsi l'amour ardent et
passionné, surtout l'amour de Dieu, impuissant à se
contenir, se répand sans songer à l'ordre des mots, à leur
agencement, à leur succession ou à leur concision ; tout
ce qu'il cherche, c'est de n'y rien perdre de sa force.
Parfois il n'a pas besoin de mots, ni même de sons articulés ; il se contente des seuls soupirs. De là vient que
l'épouse, embrasée d'une façon incroyable par un saint
amour, n'aspire qu'à donner un peu d'air à l'ardeur qui
la tourmente. Elle ne réfléchit pas à ce qu'elle dit ni à la
manière de le dire. Tout ce qui lui monte aux lèvres, sous
l'impulsion de l'amour, elle ne l'énonce pas, elle l'éructe [f].
Comment ne l'éructerait-elle pas, elle qui est si rassasiée
et si remplie d'amour ?

4. Reprends le texte de ce chant nuptial dès le début
jusqu'ici, et vois si à aucun moment, dans toutes les
visites et les paroles de l'Époux, il a parlé à l'épouse
avec la même abondance que cette fois. Vois si elle a
jamais entendu sur les lèvres de l'Époux des propos aussi
fréquents et surtout aussi aimables. « Elle a pu rassasier
de biens son désir [a] » ; faut-il s'étonner qu'elle ait laissé
sortir une éructation plutôt que des mots ? S'il te semble
qu'elle a prononcé des mots, pense qu'elle les a éructés,
sans style et sans ordre. L'épouse « croit » pouvoir

enim sponsa *rapinam arbitratur*[b] sibi aptare Prophetae
10 dictum : *Eructavit cor meum verbum bonum*[c], quippe
eodem *repleta spiritu*[d].

III. Quod verbum sponsae quasi ructus sit, et de gustu vel odoratu, et quod iustus gustat, peccator odorat.

Dilectus meus mihi, et ego illi[e]. Nil consequentiae habet,
deest orationi. Quid inde? Ructus est. Quid tu in ructu
191 quaeris orationum iuncturas, solemnia dictionum? Quas
15 tu tuo ructui leges imponis vel regulas? Non recipit tuam
moderationem, non a te compositionem exspectat, non
commoditatem, non opportunitatem requirit. Per se ex
intimis, non modo cum non vis, sed et cum nescis,
erumpit, evulsus potius quam emissus. Tamen odorem
20 portat ructus, quandoque bonum, quandoque malum, pro
vasorum, e quibus ascendit, contrariis qualitatibus. Denique *bonus homo de bono thesauro suo profert bonum, et
malus malum*[f]. Bonum vas sponsa Domini mei, et bonus
mihi odor ex illa.

5. Gratias tibi ago, Domine Iesu, qui me dignatus es
admittere saltem ad odorandum. *Ita, Domine : nam et
catelli edunt de micis, quae cadunt de mensa dominorum
suorum*[a]. Mihi, fateor, bene redolet ructus dilectae tuae,
5 *et de plenitudine eius*, quamvis modicum quid, gratanter
accipio[b]. *Memoriam abundantiae suavitatis tuae eructat*[c]

---

b. Phil. 2, 6 ≠   c. Ps. 44, 2   d. Lc 1, 41 ≠   e. Cant. 2, 16
f. Matth. 12, 35 ≠
5.a. Matth. 15, 27 ≠   b. Jn 1, 16 ≠   c. Ps. 144, 7 ≠

---

1. Selon Bernard, le verset du Cantique est inachevé : on n'y trouve
pas de verbe.

2. * Seule occurrence de ce verset. La réponse affirmative est exprimée
dans *Matth.* par *etiam* et dans le texte parallèle de *Mc* 7, 28 par *utique;*

s'appliquer «sans abus^b» la parole du Prophète : «Mon cœur a éructé une bonne parole^c», car «elle est remplie du même esprit^d» que lui.

III. La parole de l'épouse est comme une éructation. Le goût et l'odorat. Ce que le juste goûte, le pécheur en respire le parfum.

«Mon bien-aimé à moi, et moi à lui[e1].» Ce propos n'a aucune cohérence; il va contre les conventions du langage. Pourquoi s'en étonner? C'est une éructation. Pourquoi chercher dans une éructation les articulations du discours, le bon usage des mots? Quelles lois ou quelles règles peux-tu imposer à ton éructation? Elle ne se laisse pas contrôler par toi, elle n'attend pas que tu la disposes convenablement, elle ne s'inquiète pas de ton bon plaisir ou du meilleur moment. Elle jaillit d'elle-même du fond de ta poitrine, non seulement malgré toi, mais même à ton insu, arrachée plutôt que lâchée. Pourtant, l'éructation dégage une odeur parfois agréable et parfois mauvaise, selon les diverses conditions des organes d'où elle remonte. Car «l'homme bon, de son bon trésor, tire de bonnes choses; le mauvais, de mauvaises[f]». C'est un bon récipient que l'épouse de mon Seigneur, et l'odeur qui s'exhale d'elle est pour moi exquise.

5. Je te rends grâces, Seigneur Jésus : tu as daigné m'admettre au moins à respirer ce parfum. «C'est vrai, Seigneur : aussi bien les petits chiens mangent-ils des miettes qui tombent de la table de leurs maîtres[a2].» Je l'avoue, l'éructation de ta bien-aimée a pour moi une agréable odeur, et c'est avec gratitude que «je reçois» même une légère senteur «de sa plénitude[b]». «Elle me remet en mémoire l'abondance de ta douceur[c]» et j'ai

Bernard emploie *ita,* qui paraît un mode d'affirmation assez fréquent chez lui.

mihi, et nescio quid ineffabile tuae dignationis et amoris
odoratus sum in voce ista : *Dilectus meus mihi, et ego
illi*[d]. Ipsa, ut dignum est, *epuletur et exsultet in conspectu*
10 *tuo, et delectetur in laetitia*[e]; verumtamen sic *tibi excedat,*
ut *sobria sit nobis*[f]. Ipsa ergo *repleatur in bonis domus
tuae*[g], et *torrente voluptatis tuae potetur*[h]; sed, quaeso,
perveniat ad me pauperem vel tenuis odor, eructante illa
cum satiata fuerit[i]. Bene mihi eructavit Moyses, et *bonus*
15 *odor*[j] in ructu eius, creantis potentiae : *In principio,* inquit,
creavit Deus caelum et terram[k]. Bene Isaias; nam suavis-
simum redimentis misericordiae odorem dedit, ita
eructans : *Tradidit in mortem animam suam, et cum scele-
ratis reputatus est, et ipse peccata multorum tulit, et pro*
20 *transgressoribus rogavit*[l], *ut non perirent*[m]. Quid aeque
misericordiam redolet? Bonus quoque ex ore Ieremiae
ructus, bonus ex David qui ait : *Eructavit cor meum
verbum bonum*[n]. *Repleti sunt Spiritu Sancto*[o], et ructantes
omnia impleverunt bonitate[p]. Ructum Ieremiae requiritis?
25 Non sum oblitus; iam parabam illum : *Bonum est praestolari cum silentio salutare Domini*[q]. Eius est, non fallor :
admovete naribus; balsamum vincit suavitas remunerantis
192   iustitiae, quam importat. Patientem pro iustitia vult me
exspectare mercedem in posterum, non recipere in
30 praesenti, quod *iustitiae merces*[r], salutare, non saeculi,
sed Domini sit. *Si moram fecerit, exspecta eum*[s], inquit,
et ne murmuraveris, quoniam *bonum est cum silentio*

---

d. Cant. 2, 16   e. Ps. 67, 4 ≠   f. II Cor. 5, 13 ≠   g. Ps. 64, 5 ≠
h. Ps. 35, 9 ≠   i. cf. Gen. 27, 27   j. II Cor. 2, 15   k. Gen. 1, 1   l. Is. 53,
12 ≠   m. Is. 38, 17 ≠   n. Ps. 44, 2   o. Act. 2, 4 ≠   p. Ps. 103, 28 ≠
q. Lam. 3, 26   r. Sag. 2, 22 ≠   s. Hab. 2, 3 (Lit.)

---

1. * Ici, seul le mot *eum* (à la place de *illum, Vg*) signale qu'il s'agit
d'une réminiscence de l'antienne *Ecce apparebit,* du 2ᵉ dimanche de
l'Avent. Dans son œuvre, Bernard cite cette pièce 9 fois; la plupart de
ces citations, plus étendues que celle-ci, sont clairement liturgiques.
Cf. *SCt* 2, 7; *SC* 414, p. 93, n. 3.

respiré un indicible effluve de ta bonté et de ton amour dans cette parole : «Mon bien-aimé à moi, et moi à lui[d].» Que ta bien-aimée, comme il se doit, «se régale au banquet et jubile en ta présence, qu'elle exulte de joie[e]»; mais «qu'elle soit ravie en toi» de façon à «revenir à nous dans son bon sens[f]». Qu'elle «soit comblée des biens de ta maison[g]» et «abreuvée au torrent de tes délices[h]». Mais, je t'en prie, quand elle se sera rassasiée, qu'au moins un léger parfum de son éructation parvienne au pauvre que je suis[i]. L'éructation de Moïse m'a fait sentir «le bon parfum[j]» de ta puissance créatrice : «Au commencement, dit-il, Dieu créa le ciel et la terre[k].» De même Isaïe; car il a exhalé le parfum très suave de la miséricorde rédemptrice, en éructant ces mots : «Il a livré son âme à la mort et a été compté parmi les scélérats; il a porté lui-même les péchés de la multitude et a intercédé pour les pécheurs[l]», «afin qu'ils ne périssent pas[m]». Quelle autre parole exhale un si intense parfum de miséricorde? L'éructation de la bouche de Jérémie a été aussi parfumée, ainsi que celle de David disant : «Mon cœur a éructé une bonne parole[n].» «Ils ont été remplis d'Esprit-Saint[o]», et par leur éructation, «ils ont rempli toutes choses de bonté[p]». Vous me questionnez sur l'éructation de Jérémie? Je ne l'ai pas oubliée; déjà je me préparais à vous la dire : «Il est bon d'attendre en silence le salut du Seigneur[q].» Cette parole est de lui, je ne me trompe pas. Approchez-la de vos narines. Elle contient la douceur de la justice qui récompense, et cette douceur surpasse tout parfum. Le Prophète veut que, souffrant pour la justice, j'attende ma récompense pour l'avenir, non pas que je la reçoive dès à présent. Car «la récompense de la justice[r]», c'est le salut; non celui que donne le monde, mais le salut du Seigneur. «S'il tarde, attends-le[s1]», est-il dit; ne murmure pas, car «il est bon

exspectare[t]. Ergo faciam quod hortatur : *Exspectabo Dominum salvatorem meum*[u].

6. Sed *peccator sum*[a], et adhuc *grandis mihi restat via*[b], quia *longe a peccatoribus salus*[c]. Non murmurabo tamen; in odore interim consolabor me. *Laetabitur iustus in Domino*[d], gustu experiens quod ego sentio odoratu.
5 Quem spectat iustus, peccator exspectat, et exspectatio odoratio est. *Nam exspectatio*, ait, *creaturae revelationem filiorum Dei exspectat*[e]. Porro spectare *gustare* est, *et videre quoniam suavis est Dominus*[f].

IV. De altera exspectationis acceptione qua iustus exspectat, peccator nihil, et de David ructu vel Ioannis atque Pauli.

An potius iustus qui exspectat, et qui iam tenet beatus?
10 Denique *exspectatio iustorum, laetitia*[g]. Nam peccator nihil exspectat. Et inde peccator, quod bonis praesentibus non modo detentus, sed et contentus, nihil in futurum exspectat, surdus ad vocem illam : *Exspecta me, dicit Dominus, in die resurrectionis meae in futurum*[h]. Et ideo
15 *iustus erat Simeon*, quia *exspectabat* et odorabat iam Christum *in spiritu*[i], quem necdum in carne adorabat : et beatus in exspectatione sua, et per odorem exspectationis pervenit ad gustum contemplationis. Denique ait : *Et viderunt oculi mei salutare tuum*[j]. Iustus quoque
20 *Abraham*, qui et ipse exspectavit *ut videret diem Domini, et non est confusus ab exspectatione sua*, nam *vidit et*

t. Lam. 3, 26 (Patr.)   u. Mich. 7, 7 ≠
6.a. Lc 5, 8   b. III Rois 19, 7 ≠   c. Ps. 118, 155   d. Ps. 63, 11
e. Rom. 8, 19   f. Ps. 33, 9 ≠   g. Prov. 10, 28   h. Soph. 3, 8
i. Lc 2, 25. 27 ≠   j. Lc 2, 30 ≠

1. * Quelques lignes après avoir employé ce verset selon la *Vg* avec *praestolari* et *Dei*, voici que Bernard passe à la *Vl* avec *exspectare*. Cf. *Ep* 89, 2; *SC* 458, p. 490, n. 1 (en lisant au début de cette note : *Vg* à la place de *Vl* et vice-versa).

d'attendre en silence[t1]». Je ferai ce qu'il me conseille :
«J'attendrai le Seigneur mon sauveur[u].»

6. Mais «je suis pécheur[a]», et «il me reste encore un
long chemin à parcourir[b]», car «le salut est loin des
pécheurs[c]». Je ne murmurerai pas, pourtant; dans l'attente, je me consolerai avec le parfum. «Le juste se
réjouira dans le Seigneur[d]», car lui expérimente par le
goût ce que je sens par l'odorat[2]. Celui que le juste
contemple, le pécheur l'attend; cette attente, c'est le
parfum qu'il respire. «Car la création en attente attend
la révélation des fils de Dieu[e]», est-il dit. Or, contempler,
c'est «goûter et voir que le Seigneur est doux[f]».

IV. Autre signification de l'attente :
c'est le juste qui attend; le pécheur, lui, n'attend rien.
L'éructation de David, de Jean et de Paul.

Ou plutôt faut-il dire que c'est le juste qui attend, et
que celui qui possède c'est le bienheureux? Car «l'attente des justes est joie[g]». Le pécheur, lui, n'attend rien.
C'est bien pour cela qu'il est pécheur : non seulement il
est tout occupé des biens d'ici-bas, mais il s'en contente;
il n'attend rien pour l'avenir. Il est sourd à cette voix :
«Attends-moi, dit le Seigneur, au jour de ma résurrection
à venir[h].» C'est pourquoi «Siméon était un juste : il
attendait» le Christ et déjà en respirait le parfum «en
esprit[i]», alors qu'il ne pouvait encore l'adorer dans la
chair. Il fut heureux dans son attente, et par le parfum
de l'attente il parvint à la saveur de la contemplation. Il
dit en effet : «Mes yeux ont vu ton salut[j].» «Abraham»
aussi fut un juste, lui qui attendit «de voir le jour du
Seigneur. Il ne fut pas déçu dans son attente : il le vit

2. Cf. l'Introd. p. 29-33 et *SCt* 62, 7, p. 278, n. 1.

gavisus est[k]. Iusti Apostoli cum audiebant : *Et vos similes hominibus exspectantibus Dominum suum*[l].

7. Quidni iustus David, et quando aiebat : *Exspectans exspectavi Dominum*[a]? Ipse est quartus de numero praenominatorum ructatorum meorum, quem pene praeterieram. *Non expedit quidem*[b]. Iste *os suum aperuit et* ⁵ *attraxit spiritum*[c], et saturatus non modo eructavit, sed et cantavit. Iesu bone, quantam meis naribus et auribus iste infudit suavitatem in ructu et cantu suo de *oleo laetitiae*, quo *unxit te Deus prae consortibus tuis*[d], et *myrrha et gutta, et casia a vestimentis tuis, a domibus* ¹⁰ *eburneis, ex quibus delectaverunt te filiae regum in honore tuo*[e]! Utinam me digneris occursu tanti vatis et amici tui in die solemnitatis et laetitiae, quando *egreditur de thalamo tuo*[f], epithalamium suum canens in *psalterio iucundo cum cithara*[g], *affluens deliciis*[h], respersus et respergens uni- ¹⁵ versa istiusmodi *pulvere pigmentario*[i]! In illa die, vel potius in illa hora – nam hora est si quando est, et fortassis ne hora quidem, sed horae dimidium, iuxta illud Scripturae : *Factum est silentium in caelo quasi media hora*[j] –, ergo in illa hora *replebitur gaudio os meum et lingua* ²⁰ *mea exsultatione*[k], nam singulos, non dico Psalmos, sed versus, singulos sentiam ructus, et quidem odoriferos *super omnia aromata*[l]. Quid Ioannis ructu fragrantius, qui Verbi mihi redolet aeternitatem, generationem[m], divinitatem?

193

---

k. Jn 8, 56 ≠; Ps. 118, 116 ≠   l. Lc 12, 36
7.a. Ps. 39, 2   b. II Cor. 12, 1   c. Ps. 118, 131 ≠   d. Ps. 44, 8 ≠   e. Ps. 44, 9-10   f. Joël 2, 16 ≠   g. Ps. 80, 3 ≠   h. Cant. 8, 5 ≠   i. Cant. 3, 6 ≠   j. Apoc. 8, 1   k. Ps. 125, 2 ≠   l. Cant. 4, 10   m. cf. Is. 53, 8

---

1. *Myrrhe :* résine odorante et médicinale fournie par un arbre d'Arabie. *Aloès :* résine amère contenue dans les feuilles charnues d'une plante tropicale. *Cannelle :* écorce du cannelier (genre de laurier) employée comme aromate. Cf. ISIDORE, *Etymologiae* XVII (*PL* 82, 621-622).

et s'en réjouit[k]». Justes encore les Apôtres, qui s'entendaient dire : «Vous êtes semblables à des hommes qui attendent leur Seigneur[l].»

7. David n'était-il pas un juste, quand il disait : «J'ai attendu, attendu le Seigneur[a]»? C'est le quatrième que je nomme dans la liste de ceux qui ont fait une éructation; j'allais presque le passer sous silence. «Il eût été bien dommage[b].» Il «ouvrit sa bouche et aspira l'esprit[c]». Rassasié, non seulement il fit une éructation, mais il se mit à chanter. Jésus miséricordieux, quelle grande douceur pour mes narines et mes oreilles que cette éructation et ce chant! C'est «l'huile d'allégresse dont Dieu t'a oint de préférence à tes compagnons[d]; c'est la myrrhe, l'aloès et la cannelle[1] qui ruissellent de tes vêtements; avec ces parfums, sortis de maisons d'ivoire, des filles de rois t'ont réjoui et honoré[e]». Puisses-tu me juger digne de rencontrer ce grand prophète, ton ami, au jour de fête et de joie, lorsqu'«il sort de ta chambre nuptiale[f]» chantant son épithalame[2] sur «la harpe mélodieuse et la cithare[g]», «débordant de bonheur[h]», aspergé de ces «aromates odoriférants» qu'il répand «partout[i]»! Ce jour-là, ou plutôt à cette heure-là – car si cela arrive, ce sera dans l'espace d'une heure, et peut-être moins encore, d'une demi-heure, selon cette parole de l'Écriture : «Il se fit un silence dans le ciel, environ une demi-heure[j]» – à cette heure-là, «mes lèvres éclateront de joie et ma langue tressaillira d'allégresse[k]». Car je humerai, je ne dis pas chaque psaume, mais chaque verset, chaque éructation, et leur parfum «surpassera tous les arômes[l]». Quoi de plus odoriférant que l'éructation de Jean, qui m'apporte le parfum de l'éternité du Verbe, de sa génération[m], de son éternité?

---

2. Bernard amalgame ici plusieurs textes bibliques : *Cant* 8, 5 et les *Ps* 44 et 80. Ce qui lui permet de parler d'un épithalame de David, qui a précédé celui de Salomon.

Quid de Pauli ructibus loquar, quanta orbem suavitate
25 repleverint? Denique *Christi bonus odor erat in omni loco*[n].
Verba certe *ineffabilia*, etsi non profert ut audiam, offert
tamen ut cupiam, et libeat odorare *quae* audire *non licet*[o].
Nescio enim quo pacto quae plus latent, plus placent, et
avidius inhiamus negatis.

V. Quid ad verba haec subintelligitur, et de ordine verborum sponsae vel Prophetae.

30   Sed iam adverte apud sponsam similem rem : quomodo,
instar Pauli, in praesenti capitulo, et secretum non aperit,
nec praeterit tamen intactum, aliquid quasi olfactui nostro
indulgens, quod gustui forte interim non competere
iudicaret, sive propter indignitatem nostram, sive propter
35 incapacitatem.

8. *Dilectus meus mihi, et ego illi*[a]. Quod non est dubium,
duorum quidem hoc loco amor mutuus flagrat, sed in
amore summa unius profecto felicitas, alterius mira dignatio. Neque enim inter pares est consensio seu complexio
5 haec. Ceterum quid ista ex hac praerogativa amoris
glorietur impensum sibi, repensumque vicissim a se, quis
se liquido nosse praesumat, nisi qui, praecipua puritate
mentis ac corporis sanctitate, in semetipso meruerit tale
aliquid experiri? Res est in affectibus, nec ratione ad eam
194 10 pertingitur, sed conformitate. Quam vero pauci qui

---

n. II Cor. 2, 14-15 ≠   o. II Cor. 12, 4 (Patr.)
8.a. Cant. 2, 16

---

1. * Cf. *SCt* 51, 7, l. 11, p. 52, n. 1.

2. *Quae plus latent, plus placent*. Loi psychologique exprimée par une belle allitération.

3. « L'amour mutuel des deux amants.» Bernard n'emploie pas souvent l'adjectif *mutuus* pour décrire les relations amoureuses entre le Créateur et la créature. Cf. pourtant *SC* 414, p. 316, n. 2 sur *SCt* 14, 5; et aussi : *SCt* 83, 6 (*SBO* II, p. 302, l. 18).

Que dire des éructations de Paul et de l'immense douceur dont elles ont rempli le monde entier? Car «il était la bonne odeur du Christ en tous lieux[n]». «Les paroles» proprement «ineffables» qu'il a entendues, il ne les prononce pas pour que je les entende à mon tour; pourtant, il me les donne à désirer. Ainsi, j'ai le plaisir de sentir «ce qu'il ne m'est pas permis[o 1]» d'entendre. Je ne sais comment il se fait que plus les choses sont cachées, plus elles plaisent[2], et que nous convoitons plus vivement ce qu'on nous a refusé.

V. Ce qui est sous-entendu par ces paroles. L'ordre des paroles de l'épouse et de celles du Prophète.

Mais remarque chez l'épouse une attitude semblable. Dans le passage que nous avons sous les yeux, à l'exemple de Paul, elle ne dévoile pas son secret, et pourtant elle ne le laisse pas entier, comme pour accorder dans une certaine mesure à notre odorat ce qu'elle ne juge pas encore être dû à notre goût, soit à cause de notre indignité, soit à cause de notre faiblesse.

8. «Mon bien-aimé à moi, et moi à lui[a].» Aucun doute : c'est l'amour mutuel[3] des deux amants qui flamboie dans ce passage; mais on distingue en cet amour le suprême bonheur de l'une et la merveilleuse complaisance de l'autre. Car cette union de sentiments ou cette étreinte ne se fait pas entre égaux. Mais qui pourrait se flatter de connaître clairement ce que l'épouse se glorifie d'avoir reçu de ce privilège d'amour et d'avoir rendu en échange? Seul le pourrait celui qui, par une pureté d'esprit et une sainteté de corps extraordinaires, aurait mérité d'expérimenter en lui-même quelque chose de semblable. Tout cela se passe dans les mouvements du cœur, et ce n'est pas par la raison qu'on y arrive, mais par une conformité d'âme. Qu'ils sont peu nombreux ceux qui peuvent

dicant : *Nos autem revelata facie speculantes gloriam Dei,*
in eamdem imaginem transformamur de claritate in clari-
tatem, tamquam a Domini Spiritu[b]!

9. Verum, ut sub aliqua qualicumque intelligentiae forma
quod legitur redigatur, salvo quidem sponsae suo singulari
secreto, ad quod interim non datur accedere, praesertim
talibus, quales nos sumus, apponendum sane aliquid
5 nobis, eo accommodatius ad communem sensum, quo
usitatius, quod et verbis consequentiam, *et intellectum det*
parvulis[a]. Et mihi quidem videtur satis esse ad nostram
grossam et quodam modo popularem intelligentiam, si
dicendo : *Dilectus meus mihi,* subaudiamus, « intendit », ut
10 sit sensus : *Dilectus meus mihi* intendit, *et ego illi*[b].
Quamquam tamen non solus ego id senserim, nec primus,
cum Propheta ante me dixerit : *Exspectans exspectavi*
Dominum, et intendit mihi[c]. Habes aperte intentionem
Domini ad Prophetam, habes et Prophetae ad Dominum
15 in eo quod ait : *Exspectans exspectavi,* nam qui exspectat
intendit, et exspectare intendere est. Idem omnino sensus,
eadem pene verba apud Prophetam, quae apud sponsam,
sed a Propheta transposita : prius siquidem is, quod illa
posterius posuit, et e converso.

10. Ceterum sponsa rectius locuta est, et non praetendens meritum, sed praemittens beneficium, et se prae-
ventam dilecti gratia confitens. Recte omnino. Nam *quis*
prior dedit illi, et retribuetur ei[a]? Denique audi Ioannem,
5 quid in epistola super hoc senserit : *In hoc est caritas,*
inquit, *non quasi nos dilexerimus Deum, sed ipse prior*

---

b. II Cor. 3, 18 ≠
9.a. Ps. 118, 130 ≠   b. Cant. 2, 16   c. Ps. 39, 2
10.a. Rom. 11, 35

---

1. Bernard cite douze fois ce verset paulinien dans les *SCt*. Et encore
vingt-six fois dans ses autres écrits.

dire : «Contemplant à visage découvert la gloire de Dieu, nous sommes transformés en cette même image, de clarté en clarté, comme par l'Esprit du Seigneur[b][1]»!

9. Mais, pour mettre sous une forme à peu près intelligible ce que nous lisons, tout en gardant à l'épouse son secret particulier, auquel il ne nous est pas permis d'accéder pour le moment, surtout à des gens tels que nous, il nous faut ajouter à ce texte un verbe qui fera paraître la logique de la phrase «et en donnera l'intelligence aux simples[a]». Ce verbe est d'autant plus compréhensible par tout le monde qu'il est usuel. Il me semble que notre intelligence grossière et, pour ainsi dire, populaire, serait satisfaite si nous sous-entendions le verbe : «a prêté attention» dans cette phrase : «Mon bien-aimé à moi.» Le sens serait alors : «Mon bien-aimé m'a prêté attention, et moi à lui[b].» D'ailleurs, je ne suis ni le seul ni le premier à l'entendre ainsi. Car le Prophète a dit avant moi : «J'ai attendu, attendu le Seigneur, et il m'a prêté attention[c].» Tu vois clairement l'attention prêtée par le Seigneur au Prophète et par le Prophète au Seigneur dans ce que le Prophète dit : «J'ai attendu, attendu.» Car celui qui attend, prête attention; attendre, c'est prêter attention. Le sens est absolument le même chez le Prophète et chez l'épouse. Les mots aussi sont presque les mêmes, mais ils ont été déplacés par le Prophète : car il a mis d'abord ce que l'épouse a mis ensuite, et inversement.

10. Par ailleurs, l'épouse s'exprime avec plus de justesse, parce qu'elle ne met pas en avant son mérite, mais énonce d'abord le bienfait reçu, et reconnaît avoir été prévenue par la grâce du bien-aimé. A fort juste titre. En effet, «qui lui a donné le premier, pour devoir être payé en retour[a]?» Bref, écoute ce que Jean dans sa lettre pense sur ce point : «En ceci consiste la charité : ce n'est pas nous qui avons aimé Dieu, dit-il, mais c'est lui qui

dilexit nos[b]. Propheta tamen gratiae praeventionem etsi
tacuit, non negavit subsecutionem; plane non tacuit. Sed
accipe et alio loco certiorem de re ista ipsius confes-
10 sionem : *Et misericordia tua,* inquit, – Domino loquebatur –, *subsequetur me omnibus diebus vitae meae*[c]. Audi
et de praeventione identidem ipsius non minus certam
manifestamve sententiam : *Deus meus,* inquit, *misericordia
eius praeveniet me*[d]; item ad Dominum : *Cito,* ait, *anti-*
15 *cipent nos misericordiae tuae, quia pauperes facti sumus*
nimis[e].

VI. De praeveniente gratia vel subsequente.

195   Pulchre sponsa posterius, ni fallor, haec eadem verba
non eodem ordine ponit, sed sequitur et ipsa Prophetae
ordinem, loquens hoc modo : *Ego dilecto meo, et dilectus*
20 *meus mihi*[f]. Cur ita? Nempe ut tunc magis *gratia plenam*[g]
se probet, cum totum gratiae dederit, et primas scilicet
illi partes adscribens, et ultimas. Alioquin quomodo *gratia*
plena[h], si quid habuerit quod non sit ex gratia? Non est
quo gratia intret, ubi iam meritum occupavit. Ergo plena
25 confessio gratiae, ipsius gratiae plenitudinem signat in
anima confitentis. Nam si quid de proprio inest, in
quantum est, gratiam cedere illi necesse est. Deest gratiae
quidquid meritis deputas. Nolo meritum, quod gratiam
excludat. Horreo quidquid de meo est, ut sim meus, nisi
30 quod illud magis forsitan meum est, quod me meum facit.
Gratia reddit me mihi *iustificatum gratis*[i], et sic *liberatum*
a servitute peccati[j]. Denique *ubi Spiritus, ibi libertas*[k].

---

b. I Jn 4, 10 ≠   c. Ps. 22, 6   d. Ps. 58, 11 ≠   e. Ps. 78, 8
f. Cant. 6, 2   g. Lc 1, 28 ≠   h. Lc 1, 28   i. Rom. 3, 24 ≠   j. Rom. 6,
22 ≠; Rom. 8, 21 ≠   k. II Cor. 3, 17 ≠

---

1. Bernard a bien remarqué la différence entre *Cant.* 2, 16 et *Cant.*
6, 2. Il ne manque pas d'en tirer un nouvel enseignement.

le premier nous a aimés[b].» Le Prophète cependant, même s'il n'a pas dit que la grâce nous prévient, n'a pas nié qu'elle suit; il l'a dit clairement. Mais écoute encore une déclaration plus nette du Prophète sur ce point dans un autre endroit : «Ta miséricorde, dit-il s'adressant au Seigneur, me suivra tous les jours de ma vie[c].» D'autre part, écoute aussi l'avis non moins clair et net du Prophète sur la grâce prévenante : «Mon Dieu, dit-il, me préviendra de sa miséricorde[d]»; et ailleurs, parlant au Seigneur : «Vite!, dit-il, que tes miséricordes nous devancent, car nous sommes devenus trop misérables[e].»

VI. La grâce qui prévient et la grâce qui suit.

Avec finesse l'épouse plus loin, si je ne me trompe, ne dispose pas ces mêmes paroles dans le même ordre, mais elle suit, elle aussi, l'ordre adopté par le Prophète. Car elle s'exprime ainsi : «Moi à mon bien-aimé, et mon bien-aimé à moi[f1].» Pourquoi cela? Sans aucun doute, pour montrer qu'elle est davantage «pleine de grâce[g]» lorsqu'elle a tout donné à la grâce, lui attribuant et le premier et le dernier rôle. Sinon, comment serait-elle «pleine de grâce[h]», si elle avait quelque chose qui ne provienne pas de la grâce? La grâce ne saurait pénétrer là où le mérite a déjà occupé toute la place. Cette pleine reconnaissance de la grâce marque la plénitude de la grâce dans l'âme qui la reconnaît. Car s'il subsiste dans l'âme quelque chose qui lui appartient, dans la mesure où il subsiste, il faut que la grâce lui cède la place. Tout ce que tu attribues aux mérites est ôté à la grâce. Je ne veux pas d'un mérite qui exclue la grâce. Je déteste tout ce qui est de moi, afin que je sois à moi, mais peut-être qu'est davantage à moi ce qui me fait être moi. La grâce me rend à moi-même «gratuitement justifié[i]», et ainsi «délivré de la servitude du péché[j]». Car «où est l'Esprit, là est la liberté[k]».

11. O fatuam sponsam Synagogam, quae *contemnens Dei iustitiam*, id est gratiam sponsi sui, *et suam volens constituere, iustitiae Dei non est subiecta*[a]. Ob hoc misera repudiata est, et iam non est sponsa, sed Ecclesia, cui
5 dicitur : *Desponsavi te mihi in fide; desponsavi te mihi in iudicio et iustitia; desponsavi te mihi in misericordia et miserationibus*[b]. *Nec tu me elegisti, sed ego elegi te*[c]; nec ut eligerem, tua inveni merita, sed praeveni. Ita ergo *in fide desponsavi te mihi, et non in operibus legis*[d]; *despon-*
10 *savique in iustitia*, sed *iustitia, quae est ex fide*[e], non ex lege. Restat ut iudices iudicium rectum inter me et te[f], iudicium in quo te desponsavi, ubi constat intervenisse non tuum meritum, sed meum placitum. *Hoc est autem iudicium*[g], ut tua merita non extollas, non praeferas opera
15 legis, non iactes *pondus diei et aestus*[h], quae magis *in fide, et in iustitia quae est ex fide*, necnon *in misericordia et miserationibus*, nosceris *desponsata*[i].

12. Quae vere sponsa est, agnoscit ista, et utramque gratiam confitetur : primo quidem eam quae prima est,
196 qua et praeventa est, postea vero et subsequentem. Ait
. itaque nunc : *Dilectus meus mihi, et ego illi*[a], principium
5 dilecto tribuens; in consequentibus : *Ego*, inquit, *dilecto meo, et dilectus meus mihi*[b], consummationem illi aeque concedens. Nunc iam videamus quid dicat : *Dilectus meus mihi*. Si enim hoc recipitur, ut subaudiamus «intendit», sicut iam diximus et sicut Propheta ait : *Exspectans*
10 *exspectavi Dominum, et intendit mihi*[c], ego in verbo isto

11.a. Rom. 10, 3 ≠; cf. Sag. 14, 30   b. Os. 2, 20. 19 ≠   c. Jn 15, 16 ≠   d. Gal. 2, 16 ≠   e. Rom. 9, 30 ≠   f. cf. Ps. 118, 154
g. Jn 3, 19   h. Matth. 20, 12   i. Rom. 9, 30 ≠; Os. 2, 20. 19 ≠
12.a. Cant. 2, 16   b. Cant. 6, 2   c. Ps. 39, 2

11. O Synagogue, épouse insensée! «Méprisant la justice de Dieu», c'est-à-dire la grâce de son Époux, «et voulant établir sa propre justice, elle ne s'est pas soumise à la justice de Dieu[a]». C'est pourquoi la malheureuse a été répudiée. Désormais, ce n'est plus elle qui est l'épouse, mais l'Église, à qui il a été dit : «Je t'ai fiancée à moi dans la foi; je t'ai fiancée à moi dans le droit et la justice; je t'ai fiancée à moi dans la miséricorde et la bonté[b].» «Ce n'est pas toi qui m'as choisi, mais c'est moi qui t'ai choisie[c]»; pour te choisir, je n'ai pas trouvé en toi de mérites, mais je les ai prévenus. C'est ainsi que «je t'ai fiancée à moi dans la foi», «et non dans les œuvres de la loi[d]»; «je t'ai fiancée à moi dans la justice», mais «la justice qui vient de la foi[e]», non de la loi. Il te reste à rendre un jugement droit entre toi et moi[f]. Ce jugement te fera connaître clairement que je t'ai fiancée à moi non pour ton mérite, mais pour mon bon plaisir. «Et le jugement, le voici[g]» : n'exalte pas tes mérites, n'étale pas les œuvres de la loi, ne fais pas valoir «le poids du jour et de la chaleur[h]». Car tu sais bien que «tu as été choisie comme fiancée dans la foi, et dans la justice qui vient de la foi, et aussi dans la miséricorde et la bonté[i]».

12. Celle qui est vraiment épouse reconnaît tout cela, et confesse l'une et l'autre grâce : d'abord la première, dont elle a été prévenue; puis celle qui suit. Aussi dit-elle maintenant : «Mon bien-aimé à moi, et moi à lui[a]», car elle attribue l'initiative au bien-aimé. Ensuite elle dira : «Moi à mon bien-aimé, et mon bien-aimé à moi[b]», lui cédant aussi l'accomplissement. Voyons maintenant le sens de ces mots : «Mon bien-aimé à moi.» Si l'on accepte de sous-entendre «a prêté attention», comme nous l'avons déjà dit et comme le Prophète dit : «J'ai attendu, attendu le Seigneur, et il m'a prêté attention[c]», j'aperçois dans ces paroles quelque chose qui n'est certes pas

sentio nescio quid non plane exiguum, nec mediocris
praerogativae. Sed non est ingerenda fatigatis auribus et
mentibus res omni alacritate digna. Si non gravat, diffe-
ratur, et non in longum : crastinus inde incipiat sermo.
15 Tantum orate, ut ab irruentibus occupationibus interim
custodiat nos *gratia et misericordia*[d] sponsi Ecclesiae, Iesu
Christi Domini nostri, *qui est super omnia Deus benedictus
in saecula. Amen*[e].

d. Sag. 4, 15 ≠   e. Rom. 9, 5

insignifiant, la marque d'un privilège non médiocre. Mais il ne faut pas présenter à des oreilles et à des esprits fatigués un sujet qui mérite toute notre ardeur. Si cela ne vous gêne pas, qu'on le remette, mais pas à un temps éloigné : le sermon de demain commencera par là. Priez seulement pour qu'entre-temps «la grâce et la miséricorde[d]» de l'Époux de l'Église nous gardent des soucis qui nous assaillent. C'est lui, Jésus-Christ notre Seigneur, «qui est au-dessus de tout, Dieu béni dans les siècles. Amen[e]».

SERMO LXVIII

I. Quanta de sponsa sponso sit cura et e converso, et quod de sola sponsa sit ei cura. – II. Quomodo de statu et consummatione Ecclesiae finis omnium pendet. – III. De meritis vel praesumptione Ecclesiae, et unde merita.

I. Quanta de sponsa sponso sit cura et e converso, et quod de sola sponsa sit ei cura.

1. Audite iam quod heri distulimus, audite gaudium meum quod sensi. Et vestrum est : audite gaudentes. In uno verbo sponsae sensi hoc, et quasi odoratus abscondi, eo vobis hodie festivius exhibendum, quo tempestivius.
5 Sponsa locuta est, et dixit sponsum intendere sibi. Quae est sponsa, et quis est sponsus? *Hic Deus noster est*[a], et illa, si audeo dicere, nos sumus, cum reliqua quidem multitudine captivorum, quos ipse novit. Gaudeamus, *gloria nostra haec est*[b] : nos sumus in quos intendit Deus[c].
10 Quanta tamen disparitas! Quid *terrigenae et filii hominum* coram illo[d]? Secundum Prophetam, *sic sunt quasi non sint, et quasi nihilum et inane reputatae sunt ei*[e]. Quid sibi ergo vult ista inter tam dispares comparatio? Aut illa immensum gloriatur, aut is immensum amat. Quam

197

1.a. Ps. 47, 15 ≠   b. II Cor. 1, 12   c. cf. Ps. 39, 2   d. Ps. 48, 3 ≠; cf. Is. 40, 17   e. Is. 40, 17 ≠

SERMON 68

I. Quel grand soin l'Époux prend de l'épouse, et inversement, l'Époux ne prend soin que de l'épouse. – II. La fin de toutes choses dépend de l'état et de l'achèvement de l'Église. – III. Les mérites et la présomption de l'Église. D'où lui viennent ces mérites.

I. Quel grand soin l'Époux prend de l'épouse, et inversement, l'Époux ne prend soin que de l'épouse.

1. Écoutez maintenant ce que nous avons différé hier, écoutez quelle joie j'ai ressentie. Cette joie est à vous aussi : écoutez et réjouissez-vous. J'ai ressenti cette joie à une seule parole de l'épouse et, après en avoir comme respiré le parfum, je l'ai cachée pour vous en faire part aujourd'hui avec d'autant plus de plaisir que le temps me paraît plus opportun. L'épouse a parlé et a dit que l'Époux lui prêtait attention. Quelle est cette épouse et quel est cet Époux? «Lui, c'est notre Dieu[a]»; elle, si j'ose dire, c'est nous, avec la multitude des autres captifs que lui-même connaît. Réjouissons-nous, «voici notre gloire[b]» : nous sommes ceux à qui Dieu prête attention[c]. Quelle disparité pourtant! Que sont devant lui «les fils de la terre et les enfants des hommes[d]»? Selon le Prophète, «ils sont comme s'ils n'étaient pas, et ils comptent pour lui comme le néant et le vide[e]». Que veut dire alors cette comparaison entre des personnes si inégales? Soit l'épouse se glorifie sans mesure, soit l'Époux aime sans mesure. Qu'il est étonnant que l'épouse réclame

15 admirabile est, quod illius intentionem ista sibi quasi
propriam vindicat, dicens : *Dilectus meus mihi*[f]! Nec eo
contenta tamen, pergit amplius gloriari respondere se illi,
quasi ex aequo morem gerere et rependere vicem. Sequitur
enim : *Et ego illi*[g]. Insolens verbum : *Et ego illi,* nec minus
20 insolens : *Dilectus meus mihi,* nisi quod utroque inso-
lentius utrumque simul.

2. O quid audet *cor purum, et conscientia bona, et
fides non ficta*[a]! *Mihi,* inquit, *intendit*[b]. Itane huic intenta
est illa maiestas, cui gubernatio pariter et administratio
universitatis incumbit, et cura saeculorum ad sola trans-
5 fertur negotia, immo otia, amoris et desiderii huius? Ita
plane. Ipsa est enim Ecclesia electorum[c], de quibus
Apostolus : *Omnia,* inquit, *propter electos*[d]. Et cui dubium,
quod *gratia et misericordia Dei* sit *in sanctos eius, et
respectus in electos illius*[e]? Ergo providentiam ceteris
10 creaturis non negamus : curam sponsa vindicat sibi.
Numquid de bobus cura est Deo[f]? Nec dubium, quin idem
possimus dicere de equis, de camelis, de elephantis et
de *cunctis bestiis terrae,* similiter et de *piscibus maris, et
volatilibus caeli*[g], postremo de omni re quae est super
15 terram, solis sane exceptis quibus dicitur : *Omnem sollicitudinem vestram proicientes in eum, quoniam ipsi cura
est de vobis*[h]. Annon tibi videtur veluti his verbis dictum :
«Intendite illi, quia ipse intendit vobis?» Et observa
apostolum Petrum – eius enim verba sunt –, si non ipse

f. Cant. 2, 16   g. Cant. 2, 16
2.a. I Tim. 1, 5 ≠   b. Ps. 39, 2 ≠   c. cf. I Cor. 14, 33   d. II Tim. 2,
10 ≠   e. Sag. 4, 15 ≠   f. I Cor. 9, 9   g. Gen. 1, 26. 30 ≠
h. I Pierre 5, 7

1. Bernard se rend parfaitement compte que la relation intime entre
l'Époux et l'épouse pose un grand problème théologique. Il donne une

presque comme un dû l'attention de l'Époux, en disant :
«Mon bien-aimé à moi[f]»! Et non contente de cela, elle
en rajoute en se glorifiant encore de répondre à son
amour, de le traiter presque en égal et de lui rendre la
pareille. Elle continue en effet : «Et moi à lui[g].» Parole
audacieuse que : «Et moi à lui»! «Mon bien-aimé à moi»,
parole non moins audacieuse. Mais les prononcer toutes
deux ensemble, c'est le comble de l'audace[1].

2. Quelle est grande l'audace «d'un cœur pur, d'une
bonne conscience et d'une foi sans détours[a]»! «Il me
prête attention[b]», dit-elle. Ainsi cette immense majesté, à
qui incombe le gouvernement et la conduite de l'univers,
lui prête attention? Ainsi le soin des mondes cède la
place aux seules occupations, ou plutôt aux seuls loisirs,
de l'amour et du désir d'elle? Oui, c'est bien cela. Car
elle est l'Église des élus[c], dont l'Apôtre dit : «Tout en
faveur des élus[d].» Qui pourrait douter que «la grâce et
la miséricorde de Dieu sont pour ses saints et que son
regard se pose sur ses élus[e]»? Nous ne refusons pas la
providence aux autres créatures; mais l'épouse réclame
pour elle seule les soins de l'Époux. «Dieu prendrait-il
soin des bœufs[f]?» Sans aucun doute, nous pouvons en
dire autant des chevaux, des chameaux, des éléphants et
de «toutes les bêtes de la terre», ainsi que des «poissons
de la mer et des oiseaux du ciel[g]», en somme de toutes
les réalités terrestres, à la seule exception de ceux à qui
il est dit : «De toute votre inquiétude, déchargez-vous sur
lui, car lui-même prend soin de vous[h].» Ne te semble-
t-il pas que c'est comme si par ces paroles l'on disait :
«Prêtez-lui attention, parce que lui-même vous prête
attention?» Et remarque que l'apôtre Pierre – car ces
paroles sont de lui – observe lui aussi dans ses paroles

première réponse en accentuant le rôle de l'Église dans cette rencontre
humano-divine.

20 et verborum sponsae observaverit ordinem. Nempe non
ait : *Omnem sollicitudinem vestram proicientes in eum*, ut
sit ipsi cura de vobis, sed *quia ipsi cura est de vobis*[i],
aperte perinde monstrans, *Ecclesia sanctorum*[ii] non modo
quam dilecta, sed et quod prius dilecta fuerit[j].

3. Constat eam non tangi verbo, quod de bobus dixit
Apostolus[a]; nam *curam illius habet*[b] qui *dilexit illam et
semetipsum dedit pro illa*[c]. Nonne haec est *ovis errans*[d],
cuius cura etiam supernorum curae gregum praelata est[e]?
5 Denique illis expositis, Pastor descendit ad istam, quaesivit
diligenter, inventam non reduxit, sed revexit; et nova cum
illa et de illa intulit caelis festa gaudiorum, populis
angelorum invitatis ad solemnitatem. Quid ergo? Propriis
humeris dignatus est eam[f], et *curam illius* non *habebit*[g]?
10 Ideo *non confunditur dicere*[h] : *Dominus sollicitus est mei*[i].
Nec se existimat errare, cum item dicit : *Dominus retribuet
pro me*[j], et si quid est aliud, quod curam Dei circa ipsam
significare videatur. Inde est quod *Dominum Sabaoth*
dilectum suum dicit, et eum, *qui cum tranquillitate iudicat
15 omnia*[k], sibi intendere gloriatur. Quidni glorietur? Audivit
illum dicentem sibi : *Numquid mater potest oblivisci, ut
non misereatur filio uteri sui? Et si illa oblita fuerit, ego
tamen non obliviscar tui*[l]. Denique *oculi Domini super*

i. I Pierre 5, 7 ≠   ii. Ps. 88, 6; 149, 1   j. cf. Éphés. 5, 28-29
3.a. cf. I Cor. 9, 9   b. Lc 10, 35 ≠   c. Éphés. 5, 25 ≠   d. I Pierre
2, 25 ≠   e. cf. Matth. 18, 12   f. cf. Lc 15, 5-7   g. Lc 10, 35 ≠
h. Hébr. 2, 11 ≠   i. Ps. 39, 18   j. Ps. 137, 8 ≠   k. Sag. 12, 18
(Patr.); I Cor. 2, 15   l. Is. 49, 15 ≠

1. * L'une des 6 citations et allusions à ce verset que contiennent les
SCt; 4 autres se trouvent dans les autres volumes des *SBO*. Ce verset est
souvent cité et commenté par Augustin et Grégoire le Grand, mais avec
Domine virtutum, qui ici du moins est caractéristique de *Vg*. Bernard
semble donc tenir ce texte VI d'un Père plus proche de lui. C'est pour
lui une notion importante, qui montre comment le Dieu juge tout-puissant
est aussi le Dieu de paix, de «sérénité», qui «rend toutes choses sereines»;
cf. *SCt* 23, 15 et 16; *SC* 431, p. 230, l. 1-3 et p. 234, l. 7.

le même ordre que l'épouse. Il ne dit pas : «De toute votre inquiétude, déchargez-vous sur lui, pour que lui-même prenne soin de vous», mais «parce que lui-même prend soin de vous[i]». Il montre clairement par là que «l'Église des saints[ii]» n'est pas seulement très aimée, mais aussi qu'elle a été aimée avant d'aimer elle-même[j].

3. Il est évident qu'elle n'est pas concernée par la parole de l'Apôtre sur les bœufs[a]. Car celui qui «l'a aimée et s'est livré lui-même pour elle[c]» «prend soin d'elle[b]». N'est-elle pas cette «brebis égarée[d]» dont il a pris plus de soin que des troupeaux célestes eux-mêmes[e]? Ayant abandonné ceux-ci, le Pasteur est descendu vers celle-là, il l'a cherchée avec empressement. Une fois la brebis retrouvée, il ne l'a pas simplement ramenée, il l'a rapportée sur ses épaules. Avec elle et pour elle, il a célébré dans les cieux de nouvelles réjouissances, avec les multitudes des anges invités à la fête. Eh quoi! Il a daigné la charger sur ses épaules[f], et «il ne prendra pas soin d'elle[g]»? Aussi «ne rougit-elle pas de dire[h]» : «Le Seigneur s'inquiète de moi[i].» Et elle ne croit pas se tromper en ajoutant : «Le Seigneur répondra pour moi[j]», et tant d'autres paroles qui marquent le soin que Dieu prend d'elle. C'est pourquoi elle appelle «le Seigneur des armées» son bien-aimé; elle affirme que celui qui «régit toutes choses avec sérénité[k1]» lui prête attention, et elle s'en glorifie. Pourquoi ne s'en glorifierait-elle pas? Elle l'a entendu lui dire : «Une mère peut-elle être si oublieuse qu'elle n'ait pas compassion du fils de ses entrailles? Même si elle l'oubliait, moi, je ne t'oublierai pas[12].» Bref,

---

2. * Bernard fait 5 citations (ou quasi-citations) de ce verset et 7 allusions, parfois très dérivées. Il n'emploie jamais *mulier,* mais *mater,* ou *pater,* ou *noster Iesus* (*5 OS* 11, *SBO* V, p. 369, l. 18) et il raccourcit toujours, omettant d'ordinaire *infantem suum ut misereatur.* (La 2e partie du verset n'est exprimée que 2 fois; elle est conforme à la *Vg.*)

iustos[m]. Et quid sponsa, nisi congregatio iustorum? Quid
20 ipsa, nisi *generatio quaerentium Dominum, quaerentium
faciem* Sponsi[n]? Non enim ille intendit huic, et non ista
illi. Propterea utrumque ponit dicens : «Ille *mihi et ego
illi*[o]». Ille mihi, *quia benignus et misericors est*[p]; ego illi,
quia non sum ingrata. Ille mihi gratiam ex gratia; ego
25 illi *gratiam pro gratia*[q]; ille meae liberationi, ego illius
honori; ille saluti meae, ego illius voluntati; ille mihi, et
non alteri, quoniam *una sum columba eius*[r]; ego illi, et
non alteri : *nec* enim *audio vocem alienorum*[s], nec enim
acquiesco dicentibus mihi : *Ecce hic est Christus, aut ecce
30 illic* est[t]. Hoc Ecclesia.

II. Quomodo de statu et consummatione Ecclesiae finis omnium pendet.

4. Quid singulus quisque nostrum? Putamusne in nobis
quempiam esse, cui aptari queat quod dicitur? Quid dixi :
in nobis? Ego autem, et de quovis intra Ecclesiam
constituto si quis hoc quaerat, non omnino reprehen-
5 dendum censuerim. Nec enim una unius ratio est atque
multorum. Denique non propter animam unam, sed
propter multas in unam Ecclesiam colligendas, in unicam
adstringendas sponsam, Deus tam multa et fecit et
pertulit[a], cum *operatus est salutem in medio terrae*[b].
199 10 Carissima illa est una uni, non adhaerens alteri sponso[c],
non cedens alteri sponsae. Quid ista non audeat apud
tam ambitiosum amatorem? Quid non ab illo speret, qui

---

m. Ps. 33, 16   n. Ps. 23, 6 ≠   o. Cant. 2, 16   p. Joël 2, 13
q. Jn 1, 16   r. Cant. 6, 8 ≠   s. Jn 10, 5. 8 ≠   t. Mc 13, 21 ≠;
Matth. 24, 23 ≠
4.a. cf. Jn 11, 51-53   b. Ps. 73, 12 ≠   c. cf. Éphés. 5, 31-32

«les yeux du Seigneur se posent sur les justes[m]». Et qu'est-ce que l'épouse, sinon l'assemblée des justes? Qu'est-elle, sinon «la race de ceux qui cherchent le Seigneur, qui cherchent la face» de l'Époux[n]? Car on ne saurait penser qu'il lui prête attention sans qu'elle en fasse autant. C'est pourquoi elle affirme l'un et l'autre, en disant : «Lui à moi, et moi à lui[o].» Lui à moi, «parce qu'il est bienveillant et miséricordieux[p]»; moi à lui, parce que je ne suis pas ingrate. Lui me donne grâce sur grâce; moi, je lui rends «grâces de sa grâce[q]». Lui me libère, moi je l'honore. Lui me sauve, moi je fais sa volonté. Lui à moi, et non à une autre, parce que «je suis sa colombe, son unique[r]»; moi à lui, et non à un autre, car «je n'écoute pas la voix des étrangers[s]», et je ne fais pas confiance à ceux qui me disent : «Le Christ est ici, ou le Christ est là[t].» Voilà ce que dit l'Église.

II. La fin de toutes choses dépend de l'état et de l'achèvement de l'Église.

4. Que dira chacun de nous en particulier? A notre avis, y a-t-il parmi nous quelqu'un à qui l'on puisse appliquer ces paroles? Que dis-je, parmi nous? Pour ma part, j'ose penser que l'on peut poser cette question, sans encourir aucun blâme, à propos de n'importe quel fidèle dans l'Église. Car le rapport n'est pas le même selon qu'il s'agit d'un seul ou d'une multitude. Ce n'est pas pour une seule âme, mais pour en rassembler un grand nombre dans une seule Église et pour les réunir dans l'unique épouse, que Dieu a fait et enduré tant de choses[a] lorsqu'«il a accompli le salut au milieu de la terre[b]». Cette unique épouse est très chère à l'unique Époux, parce qu'elle ne s'attache pas à un autre Époux[c] et ne cède pas sa place à une autre épouse. Que ne se permettrait-elle pas auprès d'un amant si empressé? Que ne

se quaesivit e caelo, vocavit a finibus terrae? Nec modo
quaesivit, sed acquisivit. Adde et de modo *acquisitionis*
15 *in sanguine*[d] acquisitoris. Alias vero propterea, ut assolet,
magis praesumit, quoniam prospiciens in futurum, non
ignorat quia *Dominus* se *opus habet*[e]. Quaeris ad quid?
*Ad videndum in bonitate electorum suorum, ad laetandum
in laetitia gentis suae*, ut *laudetur cum hereditate sua*[f].
20 Nec parum hoc opus existimes : nullum, dico tibi,
remanebit opus perfectum, si hoc nutarit. Nonne de statu
et consummatione Ecclesiae finis omnium pendet? Tolle
hanc, et frustra inferior ista *creatura revelationem filiorum
exspectat*[g]. Tolle hanc, et neque Patriarchae, neque
25 Prophetae aliqui consummabuntur, cum Paulus afferat
Deum ita *providisse pro nobis, ne sine nobis consumma-
rentur*[h]. Tolle hanc, et ipsa sanctorum angelorum pro
imperfectione sui numeri gloria claudicabit, nec Dei civitas
de sui integritate gaudebit.

5. Unde ergo implebitur propositum Dei[a] et mysterium
voluntatis eius[b], *magnum*que illud *pietatis sacramentum*[c]?
Unde postremo dabit mihi *infantes et lactentes*, quorum
ex ore laudem suam perficiat[d] Deus? Caelum non habet
5 infantes, habet Ecclesia, quibus et dicit : *Lac vobis potum
dedi, non escam*[e]. Et hi ad laudem quasi complendam a
Propheta invitantur dicente : *Laudate, pueri, Dominum*[f].
Tu putas Deum nostrum totam habiturum suae gloriae
laudem, donec veniant qui *in conspectu angelorum
10 psallant sibi*[g] : *Laetati sumus pro diebus quibus nos*

d. Act. 20, 28 ≠   e. Matth. 21, 3 ≠   f. Ps. 105, 5 ≠   g. Rom. 8,
19 ≠   h. Hébr. 11, 40 ≠

5.a. cf. Éphés. 1, 5; cf. Éphés. 3, 19; cf. Rom. 9, 11   b. cf. Éphés. 1, 9
c. I Tim. 3, 16 ≠   d. Ps. 8, 3 ≠   e. I Cor. 3, 2   f. Ps. 112, 1
g. Ps. 137, 1 ≠

1. * Ici et en 8 autres lieux, Bernard écrit *illud (sacramentum)* alors
qu'aucun manuscrit biblique n'a cet *illud;* on le trouve plusieurs fois
chez Fulgence de Ruspe.

doit-elle pas espérer de celui qui est descendu du ciel pour la chercher et l'a appelée des confins de la terre? Non seulement il l'a cherchée, mais il l'a rachetée. De plus, le moyen «du rachat fut le sang[d]» du rédempteur. D'autre part, si à son habitude elle présume encore davantage, c'est qu'en considérant l'avenir elle n'ignore pas que «le Seigneur a besoin[e]» d'elle. Tu demandes pourquoi? «Pour voir le bonheur de ses élus, pour se réjouir de la joie de son peuple, pour se glorifier avec son héritage[f]». N'estime pas médiocre cette œuvre : aucune œuvre ne serait parfaite, je t'en assure, si celle-là venait à manquer. N'est-ce pas de l'état et de l'achèvement de l'Église que dépend la fin de toutes choses? Ôte l'Église, et c'est en vain que cette «création d'ici-bas attend la révélation des enfants[g]» de Dieu. Ôte l'Église, et ni les Patriarches ni les Prophètes ne parviendront à la perfection, puisque Paul affirme que «Dieu, dans sa providence pour nous, a prévu qu'ils ne parviendraient pas sans nous à la perfection[h]». Ôte l'Église, et la gloire même des saints anges sera boiteuse à cause de leur nombre incomplet; la cité de Dieu ne pourra pas se réjouir de sa plénitude.

5. Comment s'accomplira donc le dessein de Dieu[a] et le mystère de sa volonté[b], «le grand mystère de la piété[c][1]»? Enfin, comment me donnera-t-il «les nouveau-nés et les nourrissons», dont «la bouche doit parachever la louange[d]» de Dieu? Le ciel n'a pas d'enfants, mais l'Église en a, et elle leur dit : «Je vous ai donné du lait à boire, non du solide[e].» Et c'est eux que le Prophète invite en quelque sorte à compléter la louange, lorsqu'il dit : «Enfants, louez le Seigneur[f].» Penses-tu que notre Dieu aura toute la louange due à sa gloire, tant que ne sont pas venus ceux qui «lui chanteront en présence des anges[g]» : «Nous nous sommes réjouis pour les jours où tu nous as humiliés, pour les années où nous avons vu

humiliasti, annis quibus vidimus mala[h]? Hoc genus
laetitiae caeli nescierunt, nisi per[i] Ecclesiae filios; hoc
nemo umquam laetatur, qui numquam non laetatur.
Opportune post tristitiam gaudium[j] subit, post laborem
15 quies, post naufragium portus. Placet cunctis securitas,
sed ei magis qui timuit. Iucunda omnibus lux, sed evadenti
de potestate tenebrarum[k] iucundior. *Transisse de morte ad
vitam*[l], vitae gratiam duplicat. Pars mea haec in caelesti
convivio, et seorsum ab ipsis beatis spiritibus. Audeo
20 dicere expertem meae beatitudinis ipsam beatam vitam,
nisi si dignetur fateri quod per caritatem ea in me fruitur,
et per me. Aliquid sane videtur etiam perfectioni illi acces-
sisse ex me, neque hoc parum. Denique *gaudent angeli
ad paenitentiam peccatoris*[m]. Quod si deliciae angelorum
25 lacrimae meae, quid deliciae? Omne opus ipsorum laudare
Deum; sed deest laudi, si desunt qui dicant: *Transivimus
per ignem et aquam, et eduxisti nos in refrigerium*[n].

III. De meritis vel praesumptione Ecclesiae, et unde merita.

6. Felix proinde in sua universitate Ecclesia, cuius omnis
gloriatio impar est causae, non pro his tantum quae illi
iam facta sunt, sed pro his quoque *quae* de illa adhuc
oportet fieri[a]. Nam de meritis quid sollicita sit, cui de
5 *proposito Dei*[b] firmior suppetit securiorque gloriandi ratio?
Non potest seipsum negare Deus, neque non facere quae
iam fecit, ut scriptum est, qui fecit *quae futura sunt*[c].

---

h. Ps. 89, 15   i. cf. Matth. 17, 20   j. cf. Jn 16, 21   k. Col. 1,
13   l. I Jn 3, 14 ≠; Jn. 5, 24   m. Lc 15, 10 ≠   n. Ps. 65, 12
6.a. Apoc. 1, 1 ≠   b. Rom. 9, 11 ≠   c. Eccl. 3, 15

le malheur[h]»? Les cieux n'ont connu cette sorte de joie que par[i] les enfants de l'Église. Celui qui n'est jamais privé de joie ne saurait pas se réjouir de cette façon. La joie vient à point après la tristesse[j], le repos après la peine, le port après le naufrage. La sécurité est agréable à tous, mais plus encore à celui qui a eu peur. La lumière est source de joie pour tous, mais surtout pour celui qui échappe «au pouvoir des ténèbres[k]». «Être passé de la mort à la vie[l]» double l'attrait de la vie. Voilà ma part dans le festin céleste, et les esprits bienheureux eux-mêmes ne la goûteront pas. J'ose dire que la vie bien-heureuse elle-même n'a pas de part à ma béatitude, sauf si elle consent à reconnaître qu'elle en jouit par la charité, grâce à moi et en moi. Oui, grâce à moi quelque chose semble s'être ajouté à cette perfection même, et quelque chose de non négligeable. Car «les anges prennent plaisir au repentir du pécheur[m]». Si mes larmes font la joie des anges, que ne leur fera ma joie? Toute leur occupation est de louer Dieu; mais il manque quelque chose à leur louange, si manquent ceux qui peuvent dire : «Nous avons passé par le feu et par l'eau, et tu nous en as fait sortir vers un lieu de rafraîchissement[n].»

III. Les mérites et la présomption de l'Église. D'où lui viennent ces mérites.

6. Heureuse l'Église dans son universalité : toute sa fierté demeure en dessous de ce qui la cause, non seu-lement pour les bienfaits qui lui ont déjà été accordés, mais aussi pour ceux «dont elle doit encore faire l'objet[a]». Pourquoi devrait-elle se soucier de ses mérites, puisque «le dessein de Dieu[b]» lui fournit des raisons plus solides et plus sûres de se glorifier? Dieu ne peut pas se renier lui-même, ni ne pas faire ce qu'il a déjà fait; comme il est écrit, il a fait «ce qui doit advenir[c]». Il le fera, il le

Faciet, faciet, nec deerit suo proposito Deus. Sic non est
quod iam quaeras, quibus meritis speremus bona, prae-
10 sertim cum audias apud Prophetam : *Non propter vos, sed
propter me ego faciam, dicit Dominus*[d]. Sufficit ad meritum
scire quod non sufficiant merita. Sed ut ad meritum satis
est de meritis non praesumere, sic carere meritis, satis
ad iudicium est; porro infantium renatorum neminem
15 carere meritis, sed Christi habere merita. Quibus se tamen
indignos reddunt, si sua iungere non nequiverint, sed
neglexerint : quod quidem periculum iam adultae aetatis
est. Merita proinde habere cures; habita, data noveris;
fructum speraveris, Dei misericordiam : et omne periculum
20 evasisti paupertatis, ingratitudinis, praesumptionis. Perni-
ciosa paupertas, penuria meritorum; *praesumptio* autem
spiritus[e], fallaces divitiae. Et ideo : *Divitias et paupertates
ne dederis mihi, Domine*[f], ait Sapiens. Felix Ecclesia, cui
nec merita sine praesumptione, nec praesumptio absque
25 meritis deest. Habet unde praesumat, sed non merita;
habet merita, sed ad promerendum, non praesumendum.
Ipsum non praesumere, nonne promereri est? Ergo eo
praesumit securius, quo non praesumit, et non est quod
confundatur *in verbo gloriae*[g], cui multa materies gloriandi.
30 *Misericordiae Domini multae*[h], *et veritas eius manens in
aeternum*[i].

7. Quidni glorietur secura, in cuius testimonium gloriae
misericordia et veritas obviaverunt sibi[a]? Sive igitur dicat :

201

---

d. Éz. 36, 22 ≠   e. Eccl. 6, 9 ≠   f. Prov. 30, 8 (Lit.)   g. Sir. 47, 9
h. Ps. 118, 156 ≠   i. Ps. 116, 2 ≠
7.a. Ps. 84, 11

---

1. * Bernard cite 3 fois cette partie de verset, qu'il attribue chaque
fois au «Sage». Il suit, avec de petites variantes, le répons *Verbum
iniquum* du 3e dimanche d'août.

le fera; Dieu ne manquera pas d'accomplir son dessein. Ainsi, il n'y a pas lieu de te demander sur quels mérites nous fondons l'espérance de ces biens, surtout lorsque tu entends les paroles du Prophète : « Ce n'est pas à cause de vous, mais à cause de moi que je le ferai, dit le Seigneur[d]. » Pour mériter, il suffit de savoir que les mérites ne suffisent pas. Mais comme c'est assez pour mériter de ne pas présumer de ses mérites, c'est assez pour être condamné d'être dépourvu de mérites. Or, aucun des enfants renés par le baptême n'est dépourvu de mérites : il a les mérites du Christ. Mais ils s'en rendent indignes, non pas s'ils n'ont pu y ajouter les leurs, mais s'ils ont négligé de le faire. Ce danger, à vrai dire, est celui de l'âge déjà adulte. Aie donc soin d'avoir des mérites; ceux que tu as, sache qu'ils t'ont été donnés; espères-en le fruit : la miséricorde de Dieu. Ainsi, tu échapperas à tout danger de pauvreté, d'ingratitude, de présomption. C'est une pernicieuse pauvreté que la pénurie de mérites; mais « la présomption de l'esprit[e] » est une richesse illusoire. C'est pourquoi : « Ne me donne, Seigneur, ni richesse ni pauvreté[f1] », dit le Sage. Heureuse l'Église, qui n'est pas dépourvue de mérites, mais sans présomption; qui n'est pas dépourvue de présomption, mais sans s'appuyer sur les mérites. Elle a de quoi présumer son salut, mais ce ne sont pas ses mérites; elle a des mérites, mais pour mériter, non pour présumer d'elle–même. N'est-ce pas mériter que de ne pas présumer de soi? Elle présume son salut avec d'autant plus d'assurance qu'elle ne présume pas d'elle-même. Ses « paroles de gloire[g] » ne tournent pas à sa confusion, car elle a de nombreux sujets de se glorifier. « Les miséricordes du Seigneur sont nombreuses[h], et sa vérité demeure éternellement[i]. »

7. Comment ne se glorifierait-elle pas avec assurance, puisque « la miséricorde et la vérité se sont rencontrées[a] »

Dilectus meus mihi[b], sive dicat : *Exspectavi Dominum et intendit mihi*[c], sive etiam : *Dominus sollicitus est mei*[d], vel si quae sunt huiusmodi voces aliae atque aliae, quae divinum quemdam affectum ac singularem favorem erga aliquid similiter exprimere videantur, nihil horum a se alienum putabit, cui ratio praesumendi Domini constitutio est, praesertim cum non alteram videat sponsam, alteramve Ecclesiam, cui possint fieri quae non possunt non fieri. Ergo de Ecclesia patet quod in nullo illa omnia sibi aptare verebitur. De una anima quaeritur etiam si sit spiritualis et sancta, liceatne illi ullo modo audere in talibus. Neque enim praerogativas omnes unius illius catholicae multitudinis, ob quam omnia fiunt, una de multitudine arrogabit sibi, quantalibet emineat sanctitate. Et ideo difficilius, ut sentio ego, invenietur – si tamen invenietur – quo modo possit licere. Unde necessarium reor alio istud sermone tentari, nec modo ingredi vias scrupulosae disputationis, quarum adhuc exitum ignoramus, nisi prius super *verbo abscondito*[e] oratum fuerit ad eum *qui aperit, et nemo claudit*[f], sponsum Ecclesiae, Iesum Christum Dominum nostrum, *qui est super omnia Deus benedictus in saecula. Amen*[g].

---

b. Cant. 2, 16   c. Ps. 39, 2   d. Ps. 39, 18   e. Job 4, 12 ≠
f. Apoc. 3, 7   g. Rom. 9, 5

pour rendre témoignage de sa gloire? Soit qu'elle dise :
«Mon bien-aimé à moi[b]», ou «J'ai attendu le Seigneur
et il m'a prêté attention[c]», ou encore : «Le Seigneur s'inquiète de moi[d]», ou plusieurs autres paroles de ce genre
qui semblent exprimer pareillement l'amour et la faveur
particulière de Dieu envers quelqu'un, l'Église ne consi-
dérera aucune de ces paroles comme lui étant étrangère.
La raison de sa présomption c'est le décret de Dieu,
d'autant plus qu'elle ne voit pas d'autre épouse ni d'autre
Église à qui puisse arriver ce qui doit nécessairement
arriver. Il est donc clair que l'Église ne craindra nullement
de s'appliquer toutes ces paroles. Nous nous demandons
aussi s'il est permis à une âme particulière de se les
attribuer en quelque façon, pourvu qu'elle soit spirituelle
et sainte. Car une seule âme, si haute que soit sa sainteté,
n'ira pas s'arroger tous les privilèges de cette unique
foule catholique, pour laquelle tout se fait. Aussi, à mon
sens, il sera bien difficile de trouver – si tant est qu'on
le puisse – comment cela peut être permis. C'est pourquoi
j'estime nécessaire d'examiner ce point dans un autre
sermon, et de ne pas nous engager maintenant dans une
discussion laborieuse, dont nous ignorons encore l'issue.
Pour comprendre cette «parole mystérieuse[e]», il faut
d'abord prier celui «qui ouvre, et personne ne ferme[f]» :
l'Époux de l'Église, Jésus-Christ notre Seigneur, «qui est
au-dessus de tout, Dieu béni dans les siècles. Amen[g]».

APPENDICE :

LETTRE D'ÉVERVIN DE STEINFELD
À SAINT BERNARD

Cette lettre, absente des éditions anciennes des *Opera S. Bernardi*, se trouve dans l'édition de Milan, J. Gnochi, 1850, t. II, 1131-1135 avant le Sermon 65 sur le Cantique, et figure aussi, notamment, dans l'édition des frères Périsse, *Sancti Bernardi, Abbatis primi Claraevallensis, opera genuina, iuxta editionem monachorum Sancti Benedicti, Tomus tertius*, Lyon, Paris, 1854. Migne l'a placée dans l'Appendice aux *Epistolae, PL* 182, 676-680 *(ex tomo IV operum, antea...).* Personne, pas même dom Leclercq, ne nous dit de quels manuscrits elle a été tirée.

La traduction donnée ici est celle de A. Ravelet, S. BERNARD, *Œuvres...*, t. II, Paris, Palmé, 1867, p. 93-96.

EPISTOLA EVERVINI STEINFELDENSIS PRAEPOSITI AD S. BERNARDUM

DE HAERETICIS SUI TEMPORIS

Reverendo domino suo et patri Bernardo Clarae-Vallensium abbati, Evervinus Steinfeldensis minister humilis, in Domino confortari[a], et confortare Ecclesiam Christi.

1. *Laetabor ego super eloquia tua, sicut qui invenit spolia multa*[b], qui nobis *memoriam abundantis suavitatis Dei eructare*[c] in omnibus dictis et scriptis vestris soletis, maxime in Cantico amoris Sponsi et sponsae, hoc est Christi et Ecclesiae, ita ut eidem Sponso dicere veraciter possimus : *Servasti bonum vinum usque adhuc*[d]. Huius vini tam pretiosi pincernam te nobis ipse constituit : non cesses propinare : non haesites, hydrias non poteris evacuare. Nec te excuset, pater sancte, debilitas tua : cum plus operetur pietas in officio, quam corporalis aedificationis exercitatio. Nec dicas te occupatum : nescimus aliquid huic tam necessario operi communi praeponendum. De hydria quantum, sanctissime pater, habes nobis modo propinare! De prima propinatum est satis, et reddidit eos sapientes et fortes contra doctrinam et impetum Scribarum et Pharisaeorum : secunda, contra

---

a. *In Domino confortari*, cf. Ep 6, 10   b. Ps 118, 162   c. Ps 144, 7
d. Jn 2, 10

LETTRE D'ÉVERVIN,
PRÉVÔT DE STEINFELD,
À BERNARD DE CLAIRVAUX

Sur les hérétiques de son temps

A son révérend seigneur et père, à Bernard, abbé de Clairvaux, Évervin, humble ministre de Steinfeld : qu'il soit réconforté dans le Seigneur[a] et qu'il réconforte l'Église de Dieu.

1. *Je me réjouirai à la lecture de vos discours, comme quelqu'un qui a trouvé de grandes richesses*[b], ô vous qui nous *apportez* toujours *le parfum de la suavité infinie de Dieu*[c], dans toutes vos paroles, dans tous vos écrits, mais surtout dans le Cantique d'amour de l'Époux et de l'épouse, c'est-à-dire du Christ et de l'Église, en sorte que nous pouvons dire avec vérité à ce même Époux : *Vous avez réservé le bon vin jusqu'à cette heure*[d]. Il vous a constitué pour nous l'échanson de ce vin si précieux : ne cessez pas de nous le verser ; n'hésitez pas, vous n'épuiserez pas les urnes. Que votre faiblesse, père saint, ne vous serve pas d'excuse : car les œuvres de la piété sont préférables aux exercices de mortification corporelle. N'alléguez pas vos occupations : nous ne connaissons rien qui doive passer avant une œuvre si nécessaire à tous. Combien, très saint père, avez-vous à nous verser maintenant de ce vin ? De la première urne, nous en avons assez reçu ; elle nous a rendus sages et forts contre les doctrines et les attaques des scribes, des pharisiens ; la seconde, contre les arguments et les persécutions des

argumenta et tormenta Gentilium : tertia, contra subtiles
deceptiones haereticorum : quarta, contra falsos Christia-
nos : quinta, contra haereticos circa finem saeculi ven-
turos, de quibus per Apostolum manifeste Spiritus dicit :
*In novissimis temporibus discedent quidam a fide, inten-
dentes spiritibus erroris et doctrinis daemoniorum, in hypocrisi loquentium mendacium, prohibentium nubere, abstinere a cibis, quos Deus creavit ad percipiendum cum
gratiarum actione* [e]. De sexta inebriabuntur, fideles confor-
tando contra illum qui in hac nimirum discessione a fide
revelabitur, scilicet ille *peccati filius, homo perditionis, qui
adversatur et extollitur super omne quod dicitur aut quod
colitur Deus* [f]; *cuius est adventus secundum operationem
Satanae in omni virtute, et signis, et prodigiis mendacibus,
et in omni seductione iniquitatis* [g]. Post hanc septima non
erit necessaria, quando *filii hominum inebriabuntur ab
ubertate domus Dei et torrente voluptatis eius* [h]. O bone
pater, satis interim propinasti de quarta hydria omnibus
nobis ad correctionem, ad aedificationem, ad consummationem, incipientibus, proficientibus atque perfectis;
usque in finem saeculi profuturus contra teporem ac pra-
vitatem, quae est in falsis fratribus. Iam tempus est ut de
quinta haurias, et in medium proferas contra novos haereticos, qui circumquaque iam fere per omnes Ecclesias
ebulliunt de puteo abyssi [i], *quasi* iam princeps illorum
incipiat dissolvi, et *instet dies Domini* [j]. Et in epithalamio
amoris Christi et Ecclesiae locus, qui a te, pater, sicut tu
ipse mihi retulisti, iam est tractandus, videlicet : *Capite
nobis vulpes parvulas, quae demoliuntur vineas* [k], huic

---

e. 1 Tm 4, 1-3   f. 2 Th 2, 3-4   g. 2 Th 2, 9-10   h. Ps 35, 8-9
i. *puteo abyssi :* cf. Ap 9, 1   j. 2 Th 2, 2   k. Ct 2, 15

gentils; la troisième, contre les subtiles erreurs des hérétiques; la quatrième, contre les faux chrétiens; la cinquième, contre les hérétiques qui viendront à la fin des
siècles, et dont l'Esprit dit expressément, par la bouche
de son Apôtre, que, *dans les derniers temps quelques-uns
abandonneront la foi, en suivant des esprits d'erreur et
des doctrines diaboliques enseignées par des imposteurs
pleins d'hypocrisie, dont la conscience est noircie de crimes,
qui interdiront le mariage, et défendront les viandes que
Dieu a créées pour être reçues avec actions de grâces*[e]. Le
vin de la sixième urne enivrera les fidèles et les forti-
fiera contre celui qui apparaîtra dans ce déchirement de
la foi, contre ce *fils de péché, cet homme destiné à périr,
qui, s'opposant à Dieu, s'élève au-dessus de tout ce qui est
appelé Dieu ou adoré comme tel*[f], contre cet impie qui
doit venir accompagné de *la puissance de Satan, avec
toutes sortes de miracles, de signes et de prodiges trompeurs*[g]. Après celle-là, une septième urne ne sera pas
nécessaire, car *les enfants des hommes seront enivrés de
la beauté de la maison de Dieu, et du torrent de ses
voluptés*[h]. O bon père! en attendant, vous nous avez
assez versé à tous de la quatrième urne, aux commen-
çants pour les corriger, à ceux qui s'élevaient déjà pour
les édifier, aux parfaits pour les achever; et jusqu'à la
fin des siècles vous nous défendrez contre la tiédeur et
la méchanceté qui se trouvent dans les faux frères. Il est
temps maintenant que vous puisiez à la cinquième urne
et que vous la fassiez servir contre les nouveaux hérétiques qui sortent en bouillonnant du puits de l'abîme[i],
pour se répandre presque dans toutes les Églises, *comme
si* déjà leur prince commençait à être délié et que *le jour
du Seigneur fût proche*[j]. Dans le chant d'amour du Christ
et de l'Église, le passage que vous avez aujourd'hui à
traiter, comme vous me l'avez dit vous-même, mon père :
Prenez-nous ces petits renards qui ravagent les vignes[k],

mysterio congruit, et te ad quintam hydriam perduxit. Rogamus igitur, pater, ut omnes partes haeresis illorum, quae ad tuam notitiam pervenerunt, distinguas, et contra positis rationibus et auctoritatibus nostrae fidei, illas destruas.

2. Nuper apud nos iuxta Coloniam quidam haeretici detecti sunt, quorum quidam cum satisfactione ad Ecclesiam redierunt. Duo ex eis, scilicet qui dicebatur episcopus eorum cum socio suo, nobis restiterunt in conventu clericorum et laicorum, praesente ipso domino archiepiscopo cum magnis viris nobilibus, haeresim suam defendentes ex verbis Christi et Apostoli. Sed, cum vidissent se non posse procedere, petierunt ut eis statueretur dies, in quo adducerent de suis viros fidei suae peritos; promittentes se velle Ecclesiae sociari, si magistros suos viderent in responsione deficere : alioquin se velle potius mori, quam ab hac sententia deflecti. Quo audito, cum per triduum essent admoniti, et resipiscere noluissent, rapti sunt a populis nimio zelo permotis, nobis tamen invitis, et in ignem positi, atque cremati; et, quod magis mirabile est, ipsi tormentum ignis non solum cum patientia, sed et cum laetitia introierunt et sustinuerunt. Hic, sancte pater, vellem, si praesens essem, habere responsionem tuam, unde istis diaboli membris tanta fortitudo in sua haeresi, quanta vix etiam invenitur in valde religiosis in fide Christi.

3. Haec est haeresis illorum. Dicunt apud se tantum Ecclesiam esse, eo quod ipsi soli vestigiis Christi inhaereant; et apostolicae vitae veri sectatores permaneant, ea quae mundi sunt non quaerentes, non domum, nec agros, nec aliquid peculium possidentes : sicut Christus non pos-

se rapporte à ce mystère et vous conduit à la cinquième
urne. Nous vous prions donc, père, de distinguer tous
les points de leur hérésie qui sont venus à votre connaissance, et de les détruire par les arguments et les autorités de votre foi.

2. On a trouvé dernièrement chez nous, près de
Cologne, des hérétiques dont quelques-uns sont revenus
à l'Eglise après satisfaction. Deux d'entre eux, celui qu'on
appelait leur évêque et son compagnon, nous ont résisté
dans l'assemblée des clercs et des laïques, et en présence même du seigneur archevêque et de hauts et nobles
personnages, ils ont défendu leur hérésie avec les paroles
du Christ et de l'Apôtre. Mais lorsqu'ils se sont aperçus
qu'ils ne pouvaient pas l'emporter, ils ont demandé qu'on
leur fixât un jour pour qu'ils amenassent quelques-uns
des leurs, doctes en leurs croyances. Ils ont promis qu'ils
se réuniraient à l'Église, si leurs maîtres succombaient
dans leur défense ; sinon, qu'ils aimeraient mieux mourir
que d'abandonner leur avis. A ces mots, comme ils avaient
été avertis pendant trois jours et qu'ils n'avaient pas voulu
se convertir, ils ont été saisis par la foule qu'animait un
zèle excessif, et, malgré nous, ils ont été jetés dans un
bûcher et brûlés. Mais, ce qui est plus étonnant, c'est
qu'ils ont accepté et supporté le supplice du feu, non
seulement avec patience, mais même avec joie. Si j'étais
auprès de vous, saint père, je voudrais avoir votre avis
et savoir pourquoi il y a dans ces membres du diable
une telle fermeté dans leur hérésie, qu'à peine les hommes
les plus religieux en ont-ils autant dans la foi du Christ.

3. Voici leur hérésie. Ils disent que l'Église ne se trouve
que chez eux, parce qu'eux seuls s'attachent à suivre les
traces du Christ ; et qu'ils sont les vrais imitateurs de la
vie des apôtres, ne cherchant pas ce qui est du monde,
ne possédant ni maison, ni terres, ni argent, comme le
Christ qui n'a rien possédé et n'a permis aucune pos-

sedit, nec discipulis suis possidenda concessit. Vos autem, dicunt nobis, domum domui, et agrum agro copulatis, et quae mundi sunt huius quaeritis : ita etiam ut qui in vobis perfectissimi habentur, sicut monachi vel regulares canonici, quamvis haec non ut propria, sed possident ut communia, possident tamen haec omnia. De se dicunt : Nos pauperes Christi, instabiles, de civitate in civitatem fugientes, sicut oves in medio luporum l, cum apostolis et martyribus persecutionem patimur : cum tamen sanctam et artissimam vitam ducamus in ieiunio et abstinentiis, in orationibus et laboribus die ac nocte persistentes, et tantum necessaria ex eis vitae quaerentes. Nos hoc sustinemus, quia de mundo non sumus : vos autem mundi amatores, cum mundo pacem habetis, quia de mundo estis m. Pseudoapostoli adulterantes verbum Christi n, quae sua sunt quaesierunt o, vos et patres vestros exorbitare fecerunt, nos et patres nostri generati apostoli, in gratia Christi permansimus, et in finem saeculi permanebimus. Ad distinguendum nos et vos, Christus dixit : A fructibus eorum cognoscetis eos p. Fructus nostri sunt vestigia Christi. In cibis suis vetant omne genus lactis, et quod inde conficitur, et quidquid ex coitu procreatur. Hoc de conversatione sua nobis opponunt. In sacramentis suis velo se tegunt : tamen nobis aperte confessi sunt, quod in mensa sua quotidie cum manducant, ad formam Christi et apostolorum, cibum suum et potum in corpus Christi et sanguinem per Dominicam orationem consecrant, ut inde se membra et corpus Christi nutriant. Nos vero dicunt in

---

l. Mt 10, 16   m. *de mundo non sumus, de mundo estis :* cf. Jn 8, 23 n. *adulterantes verbum Christi :* cf. 2 Co 4, 2   o. *quae sua sunt quaesierunt :* cf. Ph 2, 21   p. Mt 7, 16

session à ses disciples. Pour vous, nous disent-ils, vous ajoutez les maisons aux maisons, les terres aux terres, et vous cherchez les choses de ce monde, au point que ceux mêmes qui parmi vous passent pour les plus parfaits, comme les moines ou les chanoines réguliers, bien qu'ils ne possèdent pas ces choses en propre, les possèdent en commun.

Ils disent d'eux-mêmes : « Nous sommes les pauvres du Christ, sans demeure, fuyant de ville en ville, *comme les brebis au milieu des loups*[1], et nous endurons la persécution avec les apôtres et les martyrs ; quoique, cependant, nous menions une vie sainte et très austère, dans le jeûne et l'abstinence, passant les jours et les nuits en prière, en travail, ne demandant au travail que le nécessaire de la vie. Nous supportons cela, parce que nous ne sommes pas du monde ; mais vous, courtisans du monde, vous vivez en paix avec lui, parce que vous en êtes[m]. De faux apôtres, altérant la parole du Christ[n], ont recherché leurs propres intérêts[o], vous ont fait dévier, vous et vos pères ; nous et nos pères, engendrés des apôtres, nous sommes demeurés dans la grâce du Christ et nous y demeurerons jusqu'à la fin des siècles. Pour nous distinguer, vous et nous, le Christ a dit : *Vous les reconnaîtrez à leurs fruits*[p]. Nos fruits sont les exemples du Christ. »

Dans leur nourriture ils s'interdisent toute espèce de laitage, tout ce qu'on fait avec le lait, tout ce qui a été procréé par génération. Ils nous opposent cette façon de vivre. En ce qui concerne leurs sacrements, ils se renferment dans le mystère ; cependant ils nous ont avoué ouvertement que chaque jour, lorsqu'ils se mettent à table pour manger, à l'exemple du Christ et des apôtres, ils consacrent par la prière du Seigneur leur nourriture et leur boisson au corps et au sang du Christ, afin de se nourrir ainsi de son corps et de ses membres. Ils prétendent que

sacramentis non tenere veritatem, sed quamdam umbram et hominum traditionem. Confessi sunt etiam manifeste se praeter aquam, in ignem et spiritum baptizare, et baptizatos esse : adducentes illud testimonium Ioannis Baptistae baptizantis in aqua, et dicentis de Christo : Ille vos baptizabit in Spiritu sancto et igne q; et in alio loco : Ego baptizo in aqua, maior autem vestrum stetit, quem vos nescitis r, quasi alio baptismo praeter aquam vos baptizaturus. Et talem baptismum per impositionem manuum debere fieri conati sunt ostendere testimonio Lucae, qui in Actibus Apostolorums describens baptismum Pauli, quem ab Anania suscepit ad praeceptum Christi, nullam mentionem fecit de aqua, sed tantum de manus impositione : et quidquid invenitur, tam in Actibus Apostolorum, quam in Epistolis Pauli, de manus impositione, ad hunc baptismum volunt pertinere. Et quemlibet sic inter eos baptizatum dicunt electum, et habere potestatem alios qui digni fuerint baptizandi, et in mensa sua corpus Christi et sanguinem consecrandi. Prius enim per manus impositionem de numero eorum, quos auditores vocant, recipiunt eum inter credentes : et sic licebit eum interesse orationibus eorum, usquedum satis probatum eum faciant electum. De baptismo nostro non curant. Nuptias damnant, sed causam ab eis investigare non potui; vel quia eam fateri non audebant, vel potius quia eam ignorabant.

4. Sunt item alii haeretici quidam in terra nostra, omnino ab istis discordantes, per quorum mutuam discordiam et contentionem utrique nobis sunt detecti. Isti negant in altari fieri corpus Christi, eo quod omnes sacerdotes

---

q. Mt 3, 11   r. Jn 1, 26. *Maior* au lieu de *medius :* faute ancienne de copiste, ou confusion de la part de l'auteur?   s. Ac 9, 17-18

nous, dans les sacrements, nous ne possédons pas la vérité, mais une tradition humaine, qui n'en est que l'ombre. Ils ont avoué encore expressément qu'ils avaient été baptisés et qu'ils baptisaient, non seulement dans l'eau, mais aussi dans l'Esprit et dans le feu; et ils ont produit ce témoignage de Jean-Baptiste, baptisant dans l'eau et disant du Christ : *Celui-là vous baptisera dans le Saint-Esprit et dans le feu*[q]. Et dans un autre endroit : *Pour moi je baptise dans l'eau, mais au milieu de vous se tient un autre plus grand, que vous ne connaissez pas*[r], comme s'il voulait dire : il vous donnera un autre baptême que celui de l'eau. Ils se sont efforcés de nous montrer que ce baptême devait se faire par l'imposition des mains, et ils ont invoqué le témoignage de Luc, qui, décrivant dans les Actes des Apôtres[s] le baptême que Paul reçut d'Ananie sur l'ordre du Christ, ne fait aucune mention de l'eau et parle seulement de l'imposition des mains; et ils veulent rapporter à ce baptême tout ce qu'on trouve, tant dans les Actes des Apôtres que dans les Épîtres de saint Paul, sur l'imposition des mains. Ils disent que tout homme qui parmi eux a été baptisé de cette façon est un élu, qu'il a le pouvoir de baptiser les autres s'ils en sont dignes, et de consacrer à leur table le corps et le sang du Christ. Par l'imposition des mains ils font passer d'abord le néophyte du nombre de ceux qu'ils appellent auditeurs au nombre des fidèles; et alors il lui est permis d'assister à leurs prières, jusqu'à ce qu'ils l'aient assez éprouvé pour en faire un élu. Ils ne tiennent aucun compte de notre baptême. Ils condamnent le mariage, mais je n'ai pu en savoir la cause, soit qu'ils n'osassent pas l'avouer, soit plutôt qu'ils l'ignorassent.

4. Il y a encore dans notre pays d'autres hérétiques tout à fait différents de ceux-là; les uns et les autres nous ont été découverts par leurs discussions et leur mutuel dissentiment. Ceux-ci nient que le corps du Christ se trouve sur l'autel, parce que, disent-ils, aucun des prêtres de l'Église

Ecclesiae non sunt consecrati. Apostolica enim dignitas, dicunt, corrupta est, implicans se negotiis saecularibus; et in cathedra Petri non militans Deo, sicut Petrus, potestate consecrandi, quae data fuit Petro, se privavit : et quod ipsa non habet, archiepiscopi[t], qui in Ecclesia saeculariter vivunt, ab ea non accipiunt ut aliquos consecrare possint, advertentes illud de verbis Christi : *Super cathedram Moysi sederunt Scribae et Pharisaei; quae vobis dicunt facite*[u] : quasi istis talibus concessa sit potestas tantum dicendi et praecipiendi, et nihil amplius. Et ita evacuant sacerdotium Ecclesiae, et damnant sacramenta, praeter Baptismum solum, et hunc in adultis, quos dicunt baptizari per Christum, quicumque sit minister Sacramentorum. De Baptismo parvulorum fidem habent[v], praeter illud de Evangelio : *Qui crediderit et baptizatus fuerit, salvus erit*[w]. Omne coniugium vocant fornicationem, praeter quod contrahitur inter utrosque virgines, masculum et feminam, astruentes haec de verbis Domini, quibus respondit Pharisaeis : *Quod Deus coniunxit, homo non separet;* quasi Deus tales coniungat, tamquam ad similitudinem primorum hominum : et quod eisdem ei opponentibus de libello respondit repudii : *Ab initio non fuit sic;* et item quod ibidem sequitur : *Qui dimissam duxerit, moechatur*[x]; et illud de Apostolo : *Honorabile connubium sit omnibus, et thorus immaculatus*[y].

5. In suffragiis sanctorum non confidunt; ieiunia caeterasque afflictiones, quae fiunt pro peccatis, astruunt iustis non esse necessaria, nec etiam peccatoribus; quia in quacumque die ingemuerit peccator, omnia peccata remittuntur ei : caeterasque observantias in Ecclesia, quas Christus et apostoli ab ipso discedentes non condiderunt,

---

t. add. «et episcopi», absent de *PL,* est donné par de bonnes éditions antérieures (Milan, 1850; Lyon, 1854; Paris, Vivès, 1867...). u. Mt 23, 2-3   v. «fidem non habent» : *non,* absent de *PL,* est donné par ces mêmes éditions.   w. Mc 16, 16   x. Mt 19, 5-9   y. He 13, 4

n'est consacré. La dignité apostolique s'est corrompue en se mêlant aux affaires du siècle; la chaire de Pierre, en ne combattant pas pour Dieu comme Pierre, s'est privée de la puissance de consacrer qui avait été donnée à Pierre, et puisqu'elle ne l'a pas, les archevêques[t], qui vivent en mondains dans l'Église, ne la reçoivent pas d'elle de façon à pouvoir en consacrer d'autres. Ils s'attachent à cette parole du Christ : *Les scribes et les pharisiens se sont assis sur la chaire de Moïse; faites ce qu'ils vous disent*[u] : comme si par ces paroles on leur avait accordé le pouvoir de parler et de commander, et rien de plus. Ils anéantissent ainsi le sacerdoce de l'Église et condamnent les sacrements, excepté le baptême seul, et encore pour les adultes, qu'ils disent être baptisés par le Christ, quel que soit le ministre du sacrement. Quant au baptême des petits enfants, ils n'y croient pas[v], mais seulement à la parole de l'Évangile : *Tout homme qui croira et sera baptisé sera sauvé*[w]. Ils appellent tout mariage une fornication, excepté celui qui est contracté entre deux vierges, homme et femme, et ils appuient cette opinion sur cette réponse que le Seigneur fit aux Pharisiens : *Que l'homme ne sépare point ce que Dieu a uni,* comme si Dieu unissait les époux de la même façon que les premiers hommes. Ils invoquent aussi ce que Jésus-Christ répondit à leur objection tirée de l'acte de répudiation : *Il n'en a pas été ainsi dès l'origine,* et ce qui suit : *Celui qui épouse une femme répudiée commet un adultère*[x], et enfin cette parole de l'Apôtre : *Que le mariage soit traité honnêtement par tous, et que le lit conjugal soit sans tache*[y].

5. Ils n'ont pas de confiance dans les suffrages des Saints; ils disent que les jeûnes et les autres mortifications qui se font pour les péchés ne sont pas nécessaires aux justes, ni même aux pécheurs, parce que, en quelque jour que le pécheur gémisse, tous ses péchés lui sont remis. Ils appellent superstitions les autres observances de l'Église, que le Christ et les apôtres envoyés par lui

vocant superstitiones. Purgatorium ignem post mortem non concedunt; sed animas statim, quando egrediuntur, de corpore in aeternam vel requiem, vel poenam transire, propter illa Salomonis : *Lignum in quamcumque partem ceciderit, sive ad austrum, sive ad aquilonem, ibi manebit*[z]. Et sic fidelium orationes vel oblationes pro defunctis annihilant.

6. Contra haec tam multiformia mala rogamus, sancte pater, ut evigilet sollicitudo vestra, et contra *feras arundinis*[a'] stilum dirigatis. Nec nobis respondeatis, quod *turris illa David*, ad quam confugimus, satis sit *aedificata cum propugnaculis*, quod *mille clypei pendent ex illa, omnis armatura fortium*[b']. Sed volumus, pater, ut haec armatura propter nos simpliciores et tardiores, vestro studio in unum collecta, contra haec tot monstra ad inveniendum fiat paratior, et in resistendo efficacior. Noveritis etiam, domine, quod redeuntes ad Ecclesiam nobis dixerunt, illos habere maximam multitudinem fere ubique terrarum sparsam, et habere eos plures ex nostris clericis et monachis. Illi vero qui combusti sunt, dixerunt nobis in defensione sua, hanc haeresim usque ad haec tempora occultatam fuisse a temporibus martyrum, et permansisse in Graecia, et quibusdam aliis terris. Et hi sunt illi haeretici, qui se dicunt apostolos, et suum papam habent. Alii papam nostrum annihilant, nec tamen alium praeter eum habere fatentur. Isti apostolici Satanae habent inter se feminas (ut dicunt) continentes, viduas, virgines, uxores suas, quasdam inter electas, quasdam inter credentes; quasi ad formam apostolorum, quibus concessa fuit potestas circumducendi mulieres[c']. Vale in Domino.

z. Qo 11, 3   a'. Ps 67, 31   b'. Ct 4, 4   c'. *potestas circumducendi mulieres :* cf. 1 Co 9, 5

n'ont pas établies. Ils n'admettent pas le feu du purgatoire après la mort; mais ils disent que nos âmes, en sortant de notre corps, entrent de suite dans le repos ou dans la peine éternelle, suivant cette parole de Salomon : *De quelque côté que l'arbre tombe, soit au midi, soit au nord, il y demeurera*[z]. Et ainsi ils suppriment les prières et les offrandes des fidèles pour les défunts.

6. Nous vous en prions, saint père, que votre sollicitude s'éveille contre ces maux si divers; dirigez votre plume contre *les bêtes des roseaux*[a]. Ne nous répondez pas que *la tour de David* vers laquelle nous nous réfugions est assez *défendue par ses remparts,* que *là sont suspendus mille boucliers, armure des forts*[b]. Nous voulons, père, que tous ces moyens de défense, résumés par votre zèle pour nous dont l'esprit est tout ensemble et plus simple et plus lourd, soient mieux disposés et d'une résistance plus solide contre tant de monstres. Sachez, seigneur, que ceux d'entre eux qui reviennent à l'Église nous ont dit qu'ils avaient avec eux un très grand nombre d'adhérents répandus sur toute la terre, et même beaucoup de nos clercs et de nos moines. Ceux qui ont été brûlés nous ont dit pour leur défense que cette hérésie était demeurée cachée depuis le temps des martyrs jusqu'à nos jours, et qu'elle s'était conservée en Grèce et dans quelques autres pays. Ceux-ci sont les hérétiques qui se disent apôtres et ont leur pape. Les autres méconnaissent notre pape, mais ils n'avouent point en avoir d'autre parmi eux. Ces apôtres de Satan, vivant, à ce qu'ils disent, dans la continence, ont parmi eux des femmes leurs épouses, des veuves, des vierges, les unes parmi les élues, les autres parmi les fidèles, comme s'ils étaient revenus à la manière de vivre des Apôtres, auxquels était accordée la permission de mener des femmes avec eux[c]. Adieu dans le Seigneur.

INDEX SCRIPTURAIRE

Les chiffres en gras renvoient aux sermons et les chiffres en maigre qui les suivent aux paragraphes; la lettre indique l'appel dans le paragraphe. Les italiques signalent une simple allusion scripturaire. Pour la signification des abréviations, cf. p. 19.

Deutéronome

4, 24	**57,** 7c
6, 3	**59,** 4b ≠
9, 12.16	**66,** *1bb*
14, 6	**53,** *9d*
15, 19	**64,** 3e (Patr.)
25, 5	**59,** 8c ≠
32, 6	**66,** 12b ≠
32, 13	**61,** 4e ≠
32, 14	**60,** 7b ≠
32, 27	**54,** 9k

Juges

1, 21	**58,** *10a*
15, 4-5	**66,** *12f*

I Samuel

12, 22	**66,** 9b
20, 7	**60,** 4b

II Samuel

1, 18-19	**54,** 2i (Lit.)
1, 21	**54,** 2h (Lit.).
	3a (Lit.).
	5b. *7f* (Lit.).
	7l. 8p (Lit.)
24, 10	**61,** 3n ≠
24, 14	**61,** 5a ≠

III Rois

4, 25	**60,** *10j*
19, 7	**67,** 6b ≠

II Chroniques

26, 16	**54,** 8d ≠
36, 13	**66,** *13d*

Néhémie

8, 10	**59,** 4d ≠;
	61, 8d ≠;
	64, 9c ≠

Tobie

4, 12	**61,** 7i ≠
12, 7	**65,** *2g*

Judith

10, 12	**59,** 6h ≠

II Maccabées

1, 24	**55,** 1d

Job

2, 8	**54,** *8c*
4, 12	**68,** 7e ≠
4, 19	**53,** 8n ≠
6, 2	**54,** *8i*
6, 14	**63,** 6h ≠
7, 4	**57,** 9b
17, 3	**58,** 2b
22, 26	**57,** 1e
24, 8	**58,** *7ee*
42, 5	**53,** 2j ≠

Psaumes

1, 2	**57,** 11i ≠;
	66, 13e ≠
1, 3	**63,** 3i
2, 8	**66,** 8f ≠
3, 8	**63,** 4f
4, 7	**57,** 2j ≠
4, 9	**51,** 9a. 9e. 9h
4, 10	**51,** 9b. 9f ≠. 9h. 10d ≠
6, 7	**57,** 11g ≠; **59,** 4h ≠

TABLE DES MATIÈRES

    I. Les fleurs et les pommes qui fortifient l'Église et l'âme fidèle. – II. L'épouse demande à être soutenue par la foi et les œuvres des jeunes filles, tant que l'Époux est absent.
    – III. La main gauche et la main droite de l'Époux. Cohérence de ce langage. – IV. A quels moments notre esprit a la main gauche de l'Époux sous la tête, et à quels moments sur la tête. L'espérance intermédiaire.

    I. Cohérence du sens littéral dans ces paroles : « Je vous en conjure, etc. » Manifestation de la complaisance divine envers l'âme. – II. Quel est le sommeil de l'épouse, dont l'Époux

SOURCES CHRÉTIENNES

Fondateurs : † *H. de Lubac, s.j.*
† *J. Daniélou, s.j.*
† *C. Mondésert, s.j.*
Directeur : J.-N. Guinot

Dans la liste qui suit, dite «liste alphabétique», tous les ouvrages sont rangés par nom d'auteur ancien, les numéros précisant pour chacun l'ordre de parution depuis le début de la collection. Pour une information plus complète, on peut se procurer deux autres listes au secrétariat de «Sources Chrétiennes» – 29, rue du Plat, 69002 Lyon (France) – Tél. : 04 72 77 73 50 :

1. la «liste numérique», qui présente les volumes et leurs auteurs actuels d'après les dates de publication ; elle indique les réimpressions et les ouvrages momentanément épuisés ou dont la réédition est préparée.

2. la «liste thématique», qui présente les volumes d'après les centres d'intérêt et les genres littéraires : exégèse, dogme, histoire, correspondance, apologétique, etc.

LISTE ALPHABÉTIQUE (1-472)

SOUS PRESSE

Les Apophtegmes des Pères. Tome II. † J.-C. Guy.

FACUNDUS D'HERMIANE, **Défense des Trois Chapitres.** Tome II. 1-2. A. Fraïsse-Bétoulières.

GRÉGOIRE LE GRAND, **Morales sur Job, 28-29.** Moniales de Wisques, C. Straw, A. de Vogüé.

Livre d'heures ancien du Sinaï. M. Ajjoub.

SOCRATE, **Histoire ecclésiastique.** P. Maraval, † P. Périchon.

TERTULLIEN, **Contre Marcion.** Tome V. R. Braun, C. Moreschini.

(A paraître également en septembre 2003, dans la collection «Sagesses Chrétiennes»,
EUSÈBE DE CÉSARÉE, **Histoire ecclésiastique,** traduction seule.)

PROCHAINES PUBLICATIONS

AMBROISE DE MILAN, **Caïn et Abel.** M. Ferrari, L. Pizzolato, M. Poirier.

BÈDE LE VÉNÉRABLE, **Histoire des Angles.** A. Crépin, M. Lapidge, P. Monat.

BERNARD DE CLAIRVAUX, **Sermons divers, 1-22.** F. Callerot, P.-Y. Emery.

BERNARD DE CLAIRVAUX, **Sermons sur le Cantique.** Tome V. R. Fassetta, P. Verdeyen.

Code Théodosien, Livre XVI. R. Delmaire, K.L. Noethlichs, F. Richard.

CYRILLE D'ALEXANDRIE, **Lettres festales.** Tome IV. P. Évieux, M. Forrat.

FACUNDUS D'HERMIANE, **Défense des Trois Chapitres.** Tome III. A. Fraïsse-Bétoulières.

GRÉGOIRE LE GRAND, **Homélies sur les Évangiles.** Tome I. R. Étaix, B. Judic, C. Morel.

ISIDORE DE SÉVILLE, **Sentences.** P. Cazier.

JEAN CHRYSOSTOME, **Lettres d'exil.** R. Delmaire, † A.-M. Malingrey.

JÉRÔME, **Homélies sur Marc.** J.-L. Gourdain.

JÉRÔME, **Trois vies de moines.** P. Leclerc, E. Morales, A. de Vogüé.

ORIGÈNE, **Exhortation au martyre.** C. Morel, C. Noce.

TYCONIUS, **Livre des règles.** J.-M. Vercruysse.

RÉIMPRESSIONS RÉALISÉES EN 2002

6.   GRÉGOIRE DE NYSSE, **La création de l'homme.** J. Laplace, J. Daniélou.

17. BASILE DE CÉSARÉE, **Sur le Saint-Esprit.** B. Pruche.

35. TERTULLIEN, **Traité du baptême.** M. Drouzy, R. F. Refoulé.

67. ORIGÈNE, **Entretien avec Héraclide.** J. Scherer.

210. IRÉNÉE DE LYON, **Contre les hérésies,** Livre III. Tome I. L. Doutreleau, A. Rousseau.

211. IRÉNÉE DE LYON, **Contre les hérésies,** Livre III. Tome II. L. Doutreleau, A. Rousseau.

296. ÉGÉRIE, **Journal de voyage.** P. Maraval.

RÉIMPRESSIONS PRÉVUES EN 2003

52. JEAN CASSIEN, **Conférences.** Tome I. E. Pichery.

54. JEAN CASSIEN, **Conférences.** Tome II. E. Pichery.

74. LÉON LE GRAND, **Sermons, 38-64.** R. Dolle.

116. AUGUSTIN D'HIPPONE, **Sermons sur la Pâque.** S. Poque.

196. SYMÉON LE NOUVEAU THÉOLOGIEN, **Hymnes.** Tome III. J. Koder, J. Paramelle, L. Neyrand.

200. LÉON LE GRAND, **Sermons, 65-98.** R. Dolle.

222. ORIGÈNE, **Commentaire sur S. Jean, Livre XIII.** Tome III. C. Blanc.

223. GUILLAUME DE SAINT-THIERRY, **Lettre aux frères du Mont-Dieu.** J. Déchanet.

285. FRANÇOIS D'ASSISE, **Écrits.** T. Desbonnets, T. Matura, J.-F. Godet, D. Vorreux.

325. CLAIRE D'ASSISE, **Écrits.** M.-F. Becker, J.-F. Godet, T. Matura.

Composition
Abbaye de Melleray
C.C.S.O.M.
44520 La Meilleraye-de-Bretagne

———

*Cet ouvrage
a été reproduit
et achevé d'imprimer
en septembre 2003
par l'Imprimerie Floch
53100 – Mayenne.*

*Dépôt légal : septembre 2003.
N° d'imprimeur : 58043.
N° d'éditeur : 11838.*

Imprimé en France